D0382879

“LES ÉNIGMES DE L’UNIVERS”

OUVRAGES
DE JEAN-CHARLES PICHON

LES CYCLES DU RETOUR ÉTERNEL (Robert Laffont) :
I. LE ROYAUME ET LES PROPHÈTES,
II. LES JOURS ET LES NUITS DU COSMOS.
L'HOMME ET LES DIEUX (Robert Laffont).
LE TEMPS DU VERSEAU, *roman-enquête* (Robert Laffont).
SAINT NÉRON (Robert Laffont).
CECI EST MON CORPS, *récit évangélique* (Orphée).
TAMBOUR BATTANT, *biographie d'un comédien* (Éditions de Paris).
NOSTRADAMUS ET LE SECRET DES TEMPS (Les Productions de Paris).
LUTTES ET JEUX (Gedalge).
L'AUTOBIOGRAPHE (Grasset).
LE DIEU DU FUTUR (Éditions Planète).
CELUI QUI NAIT (Éditions Planète).

Romans :

BORILLE (Grasset).
LA VIE IMPOSSIBLE (Grasset).
L'ÉPREUVE DE MAMMON (Grasset).
LA LIBERTÉ DE DÉCEMBRE (Ariane).
IL FAUT QUE JE TUE MONSIEUR RUMANN (Corrêa).
LA LOUTRE (Corrêa).
LE JUGE (Corrêa).
SÉRUM ET CIE (Corrêa).
LE BIEN DU PROCHAIN *(Pascal Pieta-Ghitte)*, (Corrêa).
LES CLÉS ET LA PRISON (Stock).
LA SOIF ET LA MESURE (Stock).
L'ABONDANCE DU CŒUR (Amiot-Dumont).
JOSEPH MALDONNA (Calmann-Lévy).

JEAN-CHARLES PICHON

HISTOIRE UNIVERSELLE DES SECTES ET DES SOCIÉTÉS SECRÈTES

I. DU MOYEN AGE A NOS JOURS

ROBERT LAFFONT
6, place Saint-Sulpice, 6
PARIS-VIe

Si vous désirez être tenu au courant des publications de l'éditeur de cet ouvrage, il vous suffit d'adresser votre carte de visite aux Éditions Robert LAFFONT, Service Bulletin 6, place Saint-Sulpice, Paris, VIe. Vous recevrez régulièrement, et sans aucun engagement de votre part, leur bulletin illustré, où, chaque mois, se trouvent présentées toutes les nouveautés — romans français et étrangers, documents et récits d'histoire, récits de voyage, biographies, essais — que vous trouverez chez votre libraire.

PRÉFACE

Qu'est-ce qu'une société secrète? — Systèmes et classements — La grande triade — Les liturgies — Naissances et morts des sociétés secrètes — Pérennité des sectes.

Qu'est-ce qu'une société secrète? **Il peut sembler étrange que la question se pose encore, alors que des centaines d'ouvrages ont tenté d'y répondre depuis le temps d'Aristote jusqu'aujourd'hui, et plus d'une centaine dans le dernier demi-siècle. Mais c'est qu'à cette question simple, une réponse également simple a été rarement donnée, comme celle qui se bornerait à définir les termes : société d'une part, secret de l'autre.**

Le problème excite les passions. De telle sorte qu'avant même d'en ouvrir le dossier, le commentateur ou l'historien tendent à s'en croire pleinement informés. Séduits par le secret avant toute étude ou hostiles par principe à toute société qui ne soit celle de leur temps, ils sont *pour* ou *contre* au départ.

S'il est *contre*, il va de soi que l'historien ne considère pas le problème avec sérieux. Sur la présomption que la société secrète est comme une « maladie » de l'humanité, il doit y voir la trace anachronique d'époques révolues, la survivance morbide de superstitions

achétypales qui eussent été celles, suppose-t-il, d'ancêtres terrifiés par la foudre ou la nuit.

Un tel commentateur opposera donc aux phénomènes magiques ou totémiques, dont il fera les fondements de la société secrète, toute la clarté, toute la rigueur de la raison. Selon lui, ce sera rendre un assez grand hommage à l'importance historique de certaines sectes que tenter de comprendre le processus psychologique ou le conditionnement social qui les firent naître et prospérer. De Frazer à de nombreux chercheurs contemporains, toute l'ethnologie se fonde sur cette opinion : il en sera ainsi, sans doute, aussi longtemps que l'ethnologue refusera l'étude des sectes et de leurs croyances sur le plan même qui est le leur — et qui ne doit rien au raisonnement causal.

A l'inverse, s'il est *pour*, l'historien des sociétés secrètes nous apparaît conditionné, dès le départ de sa recherche, par une vision occultante de l'univers. Il sera lui-même, d'abord, un convaincu. Et, comme on ne peut être convaincu ou converti que par une forme particulière de foi, il jugera des divers « secrets » selon sa croyance propre.

Tantôt il présentera, de l'histoire des sectes, un tableau exclusif de celles qu'il combat; tantôt, il ignorera purement et simplement tout ce qui n'entre pas dans son système du monde. D'Aristote lui-même à Mircéa Eliade, en passant par Jamblique, Fabre d'Olivet, Heckethorn, Schuré, Spengler et beaucoup d'autres, il faut bien reconnaître que les plus grands ésotéristes sont tombés dans ce travers, quels que fussent, d'autre part, leur puissance de travail, leur courage, leur intégrité ou le génie même dont témoignent leurs découvertes et leurs éclaircissements sur tel sujet particulier.

Au cours de la longue quête que nous allons entreprendre, nous devrons donc prendre conscience que l'histoire des sociétés secrètes ne peut être résumée en un schéma trop simple, ni circonscrite par une croyance particulière, qui se prétendrait la meilleure, la seule vraie ou la seule efficace.

Mais nous devrons prendre conscience aussi que les sociétés, au cours des âges, ne présentent pas l'incohérence ou l'infinie diversité que l'ethnologie prétend y découvrir. Il ne semble pas, en vérité, que *tous* les rêves soient possibles à l'homme. Mais, parmi les quelques milliers de sectes qu'il nous est permis aujourd'hui de connaître, nous verrons assez vite se préciser un nombre limité de courants majeurs, en dépit des ruisseaux ou affluents de toute sorte, pratiquement en nombre illimité, qui sont venus grossir ce fleuve-ci ou celui-là.

Systèmes et classements : Mettre de l'ordre dans ce chaos : telle est l'ambition de toute étude sérieuse. Mais, ou bien l'ambition prend le pas sur la stricte objectivité, et l'ordre obtenu est factice; ou bien le souci majeur de l'objectivité fait échouer l'ambition. Entre les deux extrêmes, toutes les nuances : nous pourrions relever autant de systèmes ou d'ordres différents qu'il y eut d'histoires ou d'études.

Pour ne citer que des ouvrages contemporains, ceux de M. Eliade et de P. Gordon, *Les Sociétés secrètes en Europe et en Amérique* d'Albert Lantoine, *L'Homme et le sacré* de Roger Caillois, *Les Sociétés secrètes* de Serge Hutin, *Les Sociétés secrètes* de René Alleau, *Histoire de l'Utopie* de Jean Servier, tous publiés depuis 1940, nous constatons ainsi qu'aux sept auteurs correspondent sept méthodes d'investigation et sept classements possibles des sectes et sociétés secrètes; sinon beaucoup plus, car un même auteur a pu modifier méthode et classement d'un ouvrage à l'autre.

Dans le même temps, plusieurs centaines d'ouvrages ont été consacrés non pas à l'ensemble des sectes mais à tel rite ou telle initiation particuliers; nous n'en tiendrons pas compte dans cette préface, car la spécialisation ne peut aller sans œillères et tel auteur, dont nous admirons les études sur le mythe de polarité (Allan W. Watts) ou les mythes lunaires (Briffaut, Bidez, Hentze), n'a jamais prétendu à une synthèse globale de toutes les sectes ou sociétés occultes. Mais nous en tiendrons compte, abondamment, dans ce livre, car on ne peut plus parler des mystères égyptiens sans se référer à Sethe, de Sumer et de Babylone sans se référer à Dhorme, des sectes islamiques sans se référer à Corbin, etc.

En ce qui concerne les synthèses fondamentales, le classement le plus simple est dialectique. Nous l'avons relevé pour la première fois dans l'ouvrage de Heckethorn, publié en 1875, *The Secret societies of all ages and contries*. Mais Albert Lantoine et Serge Hutin, entre autres, s'en font l'écho. C'est le partage en « *sociétés initiatiques* dont personne n'ignore l'existence et dont les rites seuls sont cachés » et « *sociétés révolutionnaires* » ou politiques, qui se cachent pour échapper à la contrainte ou à la persécution des pouvoirs.

Une distinction analogue, mais qui va plus profond dans le problème, est celle de Jean Servier, entre « sociétés utopiques », qui préparent à l'avènement concret d'un nouvel ordre social, et *sociétés messianiques*, qui attendent le bonheur, la paix ou l'harmonie de l'avènement d'un dieu ou d'un nouvel âge.

On peut toutefois reprocher à Jean Servier un certain défaut de précision dans la définition des termes qu'il emploie. C'est ainsi qu'*utopie* est pris par lui, tantôt, comme un équivalent de « politique » (dans le sens que nous venons de lui donner), tantôt comme l'expression d'une croyance particulière, liée aux notions d'égalité, de fraternité (ou, plus généralement, de polarité), en sorte que Jean Servier associe dans le même concept aussi bien la cité de Dieu de saint Augustin, d'une inspiration notoirement messianique, que tels mouvements du siècle dernier, assurément « politiques » et fondés sur des mythes différents. Nous emploierons le mot, au cours de cet ouvrage, dans sa seconde acception, c'est-à-dire dans son sens mythique, et chercherons un autre vocable pour définir les sociétés non religieuses, à fins politiques ou sociales.

La grande triade : Un autre classement se fonde sur les rites d'initiation utilisés dans les diverses sociétés. Les tentatives majeures, ici, sont celles de Roger Caillois, de M. Eliade et de G. Persigout, qui en recouvrent en fait beaucoup d'autres.

Roger Caillois distingue deux sortes de *sacré* : le sacré de *respect* et le sacré de *transgression*, mais laisse entendre qu'une troisième sorte de sacré se situerait en marge de ces deux-là, s'il était moins « ambigu » ou moins « polarisé » par les notions confuses de pureté et d'impureté, qui le renvoient, en fin de compte, au sacré de respect ou de transgression.

Mircéa Eliade distingue (dans *Naissances mystiques*) l'initiation *individuelle* de l'initiation *militaire* et y adjoint (dans *Aspects des mythes*) une troisième catégorie : les mythes et rites de renouvellement.

G. Persigout et, après lui, Hutin distinguent trois sortes d'initiations : de *purification*, qui tend à la perfection, au Bien; d'*illumination*, qui tend à retrouver la Parole, la Connaissance globale du monde; de *réintégration*, enfin, dans un Eden ou un âge d'Or perdus.

A étudier de près ces divers classements, on voit très vite qu'ils ne s'opposent pas mais se complètent, comme si chaque auteur n'avait considéré — volontairement ou non — qu'un seul aspect d'une réalité complexe.

En fin de compte, il semble que trois catégories peuvent être distinguées parmi toutes les sociétés secrètes, qu'elles soient politiques ou religieuses, progressistes ou messianistes :

a) celles qui tendent à la « purification » de néophytes, considérés comme des images ou des reflets de la divinité ou d'une humanité-type. Ce sont presque toujours des sectes d'amitié ou de fraternité, dont les méthodes d'enseignement reposent sur une dialectique (du pur et de l'impur, de l'amour et de l'égoïsme, du capital et du travail, etc.);

b) celles qui tendent à imposer aux néophytes, considérés comme faisant partie d'un cercle ou d'une famille, une éthique de soumission. Le but de ces sectes n'est pas de créer des « purs » mais des esprits capables d'appréhender la vérité particulière de l'ensemble dont ils font partie. Les notions de respect, dans le cercle, et d'interdit, hors du cercle, sont alors fondamentales; de même, la notion du signe imprimé dans la chair (circoncision, incision, etc.), qui lie l'individu à sa communauté;

c) celles qui ne tendent ni au Bien, ni à la Vérité, mais à un dépassement, une transgression de l'humain — pour atteindre soit au renouvellement d'un âge d'Or disparu, soit à une réintégration de l'homme en tous ses pouvoirs. La danse, l'érotisme, la drogue, le vertige — et, d'une manière générale, toute pratique qui enseigne à surmonter le désir, la peur, l'humain — se reconnaissent, plus ou moins efficaces et marqués, en toutes ces sectes.

Or, ce classement triadide des sociétés secrètes correspond étrangement à l'une des croyances constantes de l'humanité. Les prophètes ou initiés les plus divers, tels qu'Adapa, Platon, Ezéchiel, Plotin, Boèce, Bastâmî, Flore ou Boehme, mais également le *Talmud* et le *Zohar,* les hindouistes et les ismaéliens, les chrétiens orthodoxes et les bouddhistes ont donné de cette triade universelle des formulations diverses mais comparables qui en précisent les termes, un peu comme les classements complémentaires de Caillois, d'Eliade et de quelques autres précisent les types fondamentaux des sectes et sociétés.

J'ai moi-même, dans *L'Homme et les Dieux,* tenté de montrer comment cette triade, en somme, pourrait ne recouvrir que les trois approches possibles de la réalité, selon que l'homme prend pour objet de sa recherche sa propre pensée, dans l'orbe d'un univers-dieu que circonscrirait une certaine vérité; ou qu'il prend comme objet quelque modèle, dans l'orbe d'un univers-reflet, à la ressemblance de Dieu; ou qu'il prend comme objet une réalité autre que sa pensée ou son désir du Bien, dans l'orbe d'un univers créé, sinon à tout instant créable. Mais la distinction de Platon : le Vrai, le Bien, le Beau, celle de Bastâmî : le Moi, le Toi, le Lui, et celle des scolastiques : l'intellect, l'âme, l'instinct — pour ne citer que celles-là — n'expriment pas autre chose.

Selon leurs croyances personnelles, des sectateurs de divers temps et pays ont souvent prétendu choisir entre ces trois approches possibles du réel, c'est-à-dire faire de l'une d'elles la Première origine ou la Fin des deux autres. Leurs affrontements mêmes, au cours des siècles, prouvent qu'un tel choix est illusoire hors d'une foi déterminée. Tout au plus pourrions-nous admettre que, s'il y a évolution d'une quête à l'autre, elle s'accomplit toujours dans le même sens : du Vrai au Bien, selon le vocabulaire platonicien, du Bien au Beau, du Beau au Vrai; ou, selon le langage de Bastâmî, du Moi au Toi, du Toi au Lui, du Lui au Moi, etc. Mais il est impossible de décider laquelle de ces approches a précédé les autres, en absolu. Tout demeure lié, ici, à notre propre connaissance du passé de l'humanité.

Pour les chrétiens du Moyen Age, par exemple, tout commençait au Père (dieu de Justice et de Vérité), duquel était né le Fils, le dieu d'Amour. Mais, pour un philosophe de la Renaissance ou pour un islamique, des sectes ou sociétés de transgression (bacchiques ou dionysiaques) avaient précédé les rites d'interdit des brahmanes et des Hébreux. Aujourd'hui, des textes de la Grèce ancienne, le *Livre des morts* égyptien, le *Popol Vuh* maya, ou les fouilles archéologiques de Crète et d'Anatolie nous ont prouvé que, bien avant les sectes de transgression, avaient dû exister des sectes de purification, dont les symboles : la croix, la barque, les flèches, étaient déjà figuratifs d'un dieu de Polarité ou du Bien, etc.

Les liturgies : Ce *retour* des croyances suggère l'existence de cycles temporels, et l'hypothèse cyclique entraîne l'hypothèse d'un rythme comparable à celui du Jour et de la Nuit, tel que l'humanité se trouverait renvoyée, sans cesse, d'une époque de foi à une époque de non-foi, puis de cette époque matérialiste à une nouvelle époque religieuse. Nous verrons également que ce fut la croyance de nombreux initiés et des sectes les plus diverses. Ainsi retrouverons-nous, sur le plan des mythes, la division même, dialectique, qu'ethnologues et historiens ont dû admettre : sectes rationalistes ou politiques, d'une part, sectes religieuses ou messianistes de l'autre.

Cette double hypothèse d'un rythme indéfiniment repris et de cycles successifs où dominerait une croyance particulière entraîne une conséquence pratique : l'interdiction de traiter de quelque secte — et, plus généralement, de quelque croyance que ce soit — sans situer la foi et la secte dans l'époque même où elles ont pris naissance, se sont développées, ont disparu. Il n'y aurait pas, dans cette double hypothèse, d'ésotérisme possible hors de l'Histoire, à condition d'entendre le mot dans le sens : histoire liturgique, non plus causale mais structurée.

Etudiant dans le détail l'histoire des sociétés secrètes, ainsi, nous devrons reconnaître que toutes — messianistes et progressistes — se sont considérées d'abord en tant que « moments » historiques, précisément situées dans le Temps, soit dans l'attente du Jour, du Grand

Midi, de la Lumière, soit dans l'attente de la Ténèbre ou d'un Noël à venir. Même si, par la suite ou simultanément, elles se considéraient comme dépositaires de l'éternel et prétendaient recouvrir de leur croyance toutes les croyances passées ou à venir de l'humanité.

Si nous voulions recréer le climat particulier où se sont développés les *hétairies* grecques, les sectes djaïnistes ou bouddhistes et le civaisme postmoyenâgeux d'une part, les monastères studites, l'ismaélisme ou la *bhakti* de l'autre, il nous faudrait parler de sectes du printemps ou de l'aube, là, de sectes de l'automne ou du crépuscule, ici; car les unes et les autres se sont situées elles-mêmes par rapport à une Grande Année mythique aussi précisément que nous pouvons nous situer par rapport à la journée de vingt-quatre heures ou à l'année. Le bouddha est né en *mai*; pour les premiers chrétiens, Jésus était né en *juillet*; pour l'Islam orthodoxe, l'hégire correspondait à l'achèvement de l'époque où le jour et la nuit s'équivalent (au lendemain de l'équinoxe d'automne).

Les grandes liturgies mayas, babyloniennes, chrétiennes, hindouistes, celtiques ou juives n'expriment pas une autre réalité, comme nous avons tenté de le démontrer dans la conclusion de *Celui qui naît*. Cependant, œuvres des grandes religions, ces liturgies n'entrent pas dans le cadre de notre ouvrage. Nous n'y ferons que de brèves allusions, quand l'étude d'une secte (djaïnisme, manichéisme) ou d'un ensemble de sectes (les groupes talmudiques)nous contraindra à en traiter.

D'ailleurs, pour concordantes qu'elles soient (chandeleur ou renouveau de la Lumière, Pâques ou fêtes de l'Amour, 24 juin, « dormition » du 15 août ou mort de la Terre-Mère, fêtes du Soleil ou Saint-Michel à l'équinoxe d'automne, etc.), ces liturgies présentent des différences notables, selon le dieu dont elles nous content l'histoire et selon la durée de la Grande Année qui les structure. La méthode que nous avons choisie rend inutiles ces références, puisqu'elle consiste à reconstituer, chronologiquement, l'histoire des sectes et de leurs croyances. S'il se trouve que ces sectes et ces croyances s'inscrivent dans une Grande Année objectivement définie et si elles demeurent soumises à un rythme non moins évident, cela ressortira de notre étude, sans qu'il soit nécessaire de souligner le fait.

Naissances et morts des sociétés secrètes : Au point où nous sommes parvenus, nous avons pris conscience d'un certain nombre de classifications possibles, selon qu'on veut mettre l'accent sur le *secret* (doctrinaire dans la secte religieuse, pratique dans la secte politique) ou sur la *société*, polarisante, rituelle ou créatrice, selon qu'elle tend à faire triompher le Bien (par l'exercice d'une vertu modèle, la compassion, l'égalité, etc.), la Vérité (par la science ou la justice) ou l'Harmonie (par le surpassement de soi, l'héroïsme ou l'œuvre collective entre autres) ; et nous avons fait nôtre l'hypothèse que cet entrelacs de combinaisons ne s'établit pas au hasard mais obéit à des structures temporelles qu'un des objets de la secte est, en effet, de reconnaître, de ressaisir ou de réinventer au cours des âges.

En présence de cette complexité, nous devrons nous efforcer de rejeter toute référence extérieure à notre quête, que ce soit une référence à la raison ou à quelque univers mythique, présenté comme l'englobant des autres structures ou mythes.

Nous considérerons, en somme, comme société secrète toute association ou tendance commune dont l'objet est de susciter une nouvelle société humaine et dont les méthodes ou les croyances demeurent cachées, occultes pour tout étranger à la secte. Nous exclurons de notre étude les religions, dont les pratiques et les croyances ne sont pas secrètes mais proclamées et, de même, l'histoire et l'étude des prophètes et des initiés dont l'action est demeurée individuelle, sinon anarchisante.

Il reste que, souvent, cette action ou cette œuvre du solitaire furent à l'origine d'une secte ou d'une société : celles d'Orphée, Pythagore, Platon, Mahomet, Flore, Anderson, le Bâb et bien d'autres. Mais nous n'étudierons le problème que posent ces isolés que dans la mesure où leurs actions ou leurs œuvres débouchèrent en effet sur une forme nouvelle d'association.

Souvent, également, l'ésotérisme d'une ou de plusieurs sociétés secrètes est devenu le germe d'une religion : l'osirisme, le mithraïsme, la gnose préchrétienne, ou le germe d'un nouvel ordre social : le Lycée, la Franc-Maçonnerie. Mais nous interromprons l'étude de ces sociétés secrètes à l'instant où elles ont cessé de protéger leur occultisme pour déverser leurs découvertes ou leurs dogmes dans le grand fleuve des croyances.

Cette naissance des sectes — à partir de l'individu — et cette fin des sectes — par révélation du secret — font d'elles, généralement, des sortes de passages de la recherche solitaire (essentiellement ésotérique) à l'éclosion d'une société ouverte. La secte se présente alors comme un palier entre l'individu exclu d'un ordre social donné et l'avènement d'un nouvel ordre, c'est-à-dire comme l'un des facteurs premiers de l'évolution.

Il arrive cependant que l'inverse se produise : des sectes ont eu pour but — avoué ou non — de maintenir l'ordre existant en un temps de bouleversement irrésistible (chaldéens de l'Elam, saducéens juifs, sunnites islamiques, certains ordres religieux byzantins ou romains). Le secret concerne ici, soit le but de la secte, soit les méthodes utilisées pour y atteindre. Contraires à l'évolution, ces sectes ne sont jamais ni progressistes ni messianistes, mais elles peuvent être politiques ou religieuses selon le cas (politiques en l'achèvement d'un temps matérialiste, religieuses en la décadence d'une ère de foi). Nous les nommons *involutives*. Leur fin survient par disparition pure et simple, à l'avènement de l'ordre nouveau.

Pérennité des sectes : Il s'ensuit qu'à la différence des religions universelles ou des doctrines rationalistes, qui connaissent de longs temps de nuit, les sociétés secrètes ne sont que rarement absentes de la vie de l'humanité. Les seules périodes où elles apparaissent condamnées sont, d'une part, le cœur profond des siècles matérialistes (de 280 à 240 avant J.-C. ou de 1876 à 1916, par exemple), d'autre part le cœur profond des siècles spiritualistes : le XIIe siècle avant J.-C. ou de 950 à 1050 de notre ère. Dans le second cas, le secret est devenu impossible : tout l'ésotérisme s'est fait religion. Dans le premier cas, c'est l'existence même d'une société cancérique à l'intérieur des grandes sociétés étatiques qui se révèle condamnée.

Ce double jalonnement, peut-être, fait apparaître une distinction supplémentaire — toute temporelle — entre deux sortes de sociétés secrètes, différenciées à la fois par leur origine et leur fin.

a) Les premières naissent d'une conception religieuse de l'univers; elles tendent à en maintenir les formes et les croyances dans un monde qui s'arrache à la notion de Dieu; ou bien, au contraire, elles tendent à combattre les formes et les croyances de la conception religieuse dépassée pour instaurer un monde sans dieu. Nous pourrions nommer les unes : sectes religieuses involutives, et sectes progressistes les autres.

b) Les sectes de la seconde catégorie naissent d'une conception matérialiste de l'univers; elles tendent à en maintenir les dogmes rationalistes dans un monde qui revient à la notion de Dieu; ou bien, au contraire, elles tendent à combattre ces dogmes pour instaurer le futur Royaume de Dieu (Terre Promise, Parousie, Règne de l'Esprit). Nous pourrions nommer les premières : sectes politiques involutives, et sectes messianistes les autres.

D'une manière très générale (qui n'ira pas sans exception), nous établirons que les sectes involutives tendent à l'anarchisation, les sectes progressistes et messianistes à l'universalisation de la société secrète; c'est-à-dire que, les premières meurent de l'éclatement de la société, les secondes de la divulgation du secret.

Néanmoins, ces « morts » ne présentent pas plus de signification, à l'échelle universelle, que la mort de l'individu n'en devrait présenter. Le père revit dans le fils; et l'œuvre, qui survit, ensemence les temps futurs. De même, d'une secte à l'autre, nous verrons se restaurer les croyances anciennes, survivre les pratiques et les initiations, se renforcer ou s'affiner les mythes et les symboles formulés par l'ancêtre, le précurseur ou le prophète. Car, à la différence des institutions liées au temps causal : cités, royaumes terrestres, législations, etc., les structures temporelles sur lesquelles se fondent les sociétés secrètes ne connaissent pas la mort; absentes ou présentes, elles se situent dans une durée sans fin.

A voir, au travers d'elles, les hommes cheminer lentement et durement d'une foi exclusive à une raison sans faille, puis de cette raison à une mystique neuve, on songe au voyageur qui progresse de même, d'une montagne à l'autre, descendant du sommet, où il fut près du ciel, à la plate vallée et, sans prendre de repos, entreprenant derechef la nouvelle escalade...

Selon le plan choisi, nous traiterons d'abord du dernier millénaire, depuis le cœur du Moyen Age jusqu'aujourd'hui; et, dans un second livre, des temps les plus anciens.

PREMIÈRE PARTIE

LE MOYEN AGE

1. LES MOUVEMENTS FRATERNELS
2. LES MOUVEMENTS LIBERTAIRES
3. HORS DE L'OCCIDENT
4. KABBALE ET SCOLASTIQUE
5. L'EXIL DES TÉMOINS

1

LES MOUVEMENTS FRATERNELS

Le dieu-amour — Les solitaires — Goliards et vaudois — Les cathares — Le renouveau du judaïsme — Le compagnonnage.

Le dieu-amour : Quand les sectes reparaissent dans le monde, au XIe siècle, l'humanité, une fois encore, vient d'atteindre et de dépasser l'un des hauts sommets du Temps. Le climat est entièrement renouvelé, comme il peut l'être d'un versant à l'autre de la montagne. Un dieu existe en soi : l'Amour, dont on ne cherche plus à définir les composants, car il en est aussi distinct que ceux-ci : la semblance, la sagesse, l'âme de l'Ame, la Vierge et l'antique Eros le sont structurellement l'un de l'autre.

Mais, d'une manière contradictoire, ces composants ne sont pas conçus et ne peuvent pas l'être hors de l'Amour : le double est devenu Fraternité; la connaissance, Compréhension. La Vierge se nomme Miséricorde; le dieu de l'Obscur se nomme le Verbe. Dans le temps où vit l'humanité, *en ce temps-là,* il n'est qu'un dieu, Jésus ou Bouddha de Charité, et qu'une approche vers lui : Vedânta ou bhakti dans l'Inde, Walâyat dans l'Islam, la Parousie, la Présence. Enfin, une seule pratique permet de vivre en Dieu l'instant et c'est d'aimer.

Partant, l'Eglise n'impose pas encore la confession avant de recevoir l'hostie, car la Présence rachète toutes les fautes. Les juges ne jugent pas, sinon par l'ordalie, qui est abandon et foi. Les prêtres n'imposent pas de règles contraignantes, car l'Amant refuse de punir; mais c'est l'indigne qu'Il fait inviter à ses Noces, revêtu de la robe blanche, le fils prodigue qu'Il fête; c'est la brebis perdue qu'Il veut sauver. Plus de gnose, enfin, puisque l'élan du cœur tient lieu de toutes les vérités...

Au milieu du XIe siècle encore, les doctrines orthodoxes s'illustrent par les enseignements de l'école asharite dans l'Islam ou par ceux de saint Anselme dans la Chrétienté. Selon l'école, les Noms divins n'ont d'existence réelle qu'en Dieu; si bien que, les considérer hors de l'Essence, ce n'est plus que considérer des abstractions irréelles. Selon le saint, la forme et la matière ne sont en Dieu qu'une seule réalité. Dieu ne peut être seulement pensé, argumente-t-il, car Il ne serait pas *le plus grand* (l'Absolu) : ce qui appartient aux deux mondes Le surpasserait.

A la limite, cette doctrine aboutissait à la théorie de Berenger de Tours (mort vers 1088), selon laquelle il n'y avait pas réellement changement des espèces de l'hostie (le pain et le vin) au corps et au sang du Christ, la Substance demeurant intrinsèquement — ou « atomiquement » — la même. Seul, l'esprit de l'homme avait besoin d'imaginer la transsubstantiation pour tenter de concevoir l'inconcevable réel.

Les problèmes anciens de la forme et de la matière, de l'essence et de l'existence ou de la Cause Première (le monde est-il créé? est-il éternel?) ne se posent plus à celui qui ne vit pas dans l'orbe de la création ou de l'univers-œuf, mais dans le seul plan du Bien, à l'exclusion de tout autre. Mais un problème se pose encore — ou, mieux, déjà — plus redoutable chaque jour : combien de temps, *ce temps-là* va-t-il durer?

Sans qu'on puisse parler de secte ou de société secrète, des hommes solitaires, dès l'an mille, se sont posé la question : le musulman Birunî ou le chrétien Glaber. Ils se sont répondu que *ce temps-là* s'achevait. Faisant de l'ère des Poissons la sixième des époques mythiques, Raoul Glaber en a prédit l'apogée — qui serait aussi le commencement de la fin — pour 1033. Moins précis, Biruni, à son retour de l'Inde, a révélé à l'Occident les cycles védiques et la nécessaire alternance d'une Nuit et d'un Jour cosmiques.

Des faits nombreux confirment ces prophéties d'apocalypse : la famine de 1035; le schisme définitif entre Rome et Byzance, en 1054; le conflit entre l'Eglise et les Etats, dont la Querelle des Investitures amorce la longue tragédie. L'égoïsme domine les riches; la peur de l'avenir, les pauvres. Il faut, comme au dernier siècle du temps des Juges, créer des lieux d'asile, instituer des trêves de Dieu (dès 1044).

Mais, au-delà des faits, l'épouvante conserve un caractère mythique. Il semble que l'eucharistie se fasse cannibalisme. Non seulement en Afrique Noire ou au Bengale, mais au Moyen-Orient où, pour la première fois, un musulman, l'émir d'Antioche accuse les chrétiens d'anthropophagie; en Europe même, où des synodes commencent à parler de tels rites (sabbatiques). Un peu plus tard, contant la mort d'Arthur, les chansons de geste affirmeront qu'après cette mort, les chevaliers de la Table Ronde se dévorèrent le foie [1].

On peut entendre par cette légende que, la hiérarchie abolie, l'amour a révélé son drame : cette sorte de masochisme qui n'existe qu'en lui et qui porte l'amant (selon Ghazalî) à se faire la nourriture de l'aimé. Cependant, rapprochée des autres traditions, la légende peut aussi apparaître comme l'histoire symbolique d'une évolution réelle — et dramatique — d'une humanité incapable de vivre hors de la Présence de Dieu et soudain privée de cette Présence.

Une telle évolution, d'autres hommes nous la racontent à peine différemment, en la fin du même siècle.

Les solitaires : On peut citer, d'abord, un étonnant récit, repris sous diverses formes et divers titres (*Salâmân et Absâl* ou *Hayy ibn Yaqzân*), dans le sens d'un

1. La mort d'Arthur : ouvrage publié intégralement dans le Cycle de la Table Ronde, aux Éditions L. U. F., à Lausanne.

pessimisme croissant, par Avicenne, Ibn Tofayl de Cadix et d'autres musulmans d'Espagne.

L'île des hommes s'y oppose à l'île du solitaire. Sur la première vivent Salâmân (Salomon), qui s'adapte très bien aux pratiques et aux mœurs dégénérées de l'île, et Absâl (Absalom), qui ne s'y adapte pas mais s'efforce de retrouver, au-delà de la cité sociale, la Cité Parfaite de Platon et de Fârâbî. Sur l'autre île vit le solitaire, Hayy ibn Yaqzân, qui ne sait rien de son père ni de sa mère et s'est élevé seul, hors de toute société.

Alors que sept fois sept années ont passé sur lui, Yaqzân achève un long périple spirituel qui l'a mené de l'adoration de l'Emané à la connaissance des Sphères et, finalement, à la saisie en soi des Sept Intelligences qui gouvernent l'univers. C'est alors qu'Absâl rejoint le solitaire. Ayant appris à se comprendre, les deux hommes confrontent leurs expériences et découvrent qu'ils ont accompli le même chemin : sous les symboles de la religion, Absâl; sous la forme plus pure de l'intuition directe, Yaqzân. Il existe donc une réalité, indépendante de la société ou de la solitude, que l'homme a le pouvoir d'atteindre. Emerveillés par cette découverte, les deux amis reviennent parmi les hommes, afin de les enseigner. Redoutés par les uns, admirés par les autres, ils ne tarderont pas à être persécutés par tous, car leur révélation n'est pas de celles qu'une société humaine peut admettre ou concevoir.

Reprenant en philosophe le même enseignement, Ibn Bâjja de Saragosse entendait démontrer que « le régime du solitaire doit être l'image du régime de l'Etat Modèle; mais, si l'Etat social où il vit réellement n'est plus le Royaume, la Cité Parfaite, le solitaire doit s'en arracher pour retrouver — seul — les chemins de la réalité » (*Le Régime du solitaire,* vers 1110).

Il y parviendra en classant les actions humaines en fonction des formes spirituelles auxquelles elles se réfèrent en fait, dont certaines sont liées à la matière (*hylé*) et les autres n'y sont pas liées. Tandis que les formes hyliques exigent d'être abstraites de la matière pour être saisies en soi, les autres (intelligibles en acte) peuvent être saisies par l'intellect en acte sans aucune abstraction.

Histoires? Philosophie? De tels chercheurs solitaires existaient cependant. Né en 1052, Ibn al-Sîb de Badajoz devait fuir toute sa vie les persécutions de son suzerain, d'abord, à Valence, à Albarracin, à Tolède, à Saragosse, les persécutions des chrétiens enfin, lors de la prise de la ville par ces derniers (en 1118). Il serait mort en 1127, on ne sait trop dans quel désert.

Connues d'abord par les ésotéristes juifs, ses œuvres, et notamment le *Livre des Cercles,* se présentent en effet comme ce *classement des formes* que réclamait Bâjja. Al-Sîd nous apparaît le premier ésotériste médiéval à avoir su allier en un système unique la doctrine des cycles successifs et celle des Trois Etats de la divinité.

Le premier Etat, l'Intelligence, englobe les dix Intelligences ismaéliennes, dont la dixième — à naître — doit être l'Intelligence agente. Le deuxième Etat, la Semblance, recouvre la succession des Ames ou Anges, dont le dixième, l'Ange de la Révélation, sera aussi l'Ame universelle de la science de la Balance. Le troisième Etat, enfin, se présente comme une décade d'existences matérielles, dont l'Homme rénové sera l'aboutissement. En sorte que le Messie — passé ou futur — est considéré par Al-Sîd, tout à la fois, comme le Libérateur, l'Intelligence agente des shî'ites et le Paraclet des chrétiens.

Roscelin — Au XIe siècle, la chrétienté occidentale était moins riche en de tels hommes que l'Espagne musulmane, la discipline de l'Eglise, peut-être, s'y révélant plus contraignante. Il faut citer cependant le « père de la scolastique », Roscelin (1050-1120), né à Compiègne et maître à Loches. Accusé d'hérésie en 1102, il se rétracta — selon certains — pour échapper au lynchage; ou, selon d'autres, se réfugia en Angleterre. Une tradition peu douteuse assure que, dans les dernières années de sa vie, il se réconcilia avec Rome.

Celui dont on fera le premier *nominaliste,* par un étrange abus de mot, était le premier philosophe chrétien, au Moyen Age, à distinguer la forme de la matière, c'est-à-dire le Modèle du Créateur. La substance divine n'était donc plus *une,* mais un composé d'entités distinctes. Il s'ensuivait, au premier chef, une doctrine hérétique au regard de la foi : les Trois Personnes redevenaient des substances séparées et les grandes hérésies d'Origène ou d'Arius pouvaient être à nouveau soutenues.

Ce fut essentiellement l'accusation que saint Anselme, puis Guillaume de Champeaux (1070-1122) portèrent contre l'audacieux. L'un et l'autre pressentaient peut-être que, par cette brèche, allait s'engouffrer bien autre chose qu'un nouvel arianisme : la raison triomphante. Car, si la forme peut être séparée de la matière, rien n'empêche plus l'esprit de considérer Dieu même comme distinct du réel — et l'Essence de l'existence.

Toutefois, jusqu'à la fin du siècle, la doctrine de l'hérétique ne devait être ni enseignée ouvertement ni, sans doute, très bien comprise. Son unique défenseur, Pierre Abélard (1079-1142), en donnait, sous le nom de conceptualisme, une version très édulcorée.

Abélard — Ancien élève de Roscelin à Loches, Abélard était chanoine de Notre-Dame de Paris et professeur de théologie lorsqu'il vit Héloïse, l'aima et en eut un enfant. Peu après le mariage des amants, le chanoine Fulbert, oncle de la jeune femme, paya des hommes de main pour mutiler le jeune maître. Héloïse prit le voile et Abélard créa pour elle l'abbaye du Consolateur (le Paraclet), dont elle fut l'abbesse. La correspondance des époux est l'un des sommets de l'art épistolaire en même temps que le premier témoignage concret de la faillite absolue de l'Amour. Désormais, en effet, toutes les histoires d'amour, ou vécues ou écrites, auront une fin tragique : séparation ou mort.

L'une des œuvres de base du conceptualisme est le *Sic et non,* où Abélard oppose les unes aux autres les doctrines successives — et souvent contradictoires — des théologiens chrétiens. Il ne voulait pas ainsi ridiculiser l'Eglise, mais montrer qu'au cours des âges, les saints eux-mêmes avaient épousé des conceptions différentes de la divinité. Ou bien la divinité était effectivement multiple (dans sa formulation) et les contradictions de l'Eglise témoignaient de la parfaite soumission des Pères à l'esprit de leur temps; ou bien Dieu était Un et l'Eglise s'était donc trompée en de nombreuses occasions.

En conséquence, Pierre Abélard refusait de considérer les entités comme de simples commodités de langage; il concevait la Trinité non pas comme une substance unique, mais comme l'englobant de trois concepts distincts, bénéficiant chacun de l'existence substantielle attachée au concept.

Pour étrange qu'elle soit, cette doctrine n'était pas proprement hérétique, puisqu'elle ne distinguait pas la forme de la matière, et ce n'était pas elle que l'Eglise reprochait le plus vivement au philosophe, mais, paradoxalement, sa soumission parfaite au dieu d'Amour. Refusant de considérer la Rédemption comme une sorte de lutte entre la Miséricorde et la Justice (selon l'enseignement d'Anselme), Abélard en effet adorait dans l'Amour la forme privilégiée de Dieu : « La Rédemption n'est autre que l'illumination que nous avons soudain de cet Amour. »

Il s'ensuivait que les deux autres Personnes de la Trinité ne bénéficiaient plus que d'une existence conceptuelle moindre ou « diminuée ». Accusé d'hérésie plusieurs fois par le saint qui redoutait plus que tout « les dieux des paganistes », saint Bernard, et deux fois condamné par des conciles, Abélard vécut la majeure partie de sa vie dans un monastère breton que ses élèves lui avaient offert. Il se rendait à Rome pour y plaider sa cause, quand la mort le frappa.

Goliards et vaudois : Aussi bien chez les islamiques d'Espagne que chez Roscelin et Abélard, nous retrouvons en somme les problèmes abolis par le Royaume de Dieu et, notamment, le problème majeur des intermédiaires nécessaires entre le réel (Présence ou *Parousie*, naguère) et l'homme. Ne vivant plus en Dieu, l'homme éprouve à nouveau le besoin de Le nommer pour s'approcher de Lui. L'osmose n'étant plus continûment possible, l'homme doit chercher à « joindre » — par l'acte ou le savoir — l'unique et innommable réalité.

Mais, dès lors, Dieu n'est plus l'Unique : il peut être approché par des chemins différents, selon qu'on le voit comme le Modèle ou qu'on l'incarne comme le Verbe ou qu'on le définit comme le cercle-univers.

En la corruption de la Justice, les peuples ne savaient plus s'ils devaient honorer le Souffle, Amon, Elyon, ou le dieu de Feu, Adonaï, Indra, l'Archer-Roi. Vers le Souffle se tournaient les prophètes; vers le dieu des Armées

— et vers le *roi* terrestre — les Egyptiens de Thèbes et le peuple de Juda.

En la corruption de l'Amour, les peuples ne savent plus s'il leur faut adorer la Vierge ou les mythes d'Eau : l'Ame de l'Ame, le dieu de Vérité. Les érudits, les moines, s'enferment dans leur couvent; par la prière profonde, la discipline, l'épreuve — mais aussi l'exégèse — ils tentent de ressaisir le Royaume qui se dissipe comme la nuit cède à l'aube. Quant à ceux qui n'ont que faire du savoir pour comprendre, ils inventent les premiers chapelets — de petites pierres mises bout à bout — pour mieux prier la Miséricordieuse et ils réinventent la Fraternité.

Ainsi renaquirent les premières sectes.

Peu de chose encore. L'Histoire retient le nom d'un meneur : Tanchelm, notaire de Robert II, comte de Flandres qui ne prêcha guère que deux ans, de 1110 à 1112, avant d'être arrêté sur l'ordre de l'archevêque de Cologne. S'étant évadé de son cul-de-basse-fosse, il fut assassiné en 1115. La même année, un autre missionnaire solitaire, Arnold de Bresce, était condamné au bûcher.

La doctrine des fanatiques nous est confuse. Elle semble s'être présentée, surtout, comme une critique violente des richesses matérielles de l'Eglise et comme une tentative de retour à la Fraternité des premiers âges. Le mouvement de Tanchelm n'en était pas moins une société organisée, où les disciples — au nombre de douze, dont une vierge — entouraient le Maître, époux mystique de la Vierge Marie.

Trente ans plus tard, un autre mouvement se créa autour d'un noble breton, Eudes de l'Etoile, qui s'annonçait lui-même comme le nouvel Eon. Ses « évêques » portaient les noms des douze apôtres et de leurs équivalents mythiques : Puissance, Sagesse, Dialectique, Œuvre, Jugement, etc. Alors que Tanchelm avait prêché dans les cités, Eudes choisit d'enseigner les peuples maritimes de Bretagne et de Gascogne. En 1144, la famine sévissait; le prix du pain monta; les paysans abandonnaient leurs terres; certains s'embarquaient avec les Vikings, pour chercher aventure et fortune au-delà de l'immense Océan. Le prêche de la fraternité et de l'égalité universelle ne pouvait que séduire ces affamés.

Mais lorsque, en 1148, Eudes fut fait prisonnier, il se révéla bien autre chose qu'un prophète égalitaire. Traîné devant un synode de Reims réuni sous la présidence personnelle du pape Eugène III, il se prétendit le Juge des derniers temps et proclama que son bâton fourchu réglait le cours des destins. L'univers, affirmait-il, est composé de trois « mondes ». Lorsque sa fourche était dirigée vers le haut, deux de ces mondes appartenaient à Dieu, le troisième était à lui-même — ou l'inverse, quand sa fourche s'inclinait vers le bas. Le synode le fit emprisonner et il mourut dans sa prison. Moins heureux, plusieurs de ses disciples furent brûlés vifs.

Il se pourrait que ces premiers sectaires eussent été inspirés par les poèmes et les chants de « clercs vagants », qui parcouraient alors l'Europe occidentale, qu'on connaît sous le nom de *goliards* ou de Fils de Golias, et que dès 1072 un concile de Rouen avait condamnés. Leurs doctrines nous sont inconnues, bien que les plus belles de leurs œuvres aient été réunies dans un recueil, *Carmina Burana,* conservé pendant des siècles dans une abbaye bavaroise et retrouvé au siècle dernier. L'amour de la Vierge (confondue soit avec la légendaire Hélène, soit avec Vénus même) éclate dans la plupart de ces pièces, mais aussi le rêve y transparaît d'une fraternité universelle, qui exige parfois le climat de la beuverie :

Boit la dame, boit le maître, boit le soldat, boit le clerc,
boit celui-ci, boit celui-là, boit le serviteur, la servante,
boit le vif, boit le paresseux, boit le blanc, boit le noir...
boit le pauvre, le malade, l'exilé, l'ignoré,
boit l'enfant, boit le chien, boit le preux, boit le lâche,
boit la sœur, boit le frère, etc.
(Bibit hera, bibit herus, bibit miles, bibit clerus,
bibit ille, bibit illa, bibit servus cum ancilla,
bibit velox, bibit piger, bibit albus, bibit niger...)

En cette réalité, en cette fraternité, les goliards voulaient voir la racine de la « Fleur des fleurs qu'on appelle aussi l'Amour ». Quel que fût le caractère « païen » de leurs pratiques et de leurs symboles, on ne s'explique pas toujours l'acharnement des conciles (de Château-Gontier en 1231, de Sens en 1239, de Salzbourg, de Mayence ou d'Arezzo) à renouveler leur condamnation, sinon par l'influence que leurs chants pouvaient avoir sur de nombreux esprits.

Il est de fait que, dans la seconde moitié du XIIe siècle, d'autres « prophètes » succédaient à Tanchelm, à Eudes. Des meneurs cathares suscitaient les premiers mouvements populaires de la *patéria* (en Italie). Fulk de Neuilly, en 1198, réunissait les « pauvres » pour une croisade — qui n'alla pas plus loin qu'aux côtes d'Espagne. Dès 1170, Pierre Valdo avait créé la secte des Pauvres de Lyon ou *vaudois,* du nom de leur fondateur.

Riche marchand de Lyon, Pierre Valdo avait été touché par la grâce divine mais, d'abord, s'y était refusé, « trichant avec Dieu ». Dans cette première partie de son apostolat, il s'était contenté de faire traduire les Ecritures en langue d'Oc et d'en distribuer des exemplaires manuscrits chez les gens de son voisinage.

Rappelé à l'ordre par une seconde vision, il abandonna tout, famille, amis, fortune, revêtit la peau de chèvre de Jean-Baptiste et s'en alla sur les routes. Son succès fut immédiat et sa mort même, en 1190, ne suspendit pas l'expansion de sa secte. Persécutés, ses disciples s'éparpillèrent, les uns vers la Provence, les autres vers l'Italie. Le groupe le plus fanatique se réfugia dans la région qui devait prendre son nom : canton de Vaud. Plusieurs croisades furent lancées contre eux, la dernière en 1487; elles ne parvinrent pas à les détruire. Au XVIe siècle, les vaudois suisses s'unirent aux calvinistes et leurs églises, maintenant encore, demeurent rattachées à l'Eglise réformée des cantons.

Initialement du moins, le mouvement ne s'opposait pas à la doctrine romaine et ne comportait aucune trace d'hérésie. Il ne combattait que les « péchés » de l'Eglise, non pas ses dogmes; et il les combattait sans armes, par les seules pratiques de l'humilité, du dénuement et de la fraternité. Il est admis que, vers la fin de sa vie, Valdo se serait considéré comme une sorte de Précurseur, annonciateur d'un nouvel Age; mais il se peut qu'il y ait là quelque confusion avec d'autres mouvements contemporains (pifres ou disciples d'Arnold) dont nous traiterons dans le chapitre suivant.

Les cathares : Non seulement les vaudois, mais la plupart de ces sectes, fussent-elles condamnées, ne présentent pas à l'évidence un caractère d'hérésie. Les dogmes des conciles sont reconnus par elles; l'Evangile est leur livre; ils rendent à la Vierge le culte qui lui est dû, ainsi qu'aux Trois Personnes. S'ils honorent les Anges ou les Douze apôtres, c'est bien plutôt comme des figures ou des symboles « actifs » de Dieu que comme les dieux d'un panthéon. Mais il en va tout autrement de la « société » des *cathares*.

Cette société semble être apparue dès le XIIe siècle en Bulgarie et, peut-être, en Macédoine. On l'apparente à la secte des *bogomiles,* renaissante dans le même siècle mais qui eût existé en Bulgarie dans la première moitié du VIIIe siècle avant de disparaître vers 760.

Quant aux bogomiles, ils se reconnaissaient comme ancêtres directs les *pauliciens,* secte manichéenne du Moyen-Orient, dont l'apogée se fût située vers 660. Leur chef, Constantin de Manalis exécuté en 687, les pauliciens prirent les armes contre Byzance et parvinrent à constituer un Etat indépendant, qui se maintint jusqu'en 752. Vaincus et déportés en Bulgarie, certains membres de la secte y auraient ou créé ou développé le mouvement bogomile.

Dualistes, les pauliciens voyaient dans la matière l'œuvre du Mauvais Dieu. Ils rejetaient également le culte de la Vierge Marie et, d'une manière plus générale, toutes les doctrines monophysites. Mais ils rejetaient aussi la Bible des juifs et l'Eglise judéo-chrétienne (symbolisée chez eux par les *Epîtres* de Pierre). Quant au Christ, ils voyaient en lui le dieu de la Semblance des ariens, dont le corps terrestre ou « apparent » n'avait été qu'un Reflet du dieu-lumière.

Toutes ces croyances étaient celles des bogomiles, les Aimés de Dieu, qui les accentuaient pourtant dans le sens du dualisme intégral. Ils professaient que le dieu de Lumière avait deux fils : Jésus et Lucifer, le Porte-Flamme. Par orgueil, Lucifer avait créé le monde (matériel) auquel, dans son amour, Dieu insufflait la vie (littéralement : le souffle de la Vie). De Lucifer, Eve avait eu Caïn et, d'Adam, Abel, dont la double descendance perpétue sur la terre le combat du Bien et du Mal, de la Lumière et des Ténèbres.

Dès le renouveau de la secte, elle fut persécutée. Le premier martyr connu, Basile, brûlé vif en 1119, aurait été un médecin byzantin. Vers la même date, les cathares quittaient les Balkans et se répandaient en Italie, où on les connaît sous le nom de *patarins,* et en France, sous le nom d'*albigeois.*

L'histoire des patarins nous est fort peu connue. Ils se seraient réunis dans un quartier pauvre de Milan, *Pattaria* : d'où leur nom. On sait d'eux seulement qu'ils refusaient le mariage et, surtout, la procréation. Il se peut qu'ils aient participé à certains mouvements populaires de revendication sociale (égalitaires et justiciers). Au XIVe siècle, ils n'existaient plus.

Les cathares du Languedoc eurent un autre destin, en raison de l'amitié, peut-être, que leur portaient les comtes de Toulouse. Ce qui n'avait été qu'une secte devint la religion de tout un peuple pendant presque un demi-siècle. Condamnés dès 1165 par un premier concile, ils s'étaient en 1208 si bien implantés dans le pays que le pape Innocent III lançait contre eux une « croisade ». Aux questions doctrinales s'adjoignaient aussitôt des questions politiques : au pape comme au roi de France, il n'importait pas moins de vaincre les comtes de Toulouse que d'extirper l'hérésie. Après l'institution de *l'inquisition* (1229), la « croisade » ne fut plus qu'une horrible boucherie. Par une cruelle coïncidence, un saint avait déclenché le massacre : saint Dominique; un saint l'acheva : saint Louis. En 1250, « il ne subsistait plus un seul cathare en France »; mais leur doctrine leur survivait.

Cette doctrine, qu'était-elle? Beaucoup plus cohérente — et plus « manichéenne » — que celles de leurs prédécesseurs. Le Porte-Flamme n'y est plus le créateur du monde, car « de ce qui est Lumière rien de mauvais ne peut naître ». Les seuls démons cathares sont ténébreux : le Créateur, d'abord, le démiurge Baal, mais aussi Satan, le Serpent-Savoir, et toute divinité femelle, Sophia comme la Vierge.

Rejetant la création, l'albigeois réprouvait l'acte sexuel et, même, interdisait de se nourrir de lait (de beurre, de fromage) et d'œufs, fruits du contact sexuel. Pour une autre raison, il proscrivait la viande. Si, en effet, le monde réel, le monde des âmes, n'a jamais été créé, il faut qu'il soit éternel. S'il est éternel, il ne se peut pas que le nombre des âmes aille sans cesse croissant; et, si le nombre des âmes est constant, il faut que les âmes, éternellement, transmigrent d'un corps dans l'autre. En sorte que toute forme animale peut être la prison provisoire d'une âme humaine. Nous reconnaissons ici la doctrine des brâhmanes et des premiers bouddhistes, née de la même croyance en un monde increé.

Pratiquement, les albigeois permettaient de se nourrir seulement de légumes et, curieusement, de poisson (parce que, disaient-ils, le poisson expire dans l'air). On ne peut croire, cependant, qu'ils honoraient l'*Ichthus*, de la *suite* femelle, puisqu'ils ne pratiquaient aucunement le baptême et rejetaient la Croix. Au contraire, leur « dieu juste » participait encore de la suite mâle, ainsi que leur Messie, l'Esprit à naître au terme de la longue nuit.

Nous retrouvons, en effet, dans les doctrines cathares l'alternance de l'engrènement de la Lumière dans la matière et du retour de la Lumière à Dieu qui nous apparaîtra la caractéristique des doctrines de Mani. Il s'y ajoute pourtant une nuance désespérée, absente du premier manichéisme. C'est que, prêchant au IIIe siècle, Mani avait conscience de vivre dans une époque de régénération : il annonçait le Règne de Dieu. Au contraire, l'albigeois a conscience de quitter le fabuleux royaume et de vivre dans la nuit.

Il pressent le scandale, l'imposture, les crimes de l'âge qui commence et il ne prévoit d'autre libération « actuelle » que la mort individuelle en état de pureté, qui libérerait l'âme de la chaîne infernale des réincarnations. Mani n'exigeait pas de tous ses « auditeurs » le sacrifice parfait, mais seulement de ses « élus ». De même, les albigeois n'exigent pas l'*endura* ou abstinence complète de tous les fidèles ou *Croyants,* mais seulement des purs, les *Parfaits*.

Le renouveau du judaïsme : Dans toutes ces sectes, chez les goliards et les vaudois comme chez les cathares eux-mêmes, nous retrouvons l'exigence d'une justice sociale jusqu'alors absente de la chrétienté. Or, ce recours au « dieu juste » n'apparaît pas seulement à Monségur ou dans certains poèmes goliards :

Non, je ne me tairai pas à cause de Sion
mais je pleurerai la déchéance de Rome
jusqu'au jour où, de nouveau,
renaîtra pour nous la justice...
(Propter Sion non tacebo
sed ruinas Romae flebo...),

mais il se reconnaît dans les hymnes et les poèmes les plus orthodoxes des XIIe et XIIIe siècles, tels que le prodigieux *Dies Irae* de Thomas de Celano (vers 1200-1230) :

Jour de colère, en ce jour-là
le siècle en cendres se dissipera,
comme David et la Sibylle l'annoncèrent...

Il n'étonne pas que ce recours au Justicier ait contribué au dévoiement du mythe des frères ou de la semblance du plan du Bien à la suite des dieux mâles. Mais il étonnerait qu'il n'eût pas entraîné le renouveau de Iahvé (Jéhovah) et du judaïsme, sa religion. Deux noms sont à citer ici, parmi bien d'autres; Judah Halévy (1085-1141)et Moïse Maïmonide (1135-1204).

Le principal ouvrage de Judah Halévy, *Le Kuzari,* se présente comme un entretien entre le roi des Khazars, un maître musulman, un maître chrétien et un rabbin. A la fin de l'entretien, le roi se convertit au judaïsme, parce qu'il ne peut régner, en effet, sans se fonder sur la Justice.

Aux arguments des caraïtes, en somme, Halévy oppose la tradition biblique, fondée non plus sur le mythe de Création (comme chez Saadia) mais sur les notions connexes de Justice et de Souveraineté. Elu par l'Alliance de Noé (l'Arc-en-ciel), puis de Moïse (l'Arche), le Peuple a gravement péché en s'éloignant de la Terre sainte, en renonçant à la vie du Temple, aux oblations, aux sacrifices. La destruction de Jérusalem, l'exil, l'avilissement et l'hérésie ont été le Châtiment de ses péchés.

Mais on peut voir maintenant que le Royaume d'Amour ne sera qu'un « moment » dans l'attente du

Messie, le Roi de Gloire, qui doit venir un jour. Et, quand le Roi renaîtra, tous les peuples reconnaîtront qu'ils en furent les « fruits », car « ils formeront tous un Arbre unique dont ils salueront la racine, qu'ils ont jadis méprisée ».

Dans son chef-d'œuvre, *Le Guide des égarés* (vers 1195) le talmudiste Moïse Maïmonide ne contredisait aucune des grandes intuitions d'Halévy : il les replaçait dans une perspective historique où non seulement le christianisme mais l'Islam avaient leurs places nécessaires. C'est-à-dire que Maïmonide donnait aux *attributs* de la divinité une valeur empruntée sans doute aux théologiens chrétiens (Erigène, Abélard) et islamiques (Avicenne, al-Sîn). Les notions de Création *ex nihilo* (héritée de l'Islam) et de Semblance (héritée du christianisme) ne s'opposaient plus, dans son œuvre, au mythe du Messie juif, régnant et personnel, qui doit venir un jour.

Cette position fondamentale permettait au talmudiste de citer et d'étudier objectivement les doctrines des plus contraires (celle de l'éternité du monde, selon Aristote, et celle du monde créé, selon les mo'tazilites, par exemple), en présentant tous les arguments propres à les justifier l'une et l'autre. Le *fin mot* de la doctrine? Aucun des attributs de Dieu ne l'emporte en absolu sur un quelque autre; seule, l'évolution de l'humanité vers sa libération finale donne à chacun des attributs sa place nécessaire dans un temps structuré. Aussi n'y a-t-il point de corruption sans régénération, de châtiment sans pardon, d'exil sans retour, et de nuit sans une nouvelle aurore.

Le compagnonnage : Pour donner un tableau satisfaisant des mythes de Semblance et de Justice au XIIe siècle, il resterait à dire quelques mots du mouvement le plus étendu du Moyen Age : le compagnonnage ouvrier. Mais, si nous pouvons dater la croisade des Pauvres de 1198 ou celle des Enfants de 1212, c'est qu'il s'agit, ici et là, de mouvements populaires, publics, et d'éclatements sociaux. Le moteur secret de ces grandes vagues nous demeure caché, parce que, précisément, il doit être recherché dans l'une des sociétés les plus secrètes de tous les temps.

Cinq siècles plus tard, quand renaîtront des sociétés semblables ou analogues — sous l'égide des Francs-Maçonneries occidentales ou des grandes sectes chinoises —, elles se prétendront les héritières de ces mouvements médiévaux, dont nous ne savons rien que par elles.

Dans son remarquable ouvrage, *La Franc-Maçonnerie,* Jean Palou a réuni une documentation aussi complète que possible sur cette question controversée. Toutefois, les documents qu'il cite ne permettent pas de remonter au-delà du XIIIe siècle, c'est-à-dire au-delà de l'avènement du *freemason,* devenu en France le Franc-Maçon, l'ouvrier libre. Avant d'honorer les mythes de Création et de Liberté, quels mythes honoraient les compagnons des XIe et XIIIe siècles? Nous ne pouvons l'affirmer d'une manière certaine, mais seulement le déduire des symboles retrouvés et des légendes postérieures.

Selon ces traditions, le compagnonnage médiéval n'eût pas existé chez les seuls maçons ou tailleurs de pierre, mais en d'autres corps de métier, tels que celui des Fendeurs (de bois) ou Charbonniers. Les pratiques — inconnues — de ces corporations se fondaient probablement sur la Fraternité. L'une de leurs croyances, par exemple, eût été celle des deux Jean, issue du christianisme primitif. A la fête du solstice d'Eté (le plus long jour), le 24 juin, aurait ainsi correspondu la fête de Jean l'Evangéliste, le 27 décembre.

Il ne semble pas faire de doute que cette déformation chrétienne de l'ancien culte des Dioscures symbolisait exactement le même mythe qu'illustrent à l'époque bien d'autres symboles gémiques : les Griffons, le Miroir, les figures symétriques, les Deux Témoins, etc. Il se peut même que le culte des Jean ait succédé sans interruption aux anciens symboles « païens » des Janus-borne et des Quirinus, comme la fête romaine de Quirinus était devenue les Quatre-Temps chrétiens.

Enfin, le manichéisme très évident d'une telle croyance laisse penser que les deux Saint-Jean devaient refléter une véritable « liturgie », analogue à celle des cathares, où le Temps eût été conçu comme se reployant indéfiniment d'un Grand Jour à une Grande Nuit. On trouve en effet trace d'une telle liturgie dans les *Cambridge songs,* hymnes et chants datés du XIe siècle. Voici l'hiver qui vient, mais ce n'est pas l'hiver qui épouvante; c'est le long passage torride et vide de l'été que les peuples futurs devront vivre avant les belles moissons de l'automne [1].

Cependant, dès le XIIIe siècle, le manichéisme gémique du Jour et de la Nuit — ou de la saison chaude et de la saison froide — aura cédé devant une autre thématique. Les statuts des corporations, publiés par Etienne Boileau en 1268 (*Livre des Métiers*), comportent l'expression « nos Frères, les Francs-Maçons de ce temps ». C'est-à-dire que, déjà, les mythes d'œuvre et de liberté sont venus se greffer sur le mythe fraternel. Les Compagnons ne sont plus Frères sans être ouvriers et libres.

Alors, la nostalgie de l'Eden de création a remplacé les nostalgies platoniciennes de l'Atlantide ou de Thulé la blanche. L'attente d'un Déluge et d'un nouveau Noé supplante l'ancienne dialectique. De l'œuvre — la cathédrale — plutôt que de l'Amour est attendu le rachat.

Or, à même époque, le culte des deux Saint-Jean semble abandonné ou sur le point de l'être. L'Arbre remplace le Janus-borne. Et, vers la même date, il n'y a plus dans le monde de sectes « fraternelles » qui n'adorent des dieux, n'utilisent des symboles ou ne pratiquent des rites tout autres que chrétiens.

---

1. CAMBRIDGE SONGS : ouvrage retrouvé au siècle dernier dans une abbaye anglaise (*cludee*). Le poète Éliot y a largement puisé pour composer les chœurs qui ouvrent son drame : *Meurtre dans la cathédrale*. Cette terreur médiévale de la sécheresse à venir au terme du noir hiver et du naïf printemps y rend un son profond en notre époque.

2

LES MOUVEMENTS LIBERTAIRES

La nostalgie solaire — La peur de l'Antéchrist — Les Ordres religieux — Le Libre Esprit — Les Ordres combattants — La sorcellerie.

La nostalgie solaire : Aux souverains carolingiens du IXe siècle, aucune autorité royale n'a succédé. Byzance est un empire et c'est l'empire de même que, depuis 960, les « germaniques romains » tentent de recréer — avec, il faut le dire, des fortunes diverses. Ce sont des comtes, des féodaux, qui régissent au nom de l'Eglise, et d'ailleurs nommés par elle, la Bourgogne, l'Ile-de-France, la Bretagne, etc.

Soudain, deux de ces vassaux revendiquent la couronne : Philippe Capet (1060-1108) et Henri de Bourgogne (1057-1114). Sous le nom de Philippe Ier, l'un est roi de l'Ile-de-France; le second, premier roi du Portugal. Un autre chevalier — figure de légende — prétend reconquérir l'Espagne pour son « roi », un prince d'Aragon : le Cid Campéador. En Angleterre et en Sicile, les Normands fondent d'autres royaumes; en Palestine, les comtes Baudouin de Flandre le premier royaume chrétien.

Enfin, vers 1080, paraissent les premières chansons de la geste de Roland, qui recréent de toutes pièces le mythe du héros et font de Charlemagne une sorte de souverain chevaleresque et justicier, tandis que, dans les temples indiens, se réinstaurent l'Indra lanceur et Surya, l'Œil du Ciel. Il faut bien qu'une telle concordance soit signe.

La nostalgie de la Vierge morte nous apparaîtra décisive dans l'évolution des croyances universelles, dès les premiers siècles du Ier millénaire avant J.-C. : Vierge rattachée à la Pierre ou au Taureau (Ishtar, Isis, Déméter), puis à l'Archer et aux Jumeaux : les Vierges spartiate, scythe ou étrusque.

De même, la nostalgie du Souverain Seigneur apparaît décisive ici, que cette nostalgie rattache le dieu au plan de Beauté ou à l'élément de Feu. Dans le premier cas, l'ouvrier libre espère de la création son renouveau. Dans le second cas, en même temps que le souverain, les hommes pleurent l'Archer, le Maître de l'Alliance et des Armées.

Ce désespoir traverse de traits de feu les poèmes de l'Islande, les *Keningar*; les légendes germaniques qui s'ordonnent alors autour de la figure centrale de Siegfried; les *saga* des pays du Nord; le *Bhâgavata-Purâna;* les premiers cycles de la Table Ronde, enfin.

Les Keningar se lamentent sur la mort des Géants, « que le roi des Grecs (le Christ) n'a pu sauver ». Les cycles de Siegfried retracent la glorieuse histoire du Héros, depuis son enfance et son adolescence parmi les gnomes de la montagne (les génies des ténèbres) jusqu'à sa mort, qui est celle d'Achille ou de Krishna dans l'Inde, car toujours c'est une flèche — la flèche même d'Eros — qui atteint le héros solaire au seul emplacement vulnérable de son corps et lui ôte la vie.

Plus rigoureuses encore dans leur ésotérisme, les *saga* nordiques retracent la très longue destinée des dieux mâles ou dieux du Ciel, les *Ases*, depuis leur antique Royaume — l'âge d'Or — jusqu'à leur disparition, à travers les cent combats qu'ils ont livrés au cours des âges contre les dieux des ténèbres. Ces « asuras » scandinaves sont au nombre de douze, naturellement (car, en sa gloire, le dieu solaire avait recouvert tous les dieux) : Odin, Hermod, Balder le jumeau d'Hod, Thor, etc. Mais le plus grand de tous, Odin, se présente tout à la fois comme le dieu archer, le souverain et le justicier, c'est-à-dire un dieu de Feu, bien que les trois dieux d'Air, les Vanir, soient ses meilleurs compagnons et que certains de ses symboles (les deux corbeaux ou l'arbre) fassent de lui le « dieu mâle » par excellence.

Les deux livres sacrés de la théologie nordique, les *Edda,* se partagent en Edda ancien, dont la date de composition est incertaine, et Edda récent dont la rédaction remonterait à 1200-1220 au plus tôt. Le poème majeur de la *Vôluspa* appartient au premier cycle : on le suppose écrit, dans sa forme connue, entre 1100 et 1200.

Or, le personnage central n'y est aucun des Ases, mais l'Arbre éternel : Yggdrasil, et le premier couple humain lui-même est né d'un frêne (Ask) et d'un orme (Embla). Yggdrasil plonge ses racines dans le domaine de Hel, la mort; à son pied jaillit la fontaine de vie, Urd, où sont assises les trois Destinées : Urd (le passé), Verdande (le présent) et Skuld (l'avenir). Mais un serpent, Nidhögg (ou Midgard), s'enroule autour du tronc de l'Arbre. Tant que Nidhögg ne sera pas précipité, l'Arbre ne recouvrera pas sa puissance et les Ases ne revivront pas.

Pourtant, avant d'être vaincu, il faudra que le Serpent soit libéré et qu'il ébranle le monde. Le plus mauvais des dieux, Loki, que quotidiennement le Serpent recouvre de venin, s'évadera, lui aussi, de sa prison souterraine et la Mort elle-même sera lâchée. Ce sera le temps du grand massacre, que les dieux ne pourront empêcher et où le Soleil primordial, Surt, purifiera le monde par le fer et le feu.

Puis, les Ases ressusciteront, ils feront régner la paix, le bonheur, la liberté, par toute la terre. De même ressuscitera, dans l'Inde, le mythe du dieu solaire Krishna; il ressuscite déjà, dans le *Bhâgavata-Purâna* (XIIe siècle), qui nous raconte l'histoire complexe du dernier avatar du dieu plus complètement qu'aucun *Purâna* antérieur. Il ressuscite aussi dans les chansons de geste et, notamment, les œuvres de Chrétien de Troyes (1160-1180), où apparaissent les mythes du roi pêcheur et du royaume désolé : à l'un des chevaliers de la Table Ronde, Perceval, il appartient de guérir le roi et de restaurer le juif converti au pied même du calvaire.

Renaissant dans la légende, le Roi revit-il en fait? Dans l'Inde assurément, où le Grand Roi (Maha-radja) tente de restaurer l'antique puissance de Prthu; en Espagne, où l'Aragonais rassemble en Etat les provinces et les villes reconquises sur l'Infidèle; au Portugal, nouvelle puissance de l'Occident; en Angleterre et en Allemagne, où les rois preux, Richard dit Cœur de Lion, Frédéric Barberousse entrent dans la légende de leur vivant même; en France enfin, où le roi Philippe Auguste (1180-1223) conquiert la Normandie, agrandit son royaume aux dépens de l'Anglais, du Flamand et de l'Allemand, s'efforce de confisquer aux comtes de Toulouse les provinces albigeoises, etc.

Mais ces rois ne sont-ils pas encore des rois pécheurs et l'Esprit attendu peut-il naître, vraiment, d'eux?

La peur de l'Antéchrist : A cet élan des peuples, qui demandent un Père, s'oppose l'ésotérisme des moines, bénédictins surtout et cisterciens. Dès la fin du XIe siècle, saint Bernard (de Clairvaux) a prédit ce recours des peuples aux dieux anciens. Si le chrétien devait être un guerrier, un héros, saint Bernard eût voulu que ce fût un guerrier de la Croix, un héros de l'Amour, un Croisé. Mais le saint craignait le dieu de l'Islam, créateur et souverain, plus que le dieu des juifs. Dans le siècle suivant, les moines ont évolué. Les moines, les érudits, tout le peuple chrétien.

La symbolique des érudits se déploie sur trois plans différents. Celle de Marbode, évêque de Rennes, élève de Fulbert, est une symbolique lapidaire, empruntée à *L'Apocalypse* et que développe le *Livre des pierres précieuses* (vers 1123). Chaque pierre y symbolise non seulement l'un des Noms de Dieu, mais un aspect de la réalité (physique, intellectuelle et spirituelle). Par exemple :

« La sardoine est tricolore : elle symbolise l'homme intérieur, que l'humilité caractérise et qu'accomplit la chasteté. Mais, par la couleur rouge, elle affirme l'excellence suprême du martyre. »

Nous retrouverons les douze Pierres : trois rouges

(améthyste, chalcédoine et sardoine), trois vertes (émeraude, jaspe et chrysoprase), trois bleues (saphir, hyacinthe et hyacintine) et trois jaunes (topaze, béryl et chrysolite) dans l'œuvre de Joachim de Flore, avec leurs concordances bibliques (les douze tribus) et chrétiennes (les douze apôtres), en sorte que leur ésotérisme « platonicien » ne peut être mis en doute. Les trois plans d'univers (transparence, pureté, dureté) et les quatre éléments (les quatre couleurs) se reconnaissent ici comme partout.

Une autre symbolique, plus confuse, est celle de Bernard Silvestris, dont les ouvrages, *De Universitate mundi, Le Mégacosme* et *Le Microcosme* (vers 1150) ne tendent à rien de moins qu'à présenter de l'histoire de l'humanité une vision entièrement ésotérique. La « création de l'homme » n'y occupe que la quatrième place, après la description des Vingt Montagnes, la traversée des Sphères, l'apparition des Sœurs Jumelles, Nature et Uranie, et leur découverte des Champs élyséens.

Mais la plus surprenante de toutes ces constructions est sans doute celle d'Alain de Lisle (1128-1208) qui, exploitant l'ésotérisme de Boèce, s'efforçait de prévoir la formation de l'Esprit futur sur la base des Quatre sciences et des Trois arts. Dieu du Beau (de la Rhétorique), l'Esprit serait aussi un dieu d'Air (de l'Astronomie). En tant que dieu de l'Astronomie, il recouvrirait les trois arts. Ainsi voit-on, dans l'œuvre de de Lisle, concourir à la création du monde nouveau : la Grammaire devenue artisan, la Géométrie et même la Musique devenues charrons et la Dialectique-forgeron.

Cependant, le monde futur ne naîtra pas seulement d'une création; il sera aussi le prix d'une quête, le but ultime d'une aventure. Pour rejoindre le Palais de Dieu, dont les salles sont ornées de peintures figurant les Idées éternelles, il faut accompagner le vol des anges, puis, les anges évanouis, traverser de nombreuses régions obscures aux paysages terribles et tentateurs. Il faudra même que l'âme se laisse oindre d'enchantements pour échapper aux pièges planétaires et aux traîtrises des astres.

Compte tenu de l'enseignement qu'on nous donne à l'école et au lycée, le lecteur s'étonnera peut-être que l'Eglise du XIIe siècle ait laissé publier de telles choses.

Mais l'Eglise du XIIe siècle n'a pas rejeté l'hypothèse d'un éternel retour. La doctrine officielle — celle de saint Anselme — est encore l'éternité du monde ou, plus exactement, son immutabilité en Dieu, qui ne se conçoit guère hors de cette hypothèse. Car, si l'on rejette ou nie les orbes temporelles, on se retrouve en présence du problème insoluble que pose l'éternité de l'Amour : le nombre indéfiniment croissant des âmes.

Non seulement les ouvrages doctrinaires qui se fondent sur l'éternel retour — des cycles de saint Irénée aux Histoires cycliques de Byzance et de celles-ci à l'œuvre d'Erigène — ne sont pas condamnés, mais les fêtes populaires, ordonnées par les prêtres, reconstituent (naïvement) la suite des Ages anciens, depuis Nemrod (Babel) jusqu'à Jésus-Christ, en passant par David et la sibylle romaine.

Enfin, c'est une sainte — la grande mystique du siècle — qui témoigne de la plus sûre connaissance gnostique des rythmes temporels. Hildegarde, abbesse de Bingen (1100-1181), aurait été comblée de visions prophétiques dès l'âge de trois ans. « Visionnaire, poète, gyrovague, conseillère du peuple, des margraves et des empereurs », Hildegarde est aussi, surtout peut-être, la première femme-prophète d'une longue suite qui, par Angèle de Foligno, Catherine de Sienne, Jeanne d'Arc, la Grande Thérèse, et Marie des Brotteaux, mènera du XIIe siècle jusqu'à l'orée des temps matérialistes.

Mais, à la différence des prophètes d'Israël ou des pythies de Delphes, ce ne sera pas la Voix qui leur insufflera la science des temps futurs (à l'exception de Jeanne) : ce sera la connaissance ésotérique des Ages ou le génie intérieur qu'elles se reconnaîtront. En ce qui concerne l'abbesse de Bingen, plus particulièrement, il semblerait que la science se fût alliée chez elle à une faculté de vision extra-temporelle, si l'on en croit du moins son propre témoignage.

Le règne du Fils est le sixième âge de l'homme, dit-elle. Elle ne connaît donc que cinq ères antérieures : de la Hiérarchie, du Savoir et de la Semblance, de la Création et de la Justice. Comme tous les autres, l'âge futur sera précédé de la venue d'un Antéchrist : « Le fils de perdition vêtu en ange de lumière. » Il se présentera comme l'apôtre de la Liberté : « Vous pouvez faire tout ce qui vous plaît », enseignera-t-il; mais, contradictoirement, il tentera de justifier tous les anciens rites juifs — y compris la circoncision — et les imposera au peuple.

Avant sa venue, les Deux Témoins (le mythe gémique) seront remontés au ciel. Ils reviendront sur terre alors et l'Antéchrist les fera périr. Il se prétendra capable de ressusciter les morts et en fera sur lui-même la terrible expérience, après avoir réuni tout son peuple pour assister à la résurrection; mais de son cadavre décomposé ne s'élèvera qu'une horrible odeur de pourriture et, désabusés, tous devront reconnaître leur grossière erreur[1].

La condamnation est explicite et claire. Nous n'y voyons pas d'autre fondement possible qu'une croyance rigoureuse en l'éternel retour ainsi qu'en un curieux décalage des mythes dans le sens précessionnel. De même qu'en l'absence des dieux solaires, dans la première moitié du IIIe millénaire, les « antéchrists » du dieu de Justice avaient été les dieux du Double (Horus ou Dumuzi) faussement rattachés au dieu-souffle : Amon, Enlil ou El — les antéchrists du dieu d'Amour, en l'absence des dieux serpents, de 800 à 500 avant J.-C., ont été les dieux de Création (Mardouk, Baâl, Dionysos, Ptah) faussement rattachés à la Vierge (Ishtar, Perséphone ou Isis). En l'absence prochaine des mythes gémiques, des Deux Témoins, ce seront donc les dieux de Justice, les dieux juifs, faussement rattachés au dieu de Lumière, qui joueront le rôle d'antéchrists. Ou bien plus simplement, l'obstacle qu'avaient dû vaincre les prophètes cananéens avait été le dieu d'Air; l'obstacle qu'avaient dû vaincre les prophètes hellènes et juifs avait été le dieu de Terre; c'était donc au dieu de Feu que les prophètes chrétiens devaient d'abord s'attaquer.

Il est vrai que, pour admettre une telle explication, il faut prêter à Hildegarde une science surprenante des âges révolus. Mais cette science ésotérique était incluse, d'une part, dans les prophéties juives, de Jérémie à Daniel, et dans l'*Apocalypse*; d'autre part dans les œu-

1. HILDEGARDE : cf. *Le dieu du futur* (*L'Année commence en hiver*). Lettre de la sainte relative aux pifres, dans *Les fanatiques de l'Apocalypse*, par Norman Cohn (Dossiers des Lettres Nouvelles, Julliard), ouvrage dans lequel nous puisons abondamment.

vres des philosophes arabes (Avicenne) et juifs (Gabirol), que les scolastiques du XIIe siècle commençaient de traduire en latin.

Enfin, cette science des âges « les plus anciens » n'était pas seulement celle des shî'ites ou des théologiens d'Espagne, mais celle des ordres monastiques, des augustins et des bénédictins peut-être (nous pensons à Hugues de Saint-Victor, à Bernard de Clairvaux ou à Bonaventure), des carmes et des cisterciens, sûrement. Elle allait être celle de ces grandes dominicaines du XIIIe siècle : Elisabeth de Hongrie, Marie d'Oignier, Christine l'Admirable, Marguerite d'Ypres, Julienne du Mont-Cornillon, Béatrice de Nazareth, Mathilde de Magdebourg et sainte Mechtilde de Kackborn que, jusqu'en 1267, l'Eglise refuserait de considérer comme des nonnes régulières dépendant d'un Ordre religieux.

Les ordres religieux : Des lecteurs s'étonneront sans doute — et se scandaliseront — de voir ranger au nombre des sociétés secrètes les grands ordres religieux du Moyen Age. Ils furent des « sociétés » pourtant, et si fermées qu'il faut se souvenir des antiques tribus pour en trouver l'équivalent. Ils furent « secrets » aussi, dans les deux sens du mot.

D'abord, à l'exception des ordres augustins, bénédictins et *culdee,* qui rénovaient seulement un ancien monachisme, les nouveaux ordres se fondaient en effet dans le secret et dans la solitude, sous la menace toujours présente d'une condamnation pontificale.

Le plus souvent, la communauté nouvelle se présentait comme la continuatrice d'un ordre plus ancien. Ainsi le monastère de Cîteaux, fondé par saint Robert en 1098, ne prétendait au départ qu'à rénover la règle et la simplicité première de l'ordre de saint Benoît.

Si le fondateur ne prenait pas cette précaution mais s'avouait hautement pour un réformateur ou même un inventeur d'une discipline révolutionnaire, il était assuré de connaître plusieurs années — ou décennies — d'exil avant que son œuvre fût approuvée. Il nous suffit ici de citer quelques dates.

En 1150, saint Berthold fondait l'ordre des Carmes sur le mont Carmel, où, selon la tradition, Elie avait cherché refuge, au IXe siècle avant J.-C., contre les persécutions de Jézabel. La règle de l'ordre ne fut approuvée que soixante ans plus tard, en 1210.

Vers 1202, François d'Assise, âgé de vingt ans, recevait du Crucifié l'ordre d'abandonner la vie mondaine et de consacrer à Dieu sa vie. Rompant avec « sa jeunesse folle », le saint quittait aussitôt ses riches habits, implorait la bénédiction de son père — qui la lui refusait —, et prenait, seul, la route.

Six ans plus tard, devant la pression populaire, il fondait l'Ordre des Frères Mendiants et lui donnait une *règle*. Mais ce fut seulement en 1223 que son œuvre fut approuvée, après qu'il eut accepté de célébrer l'office quotidien selon l'usage de l'Eglise romaine.

Saint Dominique lui-même, « le fils chéri de l'Eglise », avait prêché pendant dix ans lorsque, en 1215, il fonda la première Maison dominicaine, dans la ville de Toulouse. D'autres Ordres furent moins heureux, tel celui des *servites* ou Serviteurs de Marie, fondé en 1233 et qui ne fut guère toléré pendant le Moyen Age, bien que la dévotion à la Vierge, fondement de l'Ordre, dût connaître par la suite une immense expansion. Les sept fondateurs florentins de ce monastère devaient être canonisés collectivement en 1888.

De 1150 à 1210 les Carmélites, de 1208 à 1223 les Franciscains, de 1204 à 1216 les Dominicains et, pendant plus d'un siècle les Servites furent donc bien, littéralement, des membres de « sociétés secrètes », à la merci d'une trop grande publicité et qui ne survivaient que d'une manière occulte. Mais il y a plus. Car, alors même que le Pape avait reconnu l'Ordre et approuvé sa Règle, il n'est pas assuré que l'ésotérisme de l'Ordre pouvait être divulgué. Ni le prophétisme du Carmel, ni celui des Cisterciens ne furent jamais proclamés par l'Eglise séculière et, jusqu'à ces dernières années, l'Eglise niait encore l'un et l'autre.

François d'Assise avait « acheté » la reconnaissance et l'approbation de Rome par sa parfaite soumission. Ce n'avait pas été sans rejeter certaines de ses croyances les plus chères. Trente ans après sa mort, une partie de ses disciples — les *spirituels* — seront exclus de l'Eglise pour avoir refusé un pareil sacrifice.

Enfin, des ordres augustins même : les *Prémontrés*, de saint Norbert (1120), les *Gibertins* de saint Gilbert (1148), les *Trinitaires* (1198) prisonniers de la doctrine de saint Augustin, ne purent toujours proclamer très haut leur dévotion particulière, ne fût-ce qu'à la Vierge Marie, dont l'évêque d'Hippone avait fait peu de cas. Pour avoir failli à cette règle, nous avons vu les servites suspectés. Un autre Ordre, rattaché parfois au grand courant augustinien, celui des *Victorins* (fondé en 1108), le fut de même assez longtemps par la faute de l'un de ses membres les plus illustres, Hugues de Saint-Victor (1096-1141), le premier « savant mystique » du Moyen Age.

C'était sans doute qu'en face de la volonté précise de l'Eglise romaine de maintenir le dogme dans ses limites traditionnelles, tous les Ordres monastiques présentaient le danger d'une dynamique secrète, capable de détruire les dogmes existants. Le culte de la Vierge demeurait orthodoxe; mais ne risquait-il pas de se dévoyer très vite en un culte exclusif des dieux de Terre, et donc du Créateur — c'est-à-dire de restaurer l'hérésie monophysite? Pour parer à ce péril, l'enseignement augustinien excluait l'hypothèse d'un univers créé.

Mais, à l'inverse, le mythe de la Semblance — et le culte des Images, annexe — n'était pas plus rassurant, bien qu'il fût le fondement de toute l'orthodoxie. S'il n'était créé par Dieu, l'homme était cependant formé à son image : en cela tous les hommes pouvaient se reconnaître, en effet, pour des frères, issus du même modèle. Cependant, le mythe des Anges, moteurs du ciel (les Idées-anges de Platon) et le mythe du Dieu-miroir (le dieu de sainte Hildegarde) menaient insidieusement au mythe d'Emanation et, par-delà, au thème de l'Ame commune, fondement de l'Egalité.

Après Eudes et Valdo, un saint François d'Assise montrait comment, allié au mythe de la Balance, le mythe de la Semblance pouvait trop aisément conduire au troisième composant d'Air : l'Esprit ou dieu de Liberté. L'hérésie cathare se dressait non loin.

Mais, plus terrible encore, la nostalgie du Beau (du Créateur souverain), si elle menait à la construction des cathédrales, autorisait aussi les pires perversions, comme le révélaient les moines de Cîteaux.

Le Libre Esprit : En la seconde moitié du XIIIe siècle renaissaient de petits groupes mystérieux, dont les croyances s'apparentaient à celles des anciennes sectes alexandrines et byzantines (carpocratiens, euchytes). En 1157, un synode condamnait un tel groupe de pèlerins misérables qui, se prétendant tisserands, se faisaient recevoir dans les familles chrétiennes et y semaient l'hérésie. Ces *pifres* professaient certaines doctrines cathares (l'horreur de la matière, le refus de la procréation) mais, contradictoirement, ils jouaient aux libertins, séduisaient les jeunes femmes et annonçaient un dieu de liberté plus luciférien qu'angélique.

En 1163, un groupe similaire s'était établi dans une grange près de Cologne. Pendant plusieurs jours, un moine, Eckbert de Schönan, accepta de discuter publiquement avec des membres du groupe, mais ne put les convertir. Excommuniés, ils furent condamnés au bûcher. On rapporte qu'une femme, membre de la secte, fut arrachée *in extremis* aux flammes, dans l'espoir que, terrorisée, elle abjurerait son hérésie. Mais, se jetant sur le corps calciné de son maître (Arnold), elle « descendit avec lui dans les flammes éternelles ».

Selon l'historien de la secte, Trithème, abbé de Sponheim, cet Arnold « confessait ouvertement une folie nouvelle, inouïe », qui se rapportait à la « nature humaine d'un Sauveur ». Il se prétendait lui-même « inspiré par l'Esprit » et citait volontiers saint Paul : « Tout est pur aux purs. » Selon Trithème, qui écrivait au XVe siècle, le mouvement diabolique, né dans la région de Reims et dans les Pays-Bas, se serait développé ensuite en Thuringe, en Alsace et en Bohême [1].

L'abbé cite Hildegarde, qui aurait donc eu connaissance de tels mouvements. D'ailleurs, une lettre de la sainte décrit une secte analogue, découverte auprès de Mayence, qui niait toute valeur à l'eucharistie, condamnait l'état de mariage et proférait d'étranges théories au sujet de l'âme. La mention de jeûnes prolongés chez les adeptes et l'affirmation que leur dieu « n'était pas invisible » les font apparenter parfois aux albigeois ou à

1. TRITHÈME, etc. : Norman Cohn.

d'autres manichéens; à tout le moins, trouve-t-on chez eux des traces de ce qui allait devenir l'hérésie du Libre Esprit.

Or, vers les mêmes années, ce courant rénovateur troublait déjà des saints. Il est probable, ainsi, qu'en fondant l'Ordre des Carmes sur le Carmel, saint Berthold entendait témoigner que l'humanité vivait de nouveau ou allait bientôt vivre *aux temps d'Elie* (cf. les Constitutions de l'Ordre, au siècle suivant). De même que le premier grand prophète israélite s'était levé, au IXe siècle avant J.-C., pour combattre le culte des Baâls et formuler le pressentiment d'un renouveau gémique, des prophètes devaient maintenant se lever pour opposer au dieu des juifs le pressentiment d'un renouveau de l'Esprit agent ou créateur.

Mais, s'il fut la pensée profonde de saint Berthold, ce messianisme mythique ne fut pas poursuivi par l'Ordre même des Carmes. Car le mythe d'Elie (et d'Enoch) — les Deux Témoins — demeurait trop intimement lié au mythe gémique pour que des moines pussent aisément les dissocier. C'était, d'une autre manière, l'étroite confusion du Frère et de l'Ouvrier dans le compagnonnage, sinon la confusion du Donateur de Formes et de l'Intelligence agente, issue de Fârâbî et d'Avicenne. Ne pouvant s'arracher au thème de la Semblance, les hommes n'imaginaient pas une création qui ne fût essentiellement modèle (et modelée).

Du moins n'est-ce plus une hypothèse que, vers 1180, des moines cisterciens commençaient d'opérer la dangereuse distinction. L'un de ces moines, le Calabrais Joachim de Flore, établissait, dès son premier ouvrage (*Le Livre des Concordances*) que l'ère chrétienne, depuis le début de son incubation au VIIIe siècle avant J.-C. jusqu'à l'avènement du Royaume, avait renouvelé l'ère hébraïque, depuis la fin de l'Eden jusqu'au règne d'Israël. Puis, dans son second ouvrage (*L'Explication de l'Apocalypse*), Joachim établissait que, d'Abraham à la captivité de Babylone, il s'était écoulé la même période de temps que de Zacharie, père de Jean-Baptiste, jusqu'à sa propre époque, en sorte que, pour l'Eglise romaine, les temps de la captivité étaient proches.

Enfin, dans son troisième ouvrage (*Le Psaltérion à dix*

cordes), composé peu avant sa mort et peut-être achevé par un disciple, Joachim de Flore calculait que neuf siècles s'étaient écoulés d'Elie à la mort du Christ et prophétisait que, de même, neuf siècles s'écouleraient de son époque à l'avènement de l'esprit. Ces neuf siècles recouvraient l'incubation de toute religion nouvelle (de tout Dieu nouveau) qui durait, dans sa gloire, quelque 1 260 ans.

Il s'ensuivait que l'ère du Fils, succédant à l'ère du Père, allait s'achever vers 1260, comme la gloire du dieu d'Israël s'était achevée à la mort de Salomon. Leur succéderait l'ère de l'Esprit, qui couvrirait de même quelque 2 160 ans (neuf siècles d'incubation et 1 260 ans de règne). Les composants de cette ère de l'Esprit (que symbolisaient les pierres précieuses de l'*Apocalypse*) ne seraient plus les composants de l'ère du Fils, de même que l'émeraude, par exemple, est une autre pierre que le saphir.

Les prophéties joachimiques eurent un retentissement immense. Au point que Richard Cœur de Lion voulut recevoir Joachim afin de l'interroger personnellement sur les chances de sa croisade en Terre Sainte. Le prophète laissa peu d'espoir au roi et même, dit-on, il lui prédit l'avènement d'un grand empire musulman (synchronique à l'avènement de Sparte et d'Athènes? Peut-être). Joachim n'échappa que de peu à la fureur du souverain et quitta la cour royale moins glorieux qu'il n'y était venu.

A peu près au moment où mourait le prophète, on découvrit à Paris même un groupe de quatorze érudits, « curés, chapelains et diacres de Paris, de Poitiers, de Lorris et de Troyes, hommes éminents par le savoir et l'intelligence », qui se prévalaient de la doctrine du Libre Esprit. Leur chef, Guillaume, dit Aurifex, se prétendait alchimiste. Interrogés par un synode de Sens, trois prêtres abjurèrent et furent emprisonnés, les autres furent brûlés vifs. Mais, la nuit qui suivit l'exécution, l'esprit d'Aurifex vint tourmenter une pauvre nonne et lui conter l'accueil glorieux qu'il avait reçu aux Enfers (selon la chronique du prieur d'Heisterbech). Lucifer reconnaissait les siens.

L'un des inspirateurs de la secte — conjointement avec

Joachim? — était un professeur de l'Université de Paris, Amaury de Bène, dont les doctrines ressemblaient singulièrement à celles du cistercien. Condamné par le pape en 1205, Amaury mourut peu après, dc déscspoir dit-on. Son nom resta cependant attaché à la secte, qu'on appelle indistinctement les Frères du Libre Esprit, les Spirituels ou les Amauriciens.

Mais ce fut seulement en 1215 que Robert de Courçon, le cardinal légat de l'Université, interdit toute étude de « l'abrégé de la doctrine de l'hérétique Amaury » et que le concile de Latran (IV) condamna « certaines idées de Joachim de Flore sur le mystère de la Sainte-Trinité », sans toutefois condamner toute l'œuvre du prophète; et ce fut seulement en 1225 qu'un concile de Sens interdit le livre de Scot Erigène, *De Divisione Naturae,* fondement de l'ésotérisme chrétien pendant quatre siècles.

Ce répit accordé par l'Eglise de Rome à des œuvres notoirement dangereuses — au regard de la foi chrétienne — ne laisse pas de surprendre. Mais il n'étonne pas que ce répit eût été pleinement utilisé. Dans les quelque vingt ans qui séparèrent la mort de Joachim et d'Amaury des condamnations conciliaires, les cisterciens n'avaient cessé de lire les œuvres de leur prophète et de s'en pénétrer. De cette étude sortit, vers 1220, une *Queste du Graal* très différente des quêtes antérieures.

Le nouveau héros du cycle, Galaad, n'est plus un chevalier de la Table Ronde, mais un enfant — adultérin — de Lancelot. Cet « étranger » (car la Jeune Fille qui fut sa mère pouvait bien être une sarrazine) n'est plus qu'à peine un chevalier chrétien, et ceux-là mêmes qui l'accompagnent (Bohort, Lancelot, Perceval) ne sont plus placés sous le signe de la Croix mais sous les symboles clairs du Lion et du Taureau.

Non seulement le juif, mais sa religion (la Mauvaise Femme de Juda) et les symboles de la Justice, tels que le Figuier, sont à présent considérés comme des obstacles majeurs à la conquête du Graal : il suffit que Lancelot se repente de son péché pour que, ayant cédé au mythe de la Justice (et du Bien et du Mal), il soit exclu de la quête. Enfin, le Graal lui-même n'est plus le Sang précieux, mais la Coupe merveilleuse qui le contient peut-être ou peut-être non. On l'appelle en effet le Graal

« pour ce qu'elle fait voir à chacun de ce qui lui *grée* ».

On sait que la Coupe était le symbole du Verseau dans les vieilles écritures védiques (ou l'Amphore chez les Grecs). Le second symbole du mythe, l'Arbre, n'est pas omis de la *Queste,* dont un chapitre est consacré à la légende de l'Arbre de l'Eden, germe des messianismes mythiques de David, de Salomon et, nous le savons maintenant, de la gnose ismaélienne.

L'invention cistercienne ne réside donc pas dans cette symbolique du Verseau, ni dans le refus de la religion juive, que Bernard ou Hildegarde purent inspirer, ni même dans l'alliance de l'Esprit (de la Pentecôte) avec la Hiérarchie (le Lion) et la Création (le Taureau). Elle réside dans le caractère de Galaad, l'adolescent pur et libre (pur parce que libre, comme nous l'avons montré dans *Le Dieu du Futur*).

La compassion, l'humilité, le sens même du Bien et du Mal sont inconnus de ce héros, dur, brave, violent — un « blouson noir » avant la lettre — mais entièrement voué à l'*instant* et sans cesse libre de son passé. Le mot : courage serait peut-être ici le plus convenable, à condition de lui adjoindre le sens nouveau de : générosité. Car il n'est rien moins « intéressé » que ce courage, tout entier dominé par le goût de l'aventure. Lisant la *Queste* cistercienne, on ne peut s'empêcher de penser aux sectes musulmanes contemporaines de l'œuvre (assassins, druses) et, par-delà, au mystérieux Prophète Voilé.

Lorsqu'on ajoute que le Graal est, en effet, aux mains des Infidèles et que Galaad n'obtient de contempler la Coupe et ses merveilles qu'après être devenu l'allié des Etrangers (dans la ville de Sarraz, le jour de la Pentecôte), on ne peut douter que Joachim et Amaury ne furent pas les seuls inspirateurs de la *Queste* et qu'il nous faut chercher ailleurs que dans leurs œuvres le germe des bizarres croyances.

Les Ordres combattants : Pour traiter chronologiquement de l'avènement du Libre Esprit, nous avons dû interrompre l'histoire de l'autre tentative ésotérique : rénover le Souverain par le dieu de Feu.

On peut croire que l'avertissement de sainte Hildegarde n'avait pas suffi, cependant, à interdire toute recherche de cet ordre. La nostalgie du dieu de Lumière, la tentation de la Justice, la vénération de l'Archer (du Paladin) continuaient de nourrir les chansons de geste ou l'épopée du Cid, comme d'ériger la Flèche au-dessus de la cathédrale. La croisade (où la Croix n'est plus un signe de Passion et de Fraternité, mais de combat et de victoire) anime cent mouvements, non seulement vers la Terre Sainte, mais vers l'Espagne, le Languedoc ou la Baltique. Tous les moines ne sont pas de chastes érudits qui rachètent les péchés des hommes en se donnant la discipline. D'autres ceignent l'épée, prennent l'arc. Chevaliers Teutoniques ici, Templiers là.

En sa majeure partie, sans doute, l'histoire des Ordres combattants ne s'identifie pas à celle des sociétés secrètes. Quand l'Empire romain germanique décida d'opposer au renouveau païen des peuples de la Baltique un Ordre de chevaliers ou quand l'Ordre du Temple fut fondé en Terre Sainte, selon la Règle de saint Bernard (1117), il est bien évident que ces institutions ne présentaient aucun des caractères de la secte. Les croyances des Croisés étaient celles de l'Eglise romaine, leurs signes et leurs symboles ceux de toute la Chrétienté.

Dans la première moitié du XIIIe siècle encore, si quelque ésotérisme transparaît dans les Ordres, c'est un ésotérisme gémique, lié à l'antique fraternité : Griffons, Aigles bicéphales, Dioscures montés sur le même cheval, etc. Alors, le mythe du héros même ne se distingue pas du mythe de la résurrection. Le Cid a conquis Valence après sa mort, son cadavre menant ses troupes à la victoire. Un certain comte Baudouin, « Empereur de Constantinople », n'avait régné qu'un an, de 1204 à 1205, avant d'être tué par les Bulgares; vingt ans après sa mort, ressuscité, il soulevait la Flandre et le Hainaut. Frédéric Barberousse, noyé dans le Sélef en 1190, ressuscitait aussi de nombreuses fois, et Frédéric II (1194-1250), l'Empereur des Derniers Jours, reparaissait après sa mort trois fois, en Allemagne puis dans les Flandres, avant que les peuples fussent las d'honorer des imposteurs.

Alors, les chevaliers teutons ou templiers, plutôt que des chrétiens, se voulaient des héros : protecteurs du pèlerin, conservateurs du Saint-Sépulcre, défenseurs de la Foi, soldats du Christ sans doute, mais avant tout soldats. Puis, les défaites vinrent.

Les Slaves se révoltaient; les Polonais, bientôt. Les hordes des Mongols déferlaient sur l'Europe. En Terre Sainte, le royaume chrétien anéanti, les templiers devaient se réfugier en Syrie. Chaque nouvelle croisade était un nouvel échec. Seul, l'Empereur des Derniers Jours avait reconquis Jérusalem, par l'intrigue et l'alliance plutôt que par la guerre. A la mort de l'empereur, des liens déjà puissants s'étaient formés entre les musulmans et certains templiers. Vingt ans plus tard, après la prise de Saint-Jean-d'Acre et la mort de saint Louis, l'Ordre du Temple, entre autres, ne ressemblait plus en rien à l'Ordre primitif.

Une légende, peut-être, rend compte de ce changement. Un chevalier revenait en France après le désastre de Saint-Jean-d'Acre. Il ramenait d'Orient une femme qu'il aimait, probablement une infidèle. Mais une grande tempête s'éleva et l'équipage réclama la mise à mort de la sarrazine. Le seigneur lui trancha la tête. Aussitôt, les prodiges commencèrent, car la tête dépeuplait l'Océan. Elle tuait non seulement les poissons mais les griffons, et elle ternissait les miroirs [1].

Dans le climat de défaite où semble sombrer l'Amour, tous les reniements deviennent possibles. Depuis les prêches de saint Bernard, un grand nombre de chrétiens voyaient dans les armées d'Allah les armées de l'Antéchrist. Les défaites des croisés démontraient donc clairement que le dieu de Mahomet était plus puissant que le Christ (selon Salimbène). De cet état d'esprit nul mouvement ne rend mieux compte que celui des Pastoureaux (1251).

Les Pastoureaux — Le chef de la croisade, un moine du nom de Jacob qui se faisait appeler le Maître de Hongrie, ne s'inspirait pas du Christ mais de la Vierge. Marie elle-même, disait-il, l'avait élu pour combattre l'impie.

Parti de Picardie et fort de plusieurs milliers de membres (des contemporains parlent de soixante mille),

1. La Tête-Gorgone : Norman Cohn.

le mouvement se mit en marche vers la Terre Sainte, pillant en chemin les fermes et les castels mal défendus. Dès le départ de la croisade, sans doute, certaines pratiques de Jacob nous semblent peu orthodoxes : telle, l'union de onze hommes avec la même femme. Son idéal, du moins, était si peu suspect qu'à Paris, la reine Blanche le reçut personnellement et le combla de présents.

Peut-être en conçut-il un excessif orgueil. Vêtu en évêque, désormais, il parut oublier l'objet de sa croisade et commença de prêcher contre l'Eglise de Rome. A Tours, à Orléans, la horde saccagea églises et monastères, profana les hosties; on traîna dans les rues les moines et les nonnes et ceux qui protestaient furent fouettés publiquement. La troupe atteignait Bourges quand la reine se ressaisit et proclama les pastoureaux des hors-la-loi. Aussitôt, un grand nombre d'adeptes quittèrent les rangs. Les bourgeois prirent les armes. La grande chasse s'organisa.

Décimés, les croisés voulaient gagner la mer pour s'embarquer. Les deux groupes les plus importants atteignirent Marseille et Aigues-Mortes. Mais à leur arrivée dans les deux villes, les survivants de la horde furent capturés et pendus. Un troisième groupe subit le même destin à Bordeaux; au nombre de quelques centaines, les derniers pastoureaux atteignirent l'Angleterre, où les soldats de Henri III n'eurent aucune peine à les exterminer.

Ce qui nous frappe surtout dans cette triste équipée, c'est naturellement l'évolution brutale du mouvement, depuis une mythique assez proche des anciennes croisades des pauvres et des vaudois à une mythique nettement apparentée à celle du Libre Esprit. D'une étape à l'autre, nous voyons en somme le mythe de la Croix céder à celui du Maître, et l'Egalité fraternelle à une Liberté démoniaque. La rumeur publique ne s'y trompait pas, qui accusait la secte, après sa destruction, d'avoir adoré le dieu de Mahomet et sciemment servi le Sultan.

Or, il n'est pas absurde de croire que, dans le même siècle, les Ordres combattants eux-mêmes avaient connu une telle évolution. En 1290, après cent ans d'existence, les chevaliers teutoniques étaient considérés, non seulement en Pologne mais en Allemagne, comme des hommes redoutables, inacessibles à la pitié, qui pratiquaient dans leurs citadelles fortifiées des « rites inhumains ».

Plus nettement, lors du procès des templiers, suivi de la dissolution de l'Ordre (1312), les réponses des accusés indiquent une croyance hérésiarque évidente. La bulle pontificale la résume sans doute, quand elle accuse les chevaliers « de renier le Christ, d'apostasier, de se livrer à des actes d'idolâtrie et à d'horribles débauches au cours de leurs cérémonies secrètes ».

Quel était le « secret » de ces cérémonies? Nous ne le savons pas. Mais certaines descriptions de l'idole Baphomet (une tête de taureau couronnée, un roi barbu, etc.) recouvrent étrangement les symboles de la *Queste* et les croyances du Libre Esprit. De même, des symboles découverts, au XVIIe siècle, « dans le tombeau d'un templier mort avant la destruction de l'ordre » rappelleront à von Hammer les chaînes d'Eons de la tradition gnostique : la croix ansée du dieu Horus, le phallus, la houppe dentelée, le taureau mithriaque, entre autres [1].

Enfin, il est admis que Dante Alighieri (1265-1321) eût été l'un des chefs de la *Fede Santa,* un tiers ordre templier. Or, on sait que *La Divine Comédie* se présente essentiellement comme un « bréviaire d'ésotérisme ». Des trois livres, le premier, *L'Enfer*, raconte l'histoire des ères mythiques, depuis le monde du Centaure jusqu'au temps des Pêcheurs (dix cycles), considérés du point de vue profane; le second, *Le Purgatoire,* raconte la dégénérescence des sept dernières époques mythiques, du temps de la Vierge à celui de l'Amour; le troisième, *Le Paradis,* décrit dans toute leur gloire les sept derniers « royaumes » : de la Madone, de la Lumière, de la Sagesse, de la Semblance, de la Création, de la Justice et de l'Amour. Quant au huitième « ciel », *déjà en formation,* il n'est autre que le ciel de l'Esprit, que figurent la Rose ou l'Arbre et qu'habiteront les élus en robe blanche du dernier chant de *L'Apocalypse* [1].

---

1. SYMBOLES TEMPLIERS, découverts au XVIIe siècle, sur deux coffrets, l'un bourguignon, l'autre toscan — Cité par Serge Hutin (*Les Sociétés secrètes*, Que sais-je ?), qui rapproche de l'Ordre des Templiers une autre société mystérieuse : la Masserie du Saint-Graal, dont les membres se fussent appelés *templistes.* Cf. Henri Martin, *Histoire de France*, tome III.

Bien qu'aucun de ces documents ne nous permette de décrire précisément l'ultime croyance des templiers, ils concourent tous, nous semble-t-il, à cerner une seule hypothèse, en même temps qu'ils expliquent l'aveu le plus étrange et le plus scandaleux de plusieurs accusés : le reniement de la Croix et son piétinement. Si le dieu des templiers fut vraiment le Taureau coiffé de la Couronne, l'Esprit de Flore et d'Amaury, l'Intelligence agente ou le Libérateur de l'Islam shî'ite, il se conçoit que ce dieu de l'Avenir fût considéré par eux comme différent du Christ et même comme son adversaire.

Mais ce dieu, pour les chrétiens, n'était autre que le Démon.

La sorcellerie : Historiquement, la sorcellerie date de l'année cruciale, 1260, où, pour la première fois, une bulle pontificale condamna non seulement le sorcier et ses pratiques, mais le chrétien « qui commerce avec le diable, lui vend sa femme et ses enfants ou signe le pacte avec lui ».

Initialement, ce diable n'est autre que l'Esprit Libre d'Arnold et d'Amaury ou le Baphomet des templiers : Lucifer et Baâl-Zebud (le Taureau, Seigneur des Mouches) réconciliés dans le messianisme d'un dieu de Hiérarchie, d'Harmonie, de Liberté.

Créateur, Belzébuth donne ses pouvoirs à ceux qui lui rendent hommage. A l'alchimiste, il donne l'or, à l'artiste des couleurs nouvelles, à l'aventurier la richesse, les femmes et la puissance. Souverain, Lucifer ignore la pitié, se rit de la fraternité et bafoue la justice : c'est le Prince dans tout l'éclat de son libre arbitre, qui fait le bien ou le mal au gré de son caprice. Libérateur lui-même, enfin, le diable arrache l'homme à la contrainte des lois, des dogmes et des rituels : il ouvre à ses disciples le champ de l'imaginaire. Ils réalisent ou croient

1. LA DIVINE COMÉDIE : selon certains commentateurs, Dante se serait inspiré aussi de l'ésotérisme musulman. Il est de fait que les dix cercles de l'Enfer, les sept époques du Purgatoire évoquent les dix Intelligences de l'imâmisme et les sept Chérubins de l'ismaélisme, entre autres. Mais c'était là, précisément, une science que les templiers n'ignoraient pas.

réaliser par lui ce miracle de l'instant vécu, que l'Amour ne dispense plus qu'à quelques saints.

Michelet s'est ardemment penché sur le mystère de la *sorcière,* y voyant une libération de la femme et de la fille, esclaves jusqu'alors de l'Eglise, du Seigneur, de l'Homme tout simplement. Il nous semble qu'au contraire depuis l'avènement des premières reines (Hélène) et des princesses de Syrie, la femme n'avait cessé de régir les destinées du monde chrétien.

La semi-condamnation portée par Paul de Tarse contre les femmes, aux premiers temps du christianisme, ne s'est jamais renouvelée aussi violente, sinon peut-être en la période franque et lors de l'institution de la loi salique. Une mythique qui considère l'homme et la femme comme les deux moitiés du fruit ne peut autoriser la prépondérance d'un des sexes sur l'autre; et une mythique virginale ne peut que donner à la sainte, à la martyre, une prépondérance, tout au moins spirituelle, sur le martyr et le saint.

Non seulement, impératrices, les femmes ont gouverné, en de certaines périodes, la Chine et le Japon, Byzance et les comtes francs eux-mêmes, mais, poètes, écrivains et philosophes, nous les trouvons à tous les carrefours de l'Histoire depuis le IVe siècle : païennes comme Hypathe, chrétiennes comme Eudoxie, créatrices du théâtre chrétien (Hrotswitha) ou des nouveaux langages (Hildegarde). Les œuvres du XIe siècle ont pour auteurs des hommes comme des femmes; Héloïse n'est pas moins savante qu'Abélard et ce sont « garçons et filles » qui constituent encore les hordes des pastoureaux.

Les mœurs obéissent aux croyances. On ne répétera jamais assez — car l'enseignement laïque a déformé ces choses — qu'au cœur du Moyen Age, la femme du meunier signait les actes de vente, de donation, de location, en même temps que l'époux; que la femme du notable était de toutes les assemblées; que la fille était majeure à douze ans, quand le garçon ne l'était qu'à quatorze et que les monastères — seuls centres d'études jusqu'au XIIIe siècle — s'ouvraient aux femmes comme aux hommes.

Mais il est vrai que si, jusqu'alors, l'Ordre des cisterciennes a suivi de peu l'Ordre des cisterciens ou celui des franciscaines (clarisses) celui des franciscains, une rupture étrange dans cette tradition se produit au cours du siècle. Le refus d'autoriser l'Ordre des dominicaines rejetait de savantes mystiques dans la clandestinité. Bon nombre d'entre elles allaient devenir ces *béguines* qui rejoindraient en foule les rangs du Libre Esprit. D'autres, réfugiées dans les campagnes et dans les bois, utilisaient sans doute leurs dons et leur savoir à guérir et à consoler. Elles apprenaient seules la médecine des plantes ou redécouvraient le pouvoir du venin de serpent.

Nous ne disons pas que toutes les sorcières furent des saintes. La femme qui se jetait sur le corps d'Arnold le pifre n'en était pas une, très probablement; non plus n'étaient des saintes ces femmes « possédées » que nous décrivent des textes de l'époque. Mais elles demeuraient des servantes de l'Amour, désespérées de vivre en un temps où l'Amour ne tenait plus lieu de tout (comme le conte *L'Amour fou,* de Louis Pauwels). Si elles se révoltaient enfin, ce n'était pas contre un esclavage séculaire — qui n'avait pas existé — mais contre un « nouvel ordre » où le prince, le héros, recouvrait une importance détruite par la Croix; où les amantes, les reines et les saintes perdaient le contrôle du monde, au profit du guerrier ou de l'artisan.

A Rome, les dernières « conseillères des papes », les deux Théodora et les deux Marozie, ont vécu au xᵉ siècle; à Byzance, les dernières impératrices ont régné au xiᵉ siècle. Les œuvres qui déploreront la mort des « belles dames de jadis » ou le sort misérable des femmes seront de 1450, plus ou moins. De l'an mille à la Renaissance, l'histoire du Moyen Age est avant tout l'histoire de cette dégénérescence de la féminité.

Mais (en cela, nous suivons Michelet), ce qu'elle perdait en honneur, en joie, en royauté, la femme le regagnait en puissance secrète. Si la Vierge n'était plus une déesse du Bien, elle demeurait une déesse : la Tête de l'amante sacrifiée redevenait cette Gorgone qui tuait les poissons et les anges. Yseult rendait Tristan fou et l'épouse chrétienne de Siegfried désignait elle-même au traître, en y brodant une croix, la place vulnérable où la flèche devait frapper.

Pendant un temps, les femmes ont cru au dieu des pifres, du Libre Esprit, des pastoureaux, car le dieu de création est aussi un dieu de Terre. Mais elles ont vite compris que le Dispensateur n'aurait que faire de la Dame : aucune *queste* n'est plus antiféministe que celle des cisterciens. Elles se sont opposées non seulement au héros, au justicier, au prince, mais au génie et au Graal.

L'évolution des cultes « noirs », de Lucifer, le dieu de Lumière, à l'ancestral Serpent, caractéristique du XIIIe siècle, est essentiellement l'œuvre de la sorcière, qui ne peut rien espérer du Prince des Ténèbres, démiurge et souverain, mais qui peut tout attendre des divinités d'Eau. La vipère a supplanté le bouc, la chouette supplée au brasier. La lune l'emporte sur le soleil et c'est de nuit, à la pleine lune, que les ténébreux mystères s'accomplissent.

A Lucifer, le chevalier du XIIe siècle vendait sa femme. A Satan, la sorcière du XIVe siècle livrera son mari, son seigneur, ses amants. Contre elle, tout autant que contre l'Eglise romaine, combattront désormais tous les prophètes du dieu Esprit : les descendants des spirituels, des templiers, les lecteurs de Flore et de Dante, les alchimistes et les artistes du XVe siècle, les protestants du XVIe et les jésuites non moins que les libertins.

3

HORS DE L'OCCIDENT

Avant 1080 — La nostalgie solaire — La Grande Résurrection — Les nouveaux ésotéristes — Après 1260.

Avant 1080 : En ce qui concerne l'Occident, nous avons suggéré ce que put être l'unité du Royaume d'Amour au xe et au xie siècle (et, plus précisément, jusqu'aux croisades). Romaines ou byzantines, judaïques, islamiques d'Espagne, les œuvres essentielles ne nous font pas défaut. Bien que plus rares ou plus ambigus, les documents ne sont pas moins probants en ce qui concerne d'autres parties du monde, telles que le Moyen-Orient ou l'Inde.

Dans l'Inde, nous rencontrons le nom d'Atiça (979-1054), fondateur de la secte *Geluk-Pa* ou Voie de la Vertu et mainteneur au Tibet du bouddhisme tantrique. Son tombeau, le mausolée du « Noble Seigneur » se dresse encore, non loin de Lhassa.

La crise du xie siècle, que nous révèlent en Occident les œuvres de Glaber ou d'Ibn-Sîn et le recours inquiet à la Vierge Marie, s'exprime ici par le renouveau de l'antique djaïnisme, sous l'influence du Serviteur de la déesse au Lotus, Gomateçvara. Sa statue colossale de Sravana-belgola (Mysore) aurait été sculptée en 1028, pour le compte d'un prince de l'Inde septentrionale. La cérémonie qui commémore l'anniversaire du *jîna* est dite « onction de la Grande Tête » : elle consiste en une libation de lait et de crème, de fruits et de graines de pavot sur la tête de l'idole.

La crainte d'une fin du Temps et l'attente d'un nouvel Age, qu'on ne peut que supposer ici (à travers le renouveau de la doctrine des vingt-quatre jînas), se manifestent éloquemment dans l'action du VIe calife fâtimide al-Hâkim et dans celle de son disciple Darazi, qui répandit la doctrine en Syrie. Le livre fondamental des disciples de Darazi, les *druses,* est le *Kitab-el-Hikmet* (Livre de la Sagesse); leur doctrine recouvre celle des dix Intelligences, mais la dixième en est al-Hâkim lui-même, qui s'en serait proclamé l'incarnation en 1029.

Les dix Intelligences se succèdent zodiacalement, selon la très antique astrologie de Sumer, de l'Intelligence Première, symbolisée par le Scorpion, jusqu'à l'Intelligence dernière, symbolisée par l'Arbre. La Deuxième Intelligence ou Première Emanée est figurée par la Balance; la Deuxième Emanée ou Troisième Intelligence par la déesse *Oukhnokh* (Eve, l'Ame du Monde), etc.

L'éternité du monde et l'éternel retour, ainsi que la transmigration des âmes, qui en découle, sont des dogmes fondamentaux chez le druse comme chez le cathare. La grande bataille d'Armageddon, prophétisée par Ezéchiel (dit-on) ouvrira l'âge futur : elle dressera les soldats du dieu ancien (chrétien) contre les fidèles de l'Esprit (le Révélateur de l'Islam). Comme les rois-messies de l'Occident, al-Hâkim n'est pas mort : il a été enlevé et reviendra au jour dit pour étendre son empire au monde entier.

Cette coïncidence dans le temps de la proclamation d'al-Hâkim et de l'édification de la statue de Gomateçvara m'a conduit à rechercher dans la Chrétienté même la trace synchronique d'un prophétisme analogue. La seule que j'ai relevée se trouve dans les *Histoires* de Raoul Glaber, ouvrage suspect à plus d'un titre.

Une société de quelques membres — quatorze ou quinze — eût été découverte à Orléans en 1022. Adoratrice d'un diable en forme de Bête, la secte eût pratiqué toutes sortes de débauches et des rites parfois terrifiants : « L'enfant né du commerce impur était apporté le huitième jour après sa naissance; on allumait un grand feu et on l'y faisait passer à la manière des anciens païens. Les cendres du pauvre petit étaient recueillies et gardées avec la même vénération que les chrétiens gardent le corps du Christ. Elles entretenaient une vertu si forte que quiconque en avait goûté ne pouvait plus sortir de l'hérésie et rentrer dans la voie de la vérité (Glaber, *Histoires*). »

Bien que les historiens ne parlent pas de cette secte, à vrai dire sans grande conséquence, il n'est peut-être pas inutile de la citer, comme un exemple des croyances présolaires (et nécessairement démoniaques) qui purent s'ébaucher au cours du XIe siècle, en Occident de même qu'en Orient.

La nostalgie solaire : Qu'ils eussent honoré ou non quelque démon (on pense, encore une fois, au Prophète Voilé), les druses du moins n'en restèrent pas là. Au XIIe siècle, devenue religion, la secte d'al-Hâkim comportera deux classes : celle des *Jakils* ou guerriers et celle des *Akils* ou libérés, qui seront seuls admis aux Mystères. Or, l'Akil devra faire la preuve qu'il peut, presque affamé, résister à la tentation d'une table bien garnie; assoifé par trois jours de chevauchée dans le désert, résister à la tentation d'une jarre d'eau fraîche; et ne pas toucher, pendant une nuit entière, à la belle compagne qui lui est donnée. Car il n'est d'homme libre qui ne se soit, d'abord, libéré de ses besoins.

Nous voilà loin de la débauche et de l'orgie! Mais nous reconnaissons dans ces épreuves, d'une part, un pressentiment éclairant du futur Galaad cistercien; d'autre part, une nostalgie des anciens mythes solaires, l'invincible culte du héros. Nous ne les croyons pas antérieurs, par suite, aux années 1080, où cette nostalgie et ce culte resurgissaient un peu partout dans le monde.

C'est en effet l'époque où, au Japon, le dieu-soleil connaît une double renaissance, en partie explicable par les troubles sociaux, qui fissurent l'empire à ce point que deux empereurs peuvent régner ensemble. Jusqu'alors méprisés des moines, des courtisans et des dames nobles, les mercenaires (*samouraï*) recouvrent soudain une faveur qu'on croyait révolue; et le paganisme *shinto*, par voie de conséquence.

A ces blasphémateurs, les bouddhistes doivent répondre. Des compagnies de moines guerriers se constituent en secte. Le *buchido* ou voie du Chevalier ne reconnaît pas un dieu, mais une déesse-soleil, qui ne présente pas plus de sens que la Vierge Souveraine. Des pratiques obscures, fondées sur la Parole, que la légende attribue au moine Huang-lung, rénovent une sorte de *Zen*, qui ne s'imposera vraiment qu'au XVIIe siècle (page 185).

Ce conflit entre les moines et les guerriers, de même, répète ceux de l'Occident et il n'est pas utile d'en parler davantage, sinon pour souligner qu'il se présente encore comme une double perversion du mythe de l'Archer, rattaché par les *samouraï* au dieu de Feu, et du mythe de l'Obscur, rattaché par le *buchido* à la suite femelle des signes.

Mais, en dépit de ces perversions, tout recours à l'Archer n'est pas nécessairement un recours au dieu de Feu, tout recours à l'âme de l'Ame n'est pas nécessairement un recours aux déesses. Le *Némboutsou* de la Grande Volonté, dite « doctrine de la pratique facile » eût été, sous le règne de Gotabain, la fondation des bouddhistes Hônèn et Sinran. On la connaît par l'œuvre d'un disciple, qui se nomme lui-même le Traducteur.

Le *Tanniskyo* ou Regret de la Croyance étrangère est né « d'une méditation sur le passé et le présent, dans le regret de voir des gens s'éloigner de la vraie croyance ». Par naissance, l'homme est impur, malhonnête et vaniteux captif d'une vie éphémère (III, 6).

« Moi-même, dit Sinran, je n'ai jamais atteint au Némboutsou, je n'ai jamais désiré le bonheur de *tous* mes frères. Car tous les êtres vivants sont frères les uns des autres. » (V, 1, 2.)

Que faire, donc? Obéir. Car la Grande Volonté, Boutsou a ordonné que nous soyons ainsi, afin que nous puissions nous humilier. « Les honnêtes même peuvent être sauvés (malgré l'orgueil d'être vertueux); comment les malhonnêtes ne le seraient-ils pas? » (III, 1.) Il est très difficile, quelquefois, de comprendre; inutile, de se plaindre ou de se révolter. Car tout est pour le mieux.

On demandait au Traducteur : le Némboutsou soulage-t-il de la faim?

— Il ne remplace pas le pain comme vous le voudriez, répondit-il. Mais le Némboutsou né dans la faim révèle la Grande Volonté.

« Tout ce qui est nécessaire fut préparé avant la création de l'homme; nous n'avons qu'à nous en servir. Quelle bonté! Ce qui nous manque est inutile, mais le manque même est nécessaire. Ce qui nous arrive est nécessaire, l'heureux comme le désagréable » (XI, 9).

Combien le Royaume est proche encore, cette confiance illimitée le prouve. Combien il s'éloigne vite, les dernières phrases du livre n'en laissent pas douter.

« Excusez-moi. J'écris un peu de ce que ma mémoire me dicte des paroles du maitre. C'est triste d'aller à Héndi (l'étape intermédiaire) au lieu d'aller à la Grande Joie directement, même si l'on m'a enseigné le Némboutsou! »

N. Sakurazawa, qui nous a fait connaître cette secte antique, raconte que Hônen fut exilé, à l'âge de soixante-seize ans, dans l'île de Sikokou, sous le nom maudit de Hujii-Motohiko et que Sinran, à l'âge de trente-six ans fut exilé à Etigo, sous le nom maudit de Hujii-Zénfin. Leurs disciples furent exilés de même ou « confiés » à l'évêque Zéndai. Les quatre derniers disciples furent condamnés à mort [1].

Cette soumission parfaite à un dieu de Volonté (Indra, dans l'Inde) était, à même époque, l'enseignement du Krishna bengali, qu'une secte peu connue, celle des *nimbârkas,* adorait en son fondateur, Nimbârka au nom d'arbre, considéré comme une réincarnation du dieu solaire. La déesse de cette secte, Râdhâ, l'ancienne amante de Krishna, y était élevée au rang d'Epouse de Dieu.

Une autre secte indienne, fondée par Hemachandra (1089-1173), recréait l'ancien djaïnisme *svetambara* et développait la thèse d'un temps de Nuit et d'un temps de Jour, alliée à celle des vingt-quatre Portes ou *Tirthankaras.* A nouveau, l'humanité venait d'entrer dans une

---

1. SAKURAZAWA : traduction du *Tanniskyo* dans *Principe Unique de la philosophie et de la science d'Extrême-Orient* (Vrin, 1962).

époque de dégénérescence. Tout en demeurant fidèle aux symboles gémiques des Frères et à la notion de (sainteté) modèle, la doctrine mettait l'accent sur l'aspect héroïque de la religion des Vainqueurs et prêchait l'attente nécessaire d'un Libérateur futur.

Dans l'Islam oriental, enfin, Abd-al-Qâdir (1077-1166) fondait la secte des *quadiriyas* ou derviches. Cet étrange juriste, sunnite de l'école hanbalite, considérait encore que la Charité active était plus efficace que le Droit pour résoudre les conflits. Cet étrange ascète avait pris épouse et se disait le père de quarante-neuf enfants. Onze d'entre eux contribuèrent à propager sa doctrine de Soumission et de Fraternité, en même temps que d'Egalité et de Justice.

Dans l'Islam également, mais iranien, ce dut être vers cette époque que se constitua la secte des *parsis,* qui allaient émigrer dans l'Inde quelque trois siècles plus tard. Selon une autre tradition, un petit groupe de ces fanatiques se serait réfugié en Inde dès le VIIIe siècle, pour fuir les persécutions musulmanes : en ce cas, ce serait à la fois dans l'Inde et en Perse que la secte eût resurgi à la fin du XIe siècle. Persans ou Indiens, les parsis célébraient annuellement — et célèbrent encore — la mémoire du dernier roi sassanide, détrôné par Omar en 640. L'anniversaire en est fêté le premier jour de l'An.

Leur doctrine est, pour l'essentiel, celle des anciens zoroastriens, mais la suite des âges solaires, primordiale dans l'*Avesta,* est ici réduite au dernier état de 3 000 ans, qui seul intéresse le culte. Cet âge ultime est lui-même partagé en trois périodes, la première se prenant de Zoroastre à l'avènement de Saoshyant (le Christ), la seconde de cet avènement à l'exil du Soleil, la troisième de l'exil à la Résurrection.

De même, la prêtrise, héréditaire, comporte trois degrés : les *Ervadas,* qui ne sont initiés qu'à l'antique doctrine, les *Mobeds,* qui ont accès aux temples du Feu et sont initiés à certains aspects de la doctrine messianique de la secte, et les *Dasturs* ou grands prêtres, dont l'initiation serait complète, suppose-t-on. Une caractéristique du culte, que nous retrouvons chez les Khonds du Bengale et dans certaines tribus de l'Afrique Noire, est que le dieu Soleil, Ahura-Mazda, n'est pas proprement

« adoré » (puisqu'il n'existe plus); il est supplié de revivre. Les offrandes qui lui sont faites, d'eau-de-vie, de pain, de beurre clarifié, etc. ont pour objet de témoigner qu'il reste vivant dans le souvenir des hommes.

A la secte des parsis s'apparente, semble-t-il, celle des *yazîdis,* dont nous ignorons l'origine, mais dont le « saint » le plus vénéré, Adi ben Musafir, serait mort vers 1155. Il n'est pas impossible qu'à l'origine, les yazîdis aient été des manichéens sabéens, car on reconnaît dans leurs croyances les plus primitives la distinction entre le dieu du Bien et le Démiurge créateur, « le Roi » ou « l'Ange Paon », qui n'est autre que notre Lucifer. Cependant, à la différence des autres manichéens médiévaux (tels que les cathares), ils adorent non le dieu du Bien mais le Démiurge, dans lequel ils reconnaissent à la fois le créateur et le « Seigneur du Soleil et de la Lumière », le « Seigneur du Trône sublime » et le « Dieu de la bénédiction ».

D'autre part, alors que les derviches ou les parsis considéraient le dieu de Lumière comme « absent » ou « crépusculaire », car ils liaient son culte à celui du Feu et pouvaient donc attendre son règne du renouveau de la Justice, les yazîdis semblent bien avoir considéré leur dieu comme « mort ». C'est ce qu'indique, entre autres, la prière du matin, renouvelée chaque jour :

« Le Soleil s'est levé au-dessus de moi et deux bourreaux sont venus au-dessus de moi. O Pauvre, lève-toi et confesse ta religion qui est : Dieu est l'Unique et Melek-as-Seyh est Habid Hallah (Adi), etc. Confesse encore la mort du Temps et le dernier jour. Amen. »

Comme dans les *Edda* nordiques, la Résurrection du Roi sera également la fin des Temps, le dernier jour du monde.

Il semble effectivement difficile d'allier en une seule croyance le concept d'une mort du dieu souverain (et créateur) et le concept d'une Résurrection future du dieu qui ne coïnciderait pas avec la fin du monde. Une secte y parvenait cependant, celle des ismaéliens orientaux; mais ce n'était pas sans rattacher le Souverain à un autre plan d'univers.

La Grande Résurrection : Nous avons signalé qu'en

marge de l'orthodoxie sunnite, évoluée par la suite en « doctrine du cœur », et de la gnose imâmite, peu à peu influencée par la walâyat soufie, l'ismaélisme tendait à la restauration de l'Eden d'Adam et de Seth, le Jardin Perdu. Il arriva qu'à la mort du calife du Caire Mostansir (1094), certains élirent le fils de ce dernier, Mosta'lî, tandis que les autres donnaient leur foi à l'Imâm fâtimide Nizâr. Les premiers ou *mostaliyân* restaient fidèles aux dogmes fâtimides; les seconds ou *nizâri* en revenaient au messianisme de l'ismaélisme primitif. Sous le nom d'ismaéliens orientaux, ils triomphaient en Iran, puis au Yémen.

Nizâr lui-même assassiné avec son fils en 1096, son petit-fils put être conduit en sécurité dans le château fort d'Alamût, au sud-ouest de la mer Caspienne. Ce fut dans cette place forte que, le 8 août 1164, l'Imâm Hasan proclama le temps venu de la Grande Résurrection (*Qiyâmat al-Qiyâmat*), véritable avènement d'un Islam spirituel dont le reste du monde, à même époque, ne semble pas avoir connu l'équivalent.

Bien que la bibliothèque d'Alamût ait été détruite par les Mongols, lors de la chute de la citadelle en 1256, et que, par suite, les documents authentiques fassent ici défaut, on peut établir que deux traditions opposées n'ont cessé de donner, depuis lors, une double vision de *l'ismaélisme réformé.*

Selon l'une, nous nous trouverions en présence d'un nouveau prophétisme, d'une importance considérable, puisque les poètes de la Rose, tels que Shabestari, et les soufis du XIIIe siècle (Attâr, Rumî) en seraient sortis, ainsi que les étranges « alliés des templiers », les ismaéliens de Syrie. Selon cette tradition, alors que les fâtimides continuaient d'attendre l'avènement de l'Ange de la Révélation au terme de la longue nuit, les ismaéliens d'Alamût ne faisaient rien d'autre que proclamer le temps venu ou « commencé ». Hasan, le Vieux de la Montagne, était précisément cet Ange qui ouvrait à nouveau le Jardin par la Grande Convocation (*da'wat*). Car, « les Hommes de Dieu ne sont pas Dieu; mais ils ne sont pas séparables de Dieu »; ils atteignent à l'Etre en soi (l'Abîme divin) par le seuil de la Miséricorde et la lumière de la Connaissance de Dieu, selon la révélation prêchée le

8 août 1164. Nous reconnaissons dans ce prêche la doctrine de Salut par l'inconscient, la conscience et l'amour, à laquelle saint Bonaventure n'accéderait qu'un siècle plus tard et les dominicains allemands plus tard encore (pages 92 et suiv.)

Selon l'autre tradition, le Vieux de la Montagne n'eût créé qu'une section « combattante » fondée sur de cruelles initiations et sur l'emploi rituel d'une drogue, le haschisch. Le Jardin qu'il eût ouvert à ses adeptes, les Assassins (*Haschaschin*) n'eût été qu'une sorte de « paradis artificiel » aux visions provoquées.

Le problème se complique du fait qu'il y eut sans doute deux Hasan. Le premier, Hasan-ben-Sabbah était natif du Khorassan, la patrie du Prophète Voilé. Son fanatisme et son esprit guerrier le rattachent aux héros chrétiens, indiens et peut-être amérindiens (vikings?) de la même période. Il serait mort en 1124, à l'âge de quatre-vingt-dix ans, c'est-à-dire deux ans avant la naissance de l'Imâm Hasan, le Résurrecteur.

Mais il se peut que, précisément, l'action messianique de l'Imâm soit seulement venue compléter l'action guerrière et justicière du fondateur d'Alamût. Nous retrouverions ainsi, en un unique symbole (le Vieux de la Montagne) les deux tendances qui, dans le même siècle, se partageaient le monde : la nostalgie du Souverain en tant que dieu de Feu et l'attente messianique de sa résurrection dans le dieu futur (comme la Vierge avait revécu dans le Christ). Le dieu de Feu ramenait à l'Archer, au Combattant et à la Loi; le messianisme, par l'Ange de l'Abîme, menait à l'Ange de la Révélation.

On se rappelle ce que Baudelaire dit de l'euphorie provoquée par le haschisch :

« C'est une béatitude calme et immobile. Tous les problèmes philosophiques sont résolus. Toutes les questions ardues contre lesquelles s'escriment les théologiens et qui font le désespoir de l'humanité raisonnante sont limpides et claires. Toute contradiction est devenue unité. L'homme est *passé* dieu (*Les Paradis artificiels*, Du vin et du haschisch). »

Angèle de Foligno, Maître Eckhart et Tauler ne parleront pas autrement de la saisie de l'En-soi au fond de l'âme ou dans la ténèbre. Si l'important est la plongée de l'esprit dans ce « nirvâna » intérieur que tout homme porte en lui, il n'importe guère que le seuil du Jardin soit l'extase mystique ou le passage par la drogue. Ou, plus exactement, le passage par la drogue devient une initiation, certainement étrange mais non pas scandaleuse plus que la contemplation ou la circoncision [1].

Les nouveaux ésotéristes : Alors que le second Hasan proclamait venu le temps de la Résurrection, Hildegarde, Silvestris, de Lisle tentaient de même l'approche du dieu futur, et Joachim de Flore découvrait ses premières concordances entre le temps du Père et le temps du Fils, annonciatrices de l'ère de l'Esprit. Alors, dans le monde entier, d'autres ésotéristes menaient aussi loin leur quête.

Né dans l'ancienne Médie en 1155 et mis à mort sur l'ordre de Saladin dans la citadelle d'Alep en 1191, Sohrawardi est l'un des plus grands parmi ces prophètes. Son livre essentiel, *Hikmat al-Ishrâq,* annonce une autre sorte de résurrection; il se fonde, d'une part, sur l'hermétisme primitif (de l'Hermès triple), d'autre part sur une fusion entre les doctrines de Platon et celles de Zoroastre-Zarathoustra (l'Antique) ou des « sages » de l'ancienne Perse (antérieurement à l'*Avesta*).

Parti de la recréation chaldéique d'Avicenne, Sohrawardi s'en éloigne par l'adoration première de la Lumière (le mot : *Ishrâq* lui-même symbolisant le renouveau du Soleil en toute sa splendeur). Mais l'illumination par la Lumière n'est pas autre que l'illumination intérieure provoquée chez l'adepte par l'osmose de l'amour et par la connaissance parfaite; en sorte que l'Abîme, commun aux deux univers, demeure fondamental ici comme dans les doctrines d'Alamût.

De cette ténèbre devenue « Lumière des Lumières » procèdent le premier Archange, Bahman (*Vohu Manah* dans l'*Avesta,* le Souffle dans la Kabbale), « comme du premier Aimé le premier Amant », puis toute une hiérarchie d'Archanges ou « Seigneurs des espèces », que Sohrawardi nomme « l'Ordre longitudinal » et dont le

1. Assassins : parmi les nombreuses études consacrées à cette société, nous citerons celle de Charles W. Heckethorn dans *The Secret Societies of all ages and countries* (University Books, New York).

dernier n'est autre que l'Ange de la Révélation (l'Intelligence dixième, l'Esprit joachimique).

Puis, sur un autre plan, non plus temporel mais spatial, cette suite d'Archétypes s'est projetée en une combinaison de *fixes,* très analogues aux anges-astres de la scolastique augustinienne. Par ces fixes, les Archanges gouvernent et régissent les espèces (anges-âmes d'Avicenne ou Eons de la gnose). Par suite, le monde des fixes constitue la limite entre le monde de la Lumière et l'univers de la matière, relié au concept premier de *bazzakh* ou Ténèbre Pure, comme le monde archangélique l'est au concept de Lumière des Lumières.

Le monde des Archanges et celui de la matière, pour des raisons contraires, ne peuvent être saisis en soi : le premier parce qu'il est *ce qui est,* le second parce qu'il n'est pas (ou seulement en négatif). Le monde des fixes, des icônes ou des formes, peut donc seul être saisi (par la Contemplation). Quant aux formes elles-mêmes, elles ne constituent ni l'univers des pures Intelligences, dont elles seraient les émanations, ni l'univers de la matière, où elles seraient comme des accidents : ce que la couleur est au corps. Mais elles composent un monde d'avènements, d'épiphanies, « où elles se manifestent, écrit Corbin, comme l'image en suspens dans un miroir ». En ce monde, le *Malakût,* subsistent non seulement tout le réel visible, mais les Cités des saints et des mystiques, vestiges du Royaume : Jabalqâ, Jâbarsâ et Hûrqualyâ, cités du Bien, de la Fraternité, de la Résurrection.

A ces trois univers, des Archanges, du Malakût et de la matière, certains commentateurs ont voulu démontrer que Sohrawardi en ajoutait un quatrième : le monde de l'Imaginaire, intermédiaire entre la Lumière et le Reflet. Cela n'est pas impossible car, au temps de Sohrawardi, l'ésotérisme universel n'a pas atteint toute sa clarté. Cependant, les disciples du prophète, tels que Sadrâ Shîrazî, ne parleront plus jamais de ce quatrième monde, qui ramenait en fait le schéma platonicien du maître à un schéma élémental et le rendait inintelligible, ésotériquement.

Puis, il faut noter que les *ishraqiyûn,* qui formeront la postérité spirituelle du prophète, rejetteront de même le mythe de Semblance inclus dans le système, pour constituer une symbolique plus proche du *Zohar* ou de la *Divine Comédie,* comme nous le voyons dans l'œuvre de Shahrazûri : *Traité de l'Arbre divin et des secrets théosophiques* (1281), que commenteront Kammûna (1284) et Shîrazî (1295). Dans ces ouvrages, le monde de Lumière et le monde matériel prendront une importance croissante, aux dépens du Malakût, c'est-à-dire que la Ténèbre et la Hiérarchie d'une part, la Création de l'autre prendront le pas sur le Double ou l'Image.

Mais alors, un autre grand mystique de l'Islam, Ibn Arabî, aura vécu et sera mort (vers 1240). Il n'est pas impossible que les ishraqiyûn aient été influencés par son œuvre, bien que la synthèse de l'Ishraq et de l'œuvre d'Ibn Arabî ne dût pas être achevée avant le xve siècle. Nous savons, ainsi, que le fils de Saladin, al-Mâlik al-Zohîr, qui ne put sauver Sohrawardi, avait été l'ami de celui-ci avant d'être l'ami d'Ibn Arabî lui-même.

L'immensité de cette œuvre nous interdit d'en développer toutes les thèses; trois points semblent devoir en être plus précisément soulignés. En premier lieu, l'ésotérisme d'Ibn Arabî demeure, même aujourd'hui, l'un des plus achevés de l'Islam, bien qu'il ne repose pas sur les douze structures mais sur sept d'entre elles, aisément identifiables aux archétypes (Arabî dit : les Noms) de l'Emanation, du Double et de la Liberté d'une part, de l'Abîme, de la Lumière souveraine, du Créateur et de l'Esprit révélateur de l'autre. C'est ainsi que, pour la première fois, nous voyons nettement distinguer le mythe du Créateur ou de l'Intelligence agente du mythe du Formateur ou du Modèle.

Le Créateur, dit Arabî, tire le monde créé de sa propre substance (ce sera l'intuition d'Eckhart); cette substance n'a jamais cessé d'*être,* soit dans le Créateur, soit hors de Lui, mais elle n'a jamais cessé d'être en mouvement, comme existante : le mûrissement, l'évolution, la corruption restent attachés à sa nature de « chose créée ». Au contraire, le monde-reflet émane du Formateur, sans que celui-ci l'ait voulu autrement qu'en existant : Modèle, le Formateur est nécessairement immuable, et le reflet né de lui ne peut être en mouvement.

Si le dieu futur doit être le dieu de Liberté et si

l'Emanation et le Double doivent être au nombre de ses composants, il faut donc imaginer qu'à un certain moment de l'avenir, le processus sera inversé. Mouvant puisque créé, le monde-image recréera un Modèle en mouvement : par le monde des formes ou Malakût, la matière créée se suscitera un nouveau dieu Modèle et Créateur. Tel avait été, selon Ibn Arabî, le *Verbe* de Mahomet. Il l'exprimait ainsi :

« La Divinité conforme à la croyance est créée par celui qui se concentre sur Elle, car Elle est son œuvre... C'est la seule Divinité qui puisse être définie (formulée), car c'est la seule que le cœur de l'homme peut concevoir (*La Sagesse des Prophètes* [1]). »

Cette conception des Noms entraîne une doctrine, que le mystique a développée en plusieurs de ses ouvrages : le double aspect du Nom théophanique, différencié des autres essences (comme le Créateur du Donateur de formes) en tant qu'il n'est lui-même qu'essence, mais non différencié en tant qu'il devient l'Essence, englobante de tous les possibles.

Selon Ibn Arabî, l'avènement d'un dieu est très précisément ce moment où une essence nouvelle s'ajoute aux essences existantes : en cela, il considérait Jésus comme le Sceau de la walâyat absolue. Mais l'avènement du Royaume est le moment où l'essence nouvelle devient l'Essence englobante de toutes les autres : Ibn Arabî datait de Mahomet cet avènement de la Walâyat-Essence et il se considérait lui-même comme vivant en l'achèvement du temps.

Faute de comprendre ce dernier point, les commentateurs du prophète ne peuvent s'expliquer toute son œuvre; car, disent-ils, l'achèvement de la Walâyat devrait être l'achèvement, le Sceau de la prophétie mahommadienne; or, le Royaume s'est achevé — et l'Islam continue. Mais, dans l'optique d'Ibn Arabî, la Walâyat n'a été qu'un moment de l'Histoire. Ce Temps révolu, la quête doit se poursuivre pour préparer un autre Temps.

Ramanuja — L'Inde n'a pas eu un tel génie. Mais, au temps de Sohrawardi, de la Grande Résurrection

1. Ibn Arabi : *La Sagesse des Prophètes* (Albin Michel).

et des premiers prophètes du Libre Esprit, se formulait dans l'Inde une théologie non moins précise, fondée sur l'œuvre de Ramanuja, le maître des *Çrivaishnavas*. Çivaïte, puis vichnouiste, Ramanuja croyait en la succession de huit grands maîtres seulement (les Alvârs tamouls), dont il eût été la huitième; il ne remontait donc pas au-delà de Çri, parèdre de Vichnou.

Philosophiquement, il établissait qu'il existe trois sources de connaissance : l'autorité scripturaire, le raisonnement et la perception; mais ces mots n'ont plus le sens qu'ils eurent pour les saints de la *bhakti*. L'autorité renvoie aux textes anciens : de hiérarchique, elle devient savante. Le raisonnement reconduit à une dialectique du semblable et du contraire, car « entre Dieu et les âmes, comme entre toutes les Formes, la relation est d'identité impliquant différence » : le reflet est différent de son modèle, comme la feuille qu'on voit à l'envers dans l'eau est autre que la feuille réelle. Quant à la perception, Ramanuja ne l'espérait plus de la contemplation védantiste, mais de la Maîtrise Intérieure (*Yoga)*, seule capable de saisir en soi toute la réalité.

D'une certaine manière, ces trois *sources* ne sont autres que les trois termes du *Trika* ou les trois mythes de la gnose valentinienne : le savoir, l'amour et l'en-soi (Bythos se trouvant maintenant à la fin de la triade). Mais, d'une autre manière, elles ouvrent sur les trois univers du Vrai, du Bien et de l'Harmonie, dont les dieux se sont nommés Brahmâ, Vichnou et Çiva.

Le temps où vit le théologien tamoul est encore celui de la dialectique; son dieu est l'Amant Suprême. Mais il enseigne que — en tant que Dieu sans qualité (l'Essence englobante d'Arabî) — ce Modèle est à la fois le créateur Çiva, le conservateur Brahmâ et Celui qui réabsorbe l'univers par osmose : Vichnou. L'Amant dévore le monde : après lui devra régner de nouveau le Créateur, qui renouvellera le cycle.

Au rythme dialectique du djaïnisme s'oppose — pour la première fois dans l'Inde — une Trimurtî temporelle, selon laquelle un temps de dévoration suivrait toujours un temps de conservation, puis un temps de recréation suivrait le temps de dévoration.

Il y a là un travail très analogue à celui que, vers la

même époque, Joachim de Flore effectuait sur la Trinité chrétienne. Le *Trikaya* bouddhiste, comme la Trinité, avait ramené les trois approches possibles de l'Etre aux trois composants de l'Elément d'Eau : l'Innommé, l'Amour et l'Esprit-sagesse. Ramanuja replace en chacun des trois plans le composant qui lui revient : l'Esprit dans le plan de Vérité, l'Amour dans le plan de Dialectique, l'Innommé dans le plan d'Harmonie. Ce faisant, il englobe tous les possibles — passé, présent et futur — dans la seule trilogie bouddhiste.

Il n'était pas nouveau d'unir en une seule divinité le mythe de l'En-soi et celui du Modèle : le Grand Véhicule y avait réussi. Mais la difficulté — presque insoluble — devait être de faire au mythe de Création sa place dans un monde-reflet et, d'ailleurs, éternel. Çankara, rejetant ce mythe, disait que l'imparfait ne peut provenir du parfait, ni le fini de l'infini. Ramanuja riposte que la contradiction est dans l'esprit de l'homme, soumis au monde des images ou de la Maya — qui, littéralement, le dévore. En Vichnou, l'identité implique toujours différence. Mais il faut, en effet, mener jusqu'à son terme cette dialectique même. Il se conçoit alors que la Création, acte périodique de l'Etre, n'exclut pas son acte éternel, qui demeure la Conservation du monde par la Contradiction.

Admirable, la doctrine demeure fondamentalement ambiguë. Il n'étonne pas que, sitôt la mort de Ramanuja, sa secte se soit divisée en deux groupes. Le premier — celui des *nordiques* — admettait pleinement le messianisme du maître. Il mettait donc l'accent sur la liberté de Dieu et de l'homme : de sa propre volonté, l'homme doit tendre vers Dieu et s'accrocher à Lui « comme un singe à sa mère ».

Le second groupe — celui des *méridionaux* — se voulait fidèle aux mythes fondamentaux du *Trikaya.* Il mettait donc l'accent sur l'impuissance de l'homme à faire son salut. Il faut que Dieu l'arrache à son humanité imparfaite et pécheresse, pour le tirer vers Lui.

Les deux attitudes encore comportent une même ambiguïté. Ni l'une ni l'autre n'atteignent à une conception de la liberté humaine essentiellement différente de l'ancien amour-osmose. Ni l'une ni l'autre ne peuvent se faire du dieu suprême une image qui ne soit celle du Père formateur, recours de l'audacieux ou maître de l'hésitant.

Cependant, les *nordiques* seuls nous semblent avoir mené jusqu'à leur terme l'intuition de Ramanuja et son pressentiment mystique; les *méridionaux* se sont arrêtés — comme les sectaires du *Némboutsou* — à la nostalgie du Souverain amant.

Après 1260 : Ces sectes du *regret,* encore nombreuses et toutes-puissantes avant 1260, ne vont plus cesser de s'émietter ou de s'amollir. L'une des dernières florissantes fut au Japon celle des *shin,* créée par Shinran (ne pas confondre avec le disciple d'Honèn!), qui vécut vers 1173-1262.

Le culte de la Vierge (*Kwannon,* la Dame de Merci) y était primordial. Mais ce culte même ne suffisait plus à maintenir dans son intégrité le mysticisme des néophytes. Cédant à l'influence universelle du pressentissement d'un dieu de Liberté, ils en vinrent à se délier de tout vœu de chasteté, de célibat, d'ascétisme. Le maître lui-même, avant sa mort, leur eût permis de se marier, de vivre dans le monde et de manger de la viande, c'est-à-dire de contrevenir à toutes les règles du monachisme primitif.

Une dégénérescence analogue se manifestait dans le bouddhisme indien, dénaturé par le culte des déesses (*Çaktas*). Dès le XIIe siècle a commencé de se développer une littérature sacrée qui décrit avec complaisance les pratiques les plus érotiques (un peu comme les poèmes des goliards en Occident). Dans l'un de ces ouvrages, le *Tathagatagunyaka,* l'union sexuelle est devenue le symbole concret de l'union de l'aimé et de l'Amant divin. Le culte de la Mère, Çri, s'y apparente aux anciens cultes babyloniens et grecs d'Ishtar et de Cybèle, c'est-à-dire que Çri y est prise pour une déesse de Terre. Ce tantrisme (de gauche) se rapprochera de plus en plus du çivaïsme ancien, tandis que le tantrisme de droite tentera de maintenir dans sa pureté le culte du Couple en soi, dans une acception plus symbolique — et toute gémique.

Les grandes invasions mongoles devaient balayer ces

dernières traces de la *bhakti* dans l'Inde et du bouddhisme même en Chine. Les mêmes invasions — et le conflit majeur entre les Turcs et les Mongols — balayaient également de Perse, en même temps que les derniers Abassides, les dernières grandes sectes soufies.

Aboutissement d'une mystique plusieurs fois séculaire, Farid Attar, l'un de ces derniers soufis, en avait cependant été l'un des plus grands. Son *Colloque des Oiseaux* (vers 1230) oppose à la *Queste du Graal* une autre quête du dieu futur, dont les attributs ne seraient pas la liberté et le bon gré, mais l'égalité des Frères. Quand les chercheurs découvrent Sîmurgh, le Roi des Oiseaux, au terme de sept étapes qui sont autant d'épreuves, ils reconnaissent que le dieu n'est autre qu'eux-mêmes, fraternellement unis dans leur diversité.

Au contraire, élevé dans les mêmes doctrines, Rumî (1207-1273) s'en évadait, vers la fin de sa vie, pour aboutir à un pessimisme absolu. J'ai été pierre, oiseau, homme, ange, dit-il (reprenant à son compte les « mémoires » d'Empédocle), je ne désire plus qu'être rien. Par ce *rien,* il entend exprimer à la fois le choix de l'inconscience et la soumission illimitée à l'Etre, qu'enseignait également en Chine le *Zen* renaissant. S'il ne fait appel à la drogue comme le Vieux de la Montagne, il admet l'initiation d'un asservissement volontaire : on lui prête la réforme des derviches iraniens et l'institution des *derviches tourneurs,* dont la danse éternelle ne tendrait à rien d'autre qu'à ce Rien précisément envié.

Cette expérience mystique est primordiale : elle nous révèle l'un des passages possibles du dieu ancien au dieu futur, par le canal de l'Inconscient ou de l'Ange de l'Abîme, commun au dieu-poisson, dans le plan élémental, et à l'Arbre (l'*Apsû*) dans le plan du Beau. A même époque, d'autres fondateurs de sectes suivaient le même chemin.

Le problème majeur de la philosophie indienne, en la seconde moitié du XIIIe siècle, n'était pas autre que celui d'Ibn Arabî ou de Rumî : comment, en l'Absolu, Dieu peut-il être l'Unique en même temps qu'identifiable à tous ses attributs, dont certains se présentent comme contradictoires : l'immutabilité et le mouvement, l'inconscience et la conscience, etc.? Nimbarkâ et Ramanuja avaient admis l'inconcevable, mais sans chercher à le concevoir : cette dialectique elle-même était l'un des aspects de Dieu, et voilà tout.

Le fondateur des *Gorakhnathis,* Madhva (1199-1278) tente principalement de résoudre le problème. Il admet les trois sources de connaissance : la perception, le raisonnement et l'autorité scripturaire; mais son nom nous révèle son choix, car *madhva* n'est autre que le « noir » (attribut de Krishna le Noir, dieu de l'Inconscient). Il s'ensuit qu'il ne met plus l'accent sur la conscience, le raisonnement lucide et, finalement, la Vérité; mais sur la Soumission aux forces des Ténèbres, quand la perception et le raisonnement se révèlent inefficaces. Plutôt que trois éléments d'un plan élémental, Madhva formule trois plans universaux, dont le premier seul est le plan du dieu souverain, le second étant celui des âmes ou des formes et le troisième le monde matériel en soi.

Dieu est à la fois l'organisateur et le destructeur, en même temps que le Maître. Transcendant par nature, Il s'incarne dans ses avatars, tous contenus dans le monde des Images ou des Formes : le plan du formulable. Dans un monde éternel, les âmes — comme les formes — transmigrent de vie en vie ou de support en support; mais elles peuvent parfois se perdre dans la matière ou se sauver en Dieu, lorsqu'elles cèdent au Mal absolu ou accèdent au Bien suprême.

Le même recours à l'Inconscient et à l'Autorité caractérise l'œuvre de Nichiren (1222-1282), fondateur de la secte qui portait son nom. Ancien fidèle du *shingon*, ce bouddhiste japonais s'élevait avec force contre l'adoration des divers *boddhisttavas* du Grand Véhicule, dans lesquels il ne voyait que des Images, des « idoles ». Son dieu, le Bouddha de passivité, s'identifiait d'une certaine manière au bouddha historique, Gautama — à condition de mettre l'accent sur le sens premier de la doctrine du *nirvâna* (le non-être).

Ce Bouddha de passivité s'apparente évidemment au Noir Krishna ou à l'Intelligence Première de l'Islam. Mais nous n'en savons pas assez pour décider si l'ésotérisme de Nichiren débouchait effectivement sur l'attente d'un dieu futur. Nous noterons seulement, dans les deux tentatives de Nichiren et de Madhva, l'impuissance de se maintenir sur le plan de perfection ésotérique qui avait été celui de Ramanuja et l'incompréhension croissante de ce qu'avaient pu être les mythes connexes de la *bhakti*, de la Maya et de l'Amour en *ce temps-là.*

Les Hésychastes — Nous reconnaissons plusieurs traits d'une impuissance analogue et d'une même incompréhension dans la doctrine hésychaste, que développaient au Moyen-Orient et à Byzance un Syméon « le nouveau théologien », un Théolepte de Philadelphie et, surtout, Grégoire Palamas, le futur évêque de Salonique (vers 1350). Contre l'enrichissement et le luxe fort peu chrétien de l'Eglise orthodoxe, puis contre les fléaux, la Peste Noire, les victoires mongoles et turques, ces mystiques ne trouvaient de recours que dans le silence et la méditation, qui nourrissaient ailleurs le *zen* ou les pratiques de Madhva et de Rumî.

Rejetant à la fois un amour agissant et un savoir gnostique, ils attendaient de la paix du corps et de l'âme l'accueil de l'Esprit-Saint « présent en tous ». Dieu, exprime Palamas, n'est pas communicable par la raison, qui le conçoit comme le Non-Etre; mais le cœur le connaît, par ses émanations, ses œuvres et ses vertus (*Theophanes*). S'il faut craindre la raison, il ne faut donc pas craindre le cœur, ni même le corps, son réceptacle. Car « la vision de Dieu ne fait qu'un avec la vision de Soi » (Evagre le Pontique).

Assis sur le sol nu dans une position qui rappelait le *yoga*, les hésychastes pouvaient demeurer des jours, parfaitement immobiles, priant et se contemplant le nombril; d'où, le nom populaire qu'on leur donna; *omphalopsychoi* (âmes-nombrils). Ces pratiques, sans doute, ne ramenèrent pas l'Eglise au sens du renoncement et de la pauvreté; elles ne sauvèrent pas Byzance au siècle suivant. Mais elles confirment qu'en la fin du XIIIe siècle, il ne semblait plus s'offrir au mystique d'autre voie que celle du reploiement, de la méditation et de la prière.

4

KABBALE ET SCOLASTIQUE

La scolastique dominicaine — Le Sepher Yetsira — Le Zohar — Les dominicains allemands — Le réalisme scolastique — Les nominalistes.

La scolastique dominicaine : Au IXe siècle avant J.-C., l'Israélite qui refusait la Voix et le Double n'avait de recours que dans les mythes de Feu : l'Archer, le Roi. Au XIIIe siècle, le chrétien qui refuse la Vierge et le dieu de Création n'a de recours que dans les mythes d'Eau : le dieu de l'obscur et le dieu-cercle.

Tel est le secret de la scolastique, non moins complexe que la tentative — inverse — des six premiers conciles œcuméniques. Mais, alors que ces conciles avaient œuvré de la raison à la mystique, renonçant à comprendre pour accepter, le scolastique œuvre du spirituel au rationnel; par son obsession : comprendre le monde des mythes ou des « universaux », il tue la foi.

Dès 1260, ce monde mythique n'est plus celui qu'il fut pour saint Anselme. Les maîtres juifs (Gabirol, Halévy et Maïmonide) et les maîtres de l'Islam (Fârâbî, Avicenne, Averroès) sont lus dans le texte et traduits en latin. Des grands Arabes, les scolastiques retiennent la doctrine des dix Intelligences (pudiquement nommées par eux des Anges); des grands juifs — du rabbin de Malaga, entre autres — la doctrine des trois matières : « Celle qui détermine la première forme substantielle : la forme intelligente; celle qui détermine la première forme corporelle, telle que la forme des corps célestes; celle qui détermine la corporéité, c'est-à-dire la contrariété de la génération et de la corruption (*Le Livre des Causes*). »

Mais, admettant ces distinctions universales, les scolastiques ne conçoivent plus comment, d'un Dieu unique, elles ont pu naître. Car un monde-reflet doit refléter son modèle; si le modèle est un, ses reflets ne sont pas divers.

Pour tenter de résoudre ce problème, les philosophes chrétiens disposaient de deux doctrines contraires. Celle de Platon, affinée par Plotin, puis par saint Augustin : la forme est unique pour tous les individus de même espèce; elle est essentiellement unique en Dieu; mais, par son union avec la matière, la forme se subdivise en une multiplicité d'individus. Celle d'Aristote, revue par les grands Arabes : Dieu est le contenant-cercle qui englobe toutes les formes (ou sphères) de l'univers. En lui, tout existe par acte et rien n'est en puissance; le monde n'a donc pu être créé, car, du non-mouvement, nul mouvement ne peut naître.

Selon la première doctrine, qui était celle des augustiniens et des frères franciscains, le Principe seul détenait l'Unicité; puis, par une contradiction mythique — dont l'origine restait inexpliquée — tous les êtres, au-dessous de ce Premier Principe, étaient faits de forme et de matière.

Selon la seconde doctrine, celle des dominicains, toutes les Intelligences étaient douées de l'Unicité. La diversité des individus naissait de la diversité des Intelligences. Cette doctrine excluait non seulement l'hypothèse d'une matière angélique ou céleste, mais celle d'un mouvement créateur en Dieu. Dans un monde éternel, des orbes immuables (les orbites des astres) renouvelaient sans cesse le même parcours.

« Lorsque les corps célestes reviendront tous au même point, ce qui aura lieu dans trente-six mille ans, on verra revenir les mêmes effets qu'à présent. »

Cette proposition devait être condamnée par l'évêque de Paris, Etienne Tempier, en 1277. En même temps que la croyance en l'éternel retour, l'Eglise condamnait de nombreuses autres propositions (219), touchant l'éternité du monde, l'affirmation que « du Premier Principe, qui est un, ne peuvent provenir des effets multiples », que « les Substances séparées sont créatrices », etc.

Quelques jours plus tard, l'Université d'Oxford confirmait ces condamnations et en ajoutait plusieurs autres, qui visaient des propositions du *doctor communis* lui-même, Thomas d'Aquin :

« La forme ne peut recevoir de division que par la matière. »

« Sans la matière, Dieu ne peut produire des êtres multiples en une même espèce. Comme les intelligences n'ont pas de matière, Dieu ne pourrait donc créer des intelligences séparées, etc. »

Tandis que les disciples de Thomas (Gilles de Rome, Godefroy de Fontaine) et tous les dominicains refusaient d'admettre les condamnations de Paris et d'Oxford, les franciscains y applaudissaient très fort. Mais, en fait, ni les uns ni les autres ne sortaient victorieux du conflit. Les premiers poursuivaient secrètement leurs recherches, sous la menace de l'excommunication; mais le dogme de l'éternité du monde, et le dogme de l'éternel retour, son corollaire, ne seraient plus qu'évoqués incidemment, dans les œuvres de Gilles et de Godefroy. Quant aux principes augustiniens, ils s'effritaient peu à peu sous l'influence insidieuse de ces mêmes doctrines dominicaines[1].

Pour ne traiter que de la croyance trinitaire, le dernier grand platonicien, saint Bonaventure lui-même (1221-1274), en donnait, vers la fin de sa vie, cette interprétation assez peu orthodoxe : « Le Père joue le rôle de principe d'où se tire l'origine; le Fils, de milieu qui fournit l'exemple; l'Esprit-Saint, de complément qui termine (*Collatio*). » Et il y adjoignait un commentaire qui ne tendait à rien de moins qu'à faire du Fils la Vérité;

---

1. GILLES, GODEFROY, etc. : la matière de ce chapitre nous a été fournie par le tome VI de *Le Système du monde*, par Pierre Duhem (Hermann et Cie, 1954).

du Père, le Principe abyssal, et de l'Esprit le Verbe-amour, retrouvant ainsi, paradoxalement, la Trinité valentinienne :

« Car l'âme ne s'aimerait pas si elle ne se connaissait, et elle ne se connaîtrait si elle n'avait souvenir d'elle-même : on ne saisit rien avec l'intelligence, qui ne soit d'abord présent en mémoire. »

Bonaventure pouvait bien, après cela, conclure qu'ainsi l'âme voit Dieu en soi-même comme « par une image, ce qui est voir par un miroir et en énigme ». Mais il est sûr que, si la mémoire, la connaissance et l'amour permettent d'appréhender en soi le dieu chrétien, la notion de semblance ou d'image devient parfaitement inutile. Le saint en avait assez conscience pour distinguer le *quod est* (ce qu'on est, par reflet ou modelage) du *quo est* (ce qui est par soi, l'essence de Dieu).

Sans doute, pour Bonaventure, la forme est toujours l'essence, et la matière l'accident. Mais, si l'on mène jusqu'à son terme la démonstration, on s'aperçoit que Dieu n'est plus Modèle, Miroir, sans être Cercle, Etre-univers. Modelées, les formes sont toujours hors de Dieu, comme un prolongement de sa puissance; mais quelque chose est maintenant en Dieu, et c'est précisément *ce qui est.*

Il était fatal que, poursuivant dans ce sens, les franciscains et les augustiniens dussent en venir à considérer les formes non plus comme des reflets du divin modèle mais comme de véritables cercles ou sphères, à l'image de Dieu : des sphères ou des cercles imbriqués l'un dans l'autre, selon l'aristotélisme le plus pur. C'est ce que montre la distinction croissante entre « formes générales » et « formes spécifiques », clairement établie par Roger Bacon :

« Toute substance ne contient pas une forme et une matière, mais plusieurs formes, depuis la plus générale jusqu'à la plus spécifique. A chaque forme correspond un nouveau *composé...* La matière n'est donc pas plus *une* (selon la doctrine de Thomas) que la forme n'est universelle, bien que l'essence de la matière soit l'unicité et l'essence de la forme l'universalité (*Liber secondus Communium naturalium,* Fratris Rogeri). »

Mais, si l'on peut parler d'« essence de la matière », que devient la distinction première entre la matière et la forme, considérées comme « existence » et « essence »? Rien d'autre qu'un jeu de mots. A la limite, on ne savait plus très bien ce qui était essentiel, réel, divin, de la forme ou de la matière. Dominicains et franciscains devaient s'accorder pour reconnaître : « La raison seule ne permet pas de décider si le monde est créé ou éternel. » Et, finalement, les deux scolastiques s'abîmaient dans l'extrême complexité de la *Summa Philosophiae* de Robert Grosse Teste, qui distinguait l'existence spécifique (ou essence complète) des formes générales (ou essences incomplètes). Car,

« depuis la première forme générale jusqu'à celle qui correspond au genre ultime, toutes sont, pour la raison, différentes les unes des autres (chacune d'elles n'englobe donc pas tout ce qui est); mais toutes les formes générales, supérieures à la forme de l'espèce (selon la foi) se trouvent essentiellement unies à cette dernière (qui les contient donc toutes). »

A ce point, la notion de « matière » a disparu; elle se confond avec la notion de forme existante ou spécifique; mais à ce point également, on ne conçoit plus très bien ce qui distingue l'un de l'autre les deux courants majeurs de la première scolastique. Si un élément nouveau devait rajeunir l'Ecole et rallumer les conflits, il fallait qu'il vînt d'ailleurs.

Etrangement, il vint peut-être de la nouvelle mystique juive, que nous nommons la *kabbale.*

Le Sepher Yetsira : Pour importants que fussent les ouvrages théologiques de Maïmonide ou Halévy — et les commentaires de la Bible qui devaient suivre (de David Kimhi, de Lévy ben Gerson) — ils n'exprimaient cependant qu'un aspect du renouveau juif aux XIIe et XIIIe siècles. D'une tout autre veine naissait le grand œuvre juif du Moyen Age, fondé sur deux ouvrages très différents.

Le premier, *Sepher Yetsira* ou Livre de la Création, attribué au rabbin Akiba (IIe siècle), était en fait d'une composition postérieure, contemporaine sans doute de la « science de la Balance ». L'ouvrage semble emprunter, d'une part, aux *Homélies clémentines* (vers 350), de l'autre, à la cosmologie de Proclus.

Son but est de faciliter l'accession de l'âme à la vision

du Trône ou *Merkaba,* par la parfaite saisie des trente-deux « sentiers mystérieux de la Sagesse, qui ont permis la Création » : les vingt-deux lettres de l'alphabet hébraïque et les dix premiers nombres (*sephiroth*). Ce dessein proclamé, du moins, atteste que l'œuvre fut antérieure au royaume d'Amour, bien qu'on n'en trouve aucune trace dans les doctrines caraïtes, qui l'avaient sans doute « dépassée ».

L'ouvrage, très court, se présente comme un précis d'ésotérisme, typiquement hébreu et qu'on peut rapprocher des croyances brahmanes, moins aisément des traditions platoniciennes.

Tandis que les quatre premières *sephiroth* ont surgi par « émanation », les six autres demeurent liées, d'une part, aux directions de l'Espace (les points cardinaux), d'autre part aux directions des sanctuaires célestes. Les trois plans platoniciens : le Bien, le Vrai et le Beau pourraient être juxtaposés à cette division triadide, que le *Yetsira* figure par le Cœur, la Sphère (ou la Roue) et le Dragon. Mais les Eléments ne sont plus que trois : l'air, le feu et l'eau, figurés par les lettres mères : Aleph, Shin et Mem, analogues aux trois lettres brahmaniques : A, U, M.

Le dieu est ici YAH « le Seigneur des Armées, Dieu vivant et Roi du monde, El Shadaï, miséricordieux et donnant grâce, supérieur et suprême ». Initialement, la première *sephira* est souffle; la deuxième, souffle d'entre le souffle; la troisième, eau d'entre le souffle; la quatrième, feu d'entre l'eau. Cette figuration s'apparenterait plutôt aux *oracles chaldéiques* qu'aux visions d'Ezéchiel. La quatrième *sephira* est, d'ailleurs, proprement, la *créatrice* des anges et des trois lettres mères.

La cinquième *sephira* a inscrit le supérieur : Yod Hé Vav; la sixième, l'inférieur : Hé Yod Vav; les quatre dernières, les quatre points cardinaux.

Enfin, les dix-neuf lettres restantes (22-3) se répartissent en sept lettres redoublées, créatrices des sept planètes, des sept jours et des sept portes de l'âme, et douze lettres simples, créatrices des signes du zodiaque, des mois de l'année et des douze « sens » de l'homme. *Tali* (le Dragon) gouverne les Sept : c'est l'édit du Roi sur son trône. La Sphère (ou la Roue) gouverne les

Douze et l'année, « comme un Roi dans son Etat », contenant et contenu. Le Cœur gouverne les Trois, « respirant comme un Roi dans la bataille ». D'une autre manière, Aleph est donc la lettre du Cœur ou Respirant, Shin la lettre de la Roue ou de l'Etat, Mem la lettre du Dragon ou du Trône.

Des nombreuses sectes qui se sont penchées, au XIIe et au XIIIe siècle, sur l'étude du *Yetsira*, aucune ne semble s'être intéressée surtout à son caractère essentiel : le renouveau du mythe de Création, auquel un Saadia s'était montré le plus sensible. L'une de ces sectes, dite *Les hommes pieux d'Allemagne*, avait repris le nom vénéré des ancêtres des pharisiens : les *hassidim*. Son chef, Juda le Pieux, « le saint François d'Assise du judaïsme », a laissé un commentaire du *Yetsira*, le *Sepher Hassidim*, qui développe l'ésotérisme cabbaliste dans le sens de l'exaltation de la personnalité par le sacrifice de soi et le dévouement au bien public. Le saint se doit à tous.

Le *merkaba* du *Yetsira* s'actualise encore ici en Présence de Dieu (*shechina*). Nous ne sommes pas sortis du « royaume » (vers 1150). Au contraire, dès le début du XIIIe siècle, deux Catalans de Gérone étudieront le *Yetsira* non plus en fonction d'une Présence donnée ou possible mais en fonction de la gnose, du Savoir : Ezra ben Salomon (1160-1238) et son élève, Moïse ben Nachman (1194-1270).

De ce courant allaient naître le *Shaaré Ora* de Gikatila, véritable reconstitution de l'univers-œuf, où l'Amour même n'est plus qu'un objet de connaissance et, surtout, le *Zohar, Le Livre de Splendeur*, prélude à un tout autre messianisme.

Le Zohar : Attribué à Moïse de Léon (1250-1305), le *Zohar* est présenté par son auteur comme l'œuvre d'un rabbin qui vécut au IIe siècle après J.-C. et dont le Prologue du Livre nous conte l'histoire : Siméon Bar Yochaï.

« Siméon pleura et dit : Eléazar, qu'est-il signifié par le mot *Eleh* (Cela, Ce qui est)? Sûrement pas les étoiles et les corps célestes, puisqu'ils sont toujours visibles et qu'ils ont été créés par *Ma*, comme il est écrit : Par le

Mot de Dieu les cieux furent créés. *Eleh* ne peut signifier non plus des objets inaccessibles à nos sens, puisque le mot désigne des choses révélées. »

Quelque chose a précédé la création et cette chose ne peut pas ne pas être intelligible (par le canal de la révélation). Qu'était-ce donc? Telle est la question à laquelle l'ouvrage essaie de répondre en explicitant la réponse d'Elie à Siméon bar Yochaï :

« Quand le Mystérieux des Mystérieux désira se manifester, il produisit un Point, qui devint de la Pensée. En cette Pensée, il grava d'innombrables figures et, enfin, l'œuvre de merveille, issue du meilleur de la Pensée. Elle fut appelée *Mi* (Qui?), origine de l'œuvre créée et incréée. Puis, *Mi,* à son tour, voulut se manifester. Elle créa *Eleh,* qui compléta son nom (Eleh-Mi, Elohim). »

Ainsi, chaque lettre vient-elle, l'une après l'autre, exprimer sa nature en même temps que sa fonction. Nous pressentons déjà que les dix *sephiroth,* de la Couronne ou du Cercle premier au Royaume futur, recouvrent les réalités du Souffle, de la Présence du Souffle, du Roi (Aleph signifie UN), de la Sagesse (Breshith égale Hochma), de la Dualité (Beth signifie le chiffre deux), de la Création, de la Justice et de l'Amour.

L'originalité du *Zohar,* cependant, ne réside pas en cette algèbre, non différente de celle des dix Intelligences ou des dix Anges, mais dans la volonté de rattacher les dix *sephiroth* à une gnose nouvelle, annonciatrice du Royaume considéré comme l'incarnation ou l'émanation du dieu éternel.

Ce dieu, d'une part, est inconnaissable, c'est l'Un de l'Un de Proclus ou la Première Intelligence des ismaéliens en même temps que la Somme de tous les nombres et de toutes les intelligences possibles, que le *Zohar* nomme l'*En-Sof* (à la fois Ce qui est et Le Sans fin). Mais, d'autre part, il peut être appréhendé par la connaissance parfaite des réalités qui le composent en tant qu'il est exprimable. En ce sens, les dix *sephiroth* « formulent les dix points de vue de Dieu », que ces points de vue sont tenus pour des époques de la vie divine, des astres moteurs des destins, des attitudes possibles de l'homme en face de la réalité, etc.

Les trois premières : Kether (le Cercle ou la Couronne), Hochma (la Sagesse) et Bina (l'Intelligence) correspondent aux lettres Aleph, Yod, Nun, c'est-à-dire qu'elles forment ensemble le mot AYN (Néant). Historiquement, c'est le dieu caché d'avant la Création (le Roi, la Roue et le Cœur du *Yetsira*); mais c'est aussi une Trinité particulière, que nous allons chercher à définir.

Selon la tradition la plus ancienne, puisqu'elle remonte au moins aux *Veda* et peut-être à Sumer, cette trinité des trois premières *sephiroth* devrait suffire à recouvrir toutes les réalités divines, comme y suffirent les triades : Mitra, Varuna, Aryaman; Çiva, Brahma et Vichnou; le Beau, le Vrai, le Bien; l'Esprit, le Père et le Fils, etc. Alors, il serait indifférent que Kether figurât le Cercle de l'Abîme ou le Roi, Hochma le Souffle ou la Sagesse, Bina la Préservatrice ou l'Intelligence dialectique; la suite chronologique du Roi, du Sage et du Mage n'a fait que reproduire une suite antérieure : de l'Abîme, du Souffle et de la Préservatrice, par exemple.

Mais, pour qu'un tel englobement soit possible, il faut que l'ésotérisme admis tienne compte non seulement des Trois mais des Quatre. Le *Yetsira* ignorait les Quatre; il ne connaissait ou n'admettait que trois éléments. Et, si le Zohar accède à la notion des Quatre, c'est d'une étrange manière, qu'on peut croire inconsciente.

En effet, la triade des premiers nombres se retrouve dans le partage des autres *sephiroth,* où Gedoula (Clémence) et Netsach (Triomphe) complètent Hochma; Geboura (Rigueur) et Hod (Gloire) complètent Bina; Tiphereth (Beauté) et Yesod (Fondation) complètent Kether. Reste cependant le but de la quête, le Royaume (Melchouth), que symbolise la dixième *sephira.*

Selon que le cabbaliste choisira de placer le Royaume au terme d'une des trois suites, il révélera par là même quelle suite lui semble mener le plus sûrement au Royaume, de la voie de la Clémence (et de la Dialectique), de la voie de la Rigueur (et de la Sagesse) ou de la voie de la Beauté (et de la Couronne). Or, l'auteur du *Zohar* place le Royaume à naître au terme de la voie centrale, qui devient ainsi le tronc d'un Arbre ésotérique, dont la Clémence à droite et la Rigueur à gauche ne sont plus que des branches annexes.

En même temps — que ce soit consciemment ou non —

il reconstitue, en cette voie royale, les quatre composants classiques du Beau platonicien ou du Çiva indien : la Fondation, la Hiérarchie, la Création et la Libération (symbolisée par le Graal, la Coupe ou l'Arbre).

Il semble, à première vue, que l'élément femelle soit absente de la gnose. En effet, la Vierge (*Shechina*) interviendra plus tardivement, sous une double forme d'ailleurs : la Shechina-servante et la Shechina-fille de roi. Mais le symbole femelle (et virginal) figure dans le *Zohar* sous le nom de *Knesseth-Israël.*

« Une nuit sans jour, un jour sans nuit ne méritent pas le nom d'Un. De même, le Kaddosh Barouch Hon (l'élément mâle de Dieu) et la Knesseth-Israël sont appelés Un, mais l'un sans l'autre n'est pas Un (*Zohar*, III, 93). »

Comme la Shechina de Juda le Pieux, Knesseth-Israël n'est donc autre que la Présence divine. Depuis que la Présence n'est plus, le Kaddosh Barouch Hon ne peut plus être appelé Un (et la scolastique, en effet, nous prouve qu'Il ne le peut plus). Mais, à la fin de l'exil, Il sera de nouveau Un.

Or, cet exil n'est plus du tout l'exil terrestre du Peuple hors de Jérusalem, ni la fin du royaume d'Amour, mais la sortie de l'Eden : c'est le péché de la Shechina première (Eve) qui a détruit l'Union et séparé le Royaume (Melchouth) du Cercle (Kether).

Cette analyse fournit deux arguments ésotériques en faveur de la thèse selon laquelle le *Zohar* ne serait pas une œuvre du IIe siècle mais du XIIIe siècle après J.-C. Siméon Bar Yochaï vécut vers 70-140, au temps des *Sept Dormants* : il est mythiquement impossible qu'une œuvre composée à cette époque ait fait une telle part à la Création.

Au contraire, la notion d'un Exil ou d'une Nuit qui ne prennent plus leur origine dans la fin du royaume de Justice ou du royaume d'Amour mais en fin de *ce temps-là* de Création est caractéristique du XIIIe siècle, où elle justifie l'hérésie des templiers et permet de comprendre l'œuvre de Dante.

Dans l'Islam orthodoxe, ainsi que nous l'avons vu, les imâmites continuent de professer que Mahomet est venu à l'équinoxe d'automne de la Grande Année. Après lui ne peut plus être que la Grande Nuit, d'où le XIIe Imâm tirera l'humanité croyante. Mais, pour les shî'ites ismaéliens comme pour Moïse de Léon, la Nuit a commencé quand l'homme archétypal, Adam, a été chassé de l'Eden : le renouveau du Jour sera donc son retour dans le Plerôme divin (du Créateur et du Libérateur [1]).

Les dominicains allemands : Ce bouleversement qu'illustre l'évolution de la Kabbale du *Yetsira* au *Zohar* ne présente pas une telle évidence dans l'évolution de la scolastique latine. Cependant, alors que paraît le *Zohar* ou peu après, nous voyons des ouvrages dominicains en revenir à une conception nettement ésotérique de la Triade majeure.

Ulrich de Strasbourg définit que les corps célestes comportent trois « natures » : l'*intelligence,* liée à leur propre nature (de sphère); l'*âme noble,* liée au rapport de l'astre et de son mobile; l'*information* que la chose matérielle tient du créateur, et, « considérée de la sorte elle est ange ». Bernard de Trille reconnaît l'existence de trois « moteurs » :

« Le premier de ces moteurs est la *Cause Première,* que (certains auteurs) considèrent en outre comme le Principe de l'Intelligence. Le second est l'*Intelligence* : elle est pleine de formes susceptibles de se dérouler au-dehors d'elle par le mouvement de l'orbe qui lui appartient. Mais, comme l'Intelligence n'est rien qu'un être simple, elle ne peut porter son attention sur un mouvement particulier qui correspond tantôt à telle situation et tantôt à telle autre. Il y a donc un troisième moteur conjoint au ciel; selon ces auteurs, c'est une *âme* (*Questiones in Sphaeram Joannis de Sacro Bosco*). »

Retenant les notions d'intelligence ou de *connaissance,* d'autres auteurs, tels que Godefroy de Fontaines ou Thierry de Freiberg, préféraient parler de *vertu motrice* que de Cause Première et d'*appétit* ou de désir que d'âme, mais on voit clairement comment toutes ces tria-

1. Zohar et *Yetsira* : claire et concise étude de la Kabbale et, notamment, de ces deux ouvrages majeurs dans *Rabbi Siméon bar Yochaï,* par Guy Casaril (Maîtres spirituels, Le Seuil).

des se superposent : le monde n'est plus seulement contenu en Dieu (selon Aristote) ou reflet de Dieu (selon Augustin), il est aussi créé par Dieu — et la Cause Première, la Vertu Motrice, est tout autre chose que l'Intelligence et l'Ame.

C'est qu'en effet, dès 1268, Guillaume de Moerbeke avait traduit en latin les livres de Proclus et que ces traductions révélaient, en marge du néo-platonisme et de l'aristotélicisme, une troisième « saisie » du monde. Ici, la Cause Première n'est plus le modèle ou la sphère contenante. Mais elle est une *matière première*, exclusivement existence (*esse*). De cette Matière, douée de mouvement et créatrice, sont issues toutes les causes secondes (anges ou intelligences) qui sont, tout à la fois, des existences et les formes. Contrairement aux doctrines de saint Augustin, c'est la Matière, maintenant, qui prime la forme; et, contrairement aux doctrines de Thomas d'Aquin, c'est la forme — non plus la Matière — qui individualise les êtres.

De cette philosophie naissait une nouvelle mystique néo-chrétienne, celle des dominicains allemands : Ulrich de Strasbourg, Thierry de Freiberg, Maître Eckhart, Jean Ruysbroec. Le problème du *Zohar* avait été de passer du dieu-émanation du *Yetsira* au prophétisme messianique de l'Arbre. C'est essentiellement le problème de ces mystiques. Aucune solution n'y est apportée plus élégamment que par Maître Eckhart qui, se fondant sur le dieu-cercle de Parménide et d'Aristote, en déduit la nécessité d'une Création en soi :

« Dieu est l'Etre par excellence; c'est donc de Lui et de Lui seul que toutes choses reçoivent l'être... Mais hors de l'Etre, il n'y a rien. Dieu n'a donc pu créer... ou bien Il a créé toutes choses en lui-même. »

Une fois encore, le dieu-cercle renvoyait à l'en-soi. Mais Eckhart en tirait cette conséquence que « tout homme est fils de Dieu », puisque contenu en Lui. Plus encore : en admettant son ignorance, l'homme pouvait saisir l'Essence, que Maître Eckhart distinguait de l'Image et du Faire; il pouvait rejoindre l'Un de l'Un de Proclus, l'En-Sof des cabbalistes, l'Intelligence Première de l'Islam shî'ite. Et, là, de nouveau, la Présence lui était rendue.

Le dernier de ces mystiques allemands fut Jean Tauler, dont la date et le lieu de naissance nous sont inconnus. Nous le découvrons, vêtu de la robe dominicaine, en 1336, à Strasbourg. Il serait mort, dans cette même ville, en 1361.

Ne nommant Dieu autrement que l'Un, Tauler affirmait que dans l'Un sont toutes les essences et toutes les créatures. Et « de même, tout mode, en tant qu'il est divin, n'a rien hors de soi-même ». L'Essence est donc, tout à la fois « opération, connaissance, récompense, justice, miséricorde ».

Le mystique « rapproche de l'Unité cette incompréhensible multiplicité » en s'unissant à Dieu « dans une unité telle qu'il n'y ait plus, en elle, place pour la multiplicité ». Mais il n'y peut parvenir par aucun des éléments de la multiplicité, ni par la connaissance, ni par l'amour. Il lui faut atteindre à « ne rien connaître hors de soi », à « ne plus aimer ni Dieu, ni les créatures ». Alors seulement, il s'abîmera en Dieu, il sera lui-même « une seule essence et une seule vie ».

« Proclus, un philosophe païen, appelle ce fond de l'âme (qu'il faut atteindre) un sommeil, un silence, un repos divin... Lorsque l'âme, ajoute-t-il, se recueille intérieurement au fond d'elle-même, elle devient en quelque sorte divine, elle mène une vie divine.

« Un grand sujet de honte pour nous, mes chers amis, c'est de voir qu'un païen a pu non seulement concevoir par son intelligence, mais atteindre ce fond et descendre jusqu'à lui, alors que nous sommes si loin de l'égaler sur ce point (*Deuxième sermon pour la Sainte-Trinité*). »

On voit clairement par ces extraits comment les mythes alliés du savoir et de l'amour ont mené Tauler à la redécouverte du « génie de l'abîme » que nous nommons l'inconscient; et comment les mythes de l'abîme et de la création le ramènent à l'attente de l'Esprit, « où l'homme sera comme Dieu », selon la croyance des spirituels et des amauriciens.

Bien qu'elle n'ait pu connaître Tauler, une mystique italienne, la bienheureuse Angèle de Foligno (1250-1309), effectuait de son côté le même parcours. Partie de la nostalgie du « temps des Saints », « pour lesquels Dieu fit des prodiges qu'on raconte encore aujourd'hui », la bienheureuse Angèle pleurait sur son époque et sur elle-même. La connaissance me fait peur, elle me fait pleurer, disait-elle. Pourtant, la connaissance est nécessaire, et la peur de la Justice divine l'est aussi, qui mène à la révélation de l'Amour. Car la connaissance et l'Amour conduisent à la ténèbre et, de la ténèbre, sourd la Révélation.

« Je vois avec ténèbre que Celui qui est là, au-dessus de tout, surpasse jusqu'au bien absolu. Et tout le reste est ténèbre et tout ce qu'on peut penser est tout petit à côté. »

Enfin, un autre mystique, Suso, qui n'aurait pu connaître Tauler qu'adolescent, mais qui avait été le disciple de Maître Eckhart, menait jusqu'à son terme cette ténébreuse révélation de l'Esprit. Une apparition s'était présentée à lui, raconte-t-il lui-même, par un dimanche ensoleillé de l'année 1330 :

« D'où viens-tu? lui demanda Suso.

— Je viens de nulle part.

— Dis-moi, qu'es-tu?

— Je ne suis pas.

— Que désires-tu?

— Je ne désire pas.

— Quel est ton nom?

— On m'appelle Force Sans Nom.

— Où mène ta perspicacité?

— A une liberté sans entraves.

— Qu'appelles-tu, dis-moi, une liberté sans entraves?

— C'est quand l'homme obéit à ses caprices, sans faire de distinction entre Dieu et lui-même, sans regarder l'avant ou l'après... »

Personne, ni même la *Queste du Graal*, ni même Dante chantant le « huitième ciel », n'avait encore osé concevoir de cette façon la Liberté.

Le réalisme scolastique : Vers 1300-1330, ainsi, l'Eglise romaine se trouvait en face de cent dangers. Quelque mythe qu'elle choisisse pour support de la foi, il semblait qu'il dût mener à ce messianisme diabolique qu'elle refusait au premier chef.

La Fraternité menait à l'Egalité, puis à la Liberté; la

nostalgie du Souverain recréait les mythes de la Beauté, dont le Libre Esprit était le dernier terme; et le Savoir même ouvrait l'esprit à la ténèbre, où mûrissait le Graal.

Fût-ce pour combattre ces effroyables tentations que l'Eglise, dès 1300, officialisait le mythe de Justice? Le pape Boniface réinstituait l'antique Jubilé juif. Les condamnations de toute sorte pleuvaient; l'Inquisition, devenue pénale, fonctionnait quotidiennement et réclamait des victimes. Les curés de village, à la fois juges et bourreaux, recevaient l'aveu des fautes, en confession, en supputaient le poids et châtiaient de leur main, par le fouet ou les verges, le pécheur ou la pécheresse. D'autres, plus coupables, devaient porter une croix (les *crozats*) et revenir à jour fixe afin de se faire fustiger.

Mais, d'une part, ce recours à la Justice recelait un autre péril, que révélaient bientôt opuscules et libelles : *Dispute entre le clerc et le soldat, Le Défenseur de la paix* (1324) ou les ouvrages d'Engelbert d'Admont : si le salut n'était affaire que de justice, il relevait de l'Etat tout autant que de l'Eglise. Ou, plus exactement, les rois n'avaient aucun besoin des prêtres pour faire régner l'ordre et la paix. La capture du pape Boniface par les soldats de Philippe le Bel, en 1303, ouvrait la voie à de plus grands outrages.

D'autre part, le recours à la Justice ne résolvait pas, au fond, le problème théologique. Il fallait enfin choisir, parmi tant de condamnations, celles qui devaient être confirmées et celles qui ne devaient pas l'être.

Ce fut dans ces conditions que la canonisation de saint Thomas d'Aquin vint placer les évêques devant un choix difficile. En 1325, l'évêque de Paris rendait solennellement la sentence suivante :

« Par la teneur des présentes et de science certaine, nous annulons totalement la condamnation des articles (de 1277) et la sentence d'excommunication qui les frappe, en tant qu'ils touchent ou qu'on prétend qu'ils touchent la doctrine du bienheureux Thomas; quant aux articles eux-mêmes, nous n'entendons par-là ni les approuver ni, non plus, les désapprouver; nous les livrons simplement à la discussion des écoles. »

On voit bien quelle pensée dictait ce choix (et la canonisation même). De toutes les doctrines hérétiques, celle des dominicains thomistes était encore la moins dangereuse : elle reconnaissait l'existence de la matière, mais la subordonnait à l'essence formelle; elle ne décidait ni de l'éternité du monde ni de sa création; elle se tenait à l'écart de tout ésotérisme et de toute « astrologie ». Elle ne traitait que des « substances », sans doute, mais sans en faire des dieux.

Malheureusement, ce choix conduisait au chaos qu'on voulait éviter. Car, faire des « substances » ou des « universaux » des espèces de matière en leur enlevant, précisément, leur caractère propre d'Idées ou d'Archétypes, c'était se condamner à ne plus rien comprendre, ni au monde des Idées ni au monde matériel. Et comme, en l'exil du « royaume », les deux mondes se trouvaient dissociés, c'était ne plus rien comprendre du tout.

De ce dernier état de la scolastique, l'un des plus sûrs spécialistes de la question, Duhem, a pu écrire :

« En toute notion, par une analyse d'une extrême minutie, distinguer une foule de concepts partiels dont la séparation est si ténue qu'on la peut à peine percevoir; à ces concepts multiples et si difficiles à définir, attribuer des dénominations qui sonnent en néologismes barbares à toute oreille soucieuse de la pureté latine; par un étrange abus du réalisme, prétendre que ces concepts, dissociés les uns des autres par la dissection logique d'une même notion, sont, vraiment, des parties de la chose que représente cette notion... imaginer donc, au sein des objets que la nature nous présente, une foule de distinctions réelles et, cependant, à peine discernables, telle est la besogne que les Humanistes de la Renaissance reprochaient aux Scotistes d'accomplir (Pierre Duhem, *Le Système du Monde,* tome VI, chap. VI). »

Toutefois, si ces abus demeurent en effet liés aux doctrines de Duns Scot (1275-1308), et notamment à la croyance que certains universaux existent réellement hors de l'esprit, alors que d'autres n'existent, soit dans l'esprit, soit hors de l'esprit, que d'une manière diminuée, il nous semble que leur cause lointaine — leur germe — résidait dans la scolastique même et, plus particulièrement, dans la scolastique dominicaine; c'est-à-dire dans la prétention première d'accorder l'aristotélisme et la théologie chrétienne.

Il n'importe plus guère alors de considérer les Idées (les universaux) comme des êtres réels et matériels ou comme des abstractions purement intellectuelles. Qu'il leur faille un support pour être ou qu'elles ne soient que des concepts, le résultat est en fait le même : les Idées n'ont — en soi — aucune réalité.

Les nominalistes : Un homme allait oser le proclamer, Guillaume d'Ockam, dont Jean XXII devait condamner la thèse en 1328. Réfugiés auprès de Louis de Bavière, Ockam et ses disciples n'en poursuivirent pas moins leur tâche. De 1328 à la condamnation du dernier disciple d'Ockam, Nicolas d'Autrecourt, en 1346, nous pouvons donc parler de « société secrète ». Secrète à ce point que, malheureusement, la plus grande partie des ouvrages « nominalistes » nous demeurent aujourd'hui inconnue.

Il y avait déjà quelques années que des scolastiques comme Jean de Jandun (1316-1323) distinguaient entre les choses de la raison, qu'il est utile de discuter, et les choses de la foi, indiscutables. Puis, Duns Scot lui-même avait inventé la notion — complexe — d'*entités essentielles* (telles que la forme, la matière, le composé des deux), soit totales, soit partielles, et la notion d'*hœccéité* (c'est cela) qui individualisait, selon lui, les entités. En sorte que, déjà, seuls les individus pouvaient être considérés comme des choses (*res*), composés à la fois de plusieurs entités et de leur hœccéité propre.

Mais Ockam va beaucoup plus loin dans ce sens. Il affirme qu'il n'y a de réalité que « dans les choses extérieures à notre âme et singulières par elles-mêmes ». Les entités, telles que les anges, les intelligences, les idées — et même la forme et la matière — ne sont que des concepts intellectuels; ils n'ont de réalité que dans l'esprit ou, plus exactement, dans l'acte par lequel l'esprit se formule.

Par exemple, cette proposition mentale : « *L'homme est un animal,* n'est rien d'autre que ceci : l'acte par lequel nous concevons confusément *tous* les hommes; l'acte par lequel nous concevons confusément *tous* les animaux; et aussi un acte qui correspond à la copule : *est.* »

Si l'intelligence des entités n'est qu'une connaissance

confuse, qu'est-ce que la connaissance claire et distincte? N'est-elle point dans l'acte par lequel nous saisissons les choses singulières? A cette question, dit Ockam, je réponds brièvement : oui.

On a voulu faire d'Ockam l'inventeur de la méthode analytique, une sorte de précurseur de Descartes. Nous verrions plutôt en lui un précurseur d'Emmanuel Kant. Mais le nombre des ouvrages perdus ne permet pas de juger, au fond, de sa doctrine. Une hypothèse indémontrable — et que rien non plus ne vient contredire — serait que l'occamisme ne rejetait pas tous les mythes, mais qu'une Idée au moins trouvait grâce à ses yeux : l'Idée de Création.

Ainsi pourrions-nous comprendre que d'Autrecourt, plus « nominaliste » encore que son maître, soit cependant l'auteur d'une extravagante théorie, selon laquelle rien dans le monde extérieur ne serait nouveau ou innové et toute création viendrait au jour par un mouvement de notre esprit ou de notre âme, bien que l'univers fût éternel.

D'Autrecourt démontrait, d'une part, que la connaissance de l'individu (la seule possible, selon Ockam) menait à la négation de la connaissance; car, « de ce que l'existence d'une chose nous est connue, nous ne pouvons conclure évidemment qu'une autre chose existe ». De ce qu'un mur est blanc, par exemple, nous ne pouvons conclure à l'existence de la blancheur en soi.

« Nous ne connaissons donc avec certitude l'existence d'aucune substance conjointe à la matière, fors notre âme », concluait-il dans l'une de ses lettres à Bernard d'Arezzo. Puis, se repentant de cette concession même, il affirmait, dans une lettre postérieure, qu'on ne peut non plus la regarder comme évidente. Dire : « L'acte intellectuel existe, donc une intelligence existe », ce serait encore passer de la connaissance individuelle à la supposition de l'essence[1].

---

1. D'Autrecourt, cité par P. Duhem — Précurseur de la physique moderne par sa conception quantique de la lumière, d'Autrecourt l'est aussi de la psychologie la plus récente par sa doctrine selon laquelle l'esprit humain susciterait les images qu'il se fait du monde en rapprochant les unes des autres et en « groupant » les sensations qu'il en reçoit ; cf. Wolfang Köhler, *Psychologie de la forme* (N. R. F., Idées).

Mais, déniant ainsi toute valeur au mythe du Savoir, d'Autrecourt avouait croire en l'alternance de la génération et de la corruption universelles, considérées comme la réunion et la séparation des corpuscules ou atomes constitutifs de la matière. Il en donnait cet exemple, qui nous frappe plus qu'il ne pouvait frapper nos pères, car la science contemporaine le confirme avec éclat.

« Composée de corps (nous disons : photons), la Lumière est produite par le mouvement local de ces corps-là. » Et si l'on dit qu'elle ne peut être produite par un mouvement, car la transmission est instantanée, « on répondra qu'elle est transmise en un certain temps, *comme le son* » mais que nos sens ne le perçoivent pas, en raison de la vitesse de la transmission.

De cet éternel mouvement alternatif doit naître un éternel retour. Puis, comme les âmes, de même que la lumière, sont composées d'atomes, il se pourrait, dit d'Autrecourt, qu'au terme d'une grande Année astrale, des rythmes aux retours périodiques réunissent, une infinité de fois, la même âme au même groupe d'atomes corporels.

Mais, si les âmes et l'univers sont éternels, comment expliquer le sentiment que nous avons de découvrir ou de créer? De la manière suivante :

« Une certaine chose nous est rendue intelligible, par mouvement spirituel, au moment où elle se trouve, au voisinage du sens, conjointe avec une autre. De même, parmi les choses matérielles, il n'est rien de nouveau, rien qui soit innové à l'existence; mais, par mouvement local, une chose se présente à une autre, en présence de laquelle elle ne se trouvait pas auparavant. Ainsi en est-il, en notre âme, par l'effet du mouvement spirituel (in Joseph Lappe, *Nicolaus von Autrecourt*). »

Qu'on admette l'hypothèse selon laquelle d'Autrecourt eût choisi — plus ou moins consciemment — le mythe de Création contre le mythe de Savoir, ou qu'on veuille voir en lui le premier rationaliste, on conçoit très bien comment ses doctrines débouchaient, dès le XIVe siècle, sur une conception nouvelle de la liberté. L'homme ne peut circonscrire le monde dans sa pensée, car le monde n'est pas fait d'idées mais d'existences, dont toute connaissance

claire ne sera qu'individuelle (et substantiellement nulle). Mais, ce monde qu'il ignore, l'homme peut le modifier, le transformer. Par l'*acte* disait Ockam, par le *mouvement* dit d'Autrecourt : c'est déjà une approche de notre progrès.

Au temps de saint Anselme, la réalité s'était présentée comme hors de tout concept : elle était la Présence de Dieu, qui se vit dans le miracle ou du Possible vers l'Eternité. Les premiers scolastiques, Roscelin et Abélard, ont distingué dans cette réalité certains universaux, la forme et la matière ou le concept et l'acte. Bonaventure, Albert, Thomas et leurs disciples ont disserté sans fin sur cette distinction et d'autres, s'efforçant de définir lesquels, de la forme ou de la matière, de l'essence ou de l'existence, du *quod est* ou du *quo est,* etc., cernaient le mieux la réalité (monde-reflet, monde-œuf on monde créé). La dernière scolastique — l'Ecole de Paris — niera toute réalité non seulement à la matière et à la forme, mais à tous les universaux.

La réalité-dieu s'est absentée du monde, ou les hommes se sont retirés d'elle : il ne subsiste plus que les individus, liés à la seule voie rationnelle, du passé vers l'actuel, de la cause vers l'effet.

5

L'EXIL DES TEMOINS

1260 — La Sainte-Vehme — Les flagellants — L'exil des Témoins — Un ésotérisme géométrique — Les hussites — La pensée sauvage.

1260 : Quelque voie que nous suivions — nostalgie du souverain, recours à la Vierge, recours au savoir scolastique — les dates 1260-1270 nous arrêtent à coup sûr. Apparition des Francs-Maçons, apparition de la sorcellerie, avènement de la scolastique dominicaine, perte de la Terre Sainte, insuffisance de la féodalité, évolutions connexes de la Kabbale, de l'Islam, de l'hindouisme, disparition des soufis, etc : mille signes attestent que quelque chose s'est brisé. Mais quoi?

Les hommes, avons-nous dit, s'éloignaient de *ce temps-là.* Ils éprouvaient le besoin d'une « liberté », qu'ils ne distinguaient pas toujours du libre exercice de la raison ou de l'assouvissement de leurs besoins. Si la période 800-840 avait correspondu au temps de Noël de la Grande Année (de quelque deux mille ans), la période 1080-1100 avait correspondu aux fêtes de la Chandeleur : le renouveau du Soleil au début de février, et les années 1260 — comme la mort de Salomon, vers 930 avant J.-C. — marquaient l'entrée dans le « mois » des tempêtes et des raz de marée : mars.

Il est de fait que les sectes qui naissent ou se maintiennent (frères du Libre Esprit, béguines, flagellants, guelfes, ishrâq, lollards, amis du Sang, chevaliers de l'Apocalypse, etc.) n'offrent plus aucun caractère des sectes anciennes. Ce n'est plus la Fraternité ou la quête de la Vérité qui animent ces révoltés, ces furieux et ces chimériques. Mais le besoin de Justice se fait goût de la vengeance, l'idéal d'Egalité se fait pillage et destruction, l'espoir ésotérique en un dieu de Liberté se satisfait soudain de toutes les licences.

Choisies entre cinq cents (il en naissait chaque jour), quatre sectes nous permettront d'étudier dans le détail cette décomposition et cette fièvre croissante : la Sainte-Vehme, les flagellants, les frères de la Vie Commune et les lollards.

La Sainte-Vehme est, des quatre mouvements, le plus ancien. On y voit quelquefois la première secte « politique » née en ce IIe millénaire; mais on peut croire plutôt qu'en ses débuts, le mouvement présentait un caractère mythique. Lorsqu'il naquit, vers 1260, il devait avoir pour but de rénover la Justice, une justice brutale et populaire sans doute, mais qui se cherchait encore des modèles dans la Bible et se prévalait de l'alliance de Dieu.

Son origine lointaine aurait été la mise au ban de l'Empire d'Henri le Lion, duc de Saxe et de Bavière, par l'empereur germanique et romain Frédéric. Henri était un *guelfe*, c'est-à-dire qu'il soutenait le pape dans la « querelle du Sacerdoce et de l'Empire »; en sorte que ses défenseurs devaient être également des défenseurs de l'Eglise contre les prétentions impériales. Mais, très vite, ce caractère de la secte s'atténua et disparut. Les membres de la Vehme ne défendirent plus qu'eux-mêmes, notables bien nantis, contre les pillages et les brigandages des soldats mal payés et des jacqueries de bourg.

Leur force était dans le secret, si bien que leurs pratiques demeurent mal connues. Mais on estime que, vers 1330, la Vehme réunissait, en Westphalie seulement, plus de cent mille affiliés : les *wissenden* (ceux qui savent).

La hiérarchie interne comportait trois grades : les francs-comtes (*stuhlherren*), qui faisaient office de présidents de tribunaux; les francs-juges (*freisheffen*), assesseurs et jurés, et les exécutants (*frohnboten*), chargés d'appliquer les sentences.

Serge Hutin précise que « trois sommations à comparaître étaient faites aux accusés, qui avaient chaque fois six semaines et trois jours pour y répondre » et pouvaient alors produire jusqu'à trente témoins à décharge. Après l'exécution, l'arrêt de la Vehme était rendu public par un couteau planté dans l'arbre où le condamné avait été pendu. Mais, pour que l'exécution fût possible, il fallait — ultime vestige des ordalies — que trois affiliés de la secte aient mis la main sur le coupable.

Le mouvement demeura secret plus d'un siècle. Puis, en 1371, l'empereur Charles IV reconnut son existence légale et la procédure vengeresse s'inscrivit dans le code germanique, jusqu'à son abolition à la fin du XVe siècle où, semble-t-il, la secte redevint secrète et commença de s'émietter [1].

Les flagellants : De toute évidence, les membres de la Vehme se fondaient sur la Volonté active, le culte du Souverain et la Justice : leur dieu ne pouvait être que le dieu des Armées. D'autres sectateurs ne renonçaient pas si aisément au dieu d'Amour; ceux-là ne chargeaient pas autrui de leurs péchés, ils s'en chargeaient eux-mêmes. Ce fut, au premier chef, le cas des flagellants, dont il est malaisé de marquer l'origine.

La flagellation était, à Rome déjà, une sorte d'initiation, étrangement associée au culte de l'Archer (Horus, dans les mystères d'Isis) et des Jumeaux (Lupercales). Le supplice figure dans les évangiles, où il est pris comme un prélude à la Croix. Il figure également dans toutes les traditions où l'on voit un chrétien (saint Paul, saint Pierre) ou même un musulman (Flora d'Espagne, Abou-Hanîfa) témoigner sa foi dans les Frères ou dans l'Amour.

Enfin, il renaît, volontaire — sous le nom de *disci-*

1. SAINTE-VEHME : Charles W. Heckethorn, Serge Hutin, ouvrages cités.

pline — dans les couvents et monastères du XIe siècle et, dès le XIIIe siècle, déborde le monachisme, comme nous l'avons vu par l'exemple des crozats. Mais c'est, encore ici, la date 1260 qu'il faut retenir. Car ce fut alors qu'un moine de Pérouse, Rainer, commença de prêcher la flagellation publique.

De monstrueuses lupercales s'organisèrent presque aussitôt, en Italie, puis en Provence. Interdit deux ans plus tard, le mouvement survécut dans la clandestinité. La moindre famine, comme celle de 1296 en Rhénanie, le révélait au grand jour; les flagellants reparaissaient dans les villages, objet de scandale et de tentation. Les sectes prenaient des noms divers : Porteurs de la Croix, Frères de la Croix, Frères flagellants; elles demeuraient géographiquement circonscrites et la preuve n'est pas donnée qu'elles communiquaient entre elles. Puis, la Grande Peste survint.

Venue d'Orient, où elle avait entièrement dépeuplé des villes d'un million d'habitants (Angkor, Bagdad), la Peste balaya l'Europe, du Sud au Nord. Quand elle prit fin, deux ans plus tard, on s'aperçut que le tiers de la population occidentale avait péri.

Dès le début du fléau, le mouvement flagellant avait resurgi, en Hongrie. Par la suite, il se développa en Allemagne, aux Pays-Bas, en France, en Angleterre enfin. D'août à octobre 1348, on estime que les bandes de martyrs volontaires — fortes de cinquante à cinq cents membres chacune — furent au nombre de plusieurs centaines : elles se formaient simultanément à Bruges, Gand, Sluys, Dordrecht, Liège, Soissons. Cinq mille trois cents flagellants occupèrent Tournai en octobre; trois mille campèrent sous les murs d'Erfurt, dont les autorités municipales leur avaient interdit l'accès.

Les objectifs du mouvement étaient divers; on ne les voit pas toujours clairement. La peur de l'Antéchrist, l'attente du nouveau Règne, la haine de la justice judiciaire et du peuple de Justice, les juifs, la volonté de sauver la fraternité déclinante se retrouvent, plus ou moins confuses, dans les mots d'ordre et les prêches. Mais on peut croire, précisément, que l'ésotérisme ou la gnose n'étaient pas le propos de ces forcenés. Comme d'autres par la « ronde noire » ou par la drogue, ce qu'ils recherchaient par le fouet, ce n'était rien d'autre que la Présence, l'Instant désormais introuvable. Car, à défaut de la joie, la souffrance permet de vivre ici et maintenant.

Une secte exemplaire à cet égard fut celle de Conrad Schmid qui tenta, en 1360, de relancer l'ancien mouvement. Pour ce meneur, la flagellation était une *imitatio Christi* : la seule méthode à la portée de tous de sauver le mythe de Semblance (et de Fraternité et de Résurrection), qui devait être un composant du dieu futur comme il l'avait été du dieu passé. De même que le Christ, disait-il, a transformé l'eau en vin, nous devons changer le sang en énergie : le baptême par le sang se substituait en somme au baptême par l'eau.

Bien que le mouvement n'ait pas eu l'ampleur des grandes vagues de 1348, le supplice et la mort de Schmid, en 1368, en firent une manière de messie. Des condamnations renouvelées frappaient en vain les sectes renaissantes (en 1370 à Würtzbourg, en 1392 à Heidelberg, en 1396 en Italie). En Thuringe même, patrie du prophète, une légende s'était créée selon laquelle Schmid et son plus fidèle disciple avaient été la double incarnation des Deux Témoins : ils renaîtraient aux Derniers Jours pour reconnaître leurs fidèles et instituer le Royaume.

Les dernières sectes de flagellants disparurent avec le siècle. Mais, individuellement, la pratique subsista jusqu'à l'orée des Temps Modernes. En 1414, près de cent flagellants étaient condamnés au bûcher; une douzaine en 1446 (dans la ville de Nordhausen, où Schmid avait péri) et deux douzaines en 1454 encore.

L'exil des Témoins : La croyance en l'exil des Deux Témoins et en leur futur retour n'était point particulière aux disciples de Conrad Schmid. On se rappelle que l'Ordre du Carmel s'était donné pour tâche de rénover l'esprit prophétique d'Enoch et d'Elie. Or, on lit dans les Constitutions carmélitaines en 1357 :

« Elie et Enoch, enlevés vivants au ciel, vivent dans un Eden éternel, dans l'attente de l'Antéchrist, qui doit les tuer (*selon la croyance de sainte Hildegarde*). Ensuite, après trois jours et demi, comme nous le croyons (*et comme l'Apocalypse l'affirme*), ils ressusciteront pour être élevés à la gloire des bienheureux[1]. »

Et, dix ans plus tard, à l'époque où Schmid mourait sur le bûcher, la grande mystique Catherine de Sienne voyait « s'abîmer dans une grande tempête la Colombe recouverte d'écailles » et en pleurait des larmes de sang.

Le mythe que symbolisent ici les Deux Témoins ou la Colombe-Poisson recouvre philosophiquement toute la dialectique, mystiquement la semblance et la contemplation, moralement la fraternité. C'est le mythe du Double, du Semblable ou des Frères. De l'abolition de la dialectique, toute l'évolution de l'Islam, de l'hindouisme et de la scolastique chrétienne témoigne assez. Voyons ce qu'il en était, vers 1370, de la pratique de la contemplation et de l'évangile de fraternité.

A cette même date, deux hommes s'efforçaient en effet de rénover l'une et l'autre, ou, plus exactement, d'en préserver les formes à défaut de l'esprit.

Le premier, Gerhard Groote (1340-1384) était professeur de théologie. Une retraite chez les chartreux lui révéla sa mission. En 1373, il fondait à Deventer (Hollande) la secte des *Frères de la Vie Commune*, ouverte aux moines comme aux laïques, « car il n'est pas sûr, disait-il, que les clercs soient aujourd'hui les plus proches de Dieu ». La secte avait pour objet de retrouver « le sens de l'amour fraternel tel qu'il était jadis ».

Ici, l'échec ne fut pas total. Les Frères subsistèrent jusqu'en 1414, date à laquelle l'Eglise reconnut leur existence : ils se fondirent alors dans les Ordres existants. Cependant, il y avait longtemps que, sous la direction du successeur de Groote, Florentius Radewyn (1350-1400), ils ne se distinguaient plus guère des autres Ordres mendiants et, comme ceux-ci, abandonnaient progressivement les pratiques contemplatives pour l'étude et les « petits métiers » : travaux d'ateliers, copies de manuscrits. Leur réussite la plus certaine avait peut-être été l'influence qu'ils eurent sur Thomas à Kempis, « frère » de 1392 à 1399, c'est-à-dire de quatorze à vingt ans.

1. ELIE-ENOCH : *Élie le Prophète*, dossier du prophétisme des Carmes, publié par les Études carmélitaines, 2 vol., chez Desclée de Brouwer.

On sait que le célèbre mystique augustinien est généralement considéré comme l'auteur de l'*Imitation de Jésus-Christ,* la dernière et la plus achevée des « imitations » médiévales. Mais il est moins connu que Kempis est le rare exemple d'un homme admirablement doué et doté de toutes les chances sociales (son père était prieur de Sainte-Agnès) qui refuse obstinément toute charge et tout honneur. Il mourut sous-prieur à quatre-vingt-douze ans, après avoir vécu humblement en ascète et en reclus, désespéré de « n'être pas né plus tard ou plus tôt ».

Tout différent de Groote, John Wycliffe (1320-1384) naquit dans le Yorkshire : il ne cessa de combattre « la Prostituée assise sur les sept collines », c'est-à-dire l'Eglise de Rome, qu'il accusait de « tuer la foi ». Acquitté une première fois par un tribunal d'évêques, en 1377, il n'en poursuivit pas moins ses critiques et son combat. Condamné en 1382, il fut cependant laissé libre, en raison de la pureté de ses mœurs et de la rigueur de sa vie. Mais, en 1415, le concile de Constance ordonna que son corps fût exhumé et brûlé.

Connus sous le nom de *lollards,* ses disciples commencèrent d'être persécutés sous le règne de Henri IV. Ils périrent presque tous brûlés, les derniers en 1417. Leurs doctrines étaient celles de Wycliffe : critique des richesses de l'Eglise, refus du culte des Images, non-violence et mépris de toute juridiction. Ils croyaient, comme Wycliffe l'avait écrit dans son *De civili dominio* (1374), que la Colombe disparue reviendrait sûrement un jour. Ce serait alors le Troisième Age, où tous les hommes seraient de nouveau frères et tous les biens mis en commun.

La même attente avait nourri le soulèvement des Flandres (1323-1328), les diverses jacqueries; elle nourrissait encore le mouvement d'Etienne Marcel en France, la révolte paysanne de 1381 en Angleterre, à laquelle on accusait certains lollards d'avoir participé. La même nostalgie dictait le *Roman de la Rose* ou le poème de Langland, *Pierre le Laboureur.* Mais ni les œuvres ni les émeutes ne pouvaient rien changer à ce phénomène mythique : l'exil ou le crépuscule de la Colombe, des Deux Témoins, des Frères.

Est-ce à dire que cette entité avait réellement disparu du monde vers les années 1357-1368, où vingt déclarations attestent sa disparition? Pour un rationaliste, la question n'a pas de sens, puisque les entités n'existent pas. Pour un ésotériste, il en va autrement, mais le problème de datation n'en est pas simplifié.

Un ésotérisme géométrique : Nous ferons apparaître que le crépuscule concordant du Sage ou du Serpent *put* débuter au temps d'Elie, bien qu'il ne fût évident, en Chine comme dans l'Inde, en Israël comme en Egypte, que vers 780 avant J.-C. Puis, le réveil (ou l'aurore) du Sage a pu être daté de 482 seulement par les bouddhistes et Confucius, alors que les disciples du Lycée dateront de 585 l'*acmé* de leurs Sept Sages. Quelque deux mille cent soixante ans plus tôt, nous ne pouvons situer qu'à cent ans près l'entrée dans leur crépuscule des dieux solaires (entre 3000 et 2900) et leur ardente nostalgie (entre 2700 et 2600).

De même, ici, des premiers signes du crépuscule gémique (la légende des templiers ou l'abolition des Açvins dans les temples indiens) jusqu'à la vision de Catherine de Sienne, près d'un siècle s'est écoulé. Tout se passe donc comme si l'événement mythique n'était clairement perçu qu'assez longtemps après sa *réelle* origine.

Peut-être ne s'agit-il pas d'un événement qu'une *figure* puisse délimiter, tel que la mort d'un homme ou l'éclatement d'un astre, mais d'un *mouvement* temporel, comme lorsque nous entrons progressivement dans le crépuscule quotidien. Cet obscurcissement non plus n'est pas perçu avant qu'il soit très avancé.

Dans cette optique des « crépuscules » et des « aurores » des mythes, il faudrait donc parler plutôt d'un acheminement vers la nuit, le cœur de cette nuit étant d'ailleurs le début d'un éclaircissement progressif. Or, nous n'inventons pas cette algèbre mythique, application de l'algèbre mathématique, où les nombre positifs et les nombres négatifs tendent de même à zéro; mais nous la déduisons des découvertes des grands ésotéristes du XVe siècle, Pierre d'Ailly et Nicolas de Cuse (ou de Cues), entre autres.

Au VIIIe siècle avant J.-C., de même, nous verrons les *Brâhmanas*, puis les *Oupanichads* en revenir à la figuration des Eléments, les Ts'in à la figuration des Empereurs et à l'astrologie. A partir de la même époque, la Grèce eût partagé son propre territoire en douze parties d'un cercle zodiacal dont le centre allait être successivement Delphes, Délos, puis Sardes (selon Jean Richer). C'est que l'homme, en de telles époques, ne croit plus dans les dieux, les anges ou les intelligences : il lui faut des supports terrestres, des astres, des Eléments, pour continuer de croire en ce qu'il ne conçoit plus.

Dès le XIIIe siècle, ainsi, les cabbalistes faisaient appel aux directions célestes (le haut et le bas) et aux points cardinaux; les scolastiques aux anges-astres et d'Autrecourt, au siècle suivant, à des atomes « spirituels » non moins concrets que les atomes matériels. Puis, de tels ésotérismes menaient le cardinal de Cuse (ou de Cues) à sa théorie des « transmutations géométriques », dont il n'est pas aisé de rendre compte en quelques mots.

Disons que l'Espace et le Temps y sont assimilés à des coordonnées, ou bien à des concepts de surface et de volume, un peu comme si le Temps n'était que la troisième dimension d'un univers-plan. Grand lecteur du *Coran*, qu'il commenta, et des mystiques musulmans, le cardinal faisait sienne la théorie des Noms Divins. Mais il ne concevait pas ces Noms en dehors de mouvements cycliques qui, croyait-il, conditionnaient leurs apparitions et leurs disparitions.

L'une des lois dynamiques qu'il avait découvertes, « l'opposition aux extrêmes », définissait qu'au terme de son expansion (ou en son apogée), tout concept appelle son contraire, avec lequel il coïncide alors. La loi entraînait une conception révolutionnaire de l'éternel retour : les Noms Divins se chassent l'un l'autre ou se renouvellent — mais sur un plan tout autre de l'évolution (un peu comme l'électron, dans la physique moderne, « saute » d'une orbite à l'autre). En conséquence de quoi, de Cuse pouvait conseiller au pape de sacrer le sultan Empereur d'Orient, puisque l'Islam était la nouvelle Grèce.

Certaines de ses intuitions, du reste, se trouveront

vérifiées par la suite, telles que la prédiction d'une croyance prochaine en la sphéricité de la terre ou l'annonce de grands bouleversements politiques pour l'année 1789 ou 1792. En ce qui concerne cette dernière prophétie, nous pouvons supposer que le cardinal la fondait sur les lois qu'il avait découvertes. De même que le Serpent avait disparu progressivement de 870 à 570 avant J.-C. pour renaître, non moins lentement, de 570 à 370, le crépuscule du mythe de Fraternité s'enténébrait jusque vers 1590 avant de renaître peu à peu dans les deux siècles suivants.

Certaines autres croyances de Nicolas de Cuse, communes à de nombreux astrologues de son époque, peuvent apparaître moins défendables. Elles sont, pour la plupart, relatives à une liturgie de l'Année mythique superposable aux rythmes de l'année solaire, que nous révèlent le *Livre des Heures* du duc de Berry et l'invention de l'astrolabe (horloge du jour, de l'année et du zodiaque tout à la fois).

Selon ces croyances, l'Année zodiacale du Verseau venait de franchir son équinoxe de printemps — ou allait bientôt y atteindre, selon que les astrologues dataient l'équinoxe de l'année solaire du 11 ou du 21 mars. Il faudrait le concile de Trente, au siècle suivant, pour trancher le débat... en faveur du 11 mars et le pape Grégoire XIII pour reculer l'équinoxe dans la troisième décade du mois (en 1572).

Ni le cardinal de Cuse, ni Pierre d'Ailly, ni les astrologues italiens tels que Turrel ou Ruggieri, au XVIe siècle, ni les prophètes allemands, tels que le mystérieux « Révolutionnaire du Rhin » ou le surprenant Ulrich de Mayence ne fondèrent de secte ou d'école. Mais leurs ouvrages, leur enseignement, leurs prophéties étaient connus de tous les initiés. On ne peut imaginer les « rondes noires » sabbatiques, l'antre de l'alchimiste, les réunions secrètes des *quintinites* ou des *amis du Sang*, les premiers Rose-Croix, ou même les caves sanglantes de Gilles de Retz, sans avoir à l'esprit l'ésotérisme d'un Cuse et ses étranges doctrines.

Œuvrant pour découvrir la Pierre des philosophes ou bien pour préparer l'Azoth futur, tous, d'un Arnauld de Villeneuve à Paracelse, à deux siècles d'intervalle, emploient le même langage. Ils se réfèrent de même « aux temps qui précédèrent la Chute »; ils confessent leur foi dans le salut de l'homme par la Grande Connaissance; ils annoncent de terribles malheurs, au nombre desquels le passage par l'ère des *sapients* ou des savants, et l'avènement final de l'Arbre merveilleux.

Cet Arbre de la Liberté, cet Arbre aux fées, d'autres — qui ne sont ni prophètes ni alchimistes — le plantent au milieu de leur village, pour commencer de l'honorer quotidiennement. Ou bien ils se content des histoires, à la veillée, où le Graal est devenu l'escarcelle du Diable qui ne se vide jamais, la corne inépuisable de la Fortune. Géométrique, chimique ou populaire, l'ésotérisme débouche sur la même croyance en une ère de Liberté, en une venue de l'Esprit, qui ne peut pas être autre que Lucifer sauvé.

Les hussites : Une secte très importante, en cette première moitié du XVe siècle, fut celle des *hussites*, du nom de leur chef, Jean Hus ou Huss (1369-1415). Celui-ci, cependant, n'en avait pas été le fondateur. Théologien solitaire, pénétré des doctrines de Wycliffe et d'un réformateur hongrois, Milic (vers 1360), il prêchait la révolte spirituelle contre une Eglise corrompue. En 1411, le pape frappa Prague d'interdit aussi longtemps que Hus y enseignerait. Arrêté par traîtrise au concile de Constance, qui l'avait invité sous la protection d'un sauf-conduit, il fut brûlé le 6 juillet 1415 et ses cendres furent jetées dans le Rhin. Au lendemain de sa mort, la Bohême prit les armes.

Très vite, les hussites se scindèrent en deux groupes. Les premiers, les plus modérés, se firent appeler *calixtins*, parce qu'ils voulaient que le Vin (le Sang) fût donné en communion en même temps que le Pain (le Corps). Parmi leurs autres exigences, on relève la réforme des abus du clergé, l'interdiction pour les clercs de posséder des biens matériels et d'exercer la justice, ainsi que l'exclusion de l'Eglise des grands pécheurs (avaricieux et luxurieux). Ce furent les *quatre articles* de Prague (1417).

Les seconds prirent le nom de *taborites* : ils ne se

contentaient pas de réformer l'Eglise et de rêver d'un retour au christianisme; mais ils condamnaient des doctrines romaines, telles que la croyance au purgatoire, et ils interdisaient le culte des saints, des images, des reliques et des icônes.

Puis, vers 1418-1420, les doctrines taborites se durcissaient encore, sous l'influence probable d'amauriciens de Lille réfugiés à Prague (au nombre d'une quarantaine, croit-on). Les disciples du Tabor ne se présentaient plus comme des réformateurs, mais comme des annonciateurs du Troisième Age, Anges vengeurs de Dieu et combattants du Nouveau Christ. L'attente d'un « banquet messianique », du temps des Saints « radieux comme le soleil », guidait ces fanatiques non vers la discussion théologique mais vers l'outrance et le crime.

De leurs rangs sortait bientôt une secte d'extrémistes, les *pikarti,* dont on estime le nombre à deux ou trois centaines. Leur chef, Peter Kanisch, affirmait que Dieu était dans l'homme qui le servait : le saint; que le Ciel et l'Enfer n'avaient d'autre existence que dans le cœur du Juste et de l'Impie et que le nouvel Eden s'ouvrait, d'ores et déjà, à ceux qui en savaient le chemin. Tout homme détenait la puissance secrète de rénover l'Adam.

Le chef des armées hussites, Zizka, captura l'insensé et le condamna à mort (en 1421). On dit que ce ne fut pas ce supplice qui mit un terme au mouvement des pikarti, mais l'incohérence même de leurs doctrines. Cependant, il n'est pas sûr que, détruite en Bohême, la secte n'ait pas resurgi en d'autres lieux. En ce même début du XVe siècle, une autre société « adamique » aurait existé en France, créée par un nommé Picard (?). La promesse d'un Eden ouvert à tous se reconnait aussi chez ces autres pikarti, ainsi que le culte de la nudité et la pratique de la promiscuité sexuelle.

Réunis sous le commandement de Zizka, les deux groupes hussites triomphaient sans trop de peine des armées impériales. Mais, en 1431, les *calixtins* obtenaient satisfaction pour certaines de leurs demandes, la communion sous les deux espèces entre autres, et les taborites, assagis ou non, continuaient seuls le combat.

En 1434 encore, un de leurs orateurs affirmait que « le Temps était proche où les Elus se dresseraient contre la « Babylone » chrétienne. Alors commencerait l'élaboration du règne de l'Esprit, par la conquête et le massacre, « car c'est ainsi que les Romains, jadis, ont dominé l'univers » et, si les Romains n'avaient triomphé, le Christ ne serait jamais venu.

La même année, devenus les mercenaires de l'Eglise, les calixtins anéantissaient l'armée taborite et s'emparaient de la ville de Tabor. La tradition hussite ne pouvait plus que dépérir; on en trouverait peut-être une ultime resurgence, pacifiste et non violente, dans la secte des *Frères moraves* qui allait se fondre, au siècle suivant, dans la Réforme protestante.

Les derniers prophètes taborites durent être deux frères, Janko et Livin de Wirsberg, qui, vers 1453-1455, recommencèrent à prêcher l'avènement du Troisième Age. Le Messie ne serait pas bon et pitoyable, ainsi que le Christ passé, mais il serait un combattant terrible, en même temps qu'un libérateur : pour épurer l'Eglise, il tuerait tous les prêtres et tous les moines, à l'exception des frères mendiants (franciscains et dominicains). On le reconnaîtrait au pouvoir, qu'il détiendrait, de « concevoir en soi la Trinité » et de présenter du sens caché des Ecritures une exégèse encore inouïe.

On a dit que les Wirsberg pensaient, prêchant ainsi, à un moine franciscain qui se présentait lui-même comme le Sauveur Sacré. Cela semble peu probable, car ils prophétisaient que le Messie naîtrait ou se révélerait en 1467. Leur procès eut lieu l'année précédente. Janko parvint à s'enfuir; Livin fut condamné à la prison à vie et mourut peu après.

La pensée sauvage : Etrangement, hors de l'Occident, le crépuscule des Jumeaux ne devait pas être perçu — ou peut-être seulement avoué — avant ce même xve siècle.

Les peuples aux dieux gémiques — tribus du Lam Ténès et du Lam Taga au Sénégal, Mayas amérindiens,

Khmers extrême-orientaux — avaient cependant disparu du monde dès 1340-1359, et les Açvins eux-mêmes, des temples indiens, vers les mêmes dates. Des peuples neufs : Turcs et Mongols, Incas, Aztèques, musulmans noirs, triomphaient sur la terre entière, comme, deux mille cent soixante ans plus tôt, les Spartiates et les Scythes, les Ethiopiens et les peuples altaïques, entre autres. Leurs dieux, solaires et terrifiants, incarnaient aux yeux des chrétiens et des chimus, des bouddhistes et des persans, le Diable lui-même.

Cependant, il faudra la fin du XIVe siècle pour que Tsong-Ka-Pa (1357-1419), fondateur des *Bonnets Jaunes*, proscrive le tantrisme tibétain et s'oppose aux pratiques magiques en même temps qu'au culte des Images. Il faudra le siècle suivant pour que le fondateur des *Sthanakavasis*, Longa Sa, découvre que le djaïnisme primitif proscrivait les idoles, et il faudra les derniers grands Incas et chefs aztèques — vers 1485-1500 — pour que soient avoués par les prêtres la mort de l'Aigle (au Pérou) et le ternissement du Miroir magique (à Mexico).

Il y aura bien longtemps alors que l'Inca Pachakutek (1380-1440) aura interdit tous les cultes au dieu de la mer et restauré le culte solaire — ou que les Aztèques auront ordonné la Grande Destruction (des vêtements, des poteries et des biens mobiliers), tous les cinquante-deux ans [1], dans l'attente du Nouvel Age.

La grande guerre qui, partout dans le monde, alors, oppose les croyances gémiques aux croyances lucifériennes, et qui toujours s'achève par la destruction des premières, s'exprime plus sagement — et mythiquement — en Amérique du Sud par un grand duel annuel entre les prêtres de l'Aigle ou du Condor et ceux du Couguar ou Puma. La défaite renouvelée des premiers doit conduire, non seulement à la reconnaissance de la « mort » des dieux jumeaux mais à l'ins-

1. Cette destruction était précédée ou suivie de l'érection d'une stèle datée (Cf. Jacques Soustelle, *Les Aztèques*). Elle correspond sensiblement au désespoir collectif qui accablait les peuples du Pérou lors de la mort de leur prince ou Inca. A Cuzco, cependant, on ne se contentait pas de détruire les biens matériels : des suicides en masse suivaient la mort du chef. Cf. S. Huber, *Au pays des Incas*.

titution de sacrifices solaires dont les Cortès et les Pizarre auront beau jeu de se scandaliser, dans l'oubli des *autodafés* et des bûchers occidentaux.

Nous ne pouvons affirmer — les documents nous manquent — mais nous avons le droit de supposer que ce fut alors, au cours du XVe siècle et en l'écroulement des anciens empires noirs, que s'instituèrent partout en Afrique centrale ces coutumes fantastiques : danses de mort, envoûtement collectif, sacrifices, cultes des hommes-lions et des hommes-panthères, que nous croyons volontiers d'origine plus ancienne.

Dans la mesure où ces pratiques culturelles rénovaient en effet les pratiques de Sumer (mais de la Sumer décadente) et les cultes, plus anciens encore, des adorateurs de Œil du ciel, nous n'avons pas tort de croire — et les sorciers d'affirmer — que ces croyances et ces initiations se réfèrent aux temps « les plus anciens ». Mais il est impossible de croire que le royaume chrétien des Zaguès, du Xe au XIIIe siècle, ou les peuples aux Lam gémiques les avaient naguère pratiquées.

Si l'on conçoit clairement tout ce qu'implique ce que nous nommions hier la « pensée primitive » et que Levi-Strauss appelle « la pensée sauvage », nous devons prendre conscience qu'il s'agit, en fait, d'une pensée messianique, dans le rejet lucide d'une « civilisation » que, dès 1450, des hommes assez instruits en science ésotérique pouvaient nommer de son vrai nom : la dégénérescence des dieux [1].

1. Sans aller jusque-là — ce que nous devons lui reprocher — Levi-Strauss ne donne-t-il pas une clé du « raisonnement mythique » lorsqu'il formule que le *Progrès* « n'est ni nécessaire, ni continu ; il procède par sauts, par bonds ou, comme diraient les biologistes, par mutations » (*Race et Histoire*, l'Idée de Progrès, Éd. Gonthier Médiations). Dans l'attente de la future structure progressiste, c'est donc le sauvage qui a raison et le civilisé qui a tort.

DEUXIÈME PARTIE

LA RENAISSANCE

6. LES PROTESTANTS
7. LES SECTES DU REGRET
8. LA ROSE ET LA CROIX

6

LES PROTESTANTS

Les Temps Modernes — Luther — Les anabaptistes — Calvin et les puritains — Les Eglises d'Angleterre — Arminiens et autres sectes.

Les Temps Modernes : Donnée pour point de départ des Temps Modernes, la prise de Byzance par les Turcs, en 1453, ne présente pas une signification très claire, puisque les livres d'histoire la définissent tantôt comme la victoire définitive de l'Occident sur l'Orient, tantôt comme l'avènement de l'esprit scientifique — et parfois comme la fin du Moyen Age chrétien, c'est-à-dire de *ce temps-là.*

Mais *ce temps-là* s'est achevé universellement, vers 1260-1280, si bien que, vers 1300, toutes les œuvres publiées ne reflétaient plus que regrets et nostalgie du temps d'Amour. Loin de marquer une victoire de l'Occident sur l'Orient, la prise de Byzance ouvre une longue période de renouveau islamique : l'empire turc est à venir, l'âge d'or de la culture persane également. Enfin, si l'on entend par « esprit scientifique » le refus des Universaux et le recours au principe de causalité, ce refus et ce recours étaient en germe dans les œuvres scolastiques du XIVe siècle, pleinement aboutis au début du XVe.

Chercherait-on sur le plan sémantique ou mythique

cette définition que l'Histoire ne peut donner, le problème n'en serait pas plus simple. C'est ainsi que, souvent, on confond l'expression : « Temps Modernes » avec celle de « Renaissance ». Le recours aux philosophes néo-platoniciens caractériserait celle-ci et ceux-là. Cependant, en traduisant ces œuvres, les Renaissants demeuraient dans la tradition médiévale la plus sûre : Bonaventure, Anselme et, plus tôt, Gabirol ou Farabî avaient eu de Platon et de Plotin une connaissance et une compréhension plus grandes que n'en auront Marsilio Ficino ou Pic de la Mirandole. Se référant à Eliade, Jean Servier, au contraire, voit dans la découverte du *Corpus hermeticum* par Cosme de Médicis, en 1460, le détail révélateur de l'Esprit nouveau [1]. Or, l'étude de la Kabbale et des mystiques dominicains nous prouve que l'hermétisme fut l'un des courants majeurs de la pensée occidentale dès la seconde moitié du XIIIe siècle.

Pourtant, les Temps Modernes demeurent un événement que personne ne peut nier. S'ils ne s'identifient pas à la victoire de l'Occident, à l'avènement scientifique, au platonisme, à l'hermétisme, ils n'en constituent pas moins une réalité universelle. Comment donc les définir? Peut-être, tout simplement, comme la victoire « définitive » de l'esprit progressiste sur une foi dépassée.

Vers 1450, telles sont les conjonctures : dans les trois derniers siècles, la foi n'a pas cessé de céder devant la raison. Les miracles de l'amour se sont faits de plus en plus rares; l'Eglise s'est séparée de l'Etat et Dieu de la réalité, car on ne concevait pas que le divin Amant permît la mort et la souffrance. L'homme a voulu comprendre les structures qui le faisaient vivre et n'a su que les décomposer : les Noms sont devenus des abstractions, les croyances des naïvetés. L'homme s'est voulu un possesseur, un conquérant. Non plus le saint mais le sorcier. Non plus le sorcier mais le savant.

Les Temps Modernes, ainsi, ne seraient-ils pas l'*actuel* où, selon l'expression de Mani et des cathares, la Lumière s'engrène dans la Ténèbre, où l'esprit se fait calcul et

---

1. Mircéa ÉLIADE : *The quest for The origins of religion* (History of Religions, t. IV, n° I, 1964) ; Jean Servier, *Histoire de l'Utopie* (N. R. F. Idées).

l'âme matière? Le temps de l'homme après le temps de Dieu? Il devrait s'ensuivre, à tout le moins, un changement radical d'optique, comme à l'aurore, quand la clarté l'emporte sur la ténèbre, comme au printemps, quand le temps de jour l'emporte sur le temps de nuit. Car, ce que nous nommions naguère le réel-dieu — saisi par le miracle ou la joie de l'instant — va nous devenir l'irréel. Ce que nous nommions l'accident ou l'éphémère — les figures suscitées par les rythmes éternels — va désormais nous apparaître la cause des phénomènes; ce qui nous précédait en avant : le Royaume de Dieu, la Terre Promise, va nous précéder en arrière, comme un âge dépassé duquel l'homme s'arrache enfin.

Un tel phénomène s'est produit souvent au cours de l'Histoire : la dernière fois, au VIIe siècle avant J.-C.; l'avant-dernière, dans les tout premiers siècles du IIIe millénaire. S'il frappe rarement les historiens, c'est que, dans les siècles de « renaissance », les peuples ne distinguent pas le confort qu'ils désirent du Messie qu'ils attendent. De l'alchimie ou de la danse magique, non moins que de la chimie ou de la saignée, ils espèrent le mieux-vivre ou l'accomplissement d'une confuse promesse, moins contradictoires qu'il ne semble.

Or, c'est la danse ou le poème qui survivent, car, dans le sens temporel du passé vers l'avenir, dans le sens de l'entropie rationnelle, toutes les choses vont très vite vers leur fin : l'homme non immortel et les œuvres bâclées. De sorte que ces temps ne nous sont connus, en somme, que par les bribes de religion ou de mythologie qu'on y découvre encore.

Les pyramides nous restent, le *Rig-Veda*, l'*Enuma élish* et la *Genèse,* mais que subsiste-t-il des inventions d'Akkad? Le Parthénon existe, les tragédies d'Eschyle, les poèmes de Pindare, les *Psaumes* et les prophètes, mais que subsiste-t-il des H. L. M. hellénistiques et romaines, sinon ce que purent en dire Martial et Juvénal? Notre-Dame-de-Paris nous reste, et la *Divine Comédie*, mais que nous reste-t-il, déjà, des méthodes médicales d'hier ou des premiers ballons?

De ces antécédents, on peut induire que, de même, nos arrière-petits-fils ne connaîtront et n'aimeront, des présents « Temps Modernes », que l'œuvre de Shakespeare ou celle de Calvin, les mosquées d'Ispahan ou l'Escurial, les visions de Jean de la Croix ou les doctrines du Bâb. Mais, plus particulièrement, à la lumière de ce qu'ils auront vécu, ils retiendront ce pressentiment-ci ou celui-là, comme Platon nous touche plus que Démocrite ou que Jérémie nous apparaît meilleur prophète que les fonctionnaires de son temps.

Cette clairvoyance nous est interdite. Nous ne savons pas encore lesquels, de Calvin ou de Luther, de Robespierre ou de Rousseau, de Karl Marx ou de Nietzsche, ont le mieux prophétisé les temps futurs. Nous devons donc considérer toutes les sectes et tous les messages qu'elles nous laissent d'un œil également impartial. Car l'aboutissement de ces quêtes diverses est encore à venir.

Les précurseurs : Sur le plan sectaire qui nous importe, la Renaissance se caractérise par l'avènement du protestantisme, qui n'est pas un phénomène simple. On en date l'origine, communément, de Luther. Luther n'est cependant pas le premier réformateur de l'Eglise romaine. Il s'en faut de beaucoup.

Les mouvements comme jaillis de la révolte populaire, au lendemain de la Grande Peste : Frères de la Vie commune, Lollards, Hussites et Taborites, etc. portaient en germe, déjà, une évidente réforme. En 1467, un certain nombre de ces sectes se réunissaient sous le nom : *Unitas Fratum,* l'Union des Frères. Elles rejetaient tout lien avec Rome et constituaient leur propre « hiérarchie », reconnaissant implicitement, de la sorte, le « crépuscule » de la Fraternité.

Par la suite, le mouvement reprit le nom de *moraves,* qui lui venait de la fraction « ultra » des disciples de Hus; mais cette évolution de la secte ne se fit pas avant le XVIIe siècle, où les Frères renaquirent seulement pour s'exiler en Pologne.

Au XVe siècle, l'Union paraît n'avoir été qu'une nouvelle tentative pour rénover l'Eglise primitive : par la lecture de l'Evangile, la Sainte Communion mensuelle, le baptême des enfants, le chant des hymnes : une secte involutive au premier chef. Puis, très vite, l'Image fut proscrite des temples, cependant que l'Ancienne Ecriture (la Bible) prenait une importance croissante dans les lectures publiques.

A l'inverse, une petite secte peu connue, celle des *abécédairiens,* proscrivait non seulement la lecture de la Bible, mais toute connaissance qui ne vînt pas à l'homme, directement, par l'action de l'Esprit-Saint. Principalement dirigée contre les « excès » de l'imprimerie, cette lointaine survivance des doctrines de Proclus n'eut guère de succès : l'heure n'était plus — ou pas encore — à l'Esprit-Saint.

Cependant, cette même année 1483 où naissait Martin Luther, naissaient aussi deux grands réformateurs, moins connus que le moine augustin. L'un d'eux, Zwingli de Saint-Gall, fut ordonné prêtre en 1506. Un voyage à Rome l'éclaira sur les « hérésies » de l'Eglise pontificale. De retour à Zurich, il y prononça de nombreux sermons, qui étaient autant de violentes attaques contre le clergé corrompu. Le second réformateur, Tyndale, découvrit l'humanisme alors qu'il étudiait à Oxford et dut bientôt s'exiler.

L'éloignement du christianisme et le recours au dieu de la Bible sont manifestes chez les deux hommes. Alors que Zwingli donnait une valeur primordiale aux Anciennes Ecritures, niait la présence du Christ dans l'hostie et ne voyait dans la Communion qu'une commémoration sacrificielle de la Passion, Tyndale avait eu le temps de traduire le *Pentateuque* avant d'être capturé par traîtrise à Anvers, emprisonné, puis brûlé (en 1536).

Or, ce même éloignement et ce même recours se retrouvent dans tous les courants de la Réforme, quels qu'en soient d'autre part les différences visibles et les desseins cachés.

Luther : Le plus ancien de ces courants fut le luthéranisme, auquel il est hasardeux de rattacher une secte déterminée, bien que plusieurs aient pu se recommander de lui.

On sait que Luther, né à Eisleben, était le fils d'un mineur devenu petit bourgeois. Son intelligence précoce le fit remarquer par des religieux. Il passa sa licence en 1505 et entra au couvent des augustins d'Erfurt, où il demeura trois ans, puis alla enseigner à l'Université de Wittenberg.

Alors qu'il occupait cette chaire, il fut, en 1511, envoyé en mission à Rome. Ce qu'il put y voir le scandalisa; de retour en Allemagne, il lui fallut le dire. Avait-il rencontré Huldreich Zwingli à Rome? Ce n'est pas impossible. Mais, en Allemagne même, les esprits s'échauffaient. Jamais peut-être les prophéties de l'*Apocalypse* touchant la Grande Prostituée assise sur la Ville aux sept collines et celles de Dante, touchant l'année 1515, n'avaient été si passionnément commentées.

On trouvait des prophètes à tous les coins de rue. Certains considérables, tels Ulrich de Mayence, encore adolescent, ou le Suisse Bombast de Hohenheim, plus connu sous le nom de Paracelse (1493-1541), d'autres bien oubliés depuis lors, comme le mystérieux auteur du *Livre aux Cent chapitres,* qui annonçait le temps de la Justice pour 1525 seulement.

Afin d'y instaurer ce temps de Justice, des mouvements éclataient çà et là. Né dans le diocèse de Spire en 1502, le *Bundschuh* ne tendait pas à moins qu'à renverser toutes les autorités constituées et à distribuer au peuple — considéré dans son ensemble — les terres et les propriétés de l'Eglise. Bien que le mouvement eût été brisé, l'un de ses chefs, Joss Fritz, échappa au supplice et parvint à créer d'autres soulèvements, en 1513, puis en 1517, de sorte que la légende se créa que Joss Fritz était immortel et le *Bundschuh* un nouveau phénix.

En 1520, alors que Luther s'enhardissait jusqu'à critiquer même certains dogmes romains, un tisserand de Zwickau, Niklas Storch, ressuscitait les vieilles croyances taborites et présentait imminente la destruction de l'ancien monde. Annonçant comme très prochaine la victoire de l'Islam, il prédisait que l'hécatombe serait suivie du Nouvel Age ou Millénium, le Règne de l'Esprit. La même année (ou dès 1519) paraissaient les « œuvres complètes » de Joachim de Flore, qui contenaient sûrement quelques textes apocryphes, tels que la prédiction des Cinq grandes catastrophes : la guerre des paysans, celle des laïcs contre l'Eglise, celle des peuples contre les royautés, celle de la Chrétienté contre l'Islam et celle que mènerait un « empereur romain », avant l'avènement de l'Esprit [1].

Enfin, quatre ans plus tard, paraissait la première anthologie sérieuse de prophéties médiévales, qui toutes prédisaient de terribles « épreuves » à l'Occident avant que naissent l'Antéchrist, puis le futur Messie [2].

Compte tenu de ce climat, l'œuvre de Luther nous semble moins révolutionnaire — et moins hérétique même — qu'on a pu le prétendre. Le moine augustin ne s'offre pas comme un rénovateur, mais, au contraire, comme un conservateur des grandes vertus chrétiennes. Il veut préserver le catholicisme des périls que lui font courir les prêtres enrichis et les papes princiers; pour défendre son dieu, purifier son Eglise.

Lorsqu'il se rend à Worms devant la Diète des princes, il n'a pas l'attitude d'un révolté (un révolté ne fût pas venu), mais d'un homme qui sait ce qu'il veut et pourquoi. C'est peut-être seulement alors, dans son refuge de la Wartburg, où il entreprend la traduction de la Bible, que Luther, pour la première fois, s'éloigne de l'Evangile et devient ce « novateur », qu'il ne désirait pas être.

De retour à Wittenberg, il y épouse une ancienne religieuse : Katharina von Bora et, dès lors, tout est consommé. Dans l'esprit de Luther lui-même, l'idée de Réforme naît, c'est-à-dire la notion d'une « religion autre », qui serait comme un pont entre l'évangélisme et le futur Esprit. Religion non pas de Justice, car Luther hait les juifs, mais d'une sorte de Liberté qui n'exclut pas la Hiérarchie. Religion de l'homme, avant tout; qui ne doit rien aux pratiques, aux cultes, aux liturgies, mais qui doit tout à Dieu (à la fois le Créateur, le Christ et le Saint-Esprit), dont la grâce « présente » peut seule sauver le pécheur.

1. Prophétie de Joachim de Flore, prétendument retrouvée par le frère mineur Gérard et publiée en annexe de l'*Évangile Éternel*, somme des trois ouvrages joachimiques (page 52).

2. Cette Anthologie, intitulée Livre des Merveilles (*Liber Mirabilis*), contenait des textes remontant au Ve siècle (saint Césaire d'Arles) mais, pour l'essentiel, des textes du XIe et XIIe siècle, prétendument recueillis par Jean de Vatiguerro.

De son mariage avec Catherine, en 1525, jusqu'à sa mort, vingt ans plus tard, Luther ne cessera plus d'aller de plus en plus profond dans cette voie, prenant conscience aussi de ses propres désirs et de ses propres besoins, géant du corps non moins que de l'esprit, Gargantua de la Réforme. Mais, s'il cède — dit-on — à tous ses appétits, son esprit reste ferme. Ce défenseur de la liberté individuelle déteste l'idée même de liberté collective. On le voit bien dans la guerre des paysans, où il prend le parti des princes.

Une de ses plus belles pages est précisément celle où il oppose la liberté de l'homme en marche vers son destin à la confusion et au désordre, « que d'aucuns nomment aussi liberté ». Il faudra Loyola pour aller plus profond dans la même distinction.

Les anabaptistes : La pensée de Luther, d'abord, ne fut pas comprise. S'il scandalisait les chrétiens, il décevait ses propres disciples qui nommaient : lâcheté sa modération, égoïsme sa conception de la liberté individuelle.

L'un de ces premiers disciples avait été Thomas Münzer (ou Munzter) que bouleversait, dès 1520, le messianisme de Storch. L'année suivante, Münzer abandonnait Luther et créait, à Zwickau même, le premier mouvement *anabaptiste*. Puis, il se joignait aux paysans, dont il galvanisait l'ardeur. Après la prise de Mühlhausen, il fut livré aux princes, torturé et décapité, le 27 mai 1525.

Ni la mort de Münzer, pourtant, ni celle de Storch, survenue la même année, n'arrêtèrent la propagation de l'anabaptisme. Sept ans plus tard, la secte était redevenue si forte qu'elle convertissait une ville : Munster et y établissait une théocratie égalitaire. Le chef en était le tailleur Johann Bockhold, plus connu sous le nom de Jean de Leyde. La ville tint trois ans contre les princes et ne fut prise d'assaut qu'en 1535.

A cette époque, l'anabaptisme n'est pas un mouvement religieux, en ce sens qu'il n'est pas créé afin de durer des siècles; mais une secte messianiste, dont l'objet immédiat est l'instauration concrète de l'âge d'Or.

« Maintenant, sus à eux! *écrivait Münzer*. Il est temps,

les gredins sont comme des chiens désespérés. Sus à eux, tant que le fer est chaud! »

Ce mot : « il est temps » nous explique le drame de l'anabaptisme. Quand il n'y a plus un jour à perdre, il faut bien vaincre ou mourir. Dans une telle optique, il n'y a plus de lois, car les lois sont faites pour durer, il n'y a plus de propriété, plus de travail organisé. Tout est à tous et tous sont libres. C'est assez que faire confiance à Dieu.

Or, le théoricien de la secte n'était pas Jean de Leyde, le nouveau Messie-Roi, mais un autre disciple de Luther, Bernt Rothmann. Il opposait à la théologie des prêtres romains la *révélation intérieure,* point tellement différente de l'un de l'Un de Proclus ou de l'Essence d'Eckhart. Sur le plan historique, il faisait siennes les théories de l'humaniste Sébastien Franck : la fin de l'Eden a été le règne de Nemrod[1], où l'orgueil, l'ambition et la propriété ont commencé de diviser les hommes. A l'inverse, le communisme des biens, des pensées et de l'amour demeure non seulement l'idéal à atteindre mais l'état naturel de l'humanité.

Depuis la fin de l'Eden, deux Ages se sont succédé : celui de la persécution et du péché, puis celui de la Croix rédemptrice. Le troisième Age doit être celui de la liberté, du renouveau du Verbe. Il renaissait déjà : « Le Verbe s'est fait chair et il est parmi nous », dit une inscription anabaptiste de Munster, citant saint Jean.

La ville tomba, mais, d'une certaine manière, l'effondrement de l'anabaptisme avait précédé sa chute : dans ses derniers mois, le règne de Jean de Leyde avait été une autocratie absolue, fondée sur la terreur. Fût-ce pourquoi, à la différence d'autres mouvements religieux, l'anabaptisme ne survécut pas à la défaite militaire?

Le troisième chef de la secte, Johan Betenburg, fut exécuté en 1537 : très peu d'hommes le suivaient encore. Le dernier imprimeur des œuvres de Rothmann, Jean Willemsen, ne monta sur le bûcher qu'en 1580, mais il y avait longtemps que les anabaptistes ou s'étaient convertis ou avaient fui l'Allemagne. Dès 1528, un pre-

1. MUNZER, cité par Norman Cohn.

mier contingent s'était embarqué « pour les Amériques ». Sous le nom de *Frères hutterites*, ils s'installèrent dans le Dakota du Sud (Etats-Unis) et dans les provinces occidentales du Canada.

Un autre groupe, fidèle aux doctrines de Luther plutôt qu'à celles de Leyde et de Rothmann, s'était constitué à Zurich, sous l'impulsion d'un ancien prêtre catholique : Menno Simmons (1496-1560). Entre 1523 et 1530, de nombreux *mennonites* cherchèrent refuge aux Pays-Bas, où la secte se développa très vite. Essentiellement pacifistes, les disciples de Menno ne gardaient de l'anabaptisme qu'une conception très haute de la liberté humaine : ils refusaient de servir l'Etat, que ce fût en tant que soldats ou en tant que fonctionnaires. On pourrait voir en eux des précurseurs de la non-violence.

Calvin et les puritains : Le luthéranisme d'une part, l'anabaptisme de l'autre, et toutes les sectes annexes présentent un caractère commun : l'amour de la liberté, mais d'une liberté particulière, qu'on pourrait nommer : le gré du prince. Luther aimait les princes; Jean de Leyde finit par se faire roi. Ni le sens du collectif, ni la justice même ne doivent empêcher l'homme d'accomplir son destin : devenir ce qu'il est. Mais il ne deviendra pas ce qu'il est hors d'une discipline rigoureuse.

A l'opposé, Calvin haïssait non seulement la notion de liberté, mais celle de libre arbitre. Il ne cherchait pas dans la Bible le dieu des prophètes et des héros, mais le dieu des soldats et des justes. Naturellement chaste, de petite santé et de peu de besoins, il ne pouvait comprendre les idées de Luther ou, les ayant comprises, les tolérer.

Il étudiait le droit à Orléans quand il se crut luthéraniste. Les persécutions de 1533 le contraignirent à fuir. Il s'établit à Bâle où, en 1536, il publiait son *Institution de la Religion chrétienne*. Il avait vingt-cinq ans.

A la fin de la même année, il rejoignait les Genevois en révolte contre l'Eglise romaine. Il s'imposait comme un de leurs chefs et, pendant deux ans, régissait la ville d'une main de fer. Cette rigueur le fit exclure de l'Assemblée des Justes et il gagna Strasbourg, où il devint l'époux d'une veuve protestante.

Cependant, partagés entre l'influence de Luther (ou de Menno) et celle de Calvin, les Genevois s'efforçaient en vain d'instaurer un régime de nature théocratique, fondé tout à la fois sur l'Ordre et sur la Liberté. Dès 1541, ils rappelaient le Maître Inflexible, qui ne devait plus cesser de les régir jusqu'à sa mort (1564).

Le supplice de Michel Servet, en 1553, nous révèle l'homme. Ce médecin espagnol rejetait tout ensemble l'Eglise de Rome et la Réforme. Mystique plutôt que théologien, il ne croyait pas en la Trinité, mais en un seul dieu Christ, dont le second avènement serait la proclamation d'un amour plus profond et plus universel que l'amour chrétien : non pas l'ordre d'aimer le prochain comme soi-même, mais de l'aimer « plus que soi [1] ».

Condamné par l'Inquisition de Lyon, Servet avait pu fuir et chercher refuge à Genève. Calvin le fit arrêter et, dit-on, vint le voir dans sa prison afin de l'interroger hors de la présence des juges. Mais il laissa les juges prononcer la sentence : Michel Servet fut brûlé vif. Jusqu'alors, une certaine opposition au joug puritain du despote s'était manifestée dans le peuple : le supplice de Servet y mit un terme. Les onze dernières années du règne de Calvin furent sans histoire.

Nous ne citons pas ce trait pour l'anecdote seulement, mais parce que nous touchons ici au cœur même du puritanisme. Qu'il soit religieux comme Cromwell, théosophe comme Robespierre ou même athée comme certains chefs marxistes, le puritain sera toujours ce « despote éclairé » qui ne supporte pas la contradiction, parce qu'il est lui-même pur, incorruptible, et qu'il sert la justice et qu'il détient la vérité. Il sera toujours aussi un doctrinaire en même temps qu'un utopiste progressiste, pour lequel toute l'humanité se trouve partagée en deux camps : celui des Bons et celui des Méchants, de sorte que son contradicteur est nécessairement rejeté dans l'autre camp, mauvais.

La puissance de Calvin est d'avoir su donner à cette

---

1. Plus que soi. La croyance de Servet se rapproche, d'une part, des doctrines unitariennes, dont nous parlons plus loin, d'autre part de la révélation d'Ulrich de Mayence, exposée dans son grand ouvrage prophétique : *Arbor mirabilis,* composé entre 1530 et 1545.

position, somme toute sentimentale, une valeur de dogme. En effet, la doctrine qu'on nomme « réformée » (pour la distinguer du luthéranisme et de l'Eglise d'Angleterre), bien qu'elle ne dût recevoir sa forme définitive qu'en 1618, au synode de Dordrecht, apparaît tout entière dans *l'Institution :* Calvin en est bien le père.

Le dogme de base en est la *prédestination.* Dieu a vu et voulu de toute éternité les destinées du monde, ainsi que la destinée de chaque individu. Il n'a donc laissé personne libre de se sauver ou de se perdre, mais, par une élection particulière, Son Amour a choisi ceux qui seraient finalement rachetés du péché originel.

Contre le pélagianisme de Luther : l'homme est entièrement libre de son destin, on voit que Calvin avait choisi la voie inverse, celle de saint Augustin : il y a une cité des hommes et une cité de Dieu; pour que les deux coexistent, il faut donc que certains soient appelés vers Dieu et les autres condamnés.

Il ne convient pas de nier la grande humilité qui inspirait ce système : le salut est une telle gloire et la faiblesse humaine si vile qu'aucun « passage » ne peut exister entre celui-ci et celui-là. Mais, si l'homme ne peut faire son salut, il faut bien que Dieu le fasse pour lui. Comme ce dieu est l'Amour même, il ne peut que choisir dans le sens de son Amour souverain, c'est-à-dire de son « élection ».

Il n'en reste pas moins que la doctrine épouvante, en ce que, précisément, elle révèle le caractère scandaleux de l'Amour. Le dieu des Armées était moins féroce que ce dieu Jaloux; Moloch, moins cruel que cet exclusif. Comme on comprend que l'Amour sans élection de Servet ait pu rendre furieux le puritain de Genève!

Les Eglises d'Angleterre : La forme anglaise du calvinisme, le *presbytérianisme,* fut prêchée en Ecosse d'abord, par un prêtre catholique né en 1505, *Knox.*

Converti à la réforme en 1547, il commença tout aussitôt d'enseigner le calvinisme, mais ne tarda pas à être déporté en France. Après dix-huit mois passés aux galères, il revint en Ecosse, où il vécut quatre ans. Le couronnement de Marie Stuart l'exila de nouveau. Il chercha refuge à Genève, où Calvin fortifia son âme et le renvoya au milieu de ses ennemis. Dénonciateur public de Marie Stuart, il fut à l'origine du soulèvement qui contraignit la reine à fuir en Angleterre. Enfin, maître de l'Ecosse, tout comme Calvin l'était de Genève, John Knox y institua une autre théocratie, qui ne s'écroula qu'à sa mort (1572). Cette même année, le presbytérianisme s'introduisait en Angleterre.

Il y subsistait peut-être, dans l'ombre, depuis de nombreuses années, mais nous ignorons tout de la secte avant cette date. L'Eglise triomphante, dite Eglise d'Angleterre, instituée par Henri VIII, s'inspirait du luthéranisme, bien que ses fondateurs eussent disposé des doctrines de Luther à leur convenance.

On sait que cette Eglise présente un caractère essentiellement national : le Souverain en est le chef suprême; les archevêques et les évêques sont nommés par le roi ou par son Premier ministre; tout citoyen est, en principe, un anglican. Quant aux dogmes, aujourd'hui, ils sont à très peu près ceux du catholicisme, exception faite de l'Immaculée Conception et de l'Infaillibilité pontificale, mais, en 1533, ils n'étaient aucunement ceux de l'Eglise romaine.

Cependant, si les Anglais admettent, incidemment, qu'il s'agit en effet d'une Eglise réformée, tous ne s'entendent pas sur le sens de cette réforme, ainsi que nous le montrerons en étudiant les deux courants contemporains de l'anglicanisme : la Haute et la Basse Eglise. Ni dans l'une, ni dans l'autre, il ne demeure grand-chose de l'esprit indomptable du premier archevêque anglican : Thomas Cranmer (1489-1556).

Cranmer se présente comme un modèle de l'homme libre, expert à se servir des circonstances, mais incapable d'agir contre ses convictions. Catholique, il enseignait depuis vingt-cinq ans à Cambridge, quand Henri VIII l'appela près de lui, le nomma archevêque de Canterbury et le chargea d'organiser l'Eglise (1533). Cranmer le fit à sa manière, fût-ce contre les désirs du roi.

A l'avènement d'Edouard VI, quatorze ans plus tard, l'archevêque refusa de même les atténuations qui lui étaient imposées et qui tendaient à rapprocher l'Eglise anglicane de Rome. Emprisonné, après la mort d'Edouard, par la reine catholique Marie Tudor, il fut longuement jugé, inculpé d'hérésie, dégradé de la prêtrise et condamné à mort. Mené au bûcher, il se rétracta, puis se repentit de cette « lâcheté » et mourut en héros, comme il avait vécu.

Quant au presbytérianisme, il ne devait pas offrir, en Angleterre, la même rigueur qu'en d'autres lieux (exception faite du court protectorat de Cromwell). C'est qu'il ne s'y imposa jamais en tant que calvinisme même, mais par le truchement ou l'intermédiaire de sectes nombreuses et d'ailleurs peu distinctes.

Il vaut d'être noté que la plupart d'entre elles prennent leur origine dans l'œuvre d'un seul homme : Robert Browne (1550-1633). Cranmer créait une religion, non pas une secte. Browne n'est que le fondateur de la petite société des *brownistes*, apparemment sans avenir.

Ancien élève de Cambridge et membre de l'Eglise d'Angleterre, Browne en était venu, vers 1578, à rejeter à la fois le catholicisme et la réforme anglaise, reprochant au premier « le culte des idoles », à la seconde ses attaches bibliques. Le double hérésiarque ne reconnaissait d'autre dieu que le dieu d'Amour : Jésus. Quant au « livre des juifs », il disait l'admirer comme un modèle suprême de discipline et de foi, mais non comme un livre chrétien. Qu'est-ce qu'un chrétien? disait-il. Celui qui aime Dieu et en est aimé, fût-il de Rome ou d'Angleterre.

Emprisonné plusieurs fois, Robert Browne finit par se rétracter, en 1586. Il passa la seconde moitié de sa vie dans le sein de l'Eglise nationale. Mais la semence était jetée : elle ne restait pas en terre. Bien avant le mouvement congrégationnaliste de 1642, qui s'opposera tout à la fois aux puritains de Cromwell et aux catholiques du Roi, trois autres sectes devaient en naître : celle des *indépendants*, à laquelle Cromwell lui-même eût adhéré en sa jeunesse; celle des Pères Pèlerins *(Pilgrim Fathers*), qui, fuyant la persécution, s'embarquèrent pour l'Amérique du Nord en 1620; celle des *baptistes* enfin.

Les baptistes : Le premier baptiste d'Angleterre aurait été John Smyth, peut-être un indépendant, qui, vers

1606, créa sa propre secte. Pourtant, ce fut seulement en 1611 que l'un de ses disciples, Thomas *Helwys*, fonda l'Eglise baptiste à Londres.

Ses théories demeuraient pour l'essentiel proches des doctrines brownistes : Jésus est mort pour tous, donc tout homme qui aime doit être sauvé. Mais, très vite, une division s'opéra parmi ses fidèles. Tandis que les *general baptists* demeuraient soumis à l'enseignement des fondateurs, les *particular baptists* se rapprochaient du calvinisme et professaient que le Christ n'était pas mort pour tous les hommes, mais seulement pour les élus, seuls capables du véritable amour.

Ce partage, notons-le, n'existe plus aujourd'hui. Cependant, on en reconnaît comme un vestige dans la petite distinction entre les *baptistes stricts*, qui exigent le baptême des adultes, selon la tradition des *particular*, et les *baptistes ouverts*, qui admettent à la Communion tous les chrétiens baptisés, qu'ils l'eussent été dans leur enfance ou seulement à l'âge adulte.

Réduit en Europe, le mouvement est l'un des plus importants des Etats-Unis, où un disciple de Thomas Helwys, Roger Williams, émigré d'Angleterre dans le Massachusetts, l'avait implanté en 1636 (*Rhode Island*). Véritable religion, il s'y rattache à la nuance « baptiste ouvert » et prêche la plus grande tolérance à l'égard de toutes les sectes.

Les arminiens : Enfin, bien qu'il ne s'agisse pas d'une société secrète à proprement parler, il faut dire quelques mots de l'*arminianisme*, doctrine de Jakob Harmensen (ou Jacobus Arminius).

Ce maître réformé occupait, à l'université de Leyde, la chaire de théologie quand, en 1603, il commença de prêcher contre Calvin. Après sa mort, ses disciples tentèrent de résumer en une *Remonstrance* les idées du théologien hollandais, c'est-à-dire : Dieu, souverainement libre, a décidé de laisser les hommes libres également de se sauver ou de se perdre; en conséquence, bien que Jésus soit mort pour tous, ceux qui choisissent de croire en Lui, seuls, peuvent être sauvés; non seulement l'aide du Christ, mais celle de l'Esprit-Saint sont nécessaires pour atteindre au salut; œuvre d'un dieu de liberté, la Grâce n'est pas irrésistible, elle constitue une aide, non une obligation; même soutenus par la Grâce et habités par l'Esprit, les hommes peuvent à tout instant faillir et retomber dans le mal.

Cette doctrine, qui s'oppose de même à la prédestination puritaine et au luthéranisme, connut une grande vogue, surtout, à partir de sa condamnation (en 1618). Le premier couvent anglican qui prit le nom de « couvent arminien » ne subsista guère qu'une vingtaine d'années. Fondé par Nicholas Ferrar en 1625, dans le Huntingdonshire, il était dissous par les puritains moins de dix ans après la mort de son fondateur, survenue en 1637. Mais de grands théologiens anglais, tels que Laud et Tillotson, peuvent être nommés des arminiens. Nous verrons que la religion méthodiste, fondée au XVIIIe siècle, s'inspire des mêmes croyances. Enfin, les Pays-Bas demeurent très fortement marqués par la doctrine.

Elle nous semble importante, surtout, en ce qu'elle précise clairement le dilemme que ni Luther ni Calvin n'avaient su résoudre. En termes ésotériques, il s'exprimerait ainsi : le dieu futur sera un dieu de liberté, mais il sera aussi un dieu souverain (comme la Vierge a revécu par le Fils). Or, si Dieu est souverain, ses ordres sont absolus; il ne reste aucune part à la liberté humaine. Ou bien, si la liberté de l'homme est absolue, si elle participe de la divinité, comment peut-on s'assurer qu'elle ne le mènera pas tout droit à sa perte, par ce dévoiement de la liberté qu'on nomme l'excès ou la licence?

Déjà, les lollards et les *pikarti*, puis les anabaptistes n'avaient donné que trop d'exemples de cette licence et de ces excès. Mais, de l'autre côté, la rigueur d'un Calvin à Genève ou d'un Knox en Ecosse — et la théorie même de la Prédestination — ne laissaient pas aux hommes beaucoup plus d'espoir.

L'impossible alliance : Considérant, ainsi, l'aboutissement logique des mouvements protestants, on doit prendre conscience qu'ils conduisent au même point : un divorce complet entre le mythe nouveau de liberté et l'un de ses composants ésotériques : la hiérarchie. Mais ce divorce n'était pas l'effet de la Réforme, à laquelle il préexistait.

Depuis le *romancero* du Cid espagnol jusqu'à l'épopée de Jeanne la Lorraine, le rêve de concilier le mythe de libération et le mythe du roi s'était illustré par de nombreux symboles. Mais ces symboles demeuraient moraux ou héroïques : ils ne s'inscrivaient pas dans le plan de la connaissance, moins encore dans le sens de la nouvelle raison.

Puis, dès le milieu du xve siècle, s'étaient développés des mouvements de jeunes qui tentaient de concilier les deux principes contraires. De l'Université de Ferrare, entre autres, étaient sortis ces audacieux : Nicolas de Cuse, Celio Calcagnini qui, les premiers, mettaient en doute l'astronomie officielle : la Terre est immobile, elle se tient au centre de l'Univers.

C'est le Soleil, disaient-ils, c'est le Roi qui gouverne : de lui doivent dépendre les mouvements des planètes, y compris celui de la Terre même. Par Regiomontano (1436-1476), le premier astronome à s'arracher au système de Ptolémée, par Peurbach, Rhéticus et d'autres, cette intuition mythique devait conduire, on le sait, au *Livre des Révolutions* de l'ex-étudiant de Ferrare : le chanoine Copernic.

Dans ce cosmos solaire, que la science officielle refuse encore d'admettre, notre monde n'est plus conçu comme le reflet immuable d'un Formateur; l'homme lui-même n'est pas l'aimé par excellence de la divinité. Notre planète devient un canton de l'Espace; l'homme, un vivant parmi tous les vivants, à peine supérieur aux animaux (par la raison), inférieur aux génies sur le plan de l'intelligence, aux géants sur le plan de la force, aux anges sur le plan de la pureté.

Mais il devient aussi un être libre, capable de développer à l'infini sa force, son intelligence, sa vertu. N'étant plus l'image du Seigneur, rien ne lui interdit de donner libre cours à son courage, à sa violence, à son pouvoir de création, à son pouvoir de consommation, à tous les possibles qu'il découvre en lui.

Ce ne sont plus seulement des sectes anabaptistes qui prêchent le Libre Esprit. Des rois comme Charles Quint,

Henry VIII et François Ier, des papes princiers comme Alexandre Borgia, des artistes et des savants, comme Vinci ou Rhéticus, affichent le vice ou la vertu guerrière, l'homosexualité ou la cupidité, le refus de penser ou l'audace de pensée, l'hérésie la plus manifeste, le paganisme le plus effronté.

Mais comment concilier cette libération de tous les appétits et de toutes les fureurs avec la notion d'une hiérarchie, royale sur terre, divine dans le ciel? Tous les hommes ne peuvent être des rois, des princes, ni même des génies ou des *conquistadores*. Faut-il donc rejeter hors de la liberté ceux qui ne peuvent y atteindre, ceux qui exigent un maître ou une règle — la sécurité d'un salaire, la sérénité d'une loi?

Les nostalgiques refusent une telle société. Ils conçoivent clairement que tous les mythes chrétiens y seraient condamnés, non seulement la fraternité, mais la compréhension, la pitié et l'amour. De ce refus sont nées les premières réformes et, dans l'Eglise de Rome elle-même, les sectes dont nous parlerons.

Mais, d'abord, de nombreux esprits n'ont pas craint de mener à son terme le raisonnement. Nous le constatons par l'essor soudain, naguère inconcevable, du néoplatonisme, qui renaît vers 1500 et justifie en somme le *souverain mépris*. On ne cherche plus dans *La République* le souvenir légendaire d'une Atlantide gémique ou le rêve confus d'une Fraternité universelle, mais un Ordre rigoureux, tout aristocratique, qu'il convient d'obtenir — fût-ce au prix du *mensonge*. Car, si le Bien platonicien pouvait se passer de la Vérité, une liberté princière peut s'en passer non moins.

A Florence, Guichardin composait ses maximes (*Ricordi*), où il démontrait que le peuple ne peut accéder à la vérité, mais l'exige de ses jurisconsultes, de ses médecins et de ses hommes d'Etat, de sorte « qu'il te faut, dit-il, nier ce que tu veux tenir caché, affirmer ce que tu veux qu'on croie, encore que le contraire se montre ». Dans *Le Prince,* Machiavel ne parle pas autrement; ni, en 1543 encore, le préfacier de Copernic, l'imprimeur Osiander : « Les hypothèses (que contient ce livre) n'ont pas besoin d'être vraies ou même probables pour mériter d'être connues au même titre que les anciennes, qui n'étaient pas plus probables. » Il suffit qu'elles soient « admirables et simples aussi ».

L'aboutissement social de ce très clair « cynisme » n'apparaît nulle part mieux que dans l'ouvrage de Thomas More : *Utopia* (1516). Dans l'île règne la hiérarchie la plus rigide. Du prince à l'esclave, les classes sociales rénovent à la fois les castes des brahmanes et les corporations romaines : le tissage, la forge, le bâtiment. Le régime, patriarcal, exclut toute liberté individuelle : couvre-feu à huit heures du soir, lever à quatre heures, repas régulier suivis d'une récréation, etc. Pour ordonner un tel ensemble, les dieux ne peuvent plus suffire — et chacun honore celui qu'il veut — mais il ne faut pas moins de deux cents magistrats, encore que l'injustice soit la règle dans l'île et que la corruption n'y soit pas inconnue.

Ce dernier trait, ainsi que l'insistance de More à proclamer que le mot Utopia signifie *Numquama,* Nulle Part, laissent penser que l'ouvrage pourrait n'avoir été qu'une critique camouflée de l'Angleterre anglicane de Henry VIII, bien qu'on y trouve aussi des traits et caractères de l'Empire péruvien, créé au xve siècle par l'Inca Yupanki Pachakutck et connu de l'Occident par les premiers voyages d'Améric Vespuce et de Magellan.

Mais si, de cent manières, dans toutes les sectes nouvelles comme dans la « nouvelle science », dans les Etats souverains et dans l'Utopie même, une fissure se creuse entre le rêve de l'homme et son accomplissement, n'est-ce pas que, partout, un autre mythe est venu interdire l'avènement du Libre Prince, du Graal? Et n'est-ce pas, enfin, le mythe de justice, dénaturé mais restauré du fond des âges bibliques par Wycliffe et par Hus, par Luther et Calvin?

7

LES SECTES DU REGRET

Triomphe de la Kabbale — Les fanatiques — La réaction de Rome : le recours à la Vierge — Les moines mondains — Les convertis — Ignace de Loyola — Mystiques et missions.

Triomphe de la Kabbale : En toutes leurs divisions, intestines ou autres, les premières sectes protestantes présentent un caractère commun : elles essaient d'adapter aux Temps Modernes la religion du Christ, dieu-verbe ou dieu-amour. S'il fut aussi le Créateur, ce dieu a fait le mal comme le bien; s'il est aussi le Justicier, il lui faut décider ou du mal ou du bien en fonction de son Amour. Tel est le double problème auquel Luther d'une part — et les anabaptistes —, Calvin, de l'autre, et les baptistes avaient tenté de répondre.

On pense que tous les hommes ne raisonnaient pas de la sorte.

Chrétien tout dévoré de passion pour la Bible, le protestant savait qu'un dieu succède à l'autre. Si le Christ était sorti de Iahvé, un autre dieu — de Liberté — naîtrait nécessairement du Christ; tout le problème humain, que l'homme fût libre ou non, était de préparer le prodigieux passage. Mais, cette confrontation entre le dieu des juifs et le dieu des chrétiens, ni le juif n'y pouvait atteindre, ni le catholique romain, car, en chacune des religions, chacun des dieux excluait l'autre.

En ce qui concerne le juif, au cours du XVe siècle, le mouvement cabaliste avait bien évolué. Les *caraïtes* n'étaient qu'un très ancien souvenir, qu'il convenait d'oublier. De Maïmonide lui-même, on n'étudiait longuement les commentaires bibliques que pour mieux négliger son enseignement profond. Du *Yetsira* et du *Zohar*, on extrayait l'esprit proprement messianique pour n'y plus voir que la lettre et le jeu de la lettre considérée comme nombre.

Politiquement, depuis le massacre de Séville, le mercredi des Cendres de l'année 1391, les juifs sont exclus de l'Espagne chrétienne; de tout le pays depuis la reconquête de l'ultime Grenade par les rois catholiques. Mais ils ne sont pas mieux reçus dans le reste de l'Europe. La haine que leur ont vouée les cisterciens, les Frères du Libre Esprit, les flagellants et autres sectes, tout au long des XIIIe et XIVe siècles, porte pleinement ses fruits : le petit peuple ne doute pas que l'Antéchrist doit naître de la « race proscrite ». Quant à l'ésotériste, il attend et redoute l'avènement d'une Babylone hébraïque, synchronique au renouveau de Mardouk au VIIe siècle avant J.-C., selon les lois de l'éternel retour.

Cette Babylone — qu'il nomme « Jérusalem nouvelle » — le cabaliste également l'attend, mais il l'espère. Dans le *Livre de Job* et le *Livre de Daniel*, il cherche une clé perdue et y découvre que le Peuple doit retrouver sa splendeur et Iahvé son David au XVIe siècle au plus tard.

En 1530, un converti au christianisme, Salomon Molcho, revient avec tumulte dans la religion de ses pères : il se prétend le Messie. Il en surviendra d'autres. Huit ans plus tard, un exilé d'Espagne, Jacob Berab, reçoit mission de Dieu de restaurer le Temple et la Ville en Juda. Il y échoue, mais, au milieu du siècle, un autre exilé, Joseph Nassi, obtient l'appui des Turcs pour soutenir la cause des juifs en Palestine.

Babylone ne s'est pas reconstruite sur les villes saintes de Warka et d'Eridu mais, au nord de ces cités, sur l'emplacement des tells. De même, Nassi ne songe pas à reconstruire Jérusalem là où elle fut autrefois. C'est, au nord, la cité de Tibériade dont il obtient la donation et fait le centre de la Rénovation biblique (le *tikkoun*). A la fin du siècle, la Haute-Galilée est devenue le refuge de tous les chercheurs cabalistes du monde. La ville principale, Safed, ne compte pas moins de vingt et une synagogues et dix-huit collèges talmudiques. En 1536, il n'y vivait guère plus de mille familles; cent ans plus tard, on y dénombre autant de rabbins.

Parmi ces sages, certains seront célèbres : Joseph Caro (1488-1575), Jacob Cordovero (1522-1570), Isaac Louria (1534-1572). La plupart vivaient comme des solitaires ou des cénobites, partageant leur existence entre la méditation et la discipline personnelle. On connaît cependant la secte de Cordovero : les *compagnons*. Résumées par le maître lui-même, les règles de la confrérie étaient minutieuses et nombreuses :

« Ne pas laisser sa pensée se distraire des mots de la Thora et des choses sacrées, de manière à devenir le séjour de la Shechina. Ne pas se laisser aller à la colère. Ne dire du mal d'aucune créature, pas même d'un animal... Ne pas faire serment, même sur la vérité. Ne jamais mentir. Ne pas faire partie des quatre groupes d'humains exclus de la Shechina : le menteur, l'hypocrite, l'arrogant et le médisant. Ne pas fréquenter les banquets, sauf pour une occasion religieuse... Repasser chaque vendredi, avec l'un des Compagnons, toutes les actions accomplies durant la semaine, pour se purifier dans l'attente de la Reine Sabbath. Dire les actions de grâce à voix haute en détachant les mots et les lettres de sorte qu'à table les enfants eux-mêmes puissent les répéter, etc.[1]. »

Quant à la doctrine métaphysique de la secte, elle se trouve explicitée dans *Shiour Coma*, le traité de Cordovero, et se présente essentiellement comme l'expression parfaite de la croyance au dieu-cercle, l'*En Sof* :

« Tout ce qui existe est enveloppé par Sa substance.

1. *Règle* des Compagnons : dans l'ouvrage cité de Guy Casaril.

Il enveloppe tout être, mais non pas sur le plan de l'existence inférieure (détachée de la substance). »

Considérées comme expressions diverses de la substance, les « choses » réelles ne sont pas autres que l'En Sof. Elles ne sont « ni séparées, ni multiples, ni extérieurement visibles ». Mais,
« en tant que substance, elles sont présentes dans Ses séphiroth, de sorte que l'En Sof est aussi chaque chose, que rien n'existe en dehors de Lui ».

A ce dogmatisme, Louria oppose une « mystique pratique »; à l'En Sof, les *Partsoufim* ou Visages de Dieu. Bien qu'il n'ait rien écrit lui-même, de nombreux ouvrages seront publiés sous son nom, et notamment le livre des Huit Portes (*Shemoné Shéarim*), où se trouve la célèbre figure de l'Arbre de Vie.

Dieu a tout d'abord enveloppé le monde, création née de sa propre substance, mais, après la Création, il s'est retiré du monde, le laissant libre, de sorte que Dieu n'est plus qu'un Point. Les *sephiroth* changent de noms et de sens : *Kether* devient *Arich Anpin*, le Longanime; *Hochma*, le Père; *Bina*, la Mère. *Malchouth*, le Royaume, s'identifie plus que jamais au règne futur de la Shechina, la Reine Sabbath de Cordovero. La fin secrète de l'évolution cyclique est à la fois le retour de l'homme à l'Adam archétypal (*Adam Kadmon*) et le retour de Dieu à la forme enveloppante qu'il a jadis rejetée; car le Royaume de Dieu n'est autre que l'accomplissement de l'homme. Mais, en ces temps de matière, l'âme se trouve en exil, comme historiquement le Peuple et, substantiellement, la Shechina.

Il ne suffit donc pas de vivre sans pécher, ni d'étudier les textes : il faut, pratiquement, dans sa vie de chaque jour, prolonger l'espérance — par le rite, l'ascèse, le dénuement, la prière et la sainteté.

Cordovero pourra troubler bien des esprits; Louria s'ouvre les cœurs. L'exemple de cet homme seul, qui ne laisse ni écrit, ni secte, influencera non seulement les juifs de Galilée mais ceux d'Allemagne et de Pologne qui, en ce même siècle, commencent à consacrer leurs jours à l'étude de la *Thora*.

Je tiens d'un savant hébraïsant, le peintre Farba, que les sages de Safed — qu'ils fussent de la Confrérie ou non — atteignaient, en effet, à une telle sainteté que le juif du petit peuple craignait de les rencontrer au cours de ses promenades et de laisser voir, à l'éclat trouble de son regard, l'état de péché où il vivait. La coutume de porter son chapeau enfoncé jusque ras des yeux, telle qu'on la constate encore chez les « vieux juifs » ou *kachers*, daterait de ces jours anciens de respect et de crainte.

Renaissant à Babylone, au VIIe siècle avant J.-C., Mardouk le Créateur avait exigé des temples fastueux : il avait apporté aux sectaires de Chaldée la puissance et la gloire, bien que son culte ne se pût distinguer de celui de Nabu le Justicier. Renaissant à Safed, le dieu de Moïse n'exige qu'une vertu exemplaire et une sagesse profonde, bien que les anges, maintenant, soient ses messagers et que la bienveillance tempère sa justice. Mais lui aussi, Iahvé, apporte à ses fidèles une sorte de puissance et une sorte de gloire.

Des sages qui écrivent et pensent dans le monde entier, de 1480 au milieu du XVIIe siècle : Pic de la Mirandole, Reuchlin et Paracelse, Postel et Fludd, Boehme et Spinoza encore, combien, religieux ou non, ne seront-ils pas secrètement imprégnés de la Kabbale selon Cordovero ou selon Louria, conquis par l'esprit de Safed?

Mieux encore : l'invention la plus révolutionnaire de l'époque, l'imprimerie, fut une invention juive (1444) et c'est le livre des juifs, la Bible, qu'on imprime d'abord en tous lieux. En ce temple vivant, Jéhovah — ou Iahvé — triomphe. Il pénètre tous les peuples. Et l'Eglise de Rome qui, depuis le XIIIe siècle, vivait dans la terreur d'une nouvelle « captivité de Babylone » doit enfin prendre conscience qu'elle est bien commencée et que le message du Christ, le Nouveau Testament, se retrouve en effet prisonnier de l'Ancien.

Les fanatiques : Il serait inexact, toutefois, de considérer le XVIe siècle comme entièrement placé sous le signe de l'attente d'un dieu de liberté ou sous le signe du dieu de Moïse. De même qu'au VIIe siècle avant J.-C., les prophètes de Juda, puis des rois comme

Josias avaient tenté d'enrayer l'attente d'un dieu d'amour ou la nostalgie des Baâls par le recours au dieu du souffle et par la prophétie elle-même, dès la fin du XVe siècle, de nombreux chrétiens opposaient au Libre Esprit, d'une part, au dieu de la Bible de l'autre, le culte de la Vierge Marie.

Etrangement, l'Eglise n'avait pas soutenu ces premiers fidèles de Marie. Leur Vierge apparaissait encore tout imprégnée de la nuance païenne que les goliards ou les pastoureaux avaient su jadis lui donner. Une histoire exemplaire est, ici, celle de Hans Böhm, surnommé le Tambourinaire de Niklashausen parce qu'il parcourait le pays en jouant du tambour et de la flûte.

Cet homme, vers 1475, annonça que la Vierge lui était apparue et lui avait donné l'ordre de restituer aux Evangiles leur sens premier. Comme Tanchelm, Eudes et bien d'autres, Böhm n'en resta pas à ce prêche et, selon une pente apparemment inévitable, en vint à menacer Rome des foudres du ciel, lors de l'avènement du Troisième Age. Mais, à la différence des autres illuminés, il ne cessa jamais de se prévaloir de l'appui de la Vierge et d'inclure Marie dans le futur royaume.

On connaît le raisonnement : la Vierge a préparé la venue du Fils; elle préparera donc la venue de l'Esprit. C'est un raisonnement faux, mais que beaucoup de gens comprennent. Le pèlerinage de Niklashausen devint l'un des plus célèbres d'Allemagne; bien que ces concours de peuple demeurassent pacifiques, l'évêque de Würzburg prit peur.

Arrêté le 12 juillet 1476, Böhm fut jugé secrètement et condamné au feu. Les processions furent interdites et les offrandes confisquées, preuve que l'Eglise, alors, avait su déceler l'erreur. Puis, comme les pèlerins continuaient d'affluer, la chapelle de Niklashausen fut « détruite et rasée » sur l'ordre de l'archevêque de Mayence, en 1477.

Les premiers protestants se heurtèrent à de tels hommes en tous pays, inspirés tantôt par la Vierge, tantôt par Jésus-Christ. Calvin brisa Servet; Luther, Kaspar Schwenkfeld (1490-1561). Mais Luther ne brûlait personne, sinon par la passion et la fureur des mots. Schwenkfeld survécut donc aux attaques de Luther. Il mourut dans son lit — fait très rare à l'époque — après avoir créé une secte strasbourgeoise, qui devait devenir l'une des pépinières où se recruteraient les « illuminés » allemands (page 243). Une filière silésienne de la société de Schwenkfeld gagna l'Amérique au XVIIe siècle et y fonda une communauté près de Philadelphie.

L'Amour était la loi essentielle de ces sectaires; Jésus-Christ, leur seul dieu. Les sacrements, les lectures saintes, les rites étaient jugés par eux sans importance; les images proscrites au même titre que les idoles. Ils ne professaient en somme qu'une seule doctrine : l'obligation d'aimer. Tout cela évoque un prêche analogue, celui de Girolamo Savonarole qui, vers 1496, faisait jeter au bûcher les livres, les peintures et les reliques de Florence, avant d'y être jeté lui-même, sur l'ordre du pape Alexandre VI.

Mais, déjà, sous l'influence des souverains catholiques d'Espagne, le culte de la Vierge se développe au sein de l'Eglise même; si les papes artistes : Innocent VIII, Borgia, Jules II, ne font rien pour l'encourager, du moins ne tentent-ils pas de l'interdire.

La réaction de l'Eglise romaine : En présence des outrances réformatrices et des croyances particulières, la réaction de l'Eglise peut surprendre d'abord. Elle réside au premier chef dans une recrudescence de l'Inquisition dans les pays qui lui demeurent fidèles et ne concerne donc pas notre propos. Mais, hors l'Inquisition et les autodafés, on voit cette réaction s'exercer dans deux sens apparemment contraires : le mysticisme et la mondanité.

Le premier prenait sa source, essentiellement, dans les Constitutions primitives des Carmes, plusieurs fois modifiées au cours des siècles. Le Carmel avait eu pour mission première de restaurer et de maintenir le messianisme d'Elie. Les *deux témoins* remontés au ciel, il fallut que cette mission évoluât ou se rompît.

Dès 1450, alors que le culte virginal était encore suspecté d'hérésie en Italie et en Allemagne, le général de l'Ordre, Jean Soreth, en rénovait le mythe avec éclat. Son *Exposition de la Règle des Frères de la bienheu-*

reuse Vierge Marie, publiée en 1455, est actuellement considérée par les théologiens romains comme une première approche de la « dévotion moderne ».

Certes, l'Eglise de Rome ne pouvait suivre Soreth en toutes ses conclusions [1]. Cependant, elle n'exerça aucune contrainte sur l'Ordre; si bien que d'autres prieurs purent reprendre à leur compte l'inspiration de Soreth et même l'expliciter.

Sous-prieur des Carmes de Gand, Arnold Bostius ne craignait pas, en 1490, d'identifier la Vierge au « petit nuage » que contemple le disciple d'Elie : « Regardez Elie, vous verrez Marie », écrivait-il dans son ouvrage : *De Patronatu Beatissimae Virginis Mariae in dicatum sibi Carmeli Ordinem.*

Bien que l'exégèse nous paraisse fragile, elle échappa de nouveau à la condamnation. Cela devint une tradition, au Carmel, de rechercher d'autres similitudes entre le prophète et la Mère de Dieu : leur innocence fondamentale, leur ascension, leur immortalité. De sorte que le grand symbole gémique du Moyen Age devint, en moins d'un siècle, un symbole virginal, contre toute vraisemblance, il faut le reconnaître.

Qu'il s'agît bien, ici, de la Vierge éternelle, de l'Aphrodite sans souillure, et non de la Vierge évangélique, cela nous semble attesté par ce bizarre vestige de la vieille croyance aux sept incarnations d'Ishtar : comme le disciple d'Elie dut accomplir sept fois l'ascension du mont avant d'apercevoir le nuage surgi de la mer, « les disciples d'Elie ne voient la Vierge monter vers le Carmel que dans la septième période des générations [2] ».

Une autre attestation en est le concept nouveau de Conception Immaculée, notable dans les œuvres de Soreth et de Bostius, car « la Vierge surgit de l'eau salée de l'humanité coupable comme le nuage lui-même, exempt de toute amertume ». En effet, la Vierge éternelle, Aphrodite, Léto ou Athéna, doit être vierge

1. La fête d'Élie (le 20 juillet) apparaît pour la première fois dans un missel carmélitain de 1551 ; elle ne fut adoptée par le martyrologe romain qu'en 1583.

2. Septième période des générations : selon l'*Institution des Premiers Moines*, cité dans *Élie le Prophète*, les Études carmélitaines (Desclée de Brouwer).

— d'abord — de toute souillure, qu'elle fût née de l'écume des flots ou de la tête de Jupiter. Si le Cygne ou le Lotus la figurèrent jadis, c'est le Lys ou l'Hermine qui l'illustrent à présent.

Dans les dernières décennies du xve siècle, ainsi, vingt signes semblaient témoigner d'un retour de l'Eglise — ou de certains moines — à l'un des plus vieux cultes de l'humanité. Le procès en réhabilitation de Jeanne d'Arc exaltait la virginité de la Pucelle; la Vierge apparaissait en Lorraine, portant les trois épis de Cybèle (1491); des souverains — tels que Louis XI — se plaçaient sous sa protection; le *rosaire* se répandait parmi la chrétienté.

Cependant, cent autres signes combattaient ce renouveau : l'avènement des papes princiers, sataniques selon certains, l'éclat soudain des Médicis, la conquête du monde par les navigateurs, les progrès décisifs de la science et des arts dans tous les domaines de l'esprit. Le pressentiment du dieu ou démon de Liberté, pour tout dire d'un mot, devait naturellement interrompre le renouveau nostalgique de la Vierge ou en retarder de plus d'un siècle les effets.

En 1563, encore, le concile de Trente n'osera pas proclamer le dogme de l'Immaculée Conception.

Les moines mondains : C'est que, plus que jamais, l'Eglise catholique redoute une mythique aisément dévoyée. Entre les sectes du regret et les sectes messianistes elle ne veut pas ou ne peut pas choisir. Protéger les premières, ne serait-ce pas se condamner à mort dans quelques siècles? Tolérer les secondes, ne serait-ce pas s'ouvrir à toutes les hérésies?

En une époque où, trop évidemment, la spiritualité se corrompt ou s'affadit et dans l'approche inéluctable d'un nouvel âge matérialiste, la prudence n'est-elle pas de « vivre avec son temps »? Grâce à cette prudence, les religions antiques — de Chaldée, de Juda — ont traversé les siècles, elles ont établi des ponts entre les dieux. Ainsi le catholicisme, religion « universelle », doit établir un pont de l'ancien christianisme au règne de l'Esprit, de l'âge des Poissons à l'âge du Verseau.

Il n'y parviendra pas sans faire une part croissante à l'existence mondaine, sans jouer le jeu du monde — fût-ce contre les dieux ou passés ou futurs.

En conséquence de cette position de sagesse, il n'est guère d'Ordres ou de monastères créés de 1500 à 1600, avec l'assentiment du pape, qui n'aient pour principale mission de pénétrer un certain secteur de la vie sociale, sans se préoccuper des dogmes et des croyances. De telles institutions, en ce siècle, furent nombreuses. Nous n'en pouvons citer que quelques-unes :

— la congrégation des *Ursulines,* fondée par sainte Angèle de Merici (1470-1540) « en vocation d'aider aux malades et aux pauvres » et reconnue en 1557;

— la congrégation de l'*Oratoire,* fondée par saint Philippe de Néri en 1564 pour réunir sous une règle commune des prêtres séculiers non liés par des vœux monastiques;

— la secte des *Piaristes,* fondée à Rome par Joseph Calansanctius et reconnue en 1617 comme Ordre religieux d'enseignement et d'éducation, etc. [1].

Bien qu'aucune de ces institutions ne fût une société secrète à proprement parler, elles en présentent toutes un caractère classique : le secret de l'objectif, du but vraiment cherché. Car, sous l'objet avoué : secourir les malheureux, venir en aide aux chrétiens prisonniers des sultans, éduquer les enfants, etc., la pérennité même de l'Eglise de Rome se trouvait en question, cette Eglise ne fût-elle plus celle du divin Amant mais celle de l'Esprit-Saint ou du Souverain Créateur.

En effet, si les peuples s'éloignent des mythes et rites chrétiens, s'ils ne croient plus au mystère de la transsubstantiation et doutent même parfois que le Christ fût fils de Dieu, ils demeurent sensibles aux vertus chrétiennes, l'amour, la pitié et la charité, comme, deux mille ans plus tôt, tous les peuples du monde à la justice et à la loi. Le dieu ne fait plus de miracles

1. Autres sociétés : les Pères de la Charité et les Frères de la Miséricorde, nés de la congrégation de Jean de Dieu (1540) ; les fondations de Louise Torelli : Angéliques de saint Paul et Filles de Marie (1535) ; les *théatins,* fondés par le futur pape Paul IV (Carafa) et saint Gaëtan de Thiène ; les *barnabites,* de saint Antoine-Marie Zaccaria ; les *somasques,* de Jérôme Émilien — tous vers 1540.

mais il a conquis l'homme et ce n'est pas aisément qu'on peut nier son apport.

Or, bien que l'Eglise de Rome se révélât incapable de combattre efficacement l'égoïsme social, de plus en plus affirmé à chaque décennie, du moins atteignait-elle son objectif secret, en triomphant ici de l'esprit messianiste, là du protestantisme et des diverses réformes. Elle voyait lui revenir les « brebis égarées ».

Marranes — Les premiers convertis l'avaient été de force, sous la peur du bûcher : juifs renégats ou *marranes,* au lendemain des massacres de 1391. Mais, au XVIe siècle, les juifs qui se convertissent le font moins par peur que par intérêt, car, en plusieurs pays, les lois leur interdisent certaines formes de commerce telles que le prêt avec usure. Converti, le *marrane* échappe à ces contraintes, cependant que l'humanisme des dogmes catholiques et la mollesse des rites lui permettent de préserver secrètement sa foi.

Adiaphoristes — Différemment, des sectes protestantes déploraient leur éloignement de Rome. C'était le cas des *adiaphoristes,* disciples de Philippe Mélanchthon (1497-1560), le traducteur en allemand du Nouveau Testament grec, le promulgateur de la Confession d'Augsbourg.

Après la mort du maître, ils ne cessèrent jamais d'espérer le rapprochement avec l'Eglise de Rome, n'exigeant plus — en fin de compte — que le rejet dans la catégorie des *adiaphora* ou « choses indifférentes » des usages romains qu'ils ne pouvaient admettre : l'élévation de l'hostie ou le culte des saints et des « idoles ».

Né en 1573, William Laud, évêque de Londres, puis archevêque de Canterbury, prêchait de même l'unité entre le catholicisme et l'Eglise d'Angleterre. Accusé de détruire la religion protestante, il fut décapité en 1645. Mais, peu après sa mort, le mouvement anglican de la Haute Eglise naissait, clandestinement d'abord, et reprenait à son compte les rêves de William Laud.

Anecdotiquement, il convient de noter chez les deux hommes une nostalgie prenante des *deux témoins* ou de la colombe disparue. Laud avouait que les temples lui paraissaient déserts en regard de la magnificence catholique : à l'origine de sa tentative était assurément le regret de ne plus pouvoir figurer Dieu.

Une fable, rapportée par Swendenborg, raconte qu'après sa mort, Mélanchthon reçut au ciel une demeure semblable à celle qu'il avait habitée sur terre. Il y poursuivit ses travaux, sans même s'apercevoir qu'il était mort. « J'ai démontré de manière irréfutable, osait-il dire aux anges, que l'âme peut se passer de la charité et que, pour gagner le ciel, la foi suffit. » Entendant cela, les anges l'abandonnèrent.

Alors, tout se dégrada. Les murs se fissurèrent, les meubles furent attaqués par le ver, les métaux le furent par la rouille, les chambres rapetissèrent à force d'être vues — et Mélanchthon, un jour, prit conscience qu'il vivait dans un affreux taudis. Des visiteurs venaient de plus en plus nombreux, attirés par sa gloire, et le maître avait honte de les recevoir ainsi.

Un sorcier lui promit de sauver les apparences. Grâce à quelque magie, tout le temps qu'il recevait ses visiteurs, les choses ressemblaient à ce qu'elles avaient été. Mais, quand ils se retiraient, tout redevenait sordide, un peu plus chaque jour, sans que nul n'y pût rien. Et ce fut ainsi qu'enfin, sans quitter le ciel, Mélanchthon se retrouva prisonnier de l'enfer, de même que le sorcier et les « hommes sans visage » qui avaient joué pour lui cette comédie [1].

Uniates — L'exil des *deux témoins* n'atteint pas seulement les esprits nostalgiques. Il frappe au premier chef les Eglises d'Orient, quelque peu nestoriennes, qui ne peuvent plus se fonder sur la contemplation, l'image, les deux natures ou la fraternité. Envers elles, surtout, l'évolution mondaine de l'Eglise de Rome implique tentation.

L'union de l'Eglise d'Antioche et du catholicisme ne sera réalisée qu'en 1736. Mais, dès le début du XVIIe siècle, les chrétiens convertis de la Syrie et du Liban, les *maronites*, agissaient auprès de leur patriarche pour que

1. MÉLANCHTHON : selon *Arcania Caelestia*, par Emmanuel Swedenborg. Mais nous avons suivi la narration de J.-L. Borges, dans *Histoire de l'Infamie* (Éd. du Rocher).

soient abolies « les distinctions secondes » entre les deux Eglises, telles que le mariage des prêtres.

Des moines orthodoxes suivaient le même chemin. Respectant les décisions pontificales, ils pratiquaient les rites et les usages bénédictins. A partir de 1701, ils posséderont leur Règle, édictée par Pierre Mechitar et prendront le nom de *méchitaristes*. Leur principal couvent en Occident s'élève dans l'île de San Lazaro, à Venise.

Bien qu'ils ne dussent triompher que dans la première moitié du XVIIIe siècle, ces mouvements uniates appartiennent au XVIe; car c'est, encore une fois, secrètement, sous la menace et dans le doute souvent, que, pendant un siècle et plus, ils avaient préparé leur lente victoire. Au contraire, convertis avec éclat, d'autres orthodoxes (de la mer Noire) et d'autres nestoriens (les chrétiens de Saint-Thomas dans l'Inde) ne tarderaient pas à se détacher de Rome. Mais c'est un autre chapitre de l'Histoire des sociétés secrètes que ces missions lointaines ouvrent à notre attention.

Un catholicisme prophétique : Ignace de Loyola : En traitant de saint Ignace et de sa compagnie au titre des sociétés secrètes, nous ne songeons pas à nous faire l'écho de ces nombreux libelles qui, naguère, présentaient la compagnie de Jésus comme une secte inhumaine, dont les membres eussent détenu des secrets redoutables et dont le Général, le pape noir, eût fait la loi au pape de Rome[1]. Mais, secrète, la compagnie le fut assez longtemps; société, elle le demeure comme peu de mouvements similaires dans l'Eglise.

Son fondateur, Inigo Lopez de Recaldo, était né au château de Loyola dans le Quipuzcoa. Il se destinait à la carrière des armes et se trouvait, capitaine, au siège de Pampelune, quand un boulet le frappa, le blessant aux deux jambes (1521). Pendant sa longue convalescence, le jeune officier — fort peu instruit, dit-on — ouvrit des livres qu'il n'eût jamais lus sans cela : La *Légende dorée* espagnole (*Fleur des saints*), une Vie du Christ et d'au-

1. LIBELLES calomnieux : le premier dut être *Monita Secreta Societatis Jesu,* œuvre d'un jésuite chassé de la compagnie, Jérôme Zanorowski (vers 1612).

tres ouvrages mystiques, plus ou moins suspectés, tels que les *Exercices de la vie spirituelle* de Garcia de Cisneros et, peut-être, *La victoire sur soi-même,* de Battista de Crema.

Celui qui, jusqu'alors, avait voulu devenir un chevalier chrétien, comme beaucoup d'Espagnols à même époque (Cervantès naît vingt ans plus tard) se découvrit soudain une autre vocation : celle de la sainteté. S'il ne pouvait plus être un Amadis des Gaules, il serait saint François. Quelques mois plus tard, il prenait la route, en seigneur, à cheval, suivi de deux écuyers; puis — après une halte au haut lieu de Montserrat — vêtu en pèlerin, à pied, sans armes et seul.

Neuf ans de voyages à travers l'Europe — dont un jusqu'en Terre Sainte — l'amenaient à Paris vers 1530, étudiant ès arts et docteur enfin, mais toujours très pauvre et souvent contraint de mendier dans les rues afin de subsister. Ce fut là, dans les ruelles de la Montagne Sainte-Geneviève ou, hors de la ville, sur cette autre butte : le Mont des Martyrs, qu'Ignace et quelques compagnons — dont le futur saint François Xavier — créèrent la compagnie de Jésus, le 15 août 1534, deux mois avant l'élection du dernier pape princier, Alexandre Farnèse, sous le nom de Paul III.

Artiste et libertin, païen dans ses croyances, astrologue, dit-on, et rêvant de rénover le culte du dieu Mars, Farnèse avait été fait cardinal par le monstrueux Borgia. Ce fut un pape admirable, rénovateur de la Sainte Inquisition — ce qui doit lui être reproché —, promoteur du concile de Trente — dont on discutera les effets —, mais protecteur fidèle d'Ignace de Loyola, comme aucun autre pape n'aurait pu l'être.

Bien que la compagnie ne dût être reconnue qu'en 1540, dès 1537 Paul III en approuvait l'esprit; l'un après l'autre, il envoyait des compagnons en tournée d'inspection à Sienne et à Brescia, à Parme, dans l'île d'Ischia, éprouvant de la sorte la valeur et la discipline de ceux dont il allait faire les premiers missionnaires de l'Ancien et du Nouveau Monde.

Il serait ridicule de considérer l'action et l'œuvre d'Ignace de Loyola sur le seul plan ésotérique, qui dut précisément lui rester étranger. Mais, consciemment ou non, ce soldat avait fait le chemin qu'il devait faire, *vivant* en quelque sorte la gnose qu'il eût crainte, sans doute, et rejetée.

Parti du mythe d'obéissance ou de hiérarchie (militaire), nous le voyons s'ouvrir à l'Amour le plus pur, celui des moines mendiants, puis chercher en Sorbonne la science qui lui manque. L'amour et le savoir infailliblement mènent au mythe de l'Inconscient, comme nous l'ont enseigné Socrate, puis Proclus, Eckhart et ses disciples, Angèle de Foligno et Catherine de Sienne. Mystique de la Ténèbre : Ignace y excella.

Mais, jusqu'à ce point encore, le premier des jésuites n'a fait que suivre, en somme, la voie de tous les mystiques. A partir de ce point, son chemin se sépare des autres, il y continue seul. Car, tout au long de son périple spirituel, il n'a cessé de penser en guerrier, en soldat. Ni l'Amour ni le Savoir ne l'ont détourné du dieu typiquement espagnol — anciennement musulman — qu'il s'était tout d'abord donné : le Souverain Seigneur, Maître de la destinée humaine. De sorte que, découvrant la Ténèbre, l'Essence « où l'âme s'identifie à l'Etre », il n'y voit pas seulement un moyen de connaissance, comme Proclus ou Eckhart, mais le champ de bataille où le croyant doit vaincre — et se vaincre soi-même — « pour la plus grande joie de Dieu ».

« Etudiez-vous, analysez ce qui se passe en votre intérieur, car c'est là le champ clos où s'affrontent l'esprit du bien et celui du mal. »

Tel est le principe-clé des *Exercices,* tout socratique, mais d'un Socrate chrétien, en même temps que militaire dans son expression. Il ne s'agit plus de se vaincre pour « faire son salut » ou pour obtenir la paix de l'âme, mais pour servir à sa mesure la Gloire de Dieu. Il s'agit de s'enrôler sous l'Etendard divin comme sous l'enseigne d'un chef, pour se vouer à Sa cause au-delà de soi-même. Et, comme tout homme est libre de s'enrôler ou non dans l'armée de son choix, le croyant l'est aussi de servir ou non Dieu.

Le livre majeur de saint Ignace, *Exercices spirituels,* ouvre de la sorte un champ illimité à l'homme, parce qu'il nous révèle une méthode — unique — pour allier dans l'action le respect de l'en-soi et l'efficacité. En ce livre, l'antinomie liberté-discipline, sur laquelle se brisait la pensée protestante, ne signifie plus rien. Dieu est le Tout-Puissant et l'homme est libre; car le Tout-Puissant veut la liberté de l'homme. Si je ne pouvais choisir en toute liberté, de quelle valeur serait mon choix? Ou bien : si je dois me donner tout entier à une cause, ne me faut-il pas, d'abord, me saisir tout entier? Non seulement le dieu futur s'instaure ici — sous le nom de Christ — mais il révèle clairement deux de ses composants : la Hiérarchie et la Ténèbre : le faîte et la racine, sans lesquels, en effet, il n'est pas d'Arbre.

Lorsque, à la fin de sa vie, Ignace de Loyola organisera lui-même les cadres de sa compagnie, cette idée sera le germe de la structure la plus ferme : que, par sa soumission totale au supérieur, l'âme atteigne l'en-soi, afin de mieux servir.

Un *noviciat* de deux ans formera le caractère en brisant le caractère, en faisant du profane une sorte de « cadavre » entre les mains de ses maîtres. Puis, un *scolasticat* de neuf ans fera du novice un sage, qu'achèveront de former trois ou quatre années d'enseignement pratique. Mais, au terme de ces treize ou quatorze années, le prêtre ne sera encore que le plus simple jésuite, dit « coadjuteur spirituel ». Les maîtres véritables, *profès des quatre vœux,* seuls totalement soumis au pape, forment une élite restreinte (un Père sur quarante) et ce sont eux qui élisent — ou recommandent — au pape le Général de l'Ordre.

Cette architecture sans faille explique sans doute en partie l'incroyable succès de la compagnie de Jésus. A la mort de son fondateur, en 1556, les dix compagnons de 1540 s'étaient centuplés et ils « gouvernaient » douze provinces. En 1516, ils seront plus de treize mille membres, maîtres occultes de trente-sept provinces. De 1548 à sa dissolution, en 1768, la compagnie aura ensemencé les Indes, la Chine, le Japon, la Mongolie, l'Ethiopie, toute l'Amérique latine.

Il se conçoit très bien que, dès le XVIIe siècle, éblouie par une telle moisson missionnaire, et d'ailleurs oubliant l'ancienne réalité du Royaume d'Amour, l'Eglise catholique ait pu ambitionner d'unir en Jésus-Christ l'humanité entière.

Mystiques et missions : L'influence des jésuites ne s'exerçait pas seulement dans le cadre des missions. Pour la première fois, le mythe de la Ténèbre cessait d'être la notion vague et parfois dangereuse que Rome avait dû combattre chez les mystiques allemands. Méthodes maîtresses d'éducation, l'exercice, la méditation, la discipline n'allaient-elles pas sauver l'Eglise du chaos où elle s'enlisait?

Cependant, la réussite quasi miraculeuse de Ignace Loyola et des premiers jésuites demeurait leur secret. On ne verrait plus de saints en qui s'accorderaient si merveilleusement l'accueil de l'inconscient et l'efficacité, le mystique et l'homme d'action.

Mystique, nul ne le serait plus hautement et parfaitement que les saints espagnols : Thérèse d'Avila (1515-82) et Jean de la Croix (1542-91), les réformateurs du Carmel. Nul, mieux que la Grande Thérèse, se saurait approfondir les joies de la Ténèbre :

« Nous descendons de cette race de saints religieux du Carmel qui ne s'enfonçaient dans une solitude si profonde et ne vouaient au monde un mépris absolu que pour aller en quête de ce trésor, de cette perle précieuse dont nous parlons (*Le Château intérieur,* Cinquième demeure) »; si ce n'est son disciple, Jean des Carmes déchaux :

« Vous — mon Dieu! — les touchez d'autant plus délicatement que, la substance de leur âme étant subtilisée, polie et purifiée, éloignée de toute créature, de toute trace et de toute touche de créature, Vous Vous tenez caché en elle, faisant votre séjour en elle (*Vive flamme de l'Amour,* la septième demeure). »

Cependant, « vivant hors de soi-même », « mourant de ne pas mourir », souvent malades, ouvrant la longue suite de martyrs volontaires qui, de Blaise Pascal à la petite Thérèse, tireraient de leurs angoisses et de leurs souffrances l'ultime mystique possible en des temps de raison, ni Thérèse d'Avila, ni Jean de la Croix n'auraient pu vivre « dans le monde » ainsi que les compagnons d'Ignace de Loyola.

Le courage prodigieux qui, pendant douze années, les dressaient contre Rome, au risque de l'anathème et de l'excommunication[1] avant que soit acceptée leur réforme des Carmels, demeure un courage moral, une bravoure de l'âme, que le corps ne suit pas. Si Jean put connaître la pleine victoire, pour Thérèse elle coïncida, en somme, avec sa propre mort.

Encore cette victoire demeurait-elle nominale. Ne fait pas des mystiques qui veut.

« C'est ainsi qu'Elie et Elisée, non par écrit mais par leurs actes, ont institué et enseigné (le zèle des âmes)... Nul lecteur de l'Histoire Sainte ne peut nier qu'adonnés à la contemplation, ils aient été appelés à quitter les lieux de la prière pour oindre les rois, instruire les peuples, faire des miracles et reprocher leurs vices aux impies. »

Ainsi s'exprime le Père Thomas de Jésus, dans son *Stimulus Missionum* (1617). Un pas de plus : Louis de Sainte-Thérèse pourra écrire que « Dieu a commandé à Elie de fonder une Religion au royaume d'Israël afin de ruiner par la doctrine et par l'exemple le vice qui y dominait » et faire d'Elie non plus le Contemplatif mais l'Exemplaire[2]. Non seulement tout ésotérisme s'achève ici, mais tout mysticisme également.

Au moment où mourait Jean de la Croix, en effet, l'aspect social de l'œuvre de Loyola l'emportait finalement sur son aspect mystique. L'*exercice* se dévoyait dans le petit catéchisme, la *méditation* dans l'emploi du bréviaire, les *noviciats* devenaient les séminaires et la nouvelle Eglise, née du concile de Trente, se transformait elle-même en une autre *compagnie*, non moins rigoureusement hiérarchisée que la compagnie de Jésus.

Les missions étaient à l'ordre du jour. Non seulement les carmes, mais des dominicains, des cordeliers, des capucins, des récollets partaient pour l'Amérique, pour Java, pour la Perse. En 1622 enfin, le pape Grégoire XV plaçait sous son autorité directe l'ensemble des missions

---

1. DANGER d'excommunication : lors d'une élection tronquée au Carmel d'Avila, les cinquante-cinq religieuses qui avaient voté pour Thérèse furent, effectivement, déclarées « excommuniées et maudites » ; selon Daniel-Rops, *La Réforme Catholique, Histoire de l'Église* (Fayard).

2. LOUIS DE SAINTE-THÉRÈSE : *La Succession du saint Prophète Élie en l'Ordre des Carmes et en la Réforme de sainte Thérèse* (1662).

et fondait, le 6 janvier, la *congrégation de la Propagation de la Foi*.

Le but recherché — avoué ou suggéré — était que, partout dans le monde, des fonctionnaires missionnaires pussent, avec l'appui des Pouvoirs et la protection des armes, si nécessaire, imposer le message qu'un saint François Xavier, un Père de Nobili, un Matteo Ricci avaient dispensé seuls, sans moyens, sans argent, sans pouvoir et sans titre.

Le résultat ne se fit pas attendre : dans l'Inde, les baptisés ne dépassèrent jamais le nombre de 200 000, atteint vers 1612; en 1623, les missionnaires étaient chassés de tout le Japon et leurs fidèles (500 000), exterminés sur l'ordre du Shogun Yemitsa; vers 1665, au lendemain de la Querelle des Rites, la jeune Eglise chinoise subissait son premier édit de proscription. Ailleurs, ainsi qu'on sait, les missions ne tiendraient qu'autant que les soldats protégeraient les biens et les personnes : on ne convertit pas les peuples en les colonisant.

D'une part, les jésuites avaient eu le génie de s'informer des rites, des croyances, de l'histoire des tribus enseignées, d'en épouser les formes et les langages, se vêtant parfois eux-mêmes ainsi que leurs disciples (le Père de Nobili) : l'efficacité seule comptait pour eux. Trop sûre de sa Vérité, l'Eglise n'eut pas toujours la même tolérance et la même attention.

Mais c'est aussi que, pas plus que l'esprit de prophétie, la mystique missionnaire ne peut être codifiée. Dans les temps de Renaissance, l'élan, l'abnégation, la totale soumission ou la pleine ouverture qui firent les Elie et les François d'Assise, les Jérémie et les Ignace de Loyola furent et seront toujours le fait de l'homme seul : toute institution les brise et toute société les noie.

8

LA ROSE ET LA CROIX

Boehme et la Rose-Croix — Le réveil des Témoins — Dans l'Inde — Krishna et bhakti — Un hindouisme musulman — Les Sikhs.

Boehme et la Rose-Croix : En raison de cette sclérose croissante des Eglises, il se conçoit que les derniers grands mystiques du XVIᵉ siècle n'aient été ni des catholiques ni des protestants, bien qu'ils fussent encore des chrétiens. Il s'agit d'un homme seul : Jacob Boehme et d'un mouvement très anarchique, la Rose-Croix, dont l'œuvre et l'action, peut-on croire, apparurent d'abord sans lendemain.

Boehme était né à Gorlitz en 1575, l'année où se brisait partout en Europe la théocratie calviniste et où, perdant leur flamme originelle, les missions espagnoles et portugaises en Amérique du Sud faisaient appel au Saint-Office de l'Inquisition.

Fils de paysans, Jacob Boehme avait passé toute son enfance et une partie de sa jeunesse à travailler dans les champs. Muni d'un métier (cordonnier), il apprit à lire et, bientôt, se livra à l'étude des textes — ésotériques ou mystiques — publiés au cours du siècle. Son érudition devint considérable et il est admis que, vers trente-cinq ans, il n'ignorait rien des œuvres des prophètes, de Joachim de Flore à Ulrich de Mayence, de Luther et des anabaptistes, de Paracelse et des alchimistes, d'Eckhart et des dominicains allemands.

De ces longues études, en 1612 — comme par l'effet d'une « révélation divine » — Boehme tirait la matière de son premier ouvrage, l'*Aurora*. Puis, en 1624, sous le titre collectif, *Der Weg zu Christo,* il publiait trois petits traités mystiques qui dressèrent contre lui les luthériens de Gorlitz. Il mourut à la fin de la même année et ses quelques disciples n'arrachèrent pas sans peine à son pasteur (Richter) l'autorisation de l'enterrer décemment.

Son œuvre eût-elle été connue alors, il est probable que l'autorisation eût été refusée. Mais la totalité de cette œuvre — considérable — ne devait être publiée qu'en 1682. On a coutume, par suite, de considérer Boehme comme un homme du XVIIe siècle finissant alors que, de toute manière, il fut le contemporain des mystiques espagnols et le dernier grand esprit de la Renaissance. Son *illumination* ne paraît pas différente, essentiellement, de celle de saint Ignace : en ce que les deux intuitions se fondent, d'une part, sur la révélation de la Ténèbre intérieure, que Boehme nommait « le sens interne » et, d'autre part, sur la conscience d'un éternel combat dont l'homme serait l'enjeu. Mais, à la différence d'Ignace de Loyola, Boehme ne se plaçait pas sur le plan catholique d'une Eglise Eternelle. Son symbole n'était pas chrétien : c'était l'Arbre, dont le « sens interne » se présente comme la Racine et dont le combat a pour objet de s'accomplir en tant que Soi contre tout ce qui s'oppose à sa croissance.

Il s'ensuit que, dans cette œuvre, le Bien s'identifie à la notion de liberté, le Mal aux notions complexes de compromission, de fuite devant la réalité, d'aliénation mentale et spirituelle. Devenir ou redevenir une parcelle du divin, dans cette vision du monde, c'est devenir *ce qu'on est.*

Comme pour l'ismaélien ou le cabaliste du *Yetsira,* la Faute originelle est rejetée à la fin de l'Eden de création : ce fut la perte de l'Arbre. Christ a commencé la lente renaissance. Car l'Amour qu'il prêcha débordait les notions étroites de la justice et du jugement; le Miséricordieux est, en effet, plus libre et plus souverain que le Juge : celui-ci demeure lié par la Loi, celui-là suit l'élan de son cœur. De sorte que, par le Verbe, l'homme a « le moyen de guérir » et de s'introduire un jour parmi « les anges de Dieu, à la place de Lucifer déchu[1] ».

Mais, à cette succession des âges : de la Création, de la Justice et de l'Amour, se juxtapose l'alternance manichéenne des Temps. Or, selon cette alternance, l'homme, qui triomphe du Mal en de certaines époques, doit y céder en d'autres.

« Lorsque pâlit l'Image née de la vertu céleste, la Bête parut... Le Principe lui-même se trouva enveloppé par la Bête. Le Céleste devint mystère et l'homme demeura flottant entre le Temps (causal) et l'Eternité, à demi mort pour le ciel[1]. »

Comme bien d'autres avant lui, Boehme projetait d'unifier en un système unique cette double notion de succession des cycles et de renouvellement éternel d'un même rythme. Bien que son œuvre demeure inachevée, une figure s'y laisse distinguer qui unit, en effet, le mythe des Trois Ages et l'alternance manichéenne : c'est l'Arbre des cabalistes et des ismaéliens.

Le Feu en constitue le tronc, non pas le Feu trinitaire de Moïse, des brahmanes et des esséniens, mais le Feu solaire et dialectique, à la fois créateur et destructeur, que symbolise la Croix. A droite, les trois premières *Propriétés de la Nature* reproduisent les trois Ages de la création, de la justice et de l'amour : ce sont la Lumière (Râ), le Son ou la Voix (El) et le Verbe incarné. A gauche, régies par les trois Mères : la vierge marine, la vierge d'Isaïe et la vierge Sophia, les trois autres Propriétés produisent le mouvement inverse : de sympathie ou d'attraction, de contradiction ou de reflet et de circulation cyclique, c'est-à-dire les trois mêmes âges en leur symbolique femelle. Telles sont les sept propriétés de Boehme, dont nous aurons à reparler.

Selon Heckethorn, qui se proclame son disciple,

---

1. Jacob Boehme : *Mysterium Magnum*, XXIV, XVI.

Boehme eût, par cette figure, exprimé sous une forme ésotérique le double mouvement de l'engrènement électro-magnétique d'une part, de la gravitation de l'autre. Mystiquement, le premier mène de la Ténèbre (d'où naît toute lumière) à la matière brute ou du passé à l'actuel. Le second va de la Bête à l'Eternité : il restitue à Dieu l'énergie naturelle à laquelle s'est adjointe l'énergie produite par l'homme : passionnelle, active ou mystique [1].

Trop « scientifique » pour l'époque, cette interprétation de la pensée de Boehme ne comble pas entièrement. Mais elle offre le double avantage d'une explication cohérente et de justifier, peut-être, le curieux engouement dont, au siècle des Lumières, non seulement Descartes et Spinoza, mais un Newton et un Leibniz, un Swedenborg, un Boscovich se prendront pour le génial cordonnier de Gorlitz.

La Rose-Croix dut naître vers les mêmes années où Boehme composait son œuvre magistrale. Le mouvement se donnait cependant pour fondateur un moine allemand qui eût voyagé en Espagne et en Syrie dans la première moitié du xve siècle : Christian Rosenkreutz.

L'existence de ce moine est mise en doute pour deux raisons : nulle trace n'en subsiste hors du mouvement Rose-Croix; puis, le nom même du réformateur paraît créée de toutes pièces sur l'alliance Rose et Croix, elle-même symbolique.

Les premiers rosicruciens que nous connaissons pour tels : Andreae, Maïer, Fludd, vécurent entre 1574 et 1650. Il n'est pas impossible qu'ils eussent été influencés par Boehme, à moins que ce ne fût l'inverse. Si leur cosmologie se présente comme moins ferme que celle de l'Allemand, leur science ésotérique est nettement plus achevée.

Une secte remarquable à cet égard fut la *Militia Crucifera Evangelica,* fondée par l'alchimiste Studion à Nuremberg (1598). Mais de nombreux ouvrages rosicruciens nous renseignent sur les croyances communes à

1. HECKETHORN : préface (paragraphe II) de *The secret societies of all Ages and Countries* (University Books, New York).

toutes les sectes rattachées à la Rose-Croix[1]. Ils nous révèlent tous un espoir fervent en la « réforme générale » ou le « renouvellement » de l'univers, obtenus par l'union des thèmes masculins : le Souffle ou la Balance, la Croix gémique et le Libérateur — et des thèmes féminins : la Substance primordiale, la Lumière intérieure, l'Energie créatrice, considérées comme germes fécondateurs de l'être matériel.

Cet espoir messianiste porte souvent le nom, lui-même révélateur, d'*Elie artiste*. Ce sera Celui qui unira en une seule religion les anciens mythes chrétiens, notamment celui de l'Image ou de la Fraternité, et les mythes libertaires que symbolise la Rose. Alors l'homme libéré de la notion de péché (et du Bien et du Mal) deviendra pareil à Dieu.

La synthèse étonnante fait de la Rose-Croix un carrefour de l'esprit où se rassemblent les pressentiments amauriciens, dominicains, anabaptistes et le courant alchimiste même, que Robert Fludd rattache à la Croix : « Le Christ habite en l'homme; il le pénètre tout entier et chaque homme est une pierre de ce roc spirituel... C'est ainsi que se construira le Temple, dont ceux de Moïse et de Salomon furent les figures. Quand le Temple sera consacré, ses pierres mortes deviendront vivantes, le métal impur sera transmué en or fin et l'homme recouvrera son état primitif d'innocence et de perfection (*Summum Bonum*). »

Les composants de l'œuvre alchimique ne sont-ils pas les structures classiques : d'une part, les principes actif ou masculin et féminin ou passif; d'autre part, les « trois mondes », que Fludd nomme le macromosme, l'archétypal et le microcosme, c'est-à-dire l'Etre en soi qui enveloppe tout, le monde modèle et le monde matériel? Une figure illustre cette machinerie complexe : le double triangle du *sceau de Salomon*.

« Il n'y a donc pas de différence entre la naissance éternelle, la réintégration et la découverte de la Pierre

---

1. Œuvres de la Rose-Croix : *Naometria* (1614) ; *Amphitheatrum Sapientiae Aeternum*, attribué à Kunrath (1590) ; *Summum Bonum* par Robert Fludd ; *Noces chymiques*, par Andreae.

philosophale. Tout étant sorti de l'Eternité, tout doit y revenir (J. Boehme, *De Signatura rerum*). »

Partant de la connaissance de soi, qui lui révèle Dieu même, l'homme peut atteindre, par les Figures, à la recréation de soi et, par-delà, au renouvellement de l'univers créé. Alors, seront à nouveau le Royaume ou *Azoth*[1], la libération de l'homme en Dieu :

« La fin du Grand Œuvre est de se libérer de la chair corruptible sans passer par la mort » (Jacob, *Révélation alchimique*).

Il reste que le recours à la Croix, à l'Elie surprend dans la Rose-Croix comme dans l'œuvre de Boehme. Vers 1600, il y a plus de deux siècles que les prophètes déplorent l'absence de la Colombe et guettent son retour. Mais ce retour est proche. Peu de temps avant sa mort, Thérèse d'Avila n'a-t-elle pas annoncé qu'une veille de Pentecôte, lui était apparue

« une colombe bien différente de celles d'ici-bas, car elle n'avait point de plumes et ses ailes semblaient formées de petites écailles qui jetaient une vive splendeur[2]? »

Ni la Colombe, ni le Miroir, ni les Témoins ne sont encore revenus de leur exil et le pressentiment demeure inintelligible, mais il témoigne peut-être, chez Thérèse et chez Fludd, d'un « sens » plus développé que chez le commun des mortels.

Le réveil des Témoins : Rappelons-nous : c'est l'époque où l'évêque de Londres, William Laud, éprouve la nostalgie des images religieuses et où John Smyth fonde la première secte baptiste, une autre nostalgie de la fraternité chrétienne. Alors, la fête d'Elie est adoptée par Rome (1583) et le carme Thomas de Jésus fait des Témoins, Elie et Elisée, non plus des prophètes seulement, mais des *exemples* de vertu (1617).

Des mouvements analogues naissent un peu partout.

---

1. A-Zoth : l'Alpha et l'Omega de l'*Apocalypse*, les première et dernière lettres de l'alphabet, l'origine et la fin.
2. Colombe : M. Bouix, *Vie de sainte Thérèse écrite par elle-même* (1923).

L'un d'eux, celui des *familistes* ou Famille d'Amour, aurait été créé par un protestant wesphalien établi en Hollande, Heinrich Niclaes ou Henri Nicolas. Emigré en Angleterre, il y devint assez puissant pour adresser au Parlement des « pétitions de tolérance »; en 1580, Elizabeth s'en émut et donna l'ordre d'en pourchasser les membres. Clandestine à nouveau, la Famille subsista pendant un demi-siècle, avant de se fondre, croit-on, dans le mouvement Quaker (page 178).

Niclaes prédisait la venue d'un Troisième Age qui ne serait pas le règne de l'Esprit, mais le retour de la Colombe et le règne de l'amour universel. C'était sensiblement le prêche de deux frères : Lélio et Fausto Sozini, nés à Sienne tous deux, l'un en 1525, l'autre en 1539.

Il semble toutefois que Lélio n'ait eu en vue qu'une réforme chrétienne de l'Eglise de Rome. Epouvanté par l'opulence et le « paganisme » des papes princiers, il n'y vit d'autre recours, d'abord, que la négation de l'Esprit-Saint. Par la suite, séjournant à Vicenze, il en vint à mettre en doute le dogme de la Trinité et à ne reconnaître pour dieu que Jésus-Christ. Accusé d'hérésie et forcé de s'enfuir, il voyagea par toute l'Europe avant de mourir à Zurich en 1562.

Le plus jeune des deux frères prit alors le relais et poursuivit d'abord dans le même sens la polémique antitrinitaire de Lélio, à Bâle, puis en Pologne. Mais, alors qu'il prêchait à Cracovie, l'illumination le frappa d'un « merveilleux renouveau ». Son ouvrage principal, fondement de l'*unitarisme, De Jesu Christo servatore,* parut en 1598 et faillit le faire lyncher par la population. Il mourut, abandonné de tous, en 1604, dans le petit village de Luclawice.

Mais ce « sens » d'un Au-delà mythique, s'il existait, ne serait pas propre aux saints et aux ésotéristes. Ce que le mystique nomme Dieu, nous savons que le rationaliste le nomme le réel; si bien qu'il n'est pas de foi en un dieu de vérité sans croyance parallèle en l'univers des cercles; pas de retour au Frère, au Semblable, sans recours au reflet, aux apparences.

Or, c'est aussi l'époque où, dans l'île au Sorcier, Hveen l'Ecarlate, le seigneur astronome Tycho Brahé construit le premier observatoire des Temps Modernes :

Uraniborg, et l'emplit de sextants et d'appareils d'optique jusqu'alors inconnus. En toute son existence, le chanoine Copernic n'avait guère procédé qu'à une trentaine d'expériences en n'avouant n'y point croire (car l'immobilité apparente des étoiles infirmait ses théories); mais Tycho Brahé accumule des centaines d'observations célestes, dont Kepler tirera le plus grand profit. L'invention du télescope (1608) complète l'arsenal des nouveaux hommes de science.

L'éternelle symbolique, dont nous avons suivi la lente évolution, nous interdit de considérer comme hasardeuse la rencontre dans un même temps de la Colombe familiste et du manichéisme boehmien, de l'Elie artiste de Fludd, des Témoins du Carmel et du recours des savants eux-mêmes aux apparences, de nouveau préférées aux théories. Il faut bien supposer qu'ailleurs, dans quelque enfer des mythes ou des dieux, quelque signe a paru : comme un timide envol, un remuement d'ailes...

Remuement fugitif : trente ans, vingt ans peut-être. Sur le plan scientifique, la date 1618 marque une sorte de rupture : Tycho Brahé mort en 1601, son jeune disciple, Johan Kepler a poursuivi ses expériences, mais les nouveaux maîtres de l'île du Sorcier négligent Uraniborg. Kepler lui-même, enfin, n'observe plus. Il construit à son tour son système du monde, où les Sept Harmonies recouvrent les sept structures de l'ésotérisme chrétien. Le Saint-Office condamne — après soixante-quinze ans! — les quarante-huit épicycles de Copernic; mais, plutôt que de prouver par des observations (qui les infirmeraient) les thèses de son maître, Galilée a remisé télescope et sextants. Il travaille à son vain et chimérique ouvrage sur les marées, par lesquelles il entend démontrer le mouvement quotidien de la Terre. Pour le génial vieil homme, les avanies commencent.

Sur le plan spirituel, les carmes renoncent à la symbolique éliaque, ou la mettent en veilleuse. Né de l'enseignement des frères Sozini, l'unitarisme s'émiette en de nombreux groupuscules, en Pologne, en Transylvanie, en Angleterre, sans qu'une doctrine commune parvienne à les unir. Vers 1625, de même que le familisme, ils auront disparu.

Quant à l'union de la Rose et de la Croix, elle a figuré

pour la première fois dans un opuscule de 1597 : *Société de la Rose-Croix*; puis, dans une fantaisie presque illisible : *La restauration du Temple détruit de Pallas*, qui publiait une constitution de l'Ordre (1605). Mais le premier voyage d'Andreae en Autriche, qui révèle la secte, coïncide avec le premier ouvrage de Boehme (1612).

Les grandes œuvres rosicruciennes seront postérieures à cette date et publiées avant 1620. De même, la toute première apposition, par les mystérieux « députés d'un Collège de la Rose-Croix », d'un placard fracassant sur les murs de Paris (1614). Onze ans plus tard, déjà, le bruit se répandait que les Révélateurs avaient quitté l'Europe pour rejoindre leur pays, dans les Indes ou *ailleurs*.

En cette dizaine d'années, le mouvement innombrable s'était répandu dans les Pays-Bas (sous l'influence de Comenius), en Allemagne (sous l'influence d'Andreae et de Maïer), en Angleterre (sous l'influence de Fludd). Il s'éteignit soudain, comme il avait brillé. Il ne resta bientôt plus à ses nombreux adeptes que le souvenir merveilleux d'une rencontre, sur une route ou dans une rue de village : l'homme guérissait toutes les maladies, il parlait toutes les langues et les parlait longtemps « sans jamais se reprendre », il ne restait pas plus de deux nuits de suite dans la même localité [1].

Dans l'Inde : A l'origine de ces légendes est la croyance nouvelle, qui va se développer au cours du siècle suivant, que le Secret des Temps n'appartient pas à l'Europe mais à l'Extrême-Orient.

Au VIᵉ siècle avant J.-C., les hommes inquiets de l'éloignement des dieux commencèrent de se tourner vers la mystérieuse Egypte. C'est vers l'Inde surtout qu'on regarde aujourd'hui.

Les caractéristiques de l'évolution indienne, pourtant, recouvrent sensiblement celles de l'Occident. Sur le plan économique, ce serait, au premier chef, l'avènement de la propriété. Les invasions mongoles et turques ont porté

1. LES RÉVÉLATEURS : tradition rapportée par Serge Hutin, *Les Sociétés secrètes.*

au pouvoir des princes conquérants; mais, ainsi qu'en Europe, ces princes et ces rois ne se consacrent guère aux problèmes politiques. Ils vivent pour la beauté, le luxe, l'honneur du sang et la seule liberté de quelques êtres choisis : artistes, aventuriers, philosophes, courtisans.

Entre cette forteresse de splendeurs qu'est une Cour et le peuple anonyme des petits commerçants, des petits artisans et des cultivateurs, une autre caste naît, s'infiltre et prend les rênes : celle des fonctionnaires, à demi financiers, à demi négociants. Si le prince a succédé au saint, le commerçant succède au prince.

Sur le plan mythique, ainsi qu'en Europe, c'est le crépuscule de la Semblance et de ses dieux : Vichnou, les Frères jumeaux, qui conditionne la vie religieuse. Depuis la révélation des *sthanakavasis* (page 115), l'Image est proscrite de tous les cultes, hindouistes comme civaïtes. Le vichnouisme ne compte plus guère de disciples, et le bouddhisme moins encore.

Le dernier nom qu'on cite ici est celui d'un prêtre du xve siècle : Râmânanda (Félicité du Charmant). Mais, bien que la croyance en la fraternité ne fût pas absente de cette doctrine, il est sûr que le dieu de Râmânanda — le Charmant — n'est plus le dieu du Double né, deux mille ans plus tôt, de *l'açvamedha;* non plus le Partageur, mais comme un avatar du Créateur Çiva.

Le culte de la poésie en témoigne d'une part, que le maître et ses disciples écrivent dans la langue du peuple, le hindi. En témoigne aussi l'ouverture de la secte aux fidèles musulmans et aux femmes-poètes. Presque à l'égal du maître est honorée Mîrâ Bâî, princesse radjpoute qui s'est enfuie de son palais pour mener l'existence errante de la secte. Quant aux rites secrets de ces étranges vichnouistes, ils s'apparentent bien plus aux pratiques du *yoga* qu'à celles de la contemplation.

C'est d'ailleurs une tendance commune, même dans les religions officielles, que les anciens cultes contemplatifs (*vedânta*) et rites d'offrande (*aquihotra*) cèdent au *samdhyâ* ou rite de « la jonction du jour et de la nuit ». L'ablution externe et interne, telle que le rinçage de la bouche, précède la récitation de la prière messianique tirée du *Rig Veda* : « Que la lumière suprême de Savitar dirige droitement nos pensées. » Comme dans l'Islam, on adore le Soleil à l'heure de son lever et l'on s'exerce, par le *pranayama,* à la méthode yoga qui consiste à prolonger l'intervalle entre l'inspiration et l'expiration. La récitation, le rinçage et la prière sont renouvelés le matin, le midi et le soir.

Bhakti et krishnaïsme : S'il existe une antinomie dans les religions indiennes à cette époque, elle ne se situe plus, comme jadis, entre l'apparence (Maya) et l'Absolu, car nul ne croit plus en la Maya et nul ne peut plus vivre dans la présence de Dieu. Mais elle se situe entre la dévotion classique (bhakti) et une dévotion plus secrète, plus intérieure, au Noir Krishna.

Esotériquement, le problème est de décider si le dieu de l'Inconscient ou du Désir peut être considéré comme lié à l'ancienne triade *trika* (tome II) ou lié au plan de l'Harmonie, c'est-à-dire au Souverain Créateur.

— La première tendance fut par excellence celle de Chaitanya (La Conscience), qui vécut de 1481 à 1527 et fonda une secte du Noir (*mâdhva*). La légende attachée à sa disparition résume son enseignement. Ayant aperçu Krishna qui jouait dans la mer, entouré de ses bergères-naïades, le saint ne put résister au désir de rejoindre le dieu, qui l'entraîna dans les eaux.

La méthode préconisée par Chaitanya demeurait évidemment la bhakti. Mais, au contraire de la bhakti-vedânta des bouddhistes et des vichnouistes, il ne s'agissait plus que d'une dévotion secrète, sans image ni modèle, tournée vers l'intérieur du Soi.

Il n'étonne pas que les femmes aient conquis dans cette secte la même place que, naguère, dans celle de Râmânanda. Le mariage, mais aussi l'union sexuelle y avaient en effet valeur de sacrement, puisque Chaitanya glorifiait l'Amour au-dessus de toute vertu; non pas seulement l'Amour de l'humain pour l'humain, mais de l'homme « racheté » pour tous les êtres vivants (*ahimsâ*). Quoi qu'il en fût du féminisme de Chaitanya et de ses motivations profondes, les seules femmes admises à enseigner dans l'Inde, pendant longtemps, seront des membres de la secte.

Il n'est point sûr que, de son vivant, le maître ait fait une part très grande à la création. Cela, même, est douteux. Cependant, sitôt sa mort, certains de ses disciples, Djîva Gosonâmi (l'Ame du Seigneur Bœuf) et Daladéva (le Seigneur de Puissance) firent de la poésie une pratique conseillée. C'était s'éloigner de l'enseignement du maître, et la secte n'y survécut pas.

— La seconde tendance fut celle de Vallabhâ, le plus grand novateur du XVIe siècle, qui proclamait que la liberté réside dans l'acte de s'assouvir, « à condition que cet acte requiert vraiment les forces de l'être tout entier ».

Selon la doctrine nouvelle, l'univers n'était plus un reflet illusoire de la divinité. Mais ce n'était pas non plus une création secrète (du nombre ou de la gnose) réservée aux seuls initiés. L'homme n'avait point à craindre ou à fuir *ce qui est*; il devait, tout au contraire, s'y prodiguer et s'y répandre, comme un prince dans son domaine.

Dieu de la joie et de la puissance, le Krishna de Vallabhâ est le Seigneur érotique, que devaient honorer des pratiques licencieuses, sinon orgiaques. Mais les textes nous manquent pour en fixer les bornes : trop occupés à vivre, le maître et ses disciples écrivaient peu.

Nous savons seulement que, dans les décennies qui suivirent la mort de Vallabhâ, les chefs de la secte étaient appelés Mahârajas (Grands Rois) et respectés du peuple comme « d'authentiques fragments de la divinité ». Au nombre des rites qui se maintinrent assez longtemps, il faut citer « le cercle du saint amusement », qui réunissait des sectaires des deux sexes pour festoyer et se divertir ensemble. Mais il est à croire que cette « messe d'or » n'était qu'un pâle vestige des rites initiaux.

On dit que le maître lui-même, quarante-deux jours avant sa mort, se serait repenti de certains excès et revenu, de sa propre volonté, à l'ascétisme traditionnel des moines. Réelle ou légendaire, cette conversion ultime révèle un fait d'époque. Vers 1530 se brisaient, dans l'Inde comme en Europe, le grand éveil prophétique de l'homme libre, du dieu libre et, dans la liberté reconquise de l'Eden, le pressentiment fulgurant de l'homme-dieu, innocent et doué de toutes les puissances.

Si des vestiges se maintinrent de ces sectes édeniques,

ce dut être, uniquement, dans une tribu à demi sauvage du Bengale, les Khonds, dont la déesse de terre, Tari Pennon, rappelait les Çaktis hindoues; l'usage de la drogue et la fête orgiaque, le culte des fleurs, l'adoration de Krishna y subsistèrent aussi longtemps. Ce fut seulement au XVIIIe siècle que les colonisateurs anglais parvinrent à décimer ce peuple, sous le prétexte — vrai ou faux — qu'il s'adonnait aux sacrifices humains (d'une vierge, à l'époque des moissons).

Un hindouisme musulman : L'Europe regardait vers l'Inde; l'Inde regardait vers l'Islam. Déjà, Râmânanda admettait dans sa secte les Indiens musulmans. De 1510 à 1600, toutes les sectes naissantes agissaient dans le même sens. Mais, traditionnellement, un homme a tout le mérite du nouveau syncrétisme : Kabir, le tisserand. Les hindouistes d'une part, les musulmans de l'autre le revendiquent pour leur et tous recherchent en vain le massif de fleurs en quoi le saint se serait transformé à sa mort, vers 1518.

De l'hindouisme, la doctrine de Kabîr gardait le sens de la dévotion (bhakti) et la tradition en rend compte en faisant du tisserand un petit-fils du disciple bien-aimé de Râmânanda. A l'Islam, le maître empruntait la notion — analogue à vrai dire — d'Amitié avec dieu ou *walâyat*. Par l'Œuvre, disait-il, ainsi que par l'Amour, l'homme retrouve le réel et peut vivre l'instant, car l'œuvre libère les hommes et l'on ne peut libérer nul être sans l'aimer.

Après sa mort, les membres de la secte, *kabîrpanthis*, se firent pour la plupart des ascètes errants, cherchant dans la pureté et la simplicité cette libération qu'ils ne pouvaient atteindre par d'autres pratiques.

L'un des disciples, pourtant, Nânak (1469-1538) tenta de transcender l'enseignement du maître. Il avait trente-cinq ans quand l'illumination divine le frappa. Il vit une main qui lui offrait une coupe; et, tandis que l'eau se déversait sur lui, il entendit une « voix intérieure » qui lui ordonnait de présenter lui-même la coupe et d'en abreuver les hommes. Il y voua sa vie.

Certains poèmes de Nânak ont pris place dans le livre

sacré des *Sikhs*, et c'est par cette secte surtout que nous connaissons son œuvre et sa légende.

En 1584, le syncrétisme de Kabîr avait conquis une grande partie de l'Inde. Il se trouva un souverain, l'empereur mogol Akbar, pour tenter de l'officialiser. La religion nouvelle se nommait la Foi Divine *(Dîu Ilâhi)* : elle recouvrait la double adoration d'un dieu solaire, analogue à l'Allah turc, et d'un dieu de Feu, analogue au Krishna du *Mahâbharata*. Elle professait un monde éternel et, par suite, la métempsychose; elle enseignait la non-violence et l'amitié de tous les êtres.

Nous retrouvons ici, semble-t-il, la confusion ésotérique que l'on pourrait noter dans la religion des dynasties kouchites et soudanaises, dans l'Egypte du VIIe siècle avant J.-C. Plus proche de nous, cependant, nous la comprenons mieux. S'y révèle la volonté, éminemment rationnelle, de ne rien perdre de ce qui apparut bon à quelque moment de l'Histoire.

La justice brahmanique était bonne; la bhakti vichnouiste l'était. Il serait bon que l'homme fût libre, mais une discipline exacte n'est pas mauvaise non plus. On brasse tout cela sous l'étiquette d'un dieu unique, qui serait tout à la fois souverain et justicier, miséricordieux ainsi que libérateur. Cela donne à la fois le Christ Souverain de Trente et le dieu de la Foi Divine.

Inconcevable dans l'Inde, où plus de trois millénaires de savant ésotérisme imprégnait les esprits du brahme et du paria, la tentative d'Akbar échoua : son influence demeura restreinte aux courtisans. Mais, en la stylisant, un brahmane parvint à extraire de la Foi une doctrine définie : Dadu (1544-1603).

Contre les castes, contre la corruption des clergés brahmans et vichnouistes, mais également contre les excès de Vallabhâ et de ses disciples, Dadu retrouvait le sens de l'Inconscient, dont l'homme devait faire son maître à toutes les heures, car « par cette seule voie, Dieu se fait entendre à l'homme », en même temps que le sens de l'ancienne Ame Cosmique, également répartie chez tous.

Créateur et conservateur, le dieu de Dadu prolongeait d'une part l'Allah du *Kalam* orthodoxe et, d'autre part, le Brahmâ des *Oupanichads*, géniteur à nouveau et modèle déjà. Nous retrouvons ici les dates, 1590-1610, qui circonscrivaient en Europe la tentative de Boehme et de la Rose-Croix.

De fait, les disciples de Dadu ne maintinrent pas longtemps dans son intégrité la synthèse initiale. Vers 1630, on dénombrait cinq sectes *dadupanthîs*, que leurs quêtes avaient menées dans des directions très diverses : les *kahlsas,* adonnés à la seule pureté, les *nagas* ou savants, les ascètes *utradis,* les *virkats,* revenus aux pratiques yoga et les *khakis* « couverts de cendres », qui semblaient se rapprocher étrangement des *parsis.*

Les sikhs — Aux mêmes décennies, enfin, appartiennent l'institution des sikhs et la formulation de leur doctrine dans le *Granth* (le Livre), attribuées l'une et l'autre au *guru* Arjun Dev (1581-1606).

La tradition fait d'Arjun Dev le cinquième maître de la secte, le premier en étant Nânak. Le second, Angad, aurait inventé l'écriture des sikhs *(Gurumunkhi)*; le troisième, Amar Das, se serait élevé publiquement contre des rites brahmans, tels que l'incinération des veuves; le quatrième, Râm Das, eût obtenu d'Akbar la donation du territoire où devait s'élever le Temple Hari-Mandir. Si, cependant, Arjun est considéré comme le Maître par excellence, il doit cet honneur moins à son œuvre qu'au martyre. S'étant dressé contre le fils d'Akbar, Jahângir, il fut emprisonné et mourut dans sa geôle.

A la mort de son successeur, Har Govind, en 1645, la secte était devenue une grande religion, soutenue par une principauté indépendante et par une armée de héros. Sa caractéristique essentielle — jusqu'alors sans exemple — était l'alliance de l'abstinence et du refus de l'ascétisme. S'il ne fume et ne boit, le sikh mange de la viande, il ne se prive pas du commerce des femmes. Sa liberté se veut virile, comme en témoignent le besoin d'une hiérarchie (le *guru* règne) ou le port de la barbe.

Que tu donnes la mort ou la vie, dit un précepte du *Granth,* fais-le sans regarder en arrière. Fidèles à ce précepte, ceux que l'on nommera les guerriers-poètes mériteront l'un et l'autre noms. Dans l'Inde asservie du

XVIIIe siècle, ils demeureront des patriotes irréductibles en même temps que de purs mystiques : la liberté leur sera une vertu et un devoir, plutôt qu'une licence et un droit.

Mais c'est peut-être surtout par son sens collectif — du groupe ou de la communauté — que le sikh impose l'admiration. Ces individualistes farouches ne sont eux-mêmes qu'au sein de leur fraternité. La hiérarchie les y maintient, mais autre chose les y exalte : le besoin de déverser dans une œuvre commune : poème, architecture, action libératrice, leur courage, leurs énergies.

Nulle secte, semble-t-il, hormis la Rose-Croix, n'était parvenue, à l'époque, à réunir ainsi, en un seul mythe (la Liberté) les exigences contradictoires de la hiérarchie princière et de la fraternité, de l'œuvre individuelle et de l'action collective.

C'est pourquoi, s'ouvrant sur la Rose-Croix, ce chapitre devait s'achever sur les sikhs. Car, de tous les mouvements qui naquirent vers 1600, celle-là et ceux-ci sont les seuls dont l'action, les révélations ou l'influence triompheront de la corruption prochaine des mythes et du crépuscule des dieux.

TROISIÈME PARTIE

LES DEUX LIBERTÉS

9. LA LUMIÈRE INTÉRIEURE
10. LA COLOMBE REVENUE
11. LE ROI ET LES FRÈRES
12. L'OCCULTISME
13. LES FRANCS-MAÇONNERIES

9

LA LUMIÈRE INTÉRIEURE

Le problème — Les quakers — Le lamaïsme — Le jodo — L'essor musulman — Moulla Sadrâ.

Le problème : Entre les religions officielles qui s'éteignent en rugissant et la raison qui croît dans le silence, que deviennent les courants messianistes des XIVe et XVe siècles? Pour le comprendre, il convient d'évoquer le recours — quasi désespéré — d'un Michée ou d'un Ezéchiel au dieu de l'Alliance ou celui des Scythes et des mages perses, des *sibyllines* étrusques et des *Oupanichads* à l'Arès ou à l'Ange, au Marès, à l'Indra, desquels naîtraient un jour Arjuna ou Eros.

Refusant le Mélech des Samaritains, le Mardouk babylonien, le Rudra ou l'Apis, c'était alors vers le dieu à l'Arc, le Sagittaire, que se tournait l'espoir des derniers messianistes.

De même, refusant un Jésus justicier, un Brahmâ renaissant et le Iahvé des juifs, c'est vers l'antique dieu des Ténèbres, l'Ame de l'âme, l'Un dans l'Un, que se tournent les mystiques du XVIIe siècle. Qu'ils eussent été instruits par l'œuvre de Loyola ou celles de Boehme et de Fludd, par le luthéranisme[1] ou par les grands

1. LUTHER. Le rapprochement surprend peut-être. Il faut savoir que le sceau de Luther se composait d'une Rose et d'une Croix.

saints espagnols, ils retrouvaient toujours au bout de leur chemin « le sens interne », la « ténèbre », l'inconscient, qu'ils nommaient à présent la Lumière Intérieure.

Cela s'explique aisément, car toute quête est terrible hors d'une cohérence précise, d'un ésotérisme assuré : s'en nourrissent toutes les chimères et toutes les perversions. Or, le mouvement Rose-Croix a été le dernier signe d'une telle cohérence, la dernière création de l'intelligence mythique, en Occident du moins. Et son message est tel : le dieu futur naîtra de la Rose et de la Croix, il sera *Elie artiste*.

Mais comment allier en un seul mythe, la Liberté, des entités aussi contraires que « le sens interne » et le « sens externe », l'Œuvre et l'Image? Le monde est créé par Dieu ou bien il le reflète; et, moi-même, si j'imite, je ne peux plus créer.

D'une certaine manière, cependant, le problème semblait recommencer celui dont les conciles des premiers siècles avaient longuement débattu et que la Chrétienté avait redécouvert en l'éloignement de Dieu : le conflit entre les deux Jésus, de Basilide et de Valentin, ou entre les deux univers de l'Académie et du Lycée. Et, ce conflit, on savait très bien comment le résoudre : par le mythe d'Amour même, Christ, Bouddha, *walayat*, rattaché aux Ténèbres par le Savoir, aux Deux Témoins ou à la *swastika* dans le plan du Bien.

Telle fut, dès le début du XVIIe siècle, la quête de milliers d'hommes et de femmes, dépourvus de sagesse mystique et de génie ésotérique, mais bons chrétiens encore et de bonne volonté, qui attendaient le salut de la méditation et de la compréhension. Ne connaissant qu'une mystique possible : celle de l'Amour, et rassurés, puisqu'ils retrouvaient le Christ (Amant et Verbe), ils allaient au hasard, les yeux bandés, guidés par des aveugles.

En Europe, ces chercheurs *(seekers)* furent particulièrement nombreux de 1610 à 1650, bien que l'Histoire n'ait pas retenu leurs noms, car ils se présentaient rarement en groupe et ne constituaient pas de secte ou de mouvement collectif, à proprement parler. Certains d'entre eux se sont faits baptistes, anabaptistes, hutterites. D'autres, probablement, furent catholiques un jour, protestants le lendemain. Tous, sans doute, crurent dans la Rose-Croix, dans le brownisme, dans les doctrines alors connues de Boehme, peut-être dans la Vierge Marie. Déçus, ils ont refusé les dogmes; ils ont recherché dans une liberté confuse le « confort » qui ne s'y trouvait pas.

Tel fut Bartholomew Legate, marchand de tissus, qui mourut brûlé vif pour avoir mis en doute la divinité du Christ. Tels seront ces hommes et ces femmes que, par dizaines de milliers, à partir de 1660, des médecins-policiers jetteront aux Petites-Maisons de Paris ou dans les prisons de fous et les maisons de correction dès lors nombreuses par toute l'Europe.

Mais tels étaient aussi les *congrégationnalistes* anglais qui, vers 1648-1650, naissaient de l'ancien mouvement *indépendant*, lui-même jailli de l'enseignement de Robert Browne (page 132).

Individualistes au premier chef et n'admettant d'autre loi que la Parole de Jésus, ceux qui se nommaient aussi les Pèlerins (*pilgrims*) ne s'ordonneront pas en société avant 1833. Mais, dès le XVIIe siècle, seront sortis de leurs rangs ou auront accepté le principe de leurs recherches de très grands écrivains, parmi lesquels Bunyan, Milton et, moins connu, le poète Traherne :

« De l'Un vers l'Un en l'Un voir toutes choses;
Percevoir en le roi des rois
Mon Dieu, mon privilège; voir ses trésors
Faits miens (et dans) mon moi la fin
De ses très grands travaux[1] »

Fils d'un étameur ambulant, John Bunyan reçut la Lumière en 1653. Ce fut dans une prison où il passa douze ans (1660-1672) qu'il écrivit son autobiographie et une première version de son Voyage du Pèlerin (*Pilgrim's Progress*), publié en 1678. Le livre, qui raconte les épreuves et la quête d'un chrétien converti aux doctrines baptistes, fut longtemps aussi lu que la Bible en Angleterre.

Au contraire, inspiré par les baptistes congrégation-

1. TRAHERNE, *La Vision.* Poème cité par Jean Wahl, dans *L'Expérience métaphysique* (Flammarion).

nalistes, mais également par Fludd, John Milton s'éloigna très tôt du strict brownisme. On dit même qu'il eût adhéré à la secte des *mortalistes*, qui niaient l'immortalité de l'âme. Ses œuvres, le *Paradis Perdu* et le *Paradis Retrouvé* (1667-1671), racontent l'histoire mythique de l'humanité, depuis la perte de l'Arbre jusqu'à « l'abîmation des temps », à travers les âges biblique et chrétien, et prophétisent la future Naissance. Elles sont importantes surtout par la notion nouvelle d'un Lucifer sauvé, dont les grands romantiques, de Shelley à Hugo, par Novalis, Byron, Vigny et Lermontov, feront l'un des thèmes majeurs de leurs œuvres poétiques.

Ainsi voyons-nous, dès l'âge classique, la Lumière Intérieure mener un John Bunyan à rêver d'un retour au christianisme antique, un Milton au messianisme le plus audacieux de son temps. Mais, en effet, l'Un de l'Un, le mythe de l'Obscur, se tient à ce carrefour. Par la compréhension, il reconduit à l'amour; par l'œuvre et le culte de l'autre lumière — visible — il mène aux mythes de Liberté et d'Harmonie.

Les quakers : Les nobles, les seigneurs ne reçoivent plus l'Appel : c'est un signe du temps. Kabîr, Boehme, Bunyan sont fils du petit négoce ou de l'artisanat, point assez riches pour que la fortune leur soit une chaîne, point assez pauvres pour demeurer esclaves de leurs besoins.

Né à Fenny Drayton, dans le Leicester, l'année de la mort de Boehme, Fox était le fils d'un tisserand. Berger, puis apprenti-cordonnier comme l'Allemand, il se sentit appelé au renoncement des biens alors qu'il n'avait pas vingt ans. *Seeker* parmi bien d'autres, la Bible en main, il prit la route.

Parcourant les campagnes, il prêchait à la fois deux morales contraires : la non-violence et le dénuement évangélique, mais aussi le culte de l'honneur et la vocation de la liberté, bizarre mélange auquel ses auditeurs n'entendaient goutte. Car il n'est pas d'autre point commun aux deux morales que la Lumière Intérieure jaillie de l'inconscient — et nul prêche ne la donne à celui qui n'en fut pas illuminé.

Prêtant le flanc à toutes les attaques, le jeune fou proclamait qu'un homme libre ne doit pas « mettre bas le chapeau » devant qui que ce soit et il prêchait lui-même d'exemple, dans le même temps qu'il refusait de répondre aux insultes et aux sévices. On le chassait des villages, on le lynchait à demi, on le rouait de coups, dernier bouffon de la Renaissance ou premier masochiste du siècle des Lumières. Le visage en sang, il se relevait et regardait ses tourmenteurs. « C'est pourtant moi qui ai raison », leur disait-il. Alors, les pierres pleuvaient.

Emprisonné, pour sa sauvegarde, quelques semaines ou quelques mois, il reprenait, aussitôt que libre, son épuisante mission. On le vit en Ecosse, dans le Pays de Galles, en Hollande, en Allemagne; partout, il se faisait des amis, des disciples. En 1648, après cinq ans de vagabondage mystique, ils étaient devenus assez nombreux pour qu'on pût parler de « société », Puis, en 1655, le Protecteur reconnut la saintcté de Fox et le retour du roi, bien qu'il le ralentît, ne brisa pas complètement le développement de la secte.

S'étant marié (en 1671), le fondateur des quakers fit un séjour de deux ans en Amérique du Nord, où ses fidèles le demandaient. Il mourut à l'âge de soixante-sept ans, laissant une autobiographie, le *Journal*, et une institution solide : la *Société des Amis*.

Connue d'abord sous le nom : *Enfants de la Lumière*, la secte n'avait pris ce nom qu'en 1665. L'appellation : *quakers* (trembleurs), qu'on lui donnait par dérision, parce qu'ils invitaient à trembler devant Dieu, venait d'une secte peu connue du Southwark, dont les membres ne prêchaient qu'en transe, sous la dictée de l'Esprit.

Les Amis croient au Christ et se réunissent en son nom; mais ils pensent que toute vérité leur vient de l'Esprit-Saint, qui leur parle, individuellement, dans le secret du cœur. Ils rejettent, par suite, rituel et formalisme, non seulement l'image mais le sacrement, ainsi que la musique, le chant, et même la prière obligatoire. Le croyant n'a qu'un maître : Dieu en lui.

Leur morale comporte l'interdiction de prêter serment et de s'engager pour l'avenir, car « l'homme ne connaît que l'instant ». Pacifistes et antiesclavagistes, ils ne placent rien au-dessus de la liberté individuelle, pas même la fraternité. Cependant, cette liberté doit être la même pour tous, de sorte que, dans la secte, les hommes et les femmes ont des devoirs et des droits strictement identiques.

L'ordonnancement des Assemblées mérite une mention spéciale : nous en retrouverons des traces dans toutes les Franc-Maçonneries. Ces Assemblées sont « dirigées » par des *anciens* ou des *anciennes* et placées sous le contrôle de *surveillants*. Elles ne comportent pas de président ou de pasteur. Les questions et réponses sont posées et données librement par tout membre; puis, les plus importantes sont reprises lors de l'Assemblée Annuelle, sur avis des assistants.

De sa fondation jusqu'à la mort de Fox, la société se consacra presque uniquement à une œuvre missionnaire, en Europe, chez les Turcs (Mary Fisher) et en Amérique du Nord (à partir de 1656). Dans le même temps, ses membres étaient persécutés avec violence. Le quaker James Naylor fut condamné, en 1656, à avoir la langue percée. Publiquement fouetté et marqué au fer rouge, il passa en prison deux ans et quelques mois. Sous Jacques II, des milliers d'Amis furent de même emprisonnés. Bien reçus, d'abord, en Amérique, ils ne tardèrent pas à y devenir impopulaires, à cause de leurs doctrines antiesclavagistes.

Outre son influence directe, il faut porter au crédit de la société les nombreux meneurs d'hommes qui sortirent de son sein. Certains échouèrent, tel James Naylor qui, assure-t-on, en vint à se croire une incarnation du Christ; mais d'autres essaimèrent à leur tour. Tels étaient les Wardley : le mari, John, et la femme, Jane, qui, en 1706, séduits par l'enseignement des *French prophets,* créaient leur propre société : *United Society of Believers in Christ's Second Coming,* plus connue sous le nom de *shakers* (page 240).

Néanmoins, il est vrai que la doctrine elle-même ne se répandit pas. Les mouvements fraternels, contemporains de Fox, lui devront peu de chose, alors même qu'il n'a pu se défendre de leur influence. Quant aux cultes solaires de la fin du siècle, ils lui devront sans doute l'assimilation de la Ténèbre à l'*honneur,* mais ce ne sera pas sans en dévoyer le sens. Or, on en pourrait dire autant des sectes bouddhistes naissantes à même époque.

Le lamaïsme : Condamné dès le Moyen Age, le bouddhisme indien s'était réfugié dans les montagnes inaccessibles du Tibet. Là, s'était développé au XVIe siècle un bouddhisme prophétique, créateur du concept du Bouddha du futur, Maitreya, huitième incarnation du dieu.

D'abord simple, semble-t-il, la religion comporte, dès le XVIIe siècle, deux rituels opposés : la voie de droite et la voie de gauche. Partagés, les disciples obéissent à deux chefs rivaux : le *Dalaï-lama* et le *Tashi-lama.* Le Dalaï (Lama pareil à l'Océan) incarne le bodhisttava au Lotus, Avalokiteçvara. Il résidait, jusqu'à la conquête chinoise, au couvent Po-ta-la, dans sa capitale Lhassa. Le Tashi (Lama-joyau) incarne le bodhisttava Amitâbha. Il résidait au monastère de Ta-shilhum-po, avant de s'enfuir en Chine, au lendemain de la Révolution.

Sous ces chefs spirituels, la hiérarchie tantrique des derniers siècles admettait cent quatre-vingts *hutuktus,* incarnations des puissances divines, elles-mêmes réparties en femelles et mâles. Quant aux illustrations symboliques qu'elles empruntent, elles déconcertent les Occidentaux; car, contrairement à la coutume, des teintes claires et lumineuses revêtent les entités femelles; des teintes sombres, les entités mâles.

Les deux voies préparent de même à l'avènement du dieu futur. Mais le Maitreya se présente différemment pour l'une et l'autre. Le Tashi et ses fidèles honorent des dieux virils : primitivement, le bouddha de Lumière et le Souffle Universel, le Souverain et l'Arbre. Par la suite, ils y adjoignirent la symbolique du Miroir. En ces temps de ténèbres, la lumière même est noire. Le céleste Archer, le bouddha de gloire, est absent, le bouddha de justice de même. De sorte que les « tantriques de gauche » n'espèrent plus qu'en l'Ame Universelle et dans les Apparences pour rassembler les énergies cosmiques et susciter le dieu futur : Maitreya double, qui tient le glaive d'une main et le rameau dans l'autre.

Au contraire, la voie de droite honore un dieu vivant. La pratique du yoga, qu'elle utilise, concrétise *actuellement* l'esprit divin dans l'être humain; le bouddha au

Lotus et le bouddha d'Amour, déités essentielles, secourent encore les hommes. Seul manque à l'Océan le Serpent initial, que la méditation a pour objet précis de réintégrer dans la lumière en lui faisant gravir les cercles de l'Enfer ou de l'impur univers des Morts.

Comme toutes les divinités « de droite », ce Serpent (lové) présente un aspect féminin. Les déesses tantriques ne se nomment pas çaktas mais *Târâs*, consolatrices ou savantes, amantes ou créatrices. Lorsqu'il naîtra enfin, de la Mer fécondatrice, le Maitreya se montrera aux hommes sous l'aspect d'un éphèbe-enfant, pauvre et chaste; de l'amphore qu'il porte, il déversera sur tous l'eau de la vie.

On peut croire qu'il y eut, dans les trois derniers siècles, de nombreuses tentatives pour concilier les deux croyances. Nous en trouvons des traces dans certains rites tibétains, tels que « le repas rouge » offert aux déités secondes ou démons. Presque tout le rituel s'inspire de la voie sombre. Pourtant, au cœur de son extase, le célébrant voit une déesse sortir tout armée de sa tête et se dresser devant lui, le sabre à la main.

Elle lui fend la tête, lui coupe les membres, l'écorche, lui ouvre le ventre; les démons accourus dévorent les morceaux de chair qu'elle leur abandonne, tandis que le célébrant les y incite lui-même :

« Je donne ma chair aux affamés; mon sang aux assoiffés; mes os pour chauffer ceux qui souffrent du froid. Je donne mon bonheur aux malheureux. Je donne mon haleine aux moribonds. J'aurais honte de ne point me donner et vous, mes bourreaux torturés, vous auriez honte de refuser mes dons (d'après Mrs David-Nell). »

En effet, les deux voies, en leur aboutissement : la Liberté, se rejoignent en une seule éthique : le don de soi, sans limite, à toute forme de vie. Il s'agit toujours de se faire soi-même le Grand Donateur, voie unique vers l'Etre. Le livre sacré du lamaïsme, le *Bardo Thodol* ou Livre des Morts, l'exprime aussi précisément que possible.

Attribué au saint tibétain Padmasambhava (tome II), mais sans doute d'une composition plus tardive, l'ouvrage entend décrire toutes les métamorphoses des dieux (morts), afin d'atteindre, au-delà des changements innombrables, la merveilleuse libération. Car, en l'absence des dieux, l'âme elle-même subit le poids du *samsâra*, la vie « phénoménale », qui lui interdit d'accéder au *nirvâna*. Il évoque donc, tout à la fois, les grands rituels de la résurrection du Double, tel le *Livre des Morts* égyptien, et les ouvrages ésotériques du Petit Véhicule et du *Trika*. Mais, par la connaissance et la méditation, ou par « l'assumation » de toutes les métamorphoses, c'est la libération du soi-même dans l'En-Soi qui demeure l'objet de la quête.

Deux séries d'expériences, dans l'une et l'autre voies, préparent le néophyte à sa nouvelle naissance et à l'idée de sa mort. Les deux séries comportent quarante-neuf étapes, réparties en sept zones, qui succèdent à la mort ou créent le nouvel être. Les Sept Divinités Paisibles y règnent : la Lumière du Bouddha bleu, l'Eau blanche de la limpide Sagesse, la Terre « jaune comme une coupe d'or renversée », la Flamme rouge du feu, la clarté verte qui symbolise l'Air. Le sixième jour, les quatre couleurs de l'Eau, de la Terre, du Feu et de l'Air luisent ensemble pour le mort — ou pour le renaissant. Le septième jour est la porte qui ouvre sur la Liberté.

« Permettre aux êtres vivants dénués de protection (divine) d'atteindre l'état de Bouddha. » Tel est le but final que se propose le *Bardo* :

« Que l'éclat rayonnant des promesses bienveillantes illumine le monde. Que ce livre soit une promesse bienveillante; que la vertu et le bien triomphent, de quelque manière que ce soit[1]. »

Si, pourtant, c'est assez se donner que « comprendre », le monde actuel se trouve dans la Lumière, comme tous les mondes : il faut l'accepter tel qu'il est. Sinon, il faut le transformer, fût-ce par l'action révolutionnaire. Cette contradiction explique en partie que le lamaïsme, en quatre siècles, n'ait pas débordé le Tibet.

Inconciliables dès l'origine, les deux voies se sépare-

1. Bardo Thodol : *Livre des Morts tibétain*, édité par le docteur W. Y. Évans-Wentz (Maisonneuve, 1936). J. Bacot semble en attribuer la composition — partielle — à un moine bouddhiste du XIe siècle, Milarépa (*Le poète tibétain Milarépa*, Bossard, 1924). Intéressante étude dans *Le Mystère de la Mort*, par Solange Lemaître (P. U. F., 1943).

ront irrémédiablement quand, au XIXe siècle, le Tashi s'initiera aux doctrines socialistes et y reconnaîtra le parfait accomplissement de la voie tantrique de gauche.

Le Jodo : Le bouddhisme japonais nous est mieux connu. Ce fut, primitivement, un rameau du Grand Véhicule, fondé en Chine dès le IVe siècle et introduit dans les îles à la fin du VIIIe siècle. Nous l'avons vu se transformer en *Némboutsou* ou doctrine de la « pratique facile », sous l'influence du saint bouddhiste Hônen (page 66).

Persécutée, à demi détruite, la secte ne pouvait survivre qu'en recherchant l'appui de l'une des deux grandes religions médiévales : le *buchido* ou voie du Chevalier (voué à la Dame) et le *shinto* ou voie des Esprits Mâles, toutes deux nationales et chevaleresques, mais d'inspiration bouddhiste la première, panthéiste la seconde. Or, paradoxalement, ce fut de celle-ci que le Jodo se rapprocha.

Il convient de préciser que, de même que le christianisme en Occident, sous l'influence de la scolastique dominicaine, le bouddhisme japonais, d'abord, s'était scindé en deux tendances. Tout au long des XIIIe et XIVe siècles, le grand effort des moines avait tendu à concilier l'une et l'autre, par des figures complexes (*mandara*), dédoublées en « monde des idées » (*kongokaï*) et « monde des formes » (*tairokaï*).

Au XVIIe siècle, alors que renaît soudain le symbole du Miroir, le Jodo semble enfin approcher de son but. Pour réunir les deux tendances, il se fonde, ainsi que le boehmisme et le lamaïsme, sur sept structures fondamentales; de sorte que son dieu (Boutsou ou Kwannon, selon les tendances) se décompose en sept principes divin : le Kwannon Batô à tête de cheval (qui est aussi Amidâ), le Kwannon-lotus aux « six points de vue », le Kwannon-œil aux mille bras, le Maître des Formes : Fuku-kensaku-Kwannon, etc. Le huitième Boutsou (Miroku) est à naître : on le représente habituellement dans une position yoga.

Fidèles au refus du savoir et au mépris de l'étude qui caractérisaient le premier *Némboutsou,* les membres du Jodo voulaient peut-être, par leur choix du shintoïsme, indiquer que la « pratique facile » si elle ne résidait plus dans l'amour, devait résider dans la soumission. Bien qu'elle ne soit pas combative, mais non violente, la doctrine exalte une sorte d'honneur; elle enseigne à mourir plutôt que de trahir « le dieu en soi ».

Cependant, il se peut aussi que les membres du Jodo, las des persécutions, aient simplement choisi la religion triomphante. Non seulement, au XVIIe siècle, le shintoïsme l'emporte sur le *buchido,* mais des symboles solaires occupent toujours le centre des *mandara* bouddhistes. L'avenir du Japon appartient au héros.

Quels que fussent les motifs secrets de la secte, on ne peut nier l'influence bénéfique qu'elle eut sur le *shinto.* Car ce n'est pas leur bravoure ni leur mythologie qui nous rendent admirables les shintoïstes, leurs prêtres et leurs *samouraï,* mais ce caractère généreux et chevaleresque souligné par cent anecdotes. La haine de la lâcheté et de la duplicité s'allie chez eux — souvent, sinon toujours — à l'amour de tous les êtres, à l'accueil préalable, à la charité agissante. S'ils peuvent haïr, ils savent aimer, tout particulièrement les êtres : la fleur, l'animal ou l'enfant, qui ne déçoivent pas l'attente.

Lorsque, vers 1623, le Japon se dressa contre les missionnaires du Christ et contre certaines sectes bouddhistes, telle que l'ancienne Vraie Parole (*shingon*), il ne resta plus que le Jodo pour tempérer les excès d'une morale guerrière et d'une métaphysique essentiellement solaire. Tous les royaumes du monde, renaissants dans le même siècle, n'eurent pas cette chance.

Les Ecoles zen — Le XVIIe siècle japonais se caractérise également par une renaissance des pratiques *zen,* que certaines sectes bouddhistes remettent alors en honheur : le kung-an (*koan*) et le *za-zen* ou zen assis.

La première pratique datait de la période 1060-1130, créatrice de même de la scolastique latine. Elle consistait essentiellement en un jeu de questions et de réponses entre le maître et l'élève, réponses pour le moins inattendues :

« — Comment ma main peut-elle être comme la main du Bouddha?

— En jouant du luth au clair de lune.

— Comment mon pied peut-il être comme un pied d'âne?

— Lorsque le héron blanc est dans la neige, il prend une couleur différente (d'après Huang-lung, XIe siècle). »

Le but recherché, de toute évidence, est moins de répondre à la question que de la déborder et de l'englober dans une vision totale (poétique) du réel, où s'*éveille* l'esprit.

Ancienne méthode privilégiée du *buchido*, le *koan* devait devenir, vers la fin du siècle, celle de l'école Rinzaï (sous l'influence de Hakuin). Au contraire, la méthode du *za-zen*, fondée sur le recueillement et le silence, était l'œuvre de l'école *shoto*, prétendument créée par le mystique Dogen, au XIIIe siècle. Elle ne débordait plus guère le cadre de la secte *shingon* et ne lui survécut pas. Dès le milieu du XVIIe siècle, ses derniers maîtres ne la conseillaient pas sans réticence. Ainsi, Bankei (1622-1693), le doctrinaire de l'esprit « non né », prêchait que le zen assis n'était point la seule pratique propre à parvenir à la bouddhéité, mais que le rituel s'accomplissait aussi pleinement par l'exercice de la flûte, la peinture au pinceau ou le combat (escrime, tir à l'arc, *ju-jutsu*) [1].

Cette évolution, de même que celle des autres doctrines bouddhistes, témoigne éloquemment de la perte du « sens interne » au profit d'une morale conquérante et solaire, dans les pays d'Extrême-Orient ainsi qu'ailleurs.

L'essor musulman : Le lamaïsme et le Jodo demeurent des exceptions, dans l'Inde comme en Extrême-Orient, où le bouddhisme achevait de mourir. De ce dépérissement, l'expansion musulmane était l'une des causes.

Alors que les missions chrétiennes, en leurs moissons les plus spectaculaires, ne dépassaient pas le nombre de 500 000 fidèles (au Japon), les Africains et les Persans surtout, mais aussi les Indiens se convertissaient au dieu de l'Islam par dizaines de millions. Conversions surprenantes, que la conquête militaire ne saurait expliquer. Il y a plus de huit siècles que les Omeyyades, puis les Abassides dominent sur le royaume persan; cinq siècles que les Turcs dominent sur

1. ZEN : consulter utilement *Le bouddhisme zen*, par A. W. Watts (Payot).

la moitié de l'Inde; deux ou trois siècles que l'Islam a commencé — lentement et méthodiquement — la conquête de l'Afrique.

Pendant tout le Moyen Age, ni le vichnouisme indien, ni le mazdéisme persan, ni les royaumes chrétiens ou gémiques d'Afrique n'ont cédé devant l'Islam. Ce sont eux, au contraire, qui, par le *vedânta*, la magie africaine ou les soufis persans, ont transformé le sens de l'enseignement coranique, jusqu'à le contredire parfois.

A cette religion fondée sur le refus de l'Image et du Modèle, ils ont su imposer leurs œuvres picturales ou leurs tapisseries. Des premières mosquées, nues comme des temples grecs ou juifs, ils ont fait de merveilleux sanctuaires de la Beauté baroque ou byzantine. De l'Allah justicier des écoles sunnites, ils ont fait le suprême Amant du poète Hallaj, ou le Créateur démoniaque du mystérieux Prophète Voilé.

Vaincu et dominé, persécuté souvent, le Persan a recréé l'Islam à sa convenance; mais il ne s'y est pas converti. Avant le XVIe siècle, les grandes religions indiennes ignorent le dieu Allah. Et l'on peut croire qu'avant le XVIIe siècle, aucun Noir de l'Afrique centrale n'a fait le pèlerinage jusqu'à la Mecque. On pense aux Cimmériens, aux Phrygiens, aux Lydiens conquis par les Hellènes et conservant leurs dieux.

Mais c'est alors que les Turcs cèdent devant les Mongols, que la Perse reconquiert son indépendance, que se reconstituent les grands royaumes noirs, tels que celui du Sonrhaï Ali, c'est alors que les peuples, abandonnant leurs dieux traditionnels : Ormuzd, les Lam jumeaux, le Bouddha, se tournent vers la Mecque et attendent d'Allah l'aide qui, spirituellement, leur fait soudain défaut.

On pressent que, çà et là, cette conversion quasi universelle emprunte des formes multiples. De même, la renaissance grecque, au VIe siècle avant J.-C., se présentait différemment selon que l'observateur voulait considérer les points de vue d'Athènes, de Sparte, des îles Ioniennes, de l'Anatolie ou de la Sicile.

Poètes du Moyen Orient, les Turcs ne sont plus que ses hommes d'armes, qui adorent un Souverain cruel et despotique et, convertis par eux, les peuples de l'Afrique du Nord adorent le même Seigneur farouche. Au contraire, c'est l'*Ishrâq* qui renaît à Ispahan dès le XVe siècle et s'y développe au siècle suivant avec les œuvres et commentaires de Dawwâni (1501), Tobrizî (1524), Shîrazî (1542), ou ceux de Sharîf Ibn Harawi dans l'Inde (1600).

A l'origine de ce mouvement est l'enseignement d'Ibn Abî Jomhur, dont l'influence demeurera sensible jusqu'à nos jours, dans l'école d'Ispahan d'abord, puis dans l'école *shaykhie*. La clé de cette influence? Ceci, peut-être : la synthèse que tentait la Rose-Croix en Europe, Kabîr et Dadu dans l'Inde, l'Islam shî'ite l'avait, de longtemps, réalisée. Les uns cherchaient encore ce que l'autre avait trouvé. De sorte que l'*Ishrâq* du XVIe siècle ne se présente plus comme une école ésotérique, mais comme un mouvement qui sait vers quoi il va.

Il doit être noté, ainsi, que les doctrines de Jomhur, de Dawwâni, d'Ibn Harawi ne sont pas autres, essentiellement, que celle de Shahrazûri, alliant dans une même recherche la quête de Sohrawardi et celle d'Ibn Arabî dès le XIIIe siècle, dans son *Traité de l'Arbre divin* (page 72 et ss.) ou que la doctrine de Haydar Amolî (XIVe siècle).

Corbin résume cette doctrine en disant que, contrairement à l'orthodoxie sunnite et au messianisme imâmite, elle ne se fonde pas sur une Révélation passée ou n'en rejette pas l'avènement au terme d'une longue nuit, mais qu'elle l'accomplit « au présent », par « une insurrection de l'Esprit contre toutes les servitudes[1] ». C'est donc ici et maintenant que l'*ishrâqiyûn*, ainsi que le shî'ite d'Alamût naguère, entend combattre pour la future Venue, car le combat est en soi-même une Présence, une *walâyat*; il donne à l'homme un « avant-goût du Paradis ».

Nous croirions volontiers que cette doctrine, créée par les Persans, admise par les Indiens et moins bien par les Turcs, ne fut pas étrangère à l'expansion de l'Islam dans les tribus les plus lointaines. Elle donnait en effet — comme le jésuitisme — un objet immédiat à la dévo-

1. HENRI CORBIN, *Histoire de la philosophie islamique* (N. R. F., « Idées »).

tion des hommes abandonnés. Mais, à la différence du jésuitisme, elle ne demeurait pas prisonnière d'une Eglise, de rites et de croyances dépassés. Car Christ était le dieu d'amour, et toutes les trahisons n'y changeaient rien; mais Allah, grâce aux premières sectes schismatiques, demeurait le dieu de l'Avenir — et Mahomet, le prophète du Révélateur.

Par la fête, le banquet, le sacrifice, la danse, l'érotisme, le poème — ou toute pratique imaginable sitôt que « désirée » — les croyants pouvaient donc servir l'Esprit et préparer son avènement. Lorsque des catholiques — et des jésuites même — raillaient ou condamnaient la grande diversité des pratiques islamiques, d'un bout à l'autre du monde, ils prouvaient simplement qu'ils ne comprenaient rien au mythe de liberté, non plus qu'au caractère inouï du dieu futur.

L'adoration du soleil et l'accueil de la voix intérieure, c'est-à-dire le culte de l'Intelligence seconde et l'ouverture de l'esprit à la première Intelligence demeuraient en fait, dans le nouvel Islam, les deux seules pratiques exigées, avec la lecture du Coran et l'exercice constant de la Générosité, par le courage personnel et l'hospitalité, le sens de la jouissance et de la création.

Il va de soi que, des deux, la plus efficace est l'acceptation de soi-même, par laquelle le croyant atteint l'Etre réel, « l'âme de l'âme » et en reçoit l'enthousiasme d'exister. Mais il se trouve que cette pratique n'était pas essentielle dans l'*Ishrâq* iranien. Juristes avant tout, les prêtres redoutaient sans doute les excès où, jadis, l'accueil de l'inconscient avait mené les sectaires d'Alamût et les derviches soufis.

Il fallut qu'un maître parût pour donner à ce « sens interne » — et à la walâyat — une interprétation nouvelle. Ce fut Moulla (ou Môllah) Sadrâ, que tous ses exégètes, de Gobineau à Corbin, traitent avec le plus grand respect et que l'Histoire considérera peut-être comme nous considérons Empédocle et Diotime, sinon Platon lui-même [1].

---

1. SADRA. En traduction française : *Le livre des pénétrations métaphysiques* (Bibliothèque Iranienne, vol. 10, Adrien-Maisonneuve, 1964) — Corbin, ouvrage cité — Comte de Gobineau : *Religions et philosophies dans l'Asie centrale* (Gallimard).

Moulla Sadrâ : Sadrâ de Shîraz était *moulla*, c'est-à-dire maître coranique, sunnite et orthodoxe quand, vers 1640, il entreprit d'écrire son œuvre « monumentale », que trois siècles d'exégèses et d'analyses n'ont pas entièrement explicitée. Après sa mort, certains de ses disciples, tel Abû'l-Hasan Ispahâni, vers 1710, puis toute l'école *shaykhie* en poursuivirent l'étude, que continue, de nos jours, un Mohammad Hosayn Tabâtabâ'î.

L'intuition de Sadrâ, fondamentale, est le rejet de la dialectique qui, depuis les origines de l'Islam, opposait le *Tafsîr* et le *ta'wil*, la Lettre et le sens, l'exotérique et l'ésotérique, l'orthodoxie sunnite et le shî'isme : la notion d'un Coran immuable, formulé définitivement, et la conception d'un Coran messianique, sans cesse modifié — dans le sens — par les imâms, les sages soufis et les prophètes, en attente d'un autre Esprit.

A ces deux grandes tendances, Sadrâ en ajoute une troisième : le *tafhîm,* qui ne se réfère plus à ce qui est *vu* : la Lettre ou à ce qui est *connu* : le sens, mais à une faculté entièrement différente : l'imagination créatrice. L'homme ne comprend pas, dit-il, ce qu'il voit et ce qu'il connaît, si quelque chose d'autre ne vient unir en lui la vision et le savoir. Cette compréhension ou cette préhension ont leur siège dans l'imaginaire : c'est la pensée se pensant, l'acte par lequel l'esprit se formule (selon Ockam et Autrecourt) ou par lequel il crée ses catégories propres, comme l'expliciteront Kant et Schopenhauer.

Seule, cette « conscience imaginative » peut résoudre l'antinomie que nous retrouvons au cœur de tous les ésotérismes, entre les noms-figures ou reflets de Dieu, les anges platoniciens, et le nom devenu Nom, englobant de tous les autres. En effet, ramenés à leur sens propre, les noms ne sont plus que des idoles, des « morceaux brillants » de l'Innommable; aucun passage n'existe de l'un à l'autre, pas plus qu'il n'en existe d'une orbite à l'autre dans les mondes cosmiques et nucléaires.

Au contraire, devenu l'Englobant de tous les noms, le Nom interdit la recherche. Ce fut le cas de Brahmâ, de Zeus ou de Iahvé pour toute l'orthodoxie — indienne, grecque ou juive — au Ier millénaire avant J.-C. C'est le cas du Bouddha, d'Allah ou de Jésus pour les orthodoxies contemporaines. Alors, de nouveau, le Nom s'immobilise : il devient la Lettre, la Loi ou la Conformité. Le dieu de justice justifie même l'iniquité; le dieu d'amour exige l'Inquisition romaine ou le bûcher de Calvin.

A ce double danger, Sadrâ oppose l'étrange affirmation contenue dans le Coran :

« Nous avons proposé le dépôt de nos secrets au ciel, à la terre, aux montagnes : ils n'ont osé le recevoir. Ils tremblaient de porter ce saint fardeau. L'homme l'a reçu : il est devenu injuste et insensé (XXXIII, 72). »

Ce verset terrifiait l'Islam depuis mille ans. Sadrâ dit : ce n'est pas là une menace et un verdict, c'est une louange et une promesse. Si l'homme n'était que juste, il ne comprendrait pas Dieu ; s'il n'était fou, en effet, il n'accepterait pas le fardeau divin.

Puis, analysant les notions de justice (dégénérée) et de raison, il montre qu'elles reposent toutes deux sur la causalité. Qui a commis ce crime? Qui cause ce phénomène? L'esprit de l'homme sans dieu ne cesse d'osciller entre ce pôle moral et ce pôle scientifique. Mais l'Etre en soi, le réel n'a de cause aucune : il n'est pas relatif à une autre existence. De sorte que ce ne sont pas la raison ou la loi, dans le sens passé-avenir, qui révèlent Son essence, mais l'enthousiasme, le délire, la foi, en évoluant de ce qui doit être à *Ce qui est*.

Platon n'était pas seulement l'auteur d'une métaphysique. D'une part, il rattachait son système mythique aux « âges les plus anciens » : l'Atlantide aux deux rois et l'âge légendaire où le Couple n'était qu'un, comme un fruit non coupé. D'autre part, il en tirait de durables conséquences, à la fois morales et physiques ; l'homme ne connaît pas l'Etre, il n'en voit que les images, mais il peut rejoindre l'Etre par l'amour, le semblable et la fraternité.

De même, Sadrâ ne crée pas seulement un système. Par Avicenne et par le chaldéisme, il le rattache à l'Eden perdu; au temps où, ignorant l'écriture et le nombre, l'homme créa l'une et l'autre, démontrant par-là même que la réalité visible se soumet aux suggestions de l'imaginaire.

Puis, de cette métaphysique, Moulla Sadrâ déduit une psychologie et une morale nouvelles. Les formes, dit-il, ne sont pas dans la matière. L'œil ne voit pas ces formes; mais l'Esprit les invente, les constitue en rapprochant les unes des autres et en groupant dans des « ensembles » les sensations qu'il reçoit de la réalité. Ce que perçoivent les sens, ce n'est jamais que cette forme « symbolisante » d'une matière en mouvement et donc indiscernable en soi.

Or, si la plus haute vertu de l'homme réside dans sa faculté d'imaginer, supérieure au reflet et au savoir, il s'ensuit qu'il n'y a pas de vérité dogmatique ni de certitude sensorielle pour lesquelles il vaille de combattre. L'homme n'est pas sur terre pour construire des systèmes ou se livrer à ses sens : il est pour servir Dieu, un dieu de liberté aux millions de formes possibles; il est pour préparer l'avènement futur et pour y préparer ses frères. La *walâyat* cesse de présenter le sens précis d'une amitié ou d'un amour pour évoquer une « marche en compagnie de Dieu »; non plus l'appel de l'âme vers un divin modèle, mais le don de soi illimité à Celui qui vient.

Tout ce qui se trouvait épars dans les doctrines de l'*Ishrâq* : la soumission à l'inconscient et les devoirs complexes de générosité ou d'héroïsme se condense, en ce point, en une seule morale : celle du Libérateur, guidé par l'Etre en soi et projeté par ce Guide dans l'assemblée des hommes, afin de les éveiller au sacrifice de soi.

Selon le comte de Gobineau, qui eut la chance de voyager en Perse alors que le souvenir de Sadrâ n'y était pas encore tout à fait corrompu et qui put converser avec quelque disciple de la première école *shaykie*, cette philosophie, dite « orientale », entraîne une forme d'enseignement presque inconcevable pour un Européen.

Le maître ne parle plus pour enseigner une loi, une vérité, mais afin de libérer son interlocuteur, de l'amener lui-même à se poser des questions, en l'étonnant, en le scandalisant parfois, en le contredisant toujours. Cette « maïeutique » rappelle celle de Socrate, et peut-être, en effet, les deux méthodes se rejoignent-elles en cela : on ne peut changer l'esprit sans le détruire d'abord.

Au-delà de tous les ésotérismes, cet enseignement demeure constant, à même époque, chez tous les grands messianistes : un Mahâvira et un Confucius — ou bien un Fox et un Sadrâ. Plus particulièrement, les quatre grandes doctrines que nous venons d'étudier apportent chacune une pierre à l'édifice mythique : Fox, la vertu de l'honneur et Sadrâ la vertu de l'imagination, le lamaïsme une approche heureuse de la mort et le Jodo une approche heureuse de la vie. Mais toutes opposent au clair confort rationaliste une autre réalité, dont le regard ne voit rien et que le savoir ignore : le mouvement tumultueux de l'Eternel, que ce mouvement se nomme Amour ou Liberté.

Cela explique leur échec et que beaucoup de chercheurs, à notre époque encore, ne connaissent ni leur œuvre, ni même, parfois, leurs noms. Car, dès 1660, le regard triomphait; l'observation créait une technique nouvelle; le modèle redevenait le fin mot de la vertu.

10

LA COLOMBE REVENUE

La science et le diable — Le retour des Témoins — Les Eglises constituées — Olier et Eudes — L'observation.

La science et le diable : Au début du XVIIe siècle, le combat essentiel des Temps Modernes — entre la rationalité d'une part, le mysticisme de l'autre — n'est pas encore commencé. Ou, plutôt, il fait rage dans le cœur de tout homme, mais il ne s'exprime pas sous la forme d'un conflit ouvert, où l'on distinguerait les tenants des deux camps.

Les plus grands ennemis de Galilée sont des savants jaloux de ses découvertes; au nombre de ses alliés, on voit le Père Luigi Maraffi, général de l'Ordre des Frères Prêcheurs, et surtout le Père carme Paolo Foscarini, auquel sa défense du mouvement de la Terre vaudra une condamnation.

La dégénérescence des religions d'Amour demeure un fait mystique; la croissance des sectes et doctrines libertaires en demeure un de même. A la corruption des mythes, rien ne succède et ceux qui ont osé opposer l'athéisme aux religions déclinantes, tel le secrétaire-notaire Geoffroy Vallée, auteur de *La Béatitude des chrétiens* (1572), ont payé de leur vie l'audace anachronique.

La puissance spirituelle des religions n'explique pas le phénomène, car cette puissance s'affaiblit de jour en jour. Mais la raison nouvelle n'a pas trouvé le mythe sur lequel elle pourrait se fonder. Sa tendance naturelle la porte vers le *savoir*; mais ce choix ne va pas sans la croyance aux sphères, aux épicycles et, finalement, à l'Œuf-univers. Or, la scolastique a tué l'aristotélicisme : aucun être raisonnable ne peut croire le réel contenu en Dieu et que des sphères imbriquées l'une dans l'autre le constituent. Les travaux de Cuse, de Copernic et de Kepler ont révélé que la Terre n'est pas la plus petite des planètes et qu'il n'y a pas de « sphère contenante ». Le dernier défenseur de l'Univers-œuf, Giordano Bruno (supplicié en 1600), se présente comme un mystique, non comme un homme de science. Les doctrinaires d'un monde en perpétuelle évolution, Ockam ou Autrecourt, nous apparaissent plus rationnels que lui.

Aussi bien n'est-ce plus dans le sens de la vérité, mais dans le sens de l'efficacité, qu'œuvrent les savants de la seconde moitié du XVIe siècle : un Paolo Sarpi (1552-1603) ou un Della Porta, le fondateur de la première société « scientifique », à Naples : *Secreterum Naturae* (vers 1560).

Les plus grandes découvertes du siècle, que ce soit en physique ou en chimie, en médecine ou en astronomie, ont été le résultat de telles recherches empiriques. Toutes ont révélé l'existence de « mouvements » encore insoupçonnés : mouvement des planètes, de la Terre, du sang, des nombres mêmes (par l'invention des décimales, des logarithmes, de l'algèbre — de la probabilité, bientôt). Les corps tombent; la lumière se reflète et se réfracte, l'air se comprime et se libère : tout bouge. Quelle « cohérence » rendrait compte de l'universelle création?

Mais la raison n'est pas à l'aise dans ce monde mobile : tout ne peut-il pas en naître, à tout instant? Par suite, les savants du siècle sont des mystiques souvent, des mythologues parfois, des astrologues ou des ésotéristes encore. Kepler a passé sa vie à tenter de formuler mathématiquement les sept « volumes parfaits » qui structurent l'univers; Sarpi, auquel on doit d'importantes recherches sur la circulation du sang, des améliorations des premiers téléscopes et un traité d'algèbre, compagnon de travail de Harvey, de Vieta, de Galilée, était supérieur des Servites, astrologue du duc de Mantoue et prophète à ses heures. Della Porta reconnaît que « beaucoup de choses concernant les phénomènes magnétiques » lui ont été apprises par Fra Paolo *(De Magiae Naturalis,* VII).

Della Porta lui-même a été accusé de pratiquer la magie noire. Innocenté de ce crime par l'Inquisition, il a dû cependant fermer sa société napolitaine. En 1603, il ne doit qu'à la bienveillance du pape d'ouvrir à Rome une petite « académie », les *Lincei.* Inventeur de la chambre noire et réputé pour ses travaux sur la pneumatique et l'optique, l'élasticité de la vapeur et la pression atmosphérique, il est tout d'abord « magicien » et alchimiste, ainsi que le créateur de la « physiognomonie » ou art de détecter le moral par l'étude des traits physiques.

Au nombre des découvertes qui bouleversent la raison, il faut compter le magnétisme et la rabdomancie (radiesthésie). Des expériences de magnétisme ont lieu à Naples, à Rome et dans les « savants groupes » d'Aix-en-Provence. La baguette magique met à jour des gisements métalliques en Allemagne, en Angleterre et la source minérale de Château-Thierry (1629); plus tard, des assassins sont retrouvés par ce moyen.

Que sont ces forces? D'où viennent-elles? Est-ce de Dieu? Est-ce du diable? Les alchimistes croient que Lucifer est leur maître. Le médecin Gaffarel lui rend grâces et Robert Fludd estime que le démon « peut rendre inefficaces les vertus magnétiques », parce qu'il est plus fort qu'elles. Au contraire, pour Roberti, pour Gaspard Schott, pour le Père Kircher, le magnétisme est l'arme privilégiée du diable.

En 1674, encore, sera publiée une étude sur la radiesthésie, considérée comme un succédané de la Pierre philosophale : *Le bâton universel;* et, en 1693, l'auteur anonyme d'une autre brochure, *La verge de Jacob,* attestera que « ne peut être rabdomancien quiconque n'est pas né sous le signe du Taureau ou celui du Verseau ». De nombreux prêtres, le théologien Malebranche lui-même, attribuent le pouvoir de la baguette divinatoire à l'œuvre de Satan, « principalement en ce qui concerne les bornes, les trésors, les meurtriers, les voleurs et les limites ». Mais l'exemple de Moïse, faisant sourdre l'eau du Rocher, interdit que les découvertes de sources soient de même attribuées au Malin.

Cette terreur du diable se juxtapose au refus de l'irrationnel pour entraîner le rejet de toute recherche dynamique, quels qu'en soient d'autre part les heureux résultats. Copernic et Kepler ont créé dans l'erreur, emportés par l'élan qui, à partir de l'erreur même, nourrissait leur veine créatrice [1]. Mais où peut mener ce chemin, sinon aux pires désordres?

Entre l'Univers-œuf, inadmissible, et une matière mouvante, que la raison ne saisit point, le nouveau savant hésite et n'ose rien tenter. De même hésitent et tremblent les grands théologiens de la première moitié du siècle, également épouvantés par la crainte de l'esprit « libertin » et la menace d'un nouvel âge scientifique. Sauf en Espagne et en Pologne, où le culte des madones noires attire les foules, le recours à la Sainte Vierge — enfin recommandé — sera-t-il un barrage suffisant?

C'est alors — vers 1650 — que le mythe des Témoins intervient.

Le retour des Témoins : En 1651, six ans avant que les quakers se groupent dans la *Société des Amis* ou que la symbolique du Miroir s'introduise en Extrême-Orient, deux protestants anglais, Muggleton et John Reeve, se proclamaient *les deux témoins* annoncés par tous les prophètes.

Leur doctrine n'offrait rien de nouveau : on y reconnaissait le manichéisme des *abélites*, repensé par Mani et saint Augustin. Par Adam, la première femme Eve fut la mère de la bonne race humaine; par le Serpent, de la mauvaise. Depuis lors, les deux races se combattent, afin de restaurer, l'une, la Lumière céleste et, l'autre, la Ténèbre.

Mais « les deux témoins » prédisaient aussi le pro-

1. ERREURS de Copernic, Kepler, etc. : *Les somnanbules*, par Arthur Koestler (Livre de Poche).

gressif engrènement de la Lumière dans la Ténèbre (ou matière) et la séparation ultime des deux principes à l'achèvement du Temps. Or, cette prophétie, que n'eussent plus comprise les esprits de la Renaissance, troublait à nouveau des chrétiens. Emprisonnés sous le protectorat de Cromwell, Muggleton et Reeve voyaient cependant se développer leur secte et réimprimer leurs ouvrages [1].

En d'autres pays, le Compagnonnage renaissait, après trois siècles de sommeil. Les pouvoirs s'en inquiétaient. En 1655, sur avis des jésuites, la Sorbonne condamnait le mouvement. En vain. Des sectes et des groupes « fraternels » surgissaient en Allemagne, en Hollande, en Amérique du Nord.

L'une des toutes premières tentatives, le *labadisme,* échouait. Créée par un ancien jésuite, réfugié en Hollande au moment des « interprétations restrictives » de l'Edit de Nantes : Jean de Labadie, la secte ne comptait plus qu'une cinquantaine de membres lorsque son fondateur mourut (1674). Mais cet échec nous semble moins imputable aux doctrines fraternelles de Labadie qu'à son jésuitisme invaincu. A sa manière, il avait cru l'heure venue d'allier la Rose et la Croix lorsque, précisément, ce n'en était plus l'heure.

La même erreur grevait l'avenir du *piétisme,* créé par le pasteur Philip Jacob Spener, ou plutôt inspiré par son ouvrage mystique : *Pia Desideria* (1675). Si Spener, en effet, conseillait la lecture des « Imitations » et, particulièrement, celle de l'*Imitation de Jésus-Christ,* il n'en recommandait pas moins l'étude des dominicains allemands : Me Eckhart et Tauler. De la Lumière Inté-

1. DEUX TÉMOINS. Après un interlude de près de trois siècles, l'iconographie d'Élie redevient alors abondante. Un ouvrage important est le *Speculum Carmelitum* (1680), recueil de quarante gravures consacrées à l'existence mythique d'Élie. Nous y voyons sa naissance, sous le signe du Feu ; puis, le cycle éliaque proprement dit, tiré de la Bible, la réapparition du prophète lors de la Transfiguration du Christ et son action médiévale, où il s'identifie au Pèlerin (saint Jacques aux deux coquilles). Les dernières planches témoignent de son retour : il fait cesser des épidémies de peste, à Naples en 1655, à Capoue en 1656 ; enfin, elles prophétisent. Accompagné d'Énoch, Élie convertira les juifs ; mais, surgie de l'Abîme, la Bête triomphera des Deux Témoins. Crucifiés, leurs cadavres seront exposés sur le Calvaire, où l'Esprit les ressuscitera.

rieure autant que du Semblable, les piétistes attendaient le salut.

Mais, sous l'influence des femmes, nombreuses dans la nouvelle secte : Rosemonde d'Assebourg, Eve Jacob, Madeleine Erlich, l'évolution fatale l'emportait cependant. Elle trouvait son aboutissement dans l'œuvre et dans l'action d'Auguste Hermann Francke (1663-1727), qui faisait de l'Université de Halle le centre actif du piétisme et fondait à Leipzig une sorte d'Académie : le *collegium philobiblicum*.

Dans l'enseignement de Francke, le recours à l'inconscient disparaît au profit d'une charité consciente, « car tous les hommes sont des frères, mais le Saint-Esprit ne parle qu'à certains ». Il faut donc se méfier de l'extase intérieure, qui conduit à l'orgueil, sinon à l'égoïsme, pour s'efforcer d'agir efficacement dans le sens d'un bien commun. Le même refus de l'Esprit d'Orgueil — et du démiurge — se reconnaît dans la secte des *Frères de la Vie Angélique*, créée par J. G. Gichtel en 1668.

Dans ces mouvements et sectes, autre chose se révèle que le souvenir nostalgique d'une mythique disparue. Ce n'est pas un hasard si, vers le même temps, renaît le thème platonicien de l'Atlantide : dans les œuvres de Bacon, le précurseur (1628), de Rudbeck (1675), de Kirchmaïer (1685). Géographiquement indéterminée, l'Atlantide est située par le philosophe anglais en Amérique centrale, par le Suédois dans les pays nordiques, par l'Allemand en Afrique du Sud. Mais, plutôt qu'un vestige des temps anciens, cette *Nouvelle Atlantide* figure un espoir neuf : que, par une morale épurée et une science parvenue à la perfection, les hommes accèdent enfin au bonheur ici-bas.

C'est, toujours, la Cité de rêve où, sous le gouvernement dyarchique des rois ou des consuls jumeaux, les hommes se retrouveront des frères; mais c'est aussi le monde futur où l'homme, roi de la Nature, domptera la terre et lui fera produire de meilleurs fruits, vaincra les temps de famine par la conservation des biens, et le mal physique par les progrès de la science.

La première secte communiste, dite *Communisme chrétien*, est fondée par Johann Kelpius en 1694 près de Philadelphie. Elle prescrit la chasteté, même entre époux; cela n'est pas nouveau. Mais ceci l'est : propriété de la collectivité, les biens de consommation n'appartiennent à personne, ils doivent être répartis selon les besoins de tous. Puis, le Christ attendu ne se présente plus comme le Pêcheur d'hommes ou le Dompteur des flots : il sera le Distributeur (égalitaire) et le Grand Frère, en même temps que le Libérateur.

Or, cette trilogie donne à rêver, car les mythes d'Egalité (la Balance), de Fraternité (les Gémeaux) et de Liberté (le Verseau) sont les trois signes d'Air. Et, soudain, nous prenons conscience que, vers la même époque, des prêtres se passionnent pour « l'art de naviguer dans les airs » : l'abbé Allard, le jésuite Pierre Lana (1670). Leurs échecs précèdent d'autres expériences : la machine volante de Besnier (1676) ou le panier d'osier du physicien Gusman; mais ils succèdent aux utopies de Francis Bacon et de Cyrano de Bergerac, ainsi qu'aux prévisions de Kepler, affirmant que les hommes, un jour, établiront des colonies lunaires [1].

Sous de multiples formes, ces rêves — de Fraternité, d'Egalité et de Liberté — influencent des sectes diverses, qui se reconstituent alors. La condamnation des groupes *unitariens*, pourtant sans influence, leur permet de s'unir et de se formuler par l'élaboration du Catéchisme de Cracovie (1658). De cette date jusqu'en 1825, de nombreux sectaires, certains illustres (David, Biddle, Priestley, Isaac Newton), ne cesseront de relancer le mouvement, jusqu'à l'expansion qu'il connaîtra enfin (page 287).

De même renaît, sous le nom de *Frères moraves*, l'ancienne Union des Frères; ou, sous le nom de *Frères hutterites*, l'ancien mouvement anabaptiste émigré dans le Dakota, bien que l'une et l'autre sectes aient cessé d'exister pendant tout le XVIe siècle. Enfin, des convertis de fraîche date, tels que les *chrétiens de Saint-Thomas*, dans l'Inde, se désolidarisent de Rome et, retrou-

---

1. KEPLER : prédiction rapportée par l'évêque Wilkins dans *The discovery of a world in the Moon* (1638). Kepler était lui-même l'auteur d'un ouvrage inachevé, *Somnium*, qui conte le voyage d'un homme sur la lune.

vant le sens de l'antique nestorianisme, en reviennent à leurs pratiques d'adoration, à leur croyance aux « deux natures » (en 1663).

Mais, principalement, le nouvel esprit imprègne les Eglises constituées, les bouleversant profondément et contraignant leurs chefs, parfois, à une évolution inattendue.

Les Eglises constituées : Depuis la prise de Byzance, l'Eglise, dite « orthodoxe », d'Orient subsistait dans un seul quartier de la ville, où nul ne venait plus adorer les Icônes ou s'identifier au Christ. Là, naquit, vers 1660, le mouvement réformateur qui allait rendre au patriarche un peu de sa gloire éteinte.

Ne fut pas étrangère à cette révolution religieuse la publication d'un choix de textes sur la « prière continue » et sur les anciennes pratiques byzantines, qui devait être traduit, plus tard, sous le nom de *Philocalie*[1]; car, au début du moins, la pratique hésychaste de la méditation accompagnait encore — pour tenter de l'atténuer? — la renaissance dangereuse de l'idolâtrie.

N'y fut pas étranger non plus l'assassinat de Cyrille Lykaris, patriarche de Constantinople qui, nourri de calvinisme, publiait en 1629 une *Confession de foi* typiquement protestante. Déposé en dépit de l'aide que lui donnaient les Turcs, il mourut étranglé. Puis, les nouveaux adorateurs d'icônes entreprirent une lutte qui devait durer vingt ans.

En 1672, le concile de Jérusalem condamnait non seulement l'influence protestante dans les Eglises d'Orient, mais des pratiques romaines telles que les indulgences et l'introduction dans les Saintes Ecritures de textes bibliques admis par Rome comme « deutérocanoniques ». Moins de cinquante ans plus tard, l'Eglise de Constantinople était redevenue assez puissante pour se rattacher les trois patriarcats d'Antioche, de Jérusalem et d'Alexandrie, cependant que les dernières traces de « monophysisme » disparaissaient des Eglises, dites

1. Philocalie : la première édition occidentale sera publiée à Venise en 1782.

jacobites, de Syrie et de Mésopotamie. L'Eglise d'Arménie se scindait en deux groupes, dont l'un rejoignait Rome, en 1679.

Patriarcat indépendant depuis 1589, l'Eglise russe n'avait cessé, depuis lors, de s'éloigner de l'Eglise d'Orient pour se rapprocher de l'Occident, d'un certain christianisme biblique et, même, des doctrines protestantes. La réforme vint de Kiev, dont le métropolite Moghila faisait le centre d'une « académie » où devaient être étudiés les Pères grecs et les vieux livres byzantins, connus dans leur traduction slavonne.

Le patriarche Nikone approuva la réforme. Au concile de 1654, il obtenait que fussent « révisées » les traductions des livres liturgiques et supprimées certaines pratiques, telles que la procession « au-devant du soleil » ou le port de la barbe, également démoniaques et libertaires. Une révolte jaillie du peuple chassa le patriarche. Mais, poursuivie par Pierre le Grand et par certains de ses successeurs, la réforme l'emportera, en dépit de résistances sectaires de toutes natures (page 241).

Olier et Eudes : Il pourrait sembler que, plus que toute autre Eglise, le catholicisme romain eût été préparé au retour des Deux Témoins, au réveil de la Colombe. Sa « mondanité » même le faisait entrer de plain-pied dans l'esprit de son temps. La charité des Ursulines et des Piaristes, dès le siècle précédent, puis l'efficace action de saint Vincent de Paul avaient comme annoncé le merveilleux renouveau. En dépit des pressions contraires, l'Image n'avait jamais déserté les églises, bien que les papes princiers et leurs artistes aient su en faire une œuvre de génie.

En effet, le renouveau mythique ne surprit pas Rome. Dès ses signes avant-coureurs, il se trouva des théologiens pour proposer de rendre à la « sainteté » son sens premier de « conformité avec Dieu ». L'*Imitation de Jésus-Christ* redevenait le livre de chevet de tout véritable chrétien.

Mais, paradoxalement, cette intelligence même n'a pas que des vertus. Comme si, trop longuement, habilement préparée, une révolution mythique perdait toute valeur de choc et, par suite, de salut. Au XVIIe siècle, ce ne sont pas seulement les jésuites, fidèles à l'esprit de Loyola, qui craignent le mythe renaissant, mais des augustiniens comme le Père Nicole, car le mystique aussi craint une fraternité, dont il distingue vers quelle « communauté », quel communiste, un jour, elle va conduire les hommes. C'est alors que l'image devient saint-sulpicienne, que la dévotion se tourne en tartufferie, que la conformité se fige en conformisme.

Le diable fait toujours peur; mais le saint également. On en vient à les confondre. Car, celui qui se perd en Dieu — serait-ce un dieu d'Amour — comme celui qui se perd dans le démon sont également perdus pour une société qui se veut raisonnable. On retrouve des traces de cette épouvante-là jusque dans la très docte *Histoire des saints prêtres français,* par J. Grandet (1690), qui ne sera plus rééditée, au siècle suivant, que considérablement « abrégée ».

Cependant, il faut savoir que les plus tragiques erreurs de l'Eglise moderne : le saint-sulpicianisme et l'adoration du Sacré-Cœur ont eu pour origine l'action de deux saints hommes, dont on ne peut mettre en doute la spiritualité, Jean-Jacques Olier et Jean Eudes.

Converti par une femme (Marie Rousseau) dans sa vingtième année, en 1628, Jean-Jacques Olier, onze ans plus tard, était guéri — par la Sainte Vierge — d'une maladie aux yeux dont il souffrait : c'était encore le temps des cultes virginaux, mais en Espagne plus qu'à Rome, à Varsovie plus qu'à Paris.

En 1642, le jeune abbé fondait la « compagnie » des Prêtres de Saint-Sulpice, dénuée de toute signification mythique, dont le but était seulement de former de nouveaux prêtres — et, tout d'abord, échouait dans cette tentative. Mais, vers 1650 — alors que les « deux témoins » commençaient à prêcher en Angleterre — Jean-Jacques Olier recevait l'inspiration du Ciel : les élèves valent ce que vaut le maître, il n'est d'éducation que de la similitude, le modèle détient en soi une vertu.

En moins de sept ans, dès lors, l'œuvre d'Olier devenait la puissante compagnie des Prêtres du Clergé de France, communément connue sous le nom de *sulpiciens.* Née de douze compagnons, elle comptait des centaines de membres à la mort de son fondateur (1657). Avant la fin du siècle, de nombreux séminaires étaient fondés, à Angers, Autun, Bourges, Clermont, Le Puy, Limoges et Lyon.

Dans toute la France, les Ordres contemplatifs veulent suivre cet exemple. Il ne faut plus être des sages, des génies, des mystiques, mais, exclusivement, des modèles de vertu. Qu'importent le cilice ou l'ascétisme? Un bon maître suffit à tout. Les femmes, les premières, comprennent : Mme Acarie chez les carmes, Louyse de Ballon chez les cisterciennes, Charlotte d'Effiat chez les prêcheresses, Jacqueline Arnauld à Port-Royal. Mais les hommes ne sont pas en reste, et c'est même un jésuite, le père Maunoir, qui a l'idée des Processions de la Passion, dont le théâtral exemple doit bouleverser les cœurs. Un sermon là-dessus : d'un jour entier, le confessionnal et la Sainte-Table ne désemplissent pas.

Olier était de la ville. Née en pays normand, de l'Ordre de l'Oratoire, l'œuvre du Père Jean Eudes, la *Compagnie de Jésus et de Marie* (1643) n'aura pas un destin plus salutaire. Ici encore, une femme, la « sainte de Coutances », Marie des Vallées, était à l'origine de l'inspiration. Une autre femme, sainte Marguerite-Marie Alacoque, en recueillera l'héritage.

L'idée de l'oratorien avait été d'allier en un symbole unique la notion d'amour-passion avec le mythe d'image ou de modèle. Sa trouvaille fut le symbole qui, en effet, unit les deux notions : le Sacré-Cœur de Jésus. De l'adoration de la Vierge on passe à celle du Christ, par la contemplation du Divin Cœur. L'amour devient modèle et la Passion de Jésus cesse d'être un scandale, puisqu'il n'est plus demandé aux ouailles embourgeoisées que de « simuler » l'inaccessible Vertu.

On s'étonne que l'Eglise ait condamné d'abord l'inspiration de Jean Eudes et frappé d'interdit sa chapelle de Caen. Mais les jésuites étaient puissants encore et certains papes, peut-être, inspirés par l'Esprit, prévoyaient ce qui devait suivre; contre le flot irrésistible, ils eussent voulu maintenir les ultimes barrages : la mystique espagnole, le culte de la Vierge, le sens de l'Harmonie.

Quoi qu'il en fût, cet autre mythe du semblable : la mode, l'emporta. En 1650, Coutances obtint son séminaire d'eudistes, en 1655 Lisieux, en 1658 Rouen, en 1667 Evreux. En 1675, Marguerite-Marie recevait la vision du Sacré-Cœur et instituait la *Dévotion*.

La sainte sera canonisée en 1920 seulement, Jean Eudes en 1925, alors que le Modèle et le Cœur — le Cœur Modèle — auront partout vaincu. Cependant, les évêchés n'auront pas attendu cette consécration pour imposer, à Rome comme à Paris, les effigies du Sacré-Cœur et les églises-fromages du siècle des Lumières.

Jean-Jacques Olier, Jean Eudes avaient été des créateurs encore — et des vivants. L'inspiratrice du premier, Marie Rousseau, tenait un cabaret et l'on garda longtemps des doutes sur les relations réelles qui existèrent entre Jean Eudes et Marie des Vallées. Mais, de moins en moins, l'Eglise accueillera de tels hommes : l'avenir est à la vertu de conformité.

Même si le retour des Deux Témoins, d'abord, a été mis en doute par Rome (ou, dans son sein, par les jésuites), les avantages de ce retour l'emportent sur les bienfaits d'une Vérité à laquelle personne ne croit plus; sur l'efficacité d'un culte virginal — aussi anachronique, en somme, que put l'être, jadis, l'Oracle d'Apollon; sur le mythe luciférien d'une création libre.

Le Semblable n'offre-t-il pas un recours inespéré contre le Libre Esprit et le libertinage, le diable ou le Génie monstrueux? Il offre même une base à la nouvelle raison.

L'observation : Le mot est apparu, pour la première fois, dans l'œuvre de Campanella. C'est le fondement de la pensée de Locke (1632-1702), puis des premières académies de science, vers 1660-1680. Ces nouvelles sociétés recréent effectivement l'Académie de Platon. Elles ne se fondent plus sur la conception d'un univers sphérique ou d'une éternelle création, mais sur l'ancienne notion chrétienne d'un univers-reflet, où les sens — et la vue, particulièrement — prennent le pas sur l'esprit.

Dans un tel monde, celui d'Empédocle et de Platon, il ne s'agit plus de former des théories abstraites et cohérentes, ni de se livrer à son instinct, mais de regarder autour de soi et de prendre pour sujets d'étude les images que les sens nous donnent du réel. Les forces mystérieuses elles-mêmes, le magnétisme ou la radiesthésie, ne sont plus l'œuvre d'un démiurge, mais la preuve manifeste d'un « courant de sympathie » qui unirait les choses entre elles.

Pour van Helmont, le magnétisme agit sur les blessures « en combattant le principe contraire à la fermeture des plaies ». L'abbé de Vallemont publie un *Traité de la baguette divinatoire,* où il rattache le phénomène à celui de la « polarisation », de l'action du semblable sur le semblable, de la contagion et, finalement, de la magie (1693). Nous retrouvons ainsi, écrit Jérôme-Antoine Rony, « le thème constant de la philosophe grecque, où l'Amour et la Haine unissent et séparent les éléments matériels, où l'univers est un grand animal dont les parties conspirent. Que cette idée devienne la source de procédés techniques, et c'est la magie [1] ».

En fait, cette magie ne sera utilisée pleinement qu'au siècle suivant : sous la forme du *vaccin,* à Constantinople par les médecins turcs, puis en Occident par Jenner, ou sous la forme de l'application des méthodes scientifiques d'observation à la physique mécanique (*L'Encyclopédie*), à l'Histoire Naturelle (Buffon) et à la chimie (Lavoisier).

Mais, dès la seconde moitié du XVIIe siècle, aussi bien les premiers observatoires que les premières exégèses critiques de la Bible ont témoigné que Locke était lu et compris. Alors, la création des *modèles d'univers* par le mathématicien Leibniz (1646-1716) ou l'application des lois de sympathie ou d'attraction à l'explication de l'univers, par Huyghens (1629-1695) et Newton (1642-1727) auront donné une base à la nouvelle magie.

Sans doute, à l'origine, cette croyance renouvelée n'est-elle pas aisée à distinguer de l'ancienne. La « sympathie universelle » est bien une théorie mystique au premier chef. Son formulateur, l'ami de Descartes et de Cromwell, sir Kenelm Digby, était aussi l'inventeur d'une « poudre

---

1. JÉRÔME-ANTOINE RONY, *La Magie* (P. U. F.). — L'ouvrage de A. Kircher, *Magneticum naturae regnum,* a été publié à Rome en 1667 ; celui de Jean-Baptiste van Helmont, *Opera Omnia,* en 1661, à Anvers.

de sympathie » aux effets miraculeux, qu'on ne peut s'empêcher de suspecter.

Quant à la théorie, sous sa première forme elle ne laisse pas de surprendre. Les atomes dont est constituée la lumière, dit sir Digby, s'agglutinent aux atomes dont est constituée la matière, quand le « dard » lumineux frappe celle-ci; puis, « ils subissent une attraction — par la loi de sympathie — qui les pousse vers ceux de leur espèce et, bien entendu, cette attraction sera proportionnelle à l'importance de la masse attirante » (Discours à l'Université de Montpellier).

Digby rend l'attraction universelle relative à la masse des corps, Kepler ne la rendait relative qu'aux carrés des distances. Newton allie les deux concepts; cependant, il ne les fait pas rationnels pour autant :

« J'ai expliqué jusqu'ici les phénomènes célestes et ceux de la mer par la force de la gravitation, mais je n'ai indiqué nulle part la cause de cette dernière. Cette force vient de quelque cause qui pénètre jusqu'au centre du soleil et des planètes, sans rien perdre de son activité (Isaac Newton, *Philosophiae naturalis principia mathematica,* 1687). »

Enfin, les « modèles » leibniziens présentent un caractère si nettement mythique que le mathématicien philosophe ne craint pas de parler de « fidélité » de l'être à son modèle. Les *monades* par lesquelles l'Archétype construit les structures apparentes de l'être ne sont point différentes des Noms d'Ibn Arabî ou des Propriétés de Boehme. Mais la physique leur donne une base matérielle; l'atome de Digby et les lois de Kepler, de Galilée, de Newton permettent de les traiter comme des quantités ou des « formes mesurables », sans se soucier désormais du mouvement englobant qui les porte ou contient.

L'analyse cartésienne, en somme, a détruit l'hypothèse de base de toute quête ésotérique : nulle « partie » n'existe hors du Tout. Partant, elle a rouvert l'antique voie rationnelle du passé vers l'avenir, de la cause vers l'effet. Comme, jadis, l'atome et la sphère de l'Eléate, la *similitude* crée une sorte de cohérence où la raison se retrouve :

« Les effets du *même* genre doivent être attribués, autant que possible, aux *mêmes* causes. Ainsi, la respiration de l'homme et celle des bêtes, la chute d'une pierre en Europe et en Amérique, la lumière du feu du foyer et celle du soleil, la réflexion de la lumière sur la terre et dans les planètes, doivent être attribuées respectivement aux mêmes causes » (Newton, *opus* cité).

En cette magie nouvelle, coupée de ses racines mythiques, il n'est plus rien que la raison ne puisse observer, mesurer et reproduire, dans l'oubli, l'ignorance ou le refus des dieux.

11

LE ROI ET LES FRERES

Il n'y a plus de justice — Le recours solaire — La Triade — Les deux utopies — Le jansénisme — Les camisards et autres sectes — Les méthodistes.

Il n'y a plus de justice : Ce renouveau du Semblable rappelle étonnamment celui de la Sagesse au ve siècle avant J.-C. : ils ne sont *réels,* ni l'un ni l'autre.

Réduits à l'essentiel de leur doctrine, les enseignements de Gautama, de Lao-Tseu, ou de Parménide se référaient en effet à un dieu de vérité, qu'ils opposaient gravement aux dialectiques confuses de Mahâvira, de Confucius ou d'Héraclite, comme une « voie véritable » ou une voie de sagesse à l'opinion ou à l'idolâtrie. Mais ce dieu, *Tao* ou *Nous,* n'avait plus de forme; à peine avait-il un être; et cette voie se perdait dans les sables du renoncement.

Plus que d'une affirmation mythique, cette voie et ce dieu témoignaient de l'effroi de l'ascète ou de l'ésotériste conscients du crépuscule des dieux anciens. A l'assassinat de Ptah, à l'absence du Grand Pan, à l'exclusion de l'Empereur Vert ou de Mardouk-Bêl, les prophètes tragiques eussent voulu opposer le renouveau du Python, de l'Empereur Jaune ou d'Hermès. Mais cette volonté se heurtait de toutes parts au scepticisme croissant, à la vénalité des prêtres, à l'impuissance de concevoir les mythes en soi. Dès lors, il n'était plus d'enseignement possible, sinon l'annonce d'un nouvel âge matérialiste ou le rappel — illusoire — que le destin de l'homme ne peut pas se réduire aux jeux d'une société.

De la même façon, on doit douter que les carmes ou les Frères moraves, les patriarches d'Orient ou le Collège des Rites aient sérieusement cru au retour des Deux Témoins. Mais c'est ici l'effondrement du dieu de justice et de sagesse — Brahmâ ou Jéhovah — qui laisse sans recours le puritain et le juif, les derniers *buchido* et les derniers brahmanes, sinon une Eglise romaine toute prisonnière de la bible. Le Protecteur est mort en 1658; le dernier « messie » du renouveau juif en Palestine, Sabataï Zewi, renonce à sa mission par crainte du supplice (1665); en France, les protestants commencent d'être pourchassés à partir de 1662. Quant aux « familles de religion juive », sous le règne de Louis XIV, elles ne sont plus que quelques centaines en province; quatre à Paris [1].

A la différence du retour des Deux Témoins, ce crépuscule est *réel*. Ce n'est pas seulement un mythe qui s'éloigne. Une vertu se meurt. Les monarchies nouvelles qui s'instaurent en Asie, les rois de droit divin qui s'imposent en Europe, sont rien moins que justiciers : la hiérarchie supplée à l'équité, le pouvoir prend la place du droit. La lettre de cachet n'a que faire des juges.

Le recours solaire : En effet, à l'instauration d'une fraternité concrète, un autre recours mythique s'oppose un peu partout dans le monde. Très vraisemblablement, il a surgi de l'Islam, où il s'exprime de cent manières : par le pouvoir absolu des sultans turcs, par l'étincelante féerie de la renaissance perse, par la puissance croissante des *Isrâqyun* ou les nouvelles versions des *Mille et Une Nuits*, alors récrites en Egypte.

De l'ancienne doctrine du cœur, il ne subsiste plus,

1. Quatre à Paris : *Mémoires des intendants de l'état des généralités dressés pour l'instruction du duc de Bourgogne et publiés par M. de Boislisle.*

au Caire comme à Ispahan, qu'une confiance aveugle en Dieu, déjà toute proche du fatalisme où sombrera bientôt l'Islam dépossédé. Des doctrines messianiques d'Avicenne et de Sohrawardi, d'Ibn Arabî et de Shîrazî, seule demeure, intangible, la croyance dans le Souverain, Intelligence seconde des Shî'ites ou dieu de Lumière de l'*Isrâq*. Comme le culte de la Vierge au siècle de Périclès, ce recours au dieu solaire ne présente plus guère un caractère mystique; il n'en reste pas moins imposé à chacun, aux heures de la prière, en tous les lieux où se dresse un minaret.

Il l'est de même dans l'Inde, où les chefs musulmans, les successeurs d'Akbar, haïssent le messianisme d'un dieu de liberté. Persécuteurs des sikhs et de tout novateur, ils ennoblissent et enrichissent ceux-là — radjas ou prêtres — qui les servent exclusivement.

Leur seule humanité paraîtrait dans l'amour qu'ils portent à leurs compagnes, à leur épouse : tel, Shâh Jahân à Mumtâz Mahall (tombeau d'Agra). De sorte que le culte des déesses s'associe dans les dogmes officiels à celui du Brahmâ justicier ou de l'Allah canonique, non moins étrangement que le culte de la Vierge Noire à la pratique de l'Inquisition dans l'Espagne catholique, entre autres.

Une exception : le fils aîné de Shâh Jahân, Dâra Shikâh. Grand mystique, inspiré par le soufisme persan, érudit et poète, Dâra était l'auteur d'un livre, *Sirr-î-Akbar* (Le Grand Secret), où se reconnaît la double influence de la Rose soufie et de la *Swastika* : par l'Œuvre et par l'Amour, l'homme retrouve la Présence — et le chemin de Dieu; une même dévotion anime l'amant et le créateur.

Inspiré par un prince, toléré par un roi, le mouvement pouvait devenir beaucoup plus qu'une secte. Mais, en 1658, le second fils de Shâh Jahân, Aureng Zeb succéda au souverain, après l'avoir déposé. Il fit mettre à mort son frère et détruire son ouvrage. Comme dans le reste du monde, une souveraineté de droit divin s'institua.

Au Japon, nous savons que le *shinto* triomphe, alors que les bûchers de 1618, 1619, 1622 préparent au « grand martyre », sous le Shogoun Yemitsou, et que l'Empire même se voue au Soleil Levant — dans tous les sens du mot. Ce n'est pas là seulement un acte politique, mais une œuvre religieuse, longuement préparée.

Dans l'une des sectes jodo les plus florissantes : *jodo shinsu,* le Bouddha conservait le nom du Souffle Universel : Amida. Simplement, on comptait maintenant trois Amida : Amitayus ou Muryoju, Amithabâ ou Muryoko, Armita ou Kanrôô, que des textes nommaient l'Equitable, le Grand Frère et l'Arbre sacré. Le symbole solaire — inexplicablement — les recouvrait tous trois.

Quant au panthéon *shinto,* il comporte désormais une catégorie de dieux que nous rencontrons pour la première fois, car ils ne sont ni des dieux du bien, ni des démons, mais comme des manifestations terribles d'une « autre vertu ». Ce sont les cinq Myöö. Avant la fin du siècle, s'y ajoutera une sixième divinité : Jizô Boutsou, le Maître du Salut, qu'on figure sous l'aspect d'un moine portant la crosse d'une main, une perle dans l'autre. Dieu du double, à coup sûr, il est aussi solaire (comme l'indique la crosse) en même temps que fraternel. Ce sera le dieu d'une secte shintoïste et bouddhiste, le *Ryôbu shinto,* sous les nouvelles dynasties.

La religion chinoise, du moins l'officielle, ignorait tout de ces quêtes. On peut s'en étonner, songeant aux antiques rois-prêtres Tcheou. Mais lorsque, au XIIIe siècle, les Mongols avaient fait main basse sur le pays, le bouddhisme d'Amour, le Grand Véhicule, n'y était plus déjà qu'une Eglise corrompue. Aucun souverain Song n'avait cherché refuge en un temple secret.

L'ésotérisme est nul; le panthéon confus. A en croire les missionnaires jésuites, le même dieu, le Souverain Seigneur, eût été honoré à la fois sous les noms de *Tien,* le Ciel et de *Chang-ti* (ou Houangti), l'antique Serpent! Il est vrai que, rejetés des milieux lettrés et ne connaissant les religions de Chine que par les rites populaires, les jésuites eux-mêmes n'y pouvaient rien comprendre. Quant aux missionnaires d'une autre obédience, dominicains ou franciscains, il arrivait qu'ils crussent que Confucius vivait encore ou que Tien-tchou (le Maître du Ciel) ne pouvait être qu'un Jupiter chinois.

Or, en ce même pays « païen », à même époque, nous savons aujourd'hui que des sectes naissaient dans l'ombre, dont la science religieuse — ou la tradition — n'avait rien à envier au mythe des Cinq Empereurs. Bien que l'Histoire ignore l'origine de ces mouvements : Société des Trois Eléments, Société des Trois Points, Porte de Hong, Bande Rouge, ils apparaissent nombreux dès le milieu du siècle; puis, ils se rattachent tous à un groupe commun : la société secrète de la Triade. Le nom de leur dieu suprême, Hong (ou le Rouge) se trouvait être celui du premier empereur Ming, Hong-wu, restaurateur, au XIVe siècle, de l'unité nationale.

Selon la tradition, le foyer de la Triade eût été un couvent bouddhiste, dans la province de Fujian, et ce furent effectivement ces moines qui, les premiers, offrirent leur soutien militaire à un prince mandchou — des Ts'ing ou Qinq — contre une tribu rebelle d'Asie centrale. Mais, devenu empereur, le prince les trahit, refusa leurs conseils et, finalement, les massacra.

Ce fut alors que cinq moines, parmi les survivants, eurent la révélation de la notion de Patrie et firent le serment de combattre jusqu'à la mort pour le rétablissement des Ming. Ils se réfugièrent dans la cité des Saules (Muyang) et y fondèrent la société de la Triade.

Cette secte est importante, d'abord, en ce qu'elle se présente comme l'une des premières sociétés politiques de l'Orient et de l'Occident. Elle l'est aussi parce qu'elle annonce les prochaines Franc-Maçonneries, dont elle possède plusieurs caractères essentiels : le rituel secret, les signes connus des seuls adeptes, le serment d'aide mutuelle aux Frères et le soutien illimité dans le combat.

Nécessairement cachée depuis l'avènement des Ts'ing (1644), la Triade ne renonça jamais à ses secrets, par quoi elle se distingue de toutes les sociétés de son temps. Comme les souverains Tcheou jadis, elle sut demeurer dans l'ombre, imposant aux souverains — qui devaient tenir compte de son existence — la « bannière » Rouge ou Verte ou Noire, selon l'alchimie ésotérique des maîtres, justiciers comme les membres de la Sainte-Vehme, ou bien inspirateurs de la poésie chinoise, de la peinture académique, des écoles d'Art appliqué.

Un des seuls rituels qui nous soient connus concerne la réception des nouveaux membres. Il comporte 333 questions, qui retracent, pour l'essentiel, l'histoire des Cinq Fondateurs, d'une manière à la fois précise et symbolique; car il n'est rien de la Cité des Saules, de ses soixante-douze champs, de ses trois rues, de ses cent huit boutiques, qui ne soit prétexte à de mystérieuses allégories.

Ainsi, le récipendiaire doit préciser le nom de chaque rue, dans la Cité des Saules, puis le nombre des boutiques qui s'y trouvent, puis le nom de chaque boutique.

— La Paix Unie, le Patriotisme Uni, les Milliers Unis.

— Et qu'y vend-on? lui demande-t-on alors.

« Dans celle de la Paix Unie, des étoffes aux cinq couleurs; dans celle du Patriotisme Uni, des fruits et des végétaux; dans celle des Milliers Unis, de la soie, du satin, des fleurs, des éventails, des plumes, etc.[1]. »

Le culte de la poésie et de la souveraineté, le sens de l'équité (distincte de la justice), l'accueil de la « voix interne » enfin sont en honneur ici comme dans les sectes *sikh*, lamaïste de gauche, *quaker*. Mais la notion de Patrie s'y ajoute, nouvelle, au titre de cinquième voie. Les membres de la Triade n'attendent pas seulement du retour des anciens Ming un renouveau effectif du mythe de hiérarchie : ils en attendent l'union des Frères dans un Etat reconstitué.

Or, en effet, l'histoire universelle des XVIIIe et XIXe siècles atteste que nulle discipline fraternelle ne saurait être plus exaltante — pour l'esprit contemporain — que celle d'une Patrie libérée. Qu'il y ait là une perversion du pressentiment de la Liberté, très comparable à l'érotisme, perversion du pressentiment de l'Amour dans les siècles hellénistiques, cela ne semble pas douteux. Le fait ne doit pas être négligé pour autant, sous peine de ne plus rien comprendre à notre époque.

Les deux utopies : Ces exemples, du moins, attestent que le recours au mythe solaire du souverain ne fut pas l'œuvre seulement des pouvoirs officiels, des Eglises constituées, des sultans et des prêtres. Des sectes y ten-

1. LA TRIADE : *Les sociétés secrètes en Chine*, présentées par Jean Chesneaux (Archives, Julliard).

daient comme au Messie lui-même — d'harmonie et de liberté.

En Europe également, l'attente d'une Monarchie Universelle portait à la révolte les *Fifth Monarchy Men,* qui espéraient le Christ, en sa Seconde Venue, comme le fondateur d'une Cinquième Monarchie. Interprétant Daniel d'une étrange façon, ils estimaient que les quatre premiers royaumes avaient été ceux de Babylone, des Perses, d'Alexandre et de Rome (englobant sous ce mot à la fois la Rome des Césars et celle des Empereurs germaniques).

Emprisonné par le Protecteur, le chef de la société, Venner, fomenta une nouvelle révolte en 1661, au lendemain de la Restauration : il fut enfin exécuté, en même temps que seize de ses disciples. Mais le messianisme des royalistes ou *whigs* survécut à cette répression, cependant que la tendance « High Church » s'implantait dans l'Eglise anglicane, sous le double aspect d'un culte du Droit Divin et d'un rapprochement de Rome.

L'influence de ces divers groupes nous est prouvée par les œuvres « non conformistes » du siècle, ainsi que par la persécution qui les frappait. On vit même interdire aux membres de la Haute Eglise de s'approcher à moins de cinq miles d'une ville anglaise (*Five mile Act,* 1665) !

Aux égalitaires ou niveleurs (*Levellers*), les whigs de la Haute Eglise opposaient la nécessité d'une hiérarchie de classes ou de valeurs dans toute société humaine. L'enseignement touchait les esprits. Plus tard encore, en 1681, l'abdication des Stuarts et le renoncement de Guillaume d'Orange au principe de Droit Divin ne seront pas reçus sans scandale. De nombreux sectaires refuseront la « paix infâme »; ils continueront la lutte et s'opposeront au prince « qui ne veut pas être Roi » avec la même violence que les sectaires de la Triade à l'usurpateur Qing.

Mais, en d'autres pays, le mythe solaire s'imposait avec un rare éclat.

En France, l'avènement du Roi Soleil, symbole vivant de Dieu, était préparé de longue main : par les théoriciens de la Monarchie de Droit Divin, Guy Coquille,

Jerôme Bignon, Le Bert (1632). Il faut citer aussi l'œuvre de Campanella, *La Cité du Soleil* où, pour la première fois depuis *La Cité de Dieu*, apparaissaient unis les thèmes contradictoires du Pouvoir absolu et de la Fraternité.

Emprisonné par le tribunal de l'Inquisition au lendemain d'une émeute napolitaine (en 1598), Campanella était demeuré trente ans dans sa geôle. Libre, il vint en France, où son premier acte fut de prophétiser la naissance du futur Louis (XIV) pour l'année 1638.

Doté d'une pension de trois mille livres, commendataire de Saint-Aumeil, prieur de Saint-Gilles et de Ganobie, Campanella fut employé par Richelieu « à la grande affaire de la réunion des religions ». Il y consacra ses dernières années, prêchant sans relâche contre la doctrine romaine du Purgatoire et autres dogmes « de nature à n'être pas admis par tous ». Il mourut cependant, en 1639, sans avoir vu se réaliser son rêve d'une « fraternité universelle » unie « sous le rayonnement incomparable de Sol ».

Le cardinal de Richelieu lui-même n'avait point donné corps à l'étrange doctrine : ce n'était pas l'heure, encore, du retour des Témoins. Mais ce devait être la tâche et l'œuvre de son successeur, le cardinal de Mazarin, élève des jésuites et envoyé par Rome auprès d'Anne d'Autriche afin de veiller personnellement à la sauvegarde de la foi romaine en France.

Quand le ministre mourut, en 1661, l'éducation du prince était achevée. De l'avertissement de Bert : « Les rois sont institués de Dieu » jusqu'à la prescription du *catéchisme royal* : « Que Votre Majesté, à tout instant, se souvienne qu'il est un Vice-Dieu » (1659), cent textes avaient formé « une âme sans pareille », en détruisant l'artificielle antinomie que les libertins seuls croyaient découvrir entre le principe de droit divin et la nouvelle fraternité.

Un Etat où régnerait le semblable, le modèle, la mode et le plagiat ne pouvait-il être aussi un Etat monarchique, où quelque Roi Soleil demeurerait honoré? l'Atlantide n'avait-elle pas eu des rois jumeaux et la Cité de Dieu, selon saint Augustin, n'était-elle pas, d'abord, une divine monarchie? *L'Utopia* de More, ainsi, avait conduit aux œuvres de Campanella, de Bacon, de Cyrano de Bergerac [1]. La sacro-sainte Raison d'Etat rejoignait — pour s'allier avec lui — le christianisme abâtardi, mais de nouveau fraternel, du gallicanisme français. Non seulement Eudes et Olier, mais Bossuet triomphaient, et l'Aigle de Meaux pouvait proclamer sans pudeur : « Les princes sont des *dieux*, selon le langage de l'Ecriture, et participent de quelque façon à l'indépendance divine. »

Une trace légendaire de cette tentative mythique — et de son échec — doit être relevée dans l'épisode douteux du Masque de Fer, jumeau de Louis XIV et gardé au secret pour cette seule raison. Une trace non légendaire en est la monstrueuse alliance du conformisme social et de la hiérarchie absolue sous le même règne.

Si tous les hommes sont frères, en effet, ne faut-il pas qu'ils pensent tous de même? Entre le Souverain-dieu et la morne tribu des sujets asservis, l'homme d'armes et le médecin jouent des rôles identiques : par la prison et par l'asile, exclure de la société modèle ceux qui échappent à la norme, les libertaires et les malades, les hérétiques et les « fous » [2].

Ce n'est pas seulement sur la scène que les « turqueries » sont à l'ordre du jour; ce n'est pas seulement par les Contes ou par les traductions des *Mille et Une Nuits* que l'esprit de l'Islam pénètre alors en France et, de France, en Europe. Infidèle à toutes ses alliances, Louis XIV respecte celle qui le lie aux Turcs. N'est-ce point parce que le même esprit imprègne l'Islam et la France?

Vers 450 avant J.-C., les dictateurs d'Athènes accusaient de tous les crimes les *hétairies* (y compris de mutiler les statues hermétiques); Esdras chassait Tobie de Jérusalem et la Loi des XII tables proscrivait les pratiques magiques. Les souverains de droit divin accu-

---

1. CITÉS DU SOLEIL : ce rapprochement est souligné par Jean Servier dans son *Histoire de l'Utopie*. L'ouvrage de Cyrano de Bergerac auquel nous faisons allusion s'intitule : *Histoire comique des États et Empires du Soleil* (10/18).

2. CRÉATION DE LA FOLIE, au XVIIe siècle — Comme dans nos livres précédents, il nous faut renvoyer le lecteur à l'ouvrage de Michel Foucault: *Histoire de la folie à l'âge classique* (10/18, Union générale d'Éditions).

sent de tous les crimes les disciples de Sadrâ ou les sectes libertines, y compris de détruire la vertu modèle et de menacer la fraternité.

Mais, en Juda, en Grèce, à Thèbes, la justice régnait. Tobie n'était qu'exclu; il fallait un procès pour condamner Socrate. Le malheureux Père Lacombe, l'irréductible, n'a pas connu de juges avant d'être arrêté par la police royale, emprisonné pendant plus de vingt-cinq ans, à la Bastille, à Lourdes et à Vincennes, puis reconnu fou et envoyé à Charenton. Combien de maîtres initiés ont connu ce destin entre 1660 et 1715?

Solitaires, jouisseurs, bohèmes de vocation, les « libertins » eux-mêmes — artistes ou compagnons — n'étaient pas des ennemis bien redoutables. Mais, assuré de l'appui des jésuites, des augustiniens, des sulpiciens et des eudistes, le culte du Roi Soleil trouvait en face de lui deux forces autrement puissantes : les jansénistes d'une part, les protestants de l'autre. Tels furent les adversaires sur lesquels Louis XIV en personne s'acharna.

Le Jansénisme — Ses origines lointaines sont peut-être à rechercher dans les tentatives d'alliance entre le puritanisme et l'Eglise romaine, dont un Baïus et un Janson s'étaient faits les propagandistes et que les papes avaient condamnés en 1567 et 1579. Mais les deux fondateurs reconnus du mouvement, Corneille Jansen (ou Jansénius) et l'abbé de Saint-Cyran, s'étaient rencontrés dans les étranges décennies où naissaient la Rose-Croix, l'œuvre de Jacob Boehme et le mythe nouveau de l'observation.

Ils avaient reçu le choc que tous les esprits « ouverts » recevaient à l'époque, mais y avaient réagi à leur manière, en authentiques chrétiens. La Croix recouvrait sa puissance ancienne, il n'était qu'un seul dieu : Jésus et qu'une voie pour aller vers lui : la Grâce qu'Il dispense à ceux qu'Il aime. Par-delà le gouffre de la Renaissance, ainsi, les premiers jansénistes renouaient avec la tradition la plus chrétienne du Moyen Age, celle d'Anselme et de Bonaventure : un augustinisme que les augustiniens n'osaient plus défendre.

Cependant, si l'homme n'est libre de rien, pas même de son propre salut, le Saint-Esprit redevient un recours suspect, et le mythe de liberté une chimère monstrueuse. A telle doctrine, les Pères jésuites devaient s'opposer, eux qui prenaient toujours parti pour la recherche, l'audace, la liberté, à condition que celle-ci n'allât point s'abîmer dans un matérialisme « dont les âge passés enseignent la folie ».

Puis, l'homme de l'avenir, le cardinal de Richelieu, réagissait avec violence. Jansénius mort, en 1638, on se saisit du survivant : jeté en prison, l'abbé de Saint-Cyran y demeura jusqu'à ce que Mazarin l'en fît sortir, en 1643.

Les temps changeaient. L'universelle croyance aux Deux Témoins, au Miroir, au mythe du semblable faisait de Jansénius un prophète et de sa doctrine le plus chrétien des catéchismes. Comme partout, les femmes menaient la danse : la mère Angélique de Saint-Jean, Anne de Rohan, Elisabeth de Choiseul, la marquise de Sablé, la duchesse de Longueville, la duchesse de Liancourt, la duchesse de Luynes. Elles l'emportaient sur le Roi lui-même. La première *Provinciale* est de 1656; de 1669, la proclamation de paix du pape Clément IX.

Mais, moins de six ans plus tard, l'œuvre de Molinos, l'action de Mme Guyon et l'attitude suspecte de l'archevêque de Cambrai (page 240) réveillaient à la fois l'inquiétude romaine et la suspicion du roi de France. Il semble bien improbable que des théologiens aient pu confondre le quiétisme avec le jansénisme. Le quiétisme recommande l'abandon de l'âme à Dieu, mais c'est parce que l'Esprit seul connaît les chemins que l'accomplissement doit suivre; le jansénisme ne croit pas en un nouveau Messie, il se fonde au contraire sur le Christ éternel. Cependant, il est vrai que les œuvres quiétistes attiraient l'attention sur un autre danger de la doctrine de Jansénius : par le biais de l'abandon à la Grâce divine, n'en pouvait-on venir à tous les abandons?

Honnêtement ou non, les jésuites jouèrent le jeu, et Louis XIV se garda d'y mettre obstacle, puisque l'ambiguïté lui accordait le soutien — ou la complicité — tacite de Rome. Fénelon ne fut condamné qu'en 1699; mais, dès 1679, le Roi Soleil avait fait expulser de Port-Royal pensionnaires, novices et postulantes, interdit les « réunions spirituelles » du Faubourg Saint-Jacques et contraint à l'exil Arnauld et le Père Nicole. Le jansénisme devenait une société secrète : il le demeura pendant le demi-siècle où le « parti » survécut à sa brève victoire.

Les Protestants — Protégés par l'Edit de Nantes, puis par la politique tolérante de Richelieu, les Eglises réformées étaient actives en France lors de l'avènement du Roi. Les recensements donnent les chiffres : six cent cinquante temples, sept cent trente-six pasteurs, plus d'un million de fidèles. Mais, dès 1662, les persécutions commençaient.

En juin, des huguenots qui ne se découvraient pas au passage de la Vierge étaient arrêtés et emprisonnés, puis envoyés aux galères; des temples étaient détruits (soixante-quatre dans le Poitou); le nombre des maîtres protestants, limité à un seul enseignant par école. C'était le début de l'application restrictive de l'Edit, qui devait en venir à restreindre les assemblées des réformés, et même leurs noces, à leur interdire les enterrements de jour, à les exclure de la noblesse de robe, de la médecine, du notariat et de nombreuses autres professions.

Enfin, en 1683, après de premières émeutes, les soldats de l'armée royale furent cantonnés chez l'habitant. Même des écrivains catholiques reconnaissent que « les pires abominations » furent commises alors : pillages, tortures et viols « par milliers ». En moins de deux ans, plus de la moitié des « religionnaires » s'étaient convertis : toute la population de Montauban, de Bordeaux, de Castres, de Montpellier; à Nîmes, soixante mille réformés en trois jours; et ainsi dans toute la France.

Louis XIV « ignorait » les dragonnades; il l'affirma du moins. Mais, le 18 octobre 1685, sous le prétexte qu'il n'y avait plus de réformés dans le royaume, il faisait approuver et signait en grande pompe la Révocation de l'Edit. Tous les temples devaient être détruits, toutes les assemblées interdites, les pasteurs obligés de s'exiler sous quinze jours.

A de rares exceptions près, la loi fut appliquée dans sa pleine rigueur. Elle ne souleva que peu d'oppositions, à l'exception du mouvement des camisards.

Les camisards et autres sectes : La révolte cévenole présente un caractère presque unique dans l'Histoire : de petite amplitude — elle n'entraîna jamais plus de 1 500 hommes — et de durée réduite — cinq ans, au plus —, elle ne cesse de fasciner les esprits, de susciter des commentaires divers et de réveiller les passions. C'est que chacun peut y voir, suivant ses convictions, ou le dernier « miracle » collectif des Temps Modernes ou la première application technique des méthodes nouvelles de guerre révolutionnaire.

Sur le plan militaire, elle peut se résumer en ce simple schéma. A la suite du meurtre de l'abbé du Chayla, les troupes royales investissent les Cévennes (juillet 1702). En décembre de la même année, le chef des insurgés, Jean Cavalier, met en déroute les sept cents hommes de la garnison, alors qu'il ne commande que soixante compagnons.

Des milliers de soldats sont envoyés de Paris, sous le commandement du maréchal de Montrevel et, en avril 1703, Cavalier subit sa première défaite; mais sous la protection des insurgés, les paysans parviennent à faire la moisson.

L'armée royale enrage. M. de Montrevel monte dans les Hautes-Cévennes avec près de huit mille hommes; on rase et brûle les bourgs et les paroisses de Saint-Laurent, de Florac, de Barre, de Monvert, de Saint-Germain de Calberte et de Saint-Etienne. Jean Cavalier n'intervient pas dans les montagnes : il décime les troupes royales en plaine. En mars 1704, il remporte sa plus surprenante victoire sur le régiment de Marine (à Martignagues). Le Maréchal de Villars remplace M. de Montrevel.

Cavalier se rend en mai. De nombreux camisards poursuivront cependant la lutte jusqu'en octobre. La dernière rébellion, d'un groupe d'irréductibles, sera datée d'avril 1705. Mais il aura fallu plus de vingt-cinq mille soldats et les meilleurs chefs du royaume pour venir à bout de quelques centaines d'hommes; et ce fait, que nous verrons se répéter cent fois : en Russie, à Cuba, en Afrique du Nord, aujourd'hui au Viet-nam, continue d'apparaître merveilleux à certains.

Ceux-là ont tort, sans doute; mais, guère moins, les

sceptiques qui n'y trouvent rien d'étrange. Tel Fléchier, dès 1703 :

« Tout le pays se soulève, se joint à eux. On a beau les poursuivre : on n'a pas assez de monde à leur opposer. Comme ils savent mieux les chemins, qu'étant maîtres de la campagne ils reçoivent de tous côtés des secours pour vivre, des avis pour se sauver, ils échappent toujours. »

Cela explique en effet — sur le plan de la tactique — les succès, provisoires ou non, que remportèrent toujours les résistances armées à l'oppresseur, de Spartacus à Mao. Mais cela n'explique pas tout, ni même l'incroyable énergie nécessaire pour soutenir longtemps de tels combats.

A l'origine du drame avaient été les grandes réformes de 1685 : la naissance du gallicanisme, la Révocation de l'Edit de Nantes. Mais, deux ans plus tôt, avaient été publiées les œuvres complètes de Jacob Boehme; l'année suivante, ce sera le livre surprenant du calviniste Jurieu : *L'Accomplissement des prophéties.*

Tout se passe, dit Jurieu, ainsi qu'il fut écrit. Il n'est que de lire les prophètes juifs d'une part, *L'Apocalypse* de l'autre, pour savoir ce qui doit advenir. Les *deux témoins* renaissent; s'ils doivent être vaincus, la Bête (l'Eglise de Rome) le sera avant eux.

Jurieu donnait une date à cette première défaite : 1689. Or, cette année-là, un prince protestant, Guillaume d'Orange, monta sur le trône d'Angleterre. Chassés de France, Bayle, Jurieu lui-même, Denis Papin étaient reçus triomphalement aux Pays-Bas et en Allemagne, où ils poursuivaient leurs travaux.

Dans les pays « pétris d'hérésies depuis cinq siècles (cathare, vaudoise ou calviniste) », ce fut un furieux délire. A Nîmes, femmes et hommes commentaient les versets de *L'Apocalypse*; dans le Vivarais, de jeunes enfants prophétisaient. Au début de son Journal, Mazel, l'un des chefs spirituels de la révolte, nous fait entendre ces inspirés « qui criaient dans les villes et les campagnes : Amendez-vous, renoncez à l'Idolâtrie, n'allez plus à la Messe » et prédisaient la destruction de l'empire du Diable, de la Bête et du Faux Prophète[1]. La Bête qu'il s'agit de détruire, c'est la nouvelle Babylone, l'Eglise catholique de Rome, dont les prêtres « comme des bœufs mangent les choux de nos jardins ». L'Empire du Diable, c'est le royaume de Lucifer, l'ange solaire déchu; et le Faux Prophète, c'est l'Antéchrist de sainte Hildegarde qui, par une fausse image du héros de Lumière, doit tuer les Deux Témoins renaissants (page 45).

Mais, s'opposant ainsi aux mythes gallicans, le camisard ne rejette pas pour autant toute mystique. Les révoltés sont frères; ils se veulent égaux et libres. Or, cette triple espérance recouvre exactement les mythes républicains, que nous avons définis comme les trois mythes d'Air. Nous noterons seulement, en nous gardant de solliciter les mots, le culte que Bonbonnoux voue au Ciel et à l'Air, « mon toit, dit-il, ma nourriture », ou l'affirmation de Mazel que la Voix de Dieu retentit à l'air libre, dans les montagnes et les champs.

Telle sera, désormais, la trinité majeure de toute insurrection. Les camisards vaincus, elle trouvera des prophètes en d'autres sectes et d'autres groupements. Certaines de ces resurgences, comme celle des *French-Prophets*, seront créées par les camisards eux-mêmes : un Elie Marion, réfugié à Londres; d'autres naîtront, spontanément en quelque sorte, vers le même temps. Mais aucune ne tentera de rénover l'alliance, prétendue impossible, des mythes de hiérarchie et de fraternité.

Le Roi Soleil survécut à ses dernières victimes — une dizaine d'années. A sa mort, le peuple respira. Les princes crurent revenus les temps de la noblesse et les poètes les temps de la création. On dit que des « occultistes » crurent arrivés les temps de la Rédemption : Woolston, Boulainvilliers. Mais, au contraire, l'échec de la mythique gallicane avait encore creusé l'insoluble hiatus entre le rêve princier et le rêve égalitaire, considérés tous deux comme des voies possibles vers l'Esprit de liberté.

---

1. Mazel : extraits des Journaux de Mazel, Marion, Gaubert et Bonbonnoux, dans *Journaux camisards*, présentés par Philippe Joutard (10/18).

Des sectes tout à la fois fraternelles et messianistes, à partir de 1715, nous ne trouverons plus que quelques rares exemples en Occident : les *tunkers, Ephrata,* le village d'Herrnhut; aucun, en France.

Le premier groupe était issu d'une secte allemande, fondée par Alexandre Mack à Schwartzenau, en 1708, et recréée, douze ans plus tard, à Ephrata (U. S. A.). Orthodoxes, les *tunkers* baptisent par triple immersion; ils célèbrent la communion et pratiquent les rites anciens du lavage des pieds et de l'onction. Vers la même date, en Amérique aussi, dans le Maryland, Peter Sluyter donnait une impulsion nouvelle au labadisme (page 198). Mais, pas plus que son maître, Sluyter ne parvenait à s'arracher à l'emprise jésuitique. A sa mort, en 1722, la secte perdit de son influence et disparut progressivement.

Une colonie analogue, Ephrata, œuvre de Conrad Beissel, prenait le nom de la ville où elle était fondée, en 1732. Annonciatrice de la Seconde Venue du Christ, elle groupait des « frères » et des « vierges » sous le gouvernement d'une Assemblée autoritaire, très imprégnée de l'esprit *quaker*. Elle ne subsistait aussi que quelques années.

Quant au village d'Herrnhut, perdu dans les forêts de Lusace, à la frontière de la Bohême, il était l'œuvre d'un mystique authentique le comte Louis de Zinzendorf. Ayant acheté ce domaine à l'âge de vingt-deux ans (en 1722), le comte le régit lui-même jusqu'à sa mort, moins comme une seigneurie que comme un phalanstère.

La Fraternité se partageait en dix *classes*, chacune d'elles divisée en groupes « familiaux », où tous les biens étaient à tous et les confessions mutuelles. Des ascèses postmédiévales, seule, la « prière continue » demeurait à Herrnhut une pratique conseillée. Mais, comme au cœur du Moyen Age, la semblance mystique y jouait le plus grand rôle. Se rencontrant dans les rues du village, les hôtes du comte se le rappelaient sans cesse : « Frère, ton âme est-elle à l'image de Dieu? »

Tolérée à la fois par le pape Benoît XIII et par l'Eglise luthérienne, la secte connut une expansion considérable. Elle créait des missions jusque dans le Groenland, lorsque l'*Ancien* mourut, en 1760. Son successeur, Spanderberg, ne prolongea pas l'existence d'Herrnhut au-delà de la Révolution française.

Les méthodistes : Tout autre était le mouvement né à Oxford, sous l'impulsion de Wesley, vers 1728. Mais on ne peut le comprendre sans avoir présent à l'esprit l'état des religions anglaises à la fin du XVIIe siècle.

La Révolution de 1689, en supprimant le principe de droit divin, y avait eu pour conséquence première de placer au-dessus de toutes les vertus la tolérance ou « latitude » de laisser chacun juge de sa foi. Les *latitudinaires* ne constituaient pas une secte, mais un grand mouvement fraternel, dont le but n'était autre que l'entente universelle de tous les chrétiens. Ils rejetaient, par suite, les dogmes controversés et prétendaient s'en tenir à la seule lettre de l'Evangile : Tu aimeras ton prochain comme toi-même. On reconnaît ici l'influence croissante des *unitariens*; et, de fait, bien des théologiens de la nouvelle tendance : Chilingworth, Cudworth, Henry More, avaient noué des rapports ou contracté amitié avec des membres actifs de l'unitarisme.

Mais, en marge de ce grand courant, se développait, au cours des mêmes décennies, une évolution moins chrétienne, dont les promoteurs se nommaient Toland (1670-1720), Collins (1676-1729), Tindal (1657-1733) et le Révérend Thomas Woolston (1669-1733). Leur doctrine, le *déisme,* opposait aux Eglises une religion dite « naturelle », fondée sur la notion vague d'un dieu créateur et indifférent à sa création, ainsi que sur une morale toute « païenne », où le « salut » devenait une affaire d'hygiène, et la fraternité une vertu civique.

Ce fut dans ces conditions ou, pour mieux dire, entre ces deux mouvements : un christianisme honteux de ses dogmes et un athéisme inconscient, que John Wesley dut choisir sa voie. En 1728, jeune prêtre anglican, il réunissait autour de son frère Charles et lui-même un petit groupe d'étudiants auquel, par dérision, presbytériens et Basse Eglise donnèrent le nom de *méthodistes.* Orgueilleusement, Wesley l'accepta.

Primitivement *High Church,* le groupe soutenait — envers et contre tous — le dogme de Droit Divin. Il se voulait *arminien,* c'est-à-dire qu'il rejetait la prédestination et fondait son action sur la liberté de l'homme. Les « méthodes » qu'il utilisait — très proches des exercices jésuitiques — avaient pour but avoué de faire de chaque adepte un « prince en son domaine », souverainement libre et généreux, ce que le comte de Gobineau nommera « un fils de roi ».

Curieusement, ce ne fut pas le latitudinarisme, alors prépondérant, qui amena Wesley à sa « conversion » : il ne pouvait tolérer une religion grégaire où nulle mystique réelle ne se laissait distinguer. Mais un livre et deux voyages influencèrent son esprit.

L'ouvrage fut *The Analogy of Religion to the Constitution and Course of Nature* (1736), où l'évêque de Bristol, Joseph Butler démontrait que la science ne pourrait jamais percer tous les secrets de la nature, si bien qu'elle n'a pas le droit d'opposer aux chrétiens l'étrangeté de leurs croyances. Un séjour dans le village de Zinzendorf et un voyage en Géorgie, au cours duquel il rencontra des Frères moraves, achevèrent d'ébranler les convictions de Wesley.

Le 24 mai 1738, alors qu'il assistait à un service morave, il connut la « révélation ». Les hommes étaient des Frères avant tout; il ne fallait plus rêver d'un Etat surhumain où s'allieraient le culte de la Hiérarchie et le prestige personnel, mais « devenir une nouvelle créature dans le Christ ». Il fallait se faire semblable au Christ et se dévouer à tous, comme lui.

Dirigé par une main de fer — pourtant! — le méthodisme commença dès lors de progresser. En 1744 avait lieu la première Conférence Générale, qui marque la naissance officielle du mouvement. En 1760, la « religion de Wesley » comptait 30 000 membres; 100 000 en 1791. On estime que les méthodistes sont trente millions aujourd'hui.

Il reste que l'évolution spirituelle de Wesley prend valeur de symbole. En 1738, alors qu'il recevait son illumination, les mythes qu'il rejetait paraissaient condamnés pour toujours, en effet. Contre la société mécaniste naissante — en Angleterre plus tôt qu'ailleurs — seule la fraternité chrétienne ou franc-maçonne pouvait donner à l'homme une ultime « raison d'être ».

12

L'OCCULTISME

La voie de l'ombre — Le nouveau Çiva — Les thugs — Les prophétesses du Messie — Les Illuminés.

La voie de l'ombre : La faillite du principe de droit divin, en Angleterre, puis en France, mais, surtout, les premières défaites de l'Islam turc furent ressenties de diverses manières selon les religions et les pays. Habile à précéder les méandres de l'Histoire, le catholicisme romain, cette fois, se laissa surprendre. Le XVIIIe siècle, pour lui, est le siècle de la perdition : échec de ses missions, avilissement de ses prêtres dans une tiède bourgeoisie, acceptation larvée de tous les égoïsmes, relâchement des rites — et le massacre, pour finir.

De même, aux ébranlements qui, soudain, fissuraient l'immense empire des Turcs et à l'invasion du monde par l'Occident, qui s'ensuivit, ni l'Afrique ni l'Inde ne surent qu'opposer d'abord. Nous laisserons le rationaliste voir dans cet égarement une preuve décisive de la supériorité du fusil sur l'arc primitif ou de la machine à vapeur sur le char à bœufs. Sur le plan qui nous importe, cette démission totale des anciennes religions — chrétienne ou hindouiste, soufie ou laimaïsme — témoigne de tout autre chose; de l'impuissance d'exister dans le sens vocatif sans l'appui de quelque mythe vivant et structuré.

L'échec de l'Atlantide monarchique aboutissait, nous l'avons vu, à la séparation irrémédiable des mythes de hiérarchie et de fraternité. Le Roi n'avait été que le maillon idéal pour allier les deux voies vers le dieu de liberté. En son abîmation, les deux voies s'opposaient de nouveau l'une à l'autre.

D'une part, les mythes républicains — qui se trouvaient être aussi les mythes de l'Observation — exaltaient à la fois l'image et la fraternité, en même temps que la notion d'une Emanation vague, de nature égalitaire, et l'espoir en une Liberté patriotique, où tous les hommes se retrouveraient égaux, frères, maîtres de la nature et même, un jour, de l'Espace illimité. Dans cette optique, le Troisième Age était atteint : le siècle des Lumières. La Colombe était revenue. Il n'y avait plus de déluge à craindre, ni de Messie-dieu à espérer.

D'autre part, les mythes — confus — du Sens Interne, de Lucifer racheté, de Création et d'Arbre ésotérique rejoignaient les zones d'ombre, qu'ils n'eussent pas dû quitter. Le dieu Soleil rejeté et l'Arbre devenu symbole républicain (l'Arbre de la Liberté), les mythes d'harmonie se trouvaient ramenés à leurs seuls composants femelles : la Lumière Intérieure et le Génie délirant, exclus de la société de par leurs caractères mêmes : l'individualisme et le secret. Acceptant cet exil dans les ténèbres, ce fut du nom d'*occultistes* que des sectaires entêtés se nommèrent eux-mêmes, méprisant à la fois les religions anciennes et la Lumière de la raison.

Bien que l'occultisme soit né, en tant que tel, dans l'Angleterre des *déistes* et des *pèlerins,* le mot peut nous servir à caractériser le messianisme anxieux du XVIIIe siècle, l'attente désespérée de centaines de milliers d'êtres en un futur Esprit — par-delà le Lokâyata prévu.

Il nous est impossible, cependant, de citer tous les mouvements qui durent s'ébaucher en ce siècle : il ne reste aucune trace de la plupart d'entre eux. Si nous ne voulions traiter que des croyances indiennes de l'Amérique du Nord, quels vestiges en demeure-t-il, que nous puissions comprendre?

Déjà, lorsque, à la fin du siècle dernier, Frank Cushing se faisait initier aux secrets des Zunis, le docteur Matthews aux cérémonies Navajos, le capitaine R. G. Bourke à la danse du Serpent des Moquis ou le docteur Boos aux coutumes des Alaskans, ne devaient-ils pas avouer que « la sève s'était perdue », l'ésotérisme, dissous, et qu'ils avaient le sentiment de « venir comme un convive à la fin du festin ».

L'impression demeure seulement, très forte, qu'à un certain moment de l'Histoire — du XVe au XVIIIe siècle? — tous les peuples dits « sauvages » ont cru aux mêmes dieux, partagé un seul messianisme. Puis, alors que les derniers *codex* mayas, vers 1700, annonçaient l'approche du nouveau chaos, ces peuples ont commencé d'abdiquer leurs défenses ou bien — courageusement, mais inutilement — de s'enfermer en des rites désormais incommunicables.

Des peintures wallum-olum représentent les étapes de la création et les migrations de la tribu; mais des statuettes de jumeaux, datées du XVIIIe siècle, ont été retrouvées chez les Peaux-Rouges de l'Oklahoma. Des symboles chipewas demeurent inintelligibles, mais il nous revient que les Iroquois avaient élaboré de très nombreux mystères, parmi lesquels le culte de Manabozko, découragé par la mort de son aimée, Chibiabos. Ce mythe, éminemment orphique, se retrouve non seulement en Amérique du Sud (chez les Kayapos), mais dans les îles d'Océanie.

Le *bull-roarer*, instrument de musique très primitif dont le ronflement imite le beuglement du taureau, se retrouve également en Australie (chez les Karmai), en Afrique (chez les Kafirs), en Nouvelle-Zélande et en Amérique, chez les Mandans, un peuple maintenant disparu. Ces derniers, au siècle dernier dansaient le *bull-dance*, que les tribus africaines avaient dénaturé, déjà. Ils pratiquaient sur les jeunes hommes les mêmes initiations spectaculaires et dramatiques qui subsistent au cœur de l'Afrique Noire. Enfin, la secte initiatique de ce peuple (O-Kee-Pa) se reconnaît chez les Sioux du Dakota, où elle porte le même nom [1].

Il est donc très probable que les rites et coutumes que

1. O-KEE-PA : Heckethorn, ouvrage cité.

les Occidentaux découvrirent, à partir du XVIIIe siècle, dans les tribus « sauvages » dataient en fait de ce même siècle ou du XVIe au plus tôt. Une légende comme celle de l'Arbre aux cinq racines ne pourrait être plus ancienne. C'est une légende iroquoise, sur laquelle se fonde un rite très étrange. Les maîtres du rituel ou initiés s'assoient autour d'un jeune arbuste : par la méditation et la contemplation, ils aident l'Arbre à pousser. La légende raconte que cinq racines nourrissent l'Arbre.

Nous indiquons seulement ce trait, à l'intention de ceux qui voudraient continuer des recherches en ce sens. Car le *pentacle* paraît avoir été le symbole des peuples les plus divers, dès l'instant qu'ils avaient choisi de poursuivre la Quête. Qu'il s'agisse des cinq *Myôô* nippons ou des cinq fondateurs de la *Triade,* nous ne pouvons pas ne pas penser aux cinq structures de Plotin, au pentacle pythagoricien, aux cinq Empereurs de la Chine ancienne, aux cinq époques d'Hésiode ou aux cinq castes des brahmanes dans l'Inde prébouddhiste — et, par-delà, aux Deux et Trois d'Œdipe.

Ces Cinq, nous semble-t-il, recouvrent les deux voies qui mènent au dieu vivant, quel que puisse être le dieu. Dans les siècles préchrétiens : les deux Cabires d'une part (Héphaïstos-Hermès), Eros, la Vierge et les Dioscures de l'autre. Naguère et aujourd'hui : l'Egalité et la Fraternité d'une part, la Lumière Intérieure, le Prince et le Génie de l'autre, qu'une tribu iroquoise (des Senecas) figurait par cinq animaux-totems de ses clans, avant de porter ce nombre à sept[1].

Qu'il ne soit possible, en fait, d'associer les deux voies que dans les temps de Royaume, de Parousie ou d'Azoth, c'est une autre question — et qui n'interdit pas de poursuivre, dans la nuit, le but inaccessible. Tel fut, pendant deux siècles, le courage inhumain de nombreux occultistes. Ne pouvant les citer tous, nous ne traiterons

1. SENECAS : Plus tardif, le témoignage de H. Morgan dénombrera *huit* totems chez cette tribu iroquoise : le Loup, la Tortue, le Cerf, la Bécasse, le Héron, le Serpent, le Faucon et le Castor (*Ancient Society*, Londres, 1877).

ici que des messianistes de l'Inde ou civaïtes et des Occidentaux : les sectes d'Illuminés.

Le nouveau Çiva : L'Inde, dans les derniers siècles, rappelle la Basse Egypte, dans les siècles qui précédèrent le Christ. De même que cette dernière n'avait échappé à la tyrannie soudanaise que pour subir les conquêtes assyrienne et perse, la tutelle des Grecs, puis des hellénistiques, l'Inde n'a échappé aux tyrannies mongoles que pour subir les missions romaines et espagnoles, la tutelle musulmane, les colonisations européennes enfin.

Mieux encore : délivrée de la tutelle des Grecs, à partir de 400 avant J.-C., l'Egypte semblait avoir perdu son millénaire pouvoir d'adapter ses croyances à l'esprit de l'époque et de participer à la métamorphose inlassable des dieux. Abandon de l'Isis, nostalgie de l'Onouris, vaine recherche d'un dieu Serpent-Taureau : les recherches s'égarent. Les derniers sages du Nil ne trouvaient de réconfort qu'en l'attente de la Voix et dans un rêve d'Equité.

Dénombrer les croyances indiennes au cœur du siècle des Lumières serait un labeur aussi vain. Les disciples de Dadu, en leurs sectes multiples, les *kabirpanthis,* les *sikhs* et les tantriques subsistent, de même que des vichnouistes (parmi les familles nobles) et même des brahmanistes, renaissant en leur puissance vers 1750. Nulle tyrannie mongole et musulmane ne restreint leur expansion, et les nouveaux vainqueurs — les Français, les Anglais — ont d'autres chats à fouetter que ces croyants étranges.

Mais c'est alors que croît et se développe une tendance nouvelle de la mystique indienne, née au siècle précédent, sous le règne inflexible du dernier grand Mogol : Aureng Zeb.

Jusqu'à la mort du roi, sans doute, le mouvement est demeuré circonscrit et caché : circonscrit par les limites mêmes des deux provinces où il avait pris naissance : le Râjputâna et le Bundelkhand, caché sous l'apparence d'une banale esthétique, dont seuls de très savants ésotéristes eussent pu soulever le voile.

Rien d'analogue, ici, aux violentes outrances de l'antique çivaïsme, ni au scandale princier d'un Vallabhâ : des peintures, des fresques, des poèmes charmants, plus comparables aux œuvres ambiguës d'un Watteau ou même d'un Montesquieu (*Le Temple du Gnide*) qu'aux manifestations des génies florentins. Mais, dès son origine, l'art râjput s'opposait aux esthétiques somptueuses et figées de l'orthodoxie. Contre l'éclat sonore de l'architecture royale, il restaurait le sens de la vie; contre l'amour chevaleresque, l'érotisme-oubli de soi, contre l'orgueilleuse cité le culte de la nature. Dârâ Shikûh avait inspiré cette réforme; les sikhs entre autres l'entretiendront dans le Penjâb alors qu'elle aura cédé dans toute l'Inde jusqu'en 1820-1830 (Kapur Singh).

L'amour charnel de la femme, mais aussi une tendresse universelle pour les animaux et les plantes caractérisent cet art : l'humanité de l'inspiration, la liberté de la facture. Sur le plan religieux, le Çiva qu'on rénove épouse tout d'abord des aspects animaux : le Taureau (le créateur), le Tigre (le destructeur) et l'Eléphant (l'inspirateur de l'art). Mais, très tôt, ce panthéisme se spiritualise. Le Çiva du XVIIIe siècle présente le caractère unique d'un dieu formulé par l'informulable; car sa « forme », la Liberté, a pour unique vertu d'échapper à toute forme.

« Je t'adore, père de cet univers, que tu parcours par des routes invisibles, grand arbre mystique aux brillants rameaux, dieu terrible aux mille yeux, aux cent armures. Je t'adore, Etre aux aspects divers, tantôt sincère et juste, tantôt faux et injuste. Protège-moi, dieu unique qu'escortent les bêtes sauvages, dieu de la volupté, toi, le passé, toi, l'avenir, atome imperceptible qui résides au sein de la Lumière décomposée, substance unique des corps — qui ne dois ta naissance qu'à toi-même (*Harivamsa* [1]). »

Les cinq racines de l'Arbre mystique sont les cinq grandes activités du dieu : la création, la conservation, la destruction, l'incarnation, la délivrance. Entouré de flammes — la Lumière qui devient Feu — Çiva joue à son gré le bénisseur et le vengeur, l'amant et le bourreau.

1. ÇIVA : Ce renouveau du dieu indien au XVIIIe siècle a particulièrement frappé René Grousset : *Les Civilisations de l'Orient, T. II, L'Inde* (Crès et Cie), *Bilan de l'Histoire* (10/18).

Car, si la Liberté divine est à la fois destruction et création, c'est qu'elle est Jeu. « Les monts et l'océan dansent, disait Kabîr. Au milieu des rires et des sanglots, tout n'est que danse. »

Le Jeu se rit de l'Amour : scandale vivant de Çiva. Pârvati, sa compagne, avait reçu jadis la prière de Kâma, l'Amour immatériel. Elle avait tenté d'émouvoir Çiva, inflexible ou indifférent. « L'Amour ne mourra pas, lui répondait le Danseur, il est immortel (comme moi). Mais que pouvons-nous faire d'un dieu désincarné? »

Ainsi qu'on sait, pourtant, Çiva s'était laissé séduire. En témoignent les scènes sculptées d'Elephanta. L'amour avait retrouvé un corps; il était devenu le Bouddha de Charité, le dieu de la *bhakti*. Mais le nouveau Danseur n'aura plus de ces faiblesses. Ses animaux-symboles ne doivent plus rien à la symbolique de Vichnou (l'Oiseau) ou à celle du Bouddha (le Naga). Ils excluent l'Illusion comme la Vérité, car un dieu de liberté ignore l'une et l'autre : il méprise également les Apparences, puisqu'elles ne sont que ses aspects, et les dogmes, qu'il peut à tout instant détruire.

C'est ce dieu que le *Granth* révèle : « Créateur, immortel et non créé, qui tire son être de soi-même et régit tout ce qui se produit sur terre », le Seigneur du Bon Plaisir. Mais les *gurus* eux-mêmes se trouvaient débordés par cent sectes nouvelles et qu'ils ne pouvaient toutes approuver.

Vivant nus, mangeant la chair crue ou cuite, buvant dans des crânes humains, les *aghoris* adorent un Çiva diabolique. De même, les *chamanis,* violents et taciturnes, qu'on a nommés les « doukhobores » de l'Inde. Une troisième secte, apparentée parfois à ces premières, est celle des *satnamis,* fondée vers 1750 par le poète Jagjivan Das.

Bien qu'ils ne soient pas des cannibales, mais, au contraire, végétariens, les satnamis sont présentés comme voués, d'une part, à l'érotisme, d'autre part aux rituels impurs, tels que l'absorption des excréments humains. L'un de leurs mots d'ordre : « dépasser le dicible » annonce étrangement l'intuition de Beckett : « Atteindre le point où l'homme ne peut être humilié. »

Les Sikhs — Ce fut pour lutter, d'abord, contre tous ces excès que le 10ᵉ *guru* sikh, Govind Raï, accomplit la

Grande Réforme (1675-1708). Ayant complété le *Granth,* qui devint le *Granth Sahib,* Govind Raï mit l'accent sur la souveraineté, la hiérarchie. Il renforça le rituel par l'institution de la Confrérie des Purs (*Khalsâ*) et du baptême par l'Epée (*Khanda-di-Pahul*). Aux cinq M mantriques, il opposait les K : *kangha,* le peigne d'acier, *kara,* le bracelet de fer, *kesh,* la longue chevelure, *kush,* le pantalon court, et *kirpan,* l'épée.

Contradictoirement, devenu *Singh* (le Lion), Govind avait prédit qu'il n'y aurait plus de souverain sikh, de *guru* régnant après lui. En 1717, un guerrier ambitieux tenta de faire mentir la prophétie; mais un tout petit nombre de sectaires le suivirent.

Le schisme se produisit d'une autre manière. Dès la mort de Govind Singh, les sikhs, disséminés à travers le pays par les persécutions, ne gardèrent d'autre lien entre eux que les « signes de reconnaissance » : la longue chevelure, la barbe et le pantalon court. Pour le reste, ils se répartirent, selon des croyances diverses, en *akalis* ou héros, *nirmalins* ou savants, *udasins* ou apôtres.

Les nirmalins, sans doute, s'éloignaient plus que les autres de la doctrine initiale; car le *Granth* contenait toute la vérité; il était inutile — et, d'ailleurs, interdit — de chercher plus avant. Nous verrons, du reste, qu'à partir de 1753-1757, tout ésotérisme devint impossible, par suite de la condamnation de l'Esprit (selon Swedenborg) ou du crépuscule du Serpent (selon les *Tantras* tibétains). Les « hommes à la robe jaune » disparurent alors : il ne resta plus, face à face, que les héros et les apôtres.

Ceux-ci, les *udasins,* pratiquent l'abstinence, la pauvreté, la chasteté. Ils se réclament de Çri Chaud, fils de Nanâk, et portent parfois le nom de Nanâkpanthis. Renaissant en notre siècle, ils mettent l'accent, naturellement, sur la fraternité humaine et sur l'égale répartition des biens (quoique l'idéal, pour eux, soit le complet dénuement). Ils croient que l'homme ne se sauvera pas seul. Il n'est de liberté possible que pour l'humanité rassemblée dans l'exaltation de la Grande Œuvre commune.

Au contraire, les *akalis* croient à la libération individuelle. Dans toutes les grandes révoltes indiennes du XVIIIe siècle, contre l'envahisseur musulman, puis anglais, les akalis se sont révélés des meneurs d'hommes. Nous les retrouverons, patriotes fanatiques, au XIXe siècle (page 303). Mais, alors même que des sikhs acceptèrent de servir dans l'armée britannique, plaçant leurs haines religieuses au-dessus de l'intérêt national, ils demeurèrent fidèles à l'esprit du Lion.

Nous leur devons cette inspiration — l'une des plus profondes des derniers siècles : l'homme n'accédera pas à la liberté, s'il ne peut satisfaire soi-même ses besoins. Aujourd'hui encore, tout sikh digne de ce nom est ou un ascète ou un artisan, et très souvent l'un et l'autre. Quel enseignement au cœur d'un monde où, esclaves de milliers de besoins, les hommes n'en peuvent plus satisfaire un seul de leurs propres mains!

Une secte délirante: les thugs : On ne sait laquelle, de la bergerie ou de la raison, a desséché, en Occident, la veine des rosicruciens et des illuminés, le génie d'un Bach ou d'un Goethe, le romantisme premier d'un Shelley, d'un Schiller. On ne sait lesquelles, des *çaktas* ou des dominations occidentales, ont desséché, dans l'Inde, le çivaïsme et le génie des sikhs. Mais, historiquement, il semble que l'élégie précède l'indifférence.

Les Parny et les Fabre de l'Inde se sont nommés Bharatacandra et Râmprasad Sen. La nature se revêt de dentelles; l'homme naît bon. La femme n'a plus ni sexe ni entrailles; la coquetterie étouffe l'indécent érotisme. La déesse console, parce qu'elle ne porte plus d'armes : on ne meurt plus que de coups d'épingle, sadiquement mais élégamment ajustés.

Cependant, la déesse a eu d'abord des armes. Dans un temps où les hommes n'aspiraient déjà plus, dans leur majorité, qu'au confort matériel, à la facilité, à l'apaisante raison, la déesse a régi l'une des sectes les plus terribles de toute l'Histoire : les *thugs*.

Leur origine est incertaine. Lors des rares procès où ils furent entendus — car ils se donnaient la mort plutôt que d'être pris — ils se prétendirent les descendants d'une branche indienne des *Assassins* et donnèrent pour date de leur établissement dans l'Inde 1256, l'année de la destruction d'Alamût. Ils n'apparaissent pourtant que vers 1710.

Braves autant que cruels, les thugs ne se cachaient pas. Ils voyageaient communément par bandes de cent ou deux cents membres. Ils survécurent de la sorte, ouvertement, tout le siècle et ne commencèrent d'être décimés qu'en 1835.

Leur déesse, Kâli ou la Devi Noire, n'apparaît en tant que telle que dans les *Purana* civaïtes. Dans la métaphysique ancienne, védique, brahmane et oupanichadique, le mot signifiait : l'âge de mort des dieux. La doctrine des thugs ou *Fils de la Mort* jouait évidemment de cette ambiguïté; puisque, manichéenne, elle posait le principe de deux Emanations contraires de l'Etre suprême : l'une qui conduit à la destruction, l'autre à la recréation du monde.

En 1256, disaient-ils, l'humanité était entrée dans une période de mort, un âge kâli, que suivrait un âge de vie, lorsque l'heure en serait venue. Mais, à la différence de toutes les sectes religieuses, les thugs n'entendaient pas combattre la destruction, ce qui eût été combattre la déesse elle-même, agente des volontés de l'Etre.

Puisqu'il fallait détruire, ils voulaient seconder l'action de la Devi Noire en tuant le plus de monde possible : non seulement l'injuste et le méchant, mais le médiocre et le sage. Leur tradition rapporte qu'au début de l'âge actuel, Kâli « modela un être en forme d'homme et lui donna la vie. Puis, elle apprit à ses disciples, les thugs, à tuer cet être par le moyen qu'elle leur donna (l'étranglement)[1] ».

Heckethorn assure que la société possédait son langage propre. Le chef d'une expédition était nommé *sonoka*; le signe de mort, *jhirnee*; la victime, *bisul*, si le meurtre présentait des difficultés, *coosul* s'il n'en présentait pas. L'initiation des nouveaux membres était très longue et minutieuse : ils devaient donner des preuves de leur sacrifice « total et volontaire » avant d'être admis, vêtus de blanc et couronnés de fleurs, en qualité de *sahib-zada*. Ils servaient d'abord comme valets (*lughah*), puis comme espions (*belhal*) avant de devenir

1. Les Thugs : J. H. Lepper, *Les sociétés secrètes.*

bhut totah et d'être chargés personnellement d'un meurtre.

Cette dernière cérémonie d'initiation durait quatre jours, pendant lesquels le nouveau thug ne devait prendre d'autre nourriture que du lait. Lorsqu'il avait juré d'employer toutes ses forces à la destruction de l'humanité, l'initiateur lui répondait : « Tu as choisi, mon fils, la plus vieille profession et la plus noble. Celle qui convient le mieux à Dieu. »

Dans la secte primitive, au XVIIIe siècle, le meurtre d'une femme eût été interdit. Conforme à l'esprit de la secte, cette interdiction ne sera pas renouvelée lors de la dernière résurgence des thugs, en 1872.

Les prophétesses du Messie : Si les Çaktas nous ont rappelé les Vierges Noires occidentales, c'est l'ouvrage de Marie d'Agreda : *La cité mystique de Dieu,* que nous évoque les dernières grandes œuvres çivaïtes. Condamné par le Saint-Office en 1681, le livre fut en vain réhabilité par Innocent XII et de nouveau interdit pas la Sorbonne au début du XVIIIe siècle. Il nous semble important, surtout, en ce que — pour la première fois sous la plume d'une femme — la création y est considérée comme une approche mystique de la divinité, au même titre que l'amour et la méditation.

Ainsi, quelque chemin que nous choisissions de suivre dans les multiples sectes nées de la voie occulte, nous rencontrons des femmes à tous les carrefours. Et, toujours — comme, naguère, les jansénistes et les piétistes, la « sainte de Coutances » ou Marguerite-Marie — ces prophétesses ramènent le mouvement ou la secte à l'exaltation du Toi. Vertu modèle ou charité, mythe des Deux Témoins ou mythe du Sacré-Cœur, érotisme ou passion, tout leur est bon, dès l'instant que l'essentiel est préservé : la survivance d'un univers dont elles furent jadis les reines.

Il ne saurait être question de sous-estimer l'action de ces inspiratrices. Pour n'en citer que la première, Jane Lead, et la dernière, Joanna Southcott, nous voyons que toutes deux ont créé des mouvements qui devaient leur survivre.

Inspirée par les Mères de Jacob Boehme, dès 1670,

Jane Lead avait reçu ses premières visions. Son institution, la *Société philadelphienne*, réunissait bientôt des boehmistes enthousiastes, que la publication des œuvres complètes du maître ne pouvait qu'exalter. Bien des sectes d'illuminés emprunteront à ce premier exemple. Quant à Joanna Southcott (1750-1814), une servante d'auberge, elle ne reçut l'inspiration du ciel qu'en 1792 et l'essentiel de son influence s'exerça au siècle suivant, bien qu'elle eût déçu ses fidèles en mourant d'une grossesse nerveuse, à l'âge de soixante-quatre ans, sans avoir donné le jour au « Prince de la Paix ». Mais, au XXe siècle encore, des sectes se prévaudront de son héritage (page 400).

Pour ces illuminées, la Lumière Intérieure n'est autre que la parole secrète, le Verbe par lequel Jésus-Christ guide l'âme impatiente. On les eût étonnées, scandalisées peut-être, en leur montrant qu'ainsi, elles ressuscitaient l'Hermès aux pouvoirs triples : dieu de la Ténèbre, du Cercle et de la Charité, dont Catherine de Sienne avait décomposé les éléments et que les grandes mystiques de l'Inde retrouvaient dans la doctrine de Chaitanya (page 167).

Esotériquement, d'ailleurs, elles ne le ressuscitent pas, car il leur manque le Savoir — presque toutes sont des ignorantes. Mais elles suppléent la science par la méditation, le Rite primitif parfois, la Vierge Mère toujours. Tous les signes d'ombre ou femelles se rassemblent en cette grande Nuit qu'elles nomment l'Attente de la Seconde Venue du Christ.

Il sera de nouveau l'Amant et le Véritable, le Verbe johannique et le dieu de la Ténèbre, en même temps que le fils de la Vierge et de la Mère, de Marie et de Lilith enfin réconciliées. Ou bien, ne sera-t-il pas, lui-même, la Nourricière et la Consolatrice, une sorte de Jésus-femme? Certaines prophétesses sont allées jusque-là. Mais, d'abord, nous traiterons des mystiques les plus sages.

Le Quiétime — Au même ordre de quête, en effet, appartiennent les œuvres et l'action des deux femmes que nous trouvons au carrefour de l'expérience quiétiste. La Flamande Antoinette Bourignon (1616-1680) et Mme Guyon, née Jeanne-Marie Bonnier de la Motte (1648-1717).

Il est très peu probable qu'elles se soient rencontrées, car les œuvres d'Antoinette ne furent publiées qu'après sa mort par Pierre Poiret, son disciple, et Mme Guyon n'entreprit son action missionnaire qu'au lendemain de la mort de son époux (1676). On peut même douter qu'elles se seraient estimées, car, prêchant toutes deux la Lumière Intérieure, elles n'en étaient pas moins fort dissemblables.

Antoinette Bourignon, « la bonne bourgeoise », avait passé toute sa jeunesse à se consacrer aux hôpitaux et aux orphelinats de Lille et de Gand. L'illumination complétait en elle une longue expérience de la charité, comme si, en ce qui la concerne, l'Amour avait mené à l'En-soi. Plus d'un trait, d'ailleurs, la rapproche de la première mystique de ce type : Angèle de Foligno (page 94).

Dès lors, livrée à son « démon », elle connut une vieillesse errante et vagabonde, inquiète et agressive à l'égard des Eglises, qu'elles fussent catholique ou réformée. Plutôt qu'une doctrine, son œuvre tronquée reflète le besoin d'une doctrine, d'une Vérité, qu'apparemment, elle ne put jamais découvrir.

Plus fine et plus intelligente, l'aristocratique Jeanne-Marie Guyon n'avait pas eu la peine de créer une doctrine. Sa révélation ne lui venait pas de Dieu mais de ses nombreuses lectures et, notamment, de l'œuvre de Miguel de Molinos, *Guido spirituale,* parue en 1675.

La religion de l'Espagnol nous apparaît comme une sorte de jésuitisme dépourvu d'efficacité : l'homme ne doit pas lutter contre l'Ordre divin, ni chercher à comprendre, mais il doit prier sans cesse et se soumettre d'avance aux volontés de Dieu. Car, dans l'orbe de l'Amour, il n'est pas de bien ni de mal — ou, plutôt, l'homme n'est pas capable de décider de l'un et de l'autre.

On peut croire que Molinos avait appartenu à la secte des *alombrados,* une Rose-Croix espagnole qui, vers 1654, possédait des filières en France et dans les Flandres, les *Guérinets,* dont les membres se nommaient eux-mêmes Illuminés. L'ouvrage de Molinos révélait leurs doctrines, mais ce n'était plus l'heure de les mettre en lumière : en 1687, soixante-deux propositions extraites du *Guide*

Spirituel furent jugées par le Saint-Office et condamnées comme hérétiques. L'abjuration sauva Molinos du bûcher, non de la prison, où il mourut après dix ans de captivité.

Emprisonnée la même année que son maître, Mme Guyon était libérée peu après, grâce à des amitiés puissantes, dont celle de Fénelon. Lorsque l'évêque lui-même devint suspect à Rome, elle perdit ce soutien. Le prélat tenait plus à ses privilèges qu'à de confuses croyances, mais l'indomptable quiétiste était d'un autre acier. Embastillée de nouveau en 1695, elle ne reconquit sa liberté que huit ans plus tard. Elle acheva sa vie dans le domaine de son fils, près de Blois.

Parmi ses œuvres essentielles, une *Autobiographie* est mise en parallèle, parfois, avec celle de Bunyan et de Fox; mais c'est *Le Sens mystique de l'Ecriture sainte* qui eut le plus d'influence, dans les Flandres, surtout, et dans les Pays-Bas.

Poussant jusqu'à l'extrême les doctrines quiétistes de ses prédécesseurs, l'audacieuse avançait que, non seulement le chrétien ne doit pas se défier des instincts qui l'animent mais doit leur accorder toute son attention, car cette voix « qui s'élève dans la passivité présente le caractère de toute vie véritable, elle est éphémère et fuyante ». Puis, il ne convient pas de faire passer en jugement ce qui nous vient ainsi, car nous ne savons pas quelles sont les fins secrètes de la Volonté de Dieu et s'Il ne veut pas nous perdre afin de nous sauver; de sorte que se refuser au Diable, ce peut être se refuser à Dieu.

Ann Lee — De tels délires, à même époque, n'étaient point rares. On pense à la folie d'Ann Lee (1736-1784), membre des *shakers* dès sa jeunesse. Emprisonnée ainsi que son père, un forgeron de Manchester, il lui vint la pensée que, si le Messie futur devait être une femme, il se pouvait qu'elle le fût. Peu après, elle reçut une vision du Christ qui convainquit les chefs shakers et la confirma elle-même dans toutes ses prétentions. La première Révélation, enseignait-elle, avait été panthéistique; la seconde s'était révélée par Jéhovah; la troisième, incarnée dans le Christ. La quatrième prendrait pour organe *Mother* Ann.

Lasse des persécutions, la Mère s'embarqua pour l'Amérique du Nord, où elle fonda une colonie shaker dans l'Etat de New York. Communauté de biens, chasteté, célibat, objection de conscience y étaient obligatoires, comme si Ann Lee avait emprunté à la fois aux quakers et aux *French prophets,* à Ephrata et aux moraves. Mais deux pratiques venaient s'ajouter à la panoplie déjà vieille : l'égalité complète des sexes et le refus du médecin.

La secte fut aussi l'une des premières à tirer un plein parti de la propagande religieuse : des musiciens accompagnaient la Mère dans les tournées qu'elle fit à travers l'Amérique. Après le sermon, on dansait. Lorsque Ann mourut, en 1784, Lucy Wright devint la Mère et gouverna la secte jusqu'à sa mort (1821).

Ce relatif succès avait encouragé d'autres vocations. En 1768, la comtesse de Huntingdon, pairesse du Royaume britannique, fondait un séminaire (de femmes et d'hommes) à Trevecca, dans le Breconshire. Elspeth Simpson, fille d'un aubergiste, épouse divorcée d'un potier, prit le nom de son mari et, sous ce nom, fonda la secte des *buchanites,* en 1779. Mrs Buchan n'était pas une « mère », mais la Femme de *L'Apocalypse,* qui doit chercher refuge dans le désert avec son fils. Bien que ce fils fût un peu grand, car elle présentait comme tel son amant, le Révérend Hugh White, pasteur d'Irvine, les disciples se pressaient au prêche.

Chassé d'Irvine en 1784, le couple se réfugia dans une grange, près de Nithsdale, où la secte se reforma; puis, dans une ferme de Kirkcudbright. Les accusations de débauche, d'avortement et même d'infanticide les précédaient çà et là. Mais les sectaires suivaient partout la Femme, parce qu'ils espéraient assister à son enlèvement au Ciel, le jour où s'achèverait sa vie sur cette terre. Après sa mort, en 1791, la secte se dispersa.

Du Raskol aux Skoptsis : Nombreuses en Occident, les sectes nostalgiques n'y pouvaient combattre l'avènement de la nouvelle raison, philosophique, puis scientifique et révolutionnaire enfin. Leurs excès, leur démence croissante les desservaient auprès de ceux-là même qui éprouvaient le besoin d'une spiritualité ou le dégoût de l'ironie d'un Bayle ou d'un Voltaire. Mais, dans l'empire des tsars, il en allait différemment.

La froide réforme des orthodoxes ne triomphait qu'en

apparence, sous la férule de Pierre le Grand et de Catherine. Le peuple tout entier demeurait Vieux Croyant et quiconque se proclamait inspiré par Jésus ou par la Vierge voyait se rassembler autour de sa personne des milliers d'auditeurs, dont il ne tenait qu'à lui de faire ses disciples.

Du schisme populaire, le *Raskol,* étaient sortis ainsi, en moins de cinquante ans, une multitude de groupes, qu'aucun historien n'a pu tous dénombrer. Ils se distinguaient les uns des autres par un éloignement de l'Eglise officielle de plus en plus marqué — et des mystiques de moins en moins humaines; parce que la haine de la raison, peut-être, les menait au refus de toute vertu acceptable.

Aux *popovtsy,* qui exigeaient d'élire les popes, succédèrent les *bepopovtsy,* qui ne voulaient plus de popes du tout; aux *molokanj* (buveurs de lait), qui pratiquaient le jeûne et l'abstinence, les *biegoumy,* nouveaux ascètes errants; aux *dyrkovtzj* (perceurs de trous), qui espéraient de la contemplation d'un trou l'obtention de la liberté parfaite, les *skakouny* (sauteurs), qui introduisaient dans la Sainte Russie les rites des derviches tourneurs.

Les croyances n'étaient pas plus fermes que les pratiques. Les *sabbatistes* croyaient au dieu des juifs; ils attendaient encore le Messie du Talmud et faisaient du samedi, le Sabbat, le Jour du Véritable Dieu. Au contraire, les *doukhobores* ressuscitaient le mythe anabaptiste de l'Esprit luciférien et conquérant. Ils attendaient de la lutte, de la passion, de l'action et de la débauche une Parousie plus turque que chrétienne.

Vers 1740, une de ces sectes prit le pas sur toutes les autres. Ses membres se donnaient le nom d'Hommes de Dieu. Parce qu'ils pratiquaient la flagellation au cours de leurs réunions secrètes, le peuple les nomma khlystis (les fouetteurs). Ainsi que les philadelphes et les *shakers,* ils attendaient la Seconde Venue du Christ et honoraient des prophétesses ou Mères.

Plus persécutés qu'aucune autre secte, les sévices et les supplices les fortifiaient. Ascètes et continents, nonviolents, réfractaires, objecteurs de conscience, ils employaient toutes leurs ressources et toutes leurs forces à lutter contre « le monde sans âme » qu'ils voyaient naître et prévoyaient plus vide encore.

De leurs rangs devait sortir l'une des dernières mystiques du XVIIIe siècle : Akoulina Ivanovna, la Mère de Dieu. En 1772, elle créait la secte des *skoptsis* (eunuques) qui, menant à leur terme la continence et l'ascétisme des *khlystis,* se mutilaient pour s'interdire de procréer. Le « fils spirituel » d'Akoulina, le Christ Blochin s'était châtré lui-même. Lorsqu'il fut déporté en Sibérie, la secte se dispersa. Mais, peu après, elle se trouvait un nouveau chef : Kondrati Selivanov, le tsar Pierre III ressuscité.

Ni l'imposture démontrée, ni les défaites militaires, ni la mort même du Christ Pierre III (en 1832) ne parviendraient à dissoudre la société. En 1874, un recensement dénombrera cinq mille *skoptsis,* dont sept cent soixante se seront volontairement mutilés[1].

Les Illuminés : Est-ce à dire que, dans la seconde moitié du XVIIIe siècle, il n'existait plus de société secrète dont les croyances ne fussent délirantes et les pratiques dénaturées? Il en existait un grand nombre; mais, éphémères, sans influence et sans doctrine précise, ces sectes messianistes étaient des groupuscules plutôt que des sociétés.

Leurs maîtres et fondateurs n'en témoignaient pas moins d'un courage héroïque et d'un esprit génial, bien qu'ils fussent aussi comme les ultimes vestiges d'une science disparue au milieu de la décadence morale et spirituelle de l'Occident.

Emmanuel Swedenborg, né à Stockholm, était le fils d'un évêque luthérien. Sa jeunesse studieuse fut celle d'un physicien, élève de Leibniz. Invité dans toutes les universités d'Europe, il visita l'Allemagne, la France et l'Angleterre. Il eût même contribué à la construction de la flotte suédoise qui permit à Charles XII d'envahir le continent.

Il avait cinquante-cinq ans lorsque, en 1743, des rêves

1. SKOPTSIS : Heckethorn, ouvrage cité.

et des visions étranges vinrent troubler un esprit jusqu'alors entièrement livré aux sciences exactes. L'année suivante, il se démit de son poste au Collège des Mines et se lança, dès lors, dans la plus stupéfiante des « aventures intérieures ».

Navigateur de l'Invisible, il traversa des mondes — ou des plans d'univers — que, depuis Boehme, nul ne visitait plus. Méthodique dans ses délires, il ne relatait, disait-il, que ce qu'il voyait, apportant à ses descriptions de l'Irréel la même minutie que dans ses travaux précédents. En témoignent de nombreux ouvrages : *Arcanes célestes, Le Ciel et l'Enfer, La Nouvelle Jérusalem, L'Apocalypse révélée.*

L'innovation fondamentale de Swedenborg est la rupture définitive avec les sectes du passé ou nostalgiques ou messianistes. Il n'y a plus à regretter le Temps du Christ Jésus, car, dans sa vie, dans sa chaleur, ce Temps est révolu. Mais il n'y a pas lieu non plus d'attendre l'Age Nouveau, car ce Troisième Age est commencé. En 1757, errant dans le monde des Esprits, le visionnaire a été témoin, lui-même, du Jugement de la fin du Temps (ancien).

L'Univers swedenborgien comporte trois plans distincts : le Ciel ou monde des archétypes, l'Enfer ou monde de la matière et le monde des Esprits. Mais, en raison de la condamnation portée sur ce troisième plan, les deux autres se trouvent face à face, et cette dialectique mythique se répercute dans la vie de chaque homme, car « entre le bien et le mal, il y a la même différence qu'entre le Ciel et l'Enfer... L'homme est créé pour vivre avec l'esprit plongé dans le spirituel et le corps dans le naturel (ou matériel) ».

« L'homme détient deux puissances. Deux actions, deux langages, deux amours combattent sans cesse en lui. Toutefois, l'homme naturel est imparfait et faux, car il est double; l'homme spirituel est nécessairement sincère et véritable, parce qu'il est simple et un; en lui, l'esprit a exalté et attiré le naturel : l'externe s'identifie en lui avec l'interne » *(Nouvelle Jérusalem).*

L'Esprit en soi est mort — la Vérité dans l'homme —, mais, des deux univers structurels qui subsistent, c'est le Ciel qui permet d'accomplir l'esprit, à condition que celui-ci prenne conscience des archétypes ou formes qui organisent les mondes.

« Cette exaltation était pleinement atteinte par les anciens qui, en toutes choses, recherchaient les célestes correspondances (O. C.). »

Swendenborg en dénombre sept, qui reproduisent, d'une part, les *monades* de Leibniz, d'autre part les *propriétés* de Boehme, de la Conservation à la Sympathie. Maître des sept correspondances, l'homme parfait, l'*homme d'Or,* voyage impunément dans le Ciel et dans l'Enfer, parce qu'il en possède toutes les clés.

Il ne paraît pas avoir existé un rituel typiquement swedenborgien. Cependant, le marquis de Thome, en 1783, prétendait avoir découvert les traces d'un tel rituel, qui eût comporté six degrés d'initiation : Apprenti, Compagnon, Maître théosophique, Illuminé, Frère bleu, Frère rouge.

Des nombreuses sectes issues de ces doctrines, la plus importante, *La Nouvelle Eglise,* ne fut fondée qu'en 1787, par Robert Hindmarsh. Des filières en existent encore : elles portent toutes le nom d'Eglise — en Suède, en Tchécoslovaquie, en Allemagne, en Suisse, en Australie, en Nouvelle-Zélande et, naturellement, en Amérique du Nord.

Mais d'autres formations l'avaient précédée. Dépositaires des secrets de la Renaissance, les *Illuminés d'Avignon* se consacraient essentiellement à l'alchimie et à l'astrologie. En 1760, ils découvraient les premières œuvres de Swedenborg et en faisaient le fondement de leur ésotérisme. Six ans plus tard, sous le nom de *Théosophes illuminés,* une secte analogue se fondait à Paris et, en 1770, l'abbé Penetti, recherchant une synthèse de la pensée de Swedenborg et du *Rite écossais* (chapitre suivant), créait une société qui devint, un peu plus tard, la londonienne *Academy of the Sublime Masters of the Luminous Ring.*

Fidèles ou non à l'enseignement du maître, ces sociétés se fondaient sur une doctrine précise. On n'en peut dire autant du *martinisme,* qu'on présenta longtemps comme la création du marquis Caude de Saint-Martin, le « Philosophe inconnu ». Le marquis était le disciple d'un Maçon espagnol, Martinez Paschalis, qui, en 1754, rassemblait de nombreux fidèles à Marseille, Lyon, Toulouse et Bordeaux. Moins créateur — ou visionnaire — que Swedenborg, Paschalis entendait unir en une recherche unique, d'inspiration boehmiste, l'antique gnose chrétienne et la Kabbale juive.

Ce fut seulement en 1779, après le départ de Martinez pour les Antilles, que Saint-Martin et Willermoz reprirent en main son œuvre — et la poursuivirent dans le sens maçonnique. Ils établirent deux Temples ou Ordres de recherche. Le premier comportait dix degrés : de l'Apprenti au Maître du Secret; le second, trois seulement : Prince de Jérusalem, Chevalier de Palestine et Chevalier du Kadosch ou Graal.

Dans la mesure où le martinisme se prévalait de Boehme, il peut être rapproché des sectes rosicruciennes, renaissantes à l'époque : les *Frères de la Croix d'Or* et les *Frères de la Croix Rose,* de Breslau, une résurgence de la *Themis Aurae* de Maier (1763), la société créée par le duc de Saxe-Weimar Ernest-Auguste (1742) ou celle du prince Frédéric-Guillaume de Prusse, couronné roi en 1786. Dans la seconde moitié du siècle, les princes et souverains d'Europe n'espéraient plus leur survivance que de l'ésotérisme messianique.

Au même occultisme, enfin, s'apparente l'*Ordre des Illuminés* (1776), fondé par Adam Weishaupt, professeur de Droit canonique à l'Université de Ingolstadt, en Bavière.

L'Ordre fut éphémère : dès 1783, l'Eglise le condamnait; deux ans plus tard, l'Electeur de Bavière décidait sa dissolution; Weishaupt était banni et trois autres Maîtres de l'Ordre le suivaient en exil. Mais, si brève qu'eût été son existence, l'importance de son « défrichement ésotérique » nous apparaît considérable. On y voit quelquefois le germe des doctrines dites « anarchiques » qui proliféreraient au siècle suivant : mais l'architecture de l'Ordre présentait une cohésion et une « logique interne » que bien des anarchistes pourraient lui envier.

Weishaupt lui-même reconnaissait que son mouvement avait pour but premier de « libérer graduellement de leurs préjugés les chrétiens de toutes confessions », afin de réaliser promptement un univers de liberté, d'égalité et de fraternité. Serge Hutin fait écho à cet aveu quand il note que les secrets de l'Ordre « n'étaient dévoilés que peu à peu, au fur et à mesure que l'adepte montait dans la hiérarchie ».

Celle-ci comportait treize grades, répartis en quatre sections : Préparatoire, Novice, Minerval et Illuminatus Minor (Pépinière), Apprenti, Compagnon et Maître (Maçonnerie symbolique), Illuminatus Major et Illuminatus dirigens (Maçonnerie écossaise), Prêtre, Régent, Mage et Roi (Mystères).

Au terme des quatre grades préparatoires, l'Illuminatus Minor n'avait encore que découvert le sens de l'Obéissance absolue, dont le but était de détruire en lui le vieil homme pour le rendre apte à l'enseignement nouveau. Au terme des grades de Maçonnerie, l'Illuminatus dirigens savait le sens profond des trois ordres de recherche : la vertu (modèle), la sagesse et la liberté.

Le Prêtre apprenait que, dans la société future, le patriotisme devrait céder la place au *cosmopolitisme,* et la notion d'une liberté nationale à celle d'une liberté de l'être en soi. Au Mage était découvert le *panthéisme matérialiste,* selon lequel Dieu et le monde ne sont qu'un, de sorte qu'accomplir Dieu, c'est s'accomplir soi-même. Enfin, le Roi était celui qui, au sommet de la hiérarchie, en connaissait la vanité, car, un jour, tous les individus auraient des droits égaux et l'homme serait son propre maître [1].

Si nous citons Cagliostro après ces initiés illustres, ce n'est pas que nous le croyons lui-même un initié. Mais il témoigne, mieux que tout autre, de l'avilissement progressif de l'Esprit et de la superstition régnante dans les dernières décennies du siècle. Il fut, sinon le maître, l'un des membres influents de nombreuses sociétés, parmi lesquelles le *Royaume Triomphant* de Lyon et l'*Universelle Aurore,* fondée à Parie en 1783. Enfin, il fut le créateur du mystérieux Rite Egyptien, qui rassemblait de hauts personnages du royaume, tandis que

1. ILLUMINÉS de BAVIÈRE : Serge Hutin, ouvrage cité. Également du même auteur, *Histoire mondiale des sociétés secrètes,* Club des Amis du Livre, 1959.

Mme Cagliostro dirigeait une filière de la secte, uniquement réservée aux dames.

Dans le seul ouvrage connu du charlatan : *Le Rite de la Maçonnerie égyptienne,* figurent d'étonnantes trouvailles ésotériques : le Rite y est donné pour l'invention d'Enoch. Perdu pendant longtemps, Elie le recréa. Le Grand Copte le restaure. Mais le livre se présente surtout comme un « confus ramassis de merveilles », où des doctrines rosicruciennes côtoient des bribes de Kabbale et même des notions scolastiques, telles que la Matière Première.

On y trouve également un protocole d'initiation qui, plutôt que les rites égyptiens, rappelle les messes noires médiévales. Ayant jeûné selon certaines données astrologiques, l'adepte, vêtu de noir et dépouillé de tous ses bijoux, devait réciter l'office du Saint-Esprit, puis tracer à la craie le cercle de l'Univers et en dénommer les régions (Rap, Yob, Oz, Fa). Enfin, entré dans le cercle, l'initié invoquait l'Etre et se prosternait, « les mains en équerre, à plat sur le sol », dans l'attente des apparitions [1].

Ce ne furent pas son livre ou ses étranges pratiques qui rendirent Cagliostro célèbre, mais certaines réussites magiques et prophéties réalisées. Au cours de ses assemblées rituelles, le Maître faisait toujours quelques tours d'hypnotisme ou « passes magnétiques » et procédait à de nombreuses nominations dans l'Ordre du Grand Copte. Puis, il achevait la réunion en demandant à un enfant de regarder dans une coupe pleine d'eau, où se dévoilerait l'avenir.

Un jour, le voyant — une petite fille — vit la mort prochaine d'un Illuminé allemand, Schröpfer, que Cagliostro considérait comme son ennemi, parce qu'il avait osé railler le Rite Egyptien. Or, dans le mois qui suivit, Schröpfer se suicida [2].

---

1. Rite égyptien : Cette initiation est parfois attribuée aux Illuminés martinistes : cf. *Histoire de l'occultisme,* par L. de Gérin-Ricard (Payot). Il s'agit, très probablement, de pratiques communes à de nombreuses sectes de l'époque.

2. Cagliostro : Des ouvrages contradictoires écrits sur cet homme étrange, nous ne citerons que les études de Magre, Heckethorn et Gérin-Ricard. L'anecdote de Schröpfer est prise chez l'Américain.

De telles coïncidences ont toujours fait la joie des crédules sceptiques : le succès de Cagliostro rappelle celui des *chresmologues* à la fin du ve siècle avant J.-C. Mais, dans le même temps, l'Oracle de Delphes était abandonné, en attendant d'être rattaché aux Sept Sages, parce que la Voix n'annonçait plus que des catastrophes. Et, de même, en la fin du XVIIIe siècle, nul ne prête plus l'oreille aux prophétesses chrétiennes, plus nombreuses qu'en tout autre époque : Anne-Marie Taïgi (née en 1769), Marie des Brotteaux (en 1773), Catherine Emmerich (en 1774), Elisabeth Canori-Mora (1774), Maria-Rafols Bruna (1781), etc., parce qu'elles ne prédisent plus que l'abîmation sans recours.

C'est le mythe de la Vierge, alors — comme celui de la Voix à Delphes — qui devient inacceptable pour la raison; puis, le mythe de la Ténèbre, comme celui de l'Archer naguère; et la présence du Roi, enfin, comme jadis — à Eleusis, à Rome, à Thèbes — la présence de Vesta, de Cybèle ou d'Isis.

Les dieux qu'une telle humanité supporte : la Tyché de Macédoine ou les Sept Sages, la Justice voltairienne ou l'Egalitarisme ne sont plus vraiment divins : ils mènent fatalement vers l'aristotélisme, vers la déesse Raison. L'occultisme a perdu son sens premier de « voie d'ombre », comme la dialectique, autrefois, le sens premier de Janus-Ouvreur des chemins, pour prendre les sens honteux d'irrationnel, d'absurde et de délirant.

A l'anathème de Platon : « Vous penserez en cercle! » répond exactement l'apostrophe de Kant à la nouvelle Colombe : « Tu te crois libre par orgueil, par aveuglement, comme la nef Argo croit qu'elle se dirige elle-même, ignorant le vent dans ses voiles! »

13

LES FRANC-MAÇONNERIES

Les origines — Anderson — Ramsay — le Rite écossais — La Stricte Observance — L'avènement de la Raison.

Les origines : En regard des doctrines confuses nées de l'enseignement des prophétesses et des Illuminés, la Franc-Maçonnerie offre une structure imposante, sinon une cohérence parfaite. Vers 1783, quand les membres des sectes survivantes se comptaient par milliers — et, souvent, par centaines — les Franc-Maçons étaient des centaines de milliers. Quand les sectes se mouraient de leur inutilité sociale, les loges anglaises avaient émasculé leur roi; les loges françaises allaient décapiter le leur; en des nations encore inexistantes, les new-yorkaises et les prussiennes suscitaient la notion de Patrie.

Tout cela n'était pas l'œuvre d'un jour, mais le fruit d'un combat séculaire entre deux conceptions mythiques opposées, que peuvent symboliser les mots : le Temple et la Loge.

L'une des premières mentions de la Loge se trouve dans le Journal du savant anglais Elias Ashmole, créé Maçon le 16 octobre 1646 à Warrington (Lancashire) et qui écrivait, le 10 mars 1682 : « Je reçois une convocation afin de me présenter à une loge qui sera tenue demain à Mason's Hall. » Mais on notera que la loge n'est encore que le nom de la réunion, laquelle se tient dans le Temple.

Il est admis que le mot dérive, soit du sanscrit *lok* (voir), soit du latin *lux* (lumière). L'une et l'autre étymologies mettent l'accent sur la vision, l'image, car on ne voit bien que ce qui se trouve en pleine lumière. Peut-être encore serait-il possible de rapprocher le vocable de l'antique Logos, dans le sens premier de Raison.

Au contraire, le Temple maçonnique renouvelle le Temple de Salomon, le roi créateur. En 1663, les Maçons de Wakefield, ouvrant leur assemblée dans le Temple, invoquaient tout d'abord le Souverain Créateur, El Shadaï, Architecte du Ciel et de la Terre, Donateur de tous les Dons, etc.

Au double ésotérisme se rattache, d'une part, la tradition biblique des deux colonnes érigées dans le Temple de Salomon : Joakin et Booz. Puis, de confuses légendes viennent ou bien réunir ou bien différencier les deux grandes symboliques. De ces dernières est l'histoire du Maître Amon, architecte du Temple de Jérusalem, assassiné par deux Maçons jaloux, étrangement devenue, au Moyen Age, l'histoire du chevalier Aymon qui, au retour de la Terre Sainte, se fait maçon pour aider à bâtir la cathédrale de Cologne et que des « compagnons » jaloux assassinent de même. Dans l'une et l'autre légendes, nous voyons la notion de Compagnonnage (et de dualité) s'opposer au mythe de Maîtrise (et d'unité)[1].

Une même opposition se reconnaît dans les deux appellations : *Enfants de la Veuve* et *Enfants de la Lumière*, que les anciens Maçons aimaient à se donner. Mais ici, très vite, une interprétation nouvelle — manichéenne — de la contradiction permettra de la dissiper. Les Maçons « libres » œuvrent dans la nuit : ils sont les Enfants de la Présence disparue (la *Shechina*) et ils consacrent leur « métier » à sa future résurrection. Mais les Frères « acceptés » ou tolérés d'abord dans des « loges » spéciales (*Lodges of Jakin*, en Angleterre), affirment

1. Amon-Aymon : *L'Ésotérisme*, par Luc Benoist (P. U. F.).

que le temps de Lumière est venu. La tentative d'alliance s'accomplira le jour où on déclarera que « les Maçons se reconnaissent comme Enfants du Monde des Ténèbres, mais ils se manifestent comme Enfants de Lumière [1] ».

Enfin, toutes ces distinctions symboliques se retrouvent dans les deux mots que les historiens emploient pour caractériser la Maçonnerie : *opérative* (avant 1717), *spéculative* (après cette date). Qu'ils considèrent, comme Marius Lepage, que 1717 marque le déclin de la Maçonnerie authentique, ou, comme H. F. Marcy, que la Franc-Maçonnerie spéculative naît en même temps que la Grande Loge d'Angleterre et « qu'elle va conquérir le monde », ils constatent tous le même fait, l'interprétant seulement dans le sens de leur mythique personnelle.

Il nous semble assuré qu'au XVIIe siècle, la Franc-Maçonnerie dite « opérative » se présentait essentiellement comme un ésotérisme actif, défenseur des mythes de hiérarchie et de création, contre l'avilissement chrétien d'une part, contre la renaissance du Semblable de l'autre. Il s'agissait, pour ces Ouvriers Libres, de préserver à la fois les deux vertus princières.

Les Francs-Maçons, alors, étaient, soit des savants ou des poètes, soit de nobles gentilshommes — et l'on peut croire que les seigneurs écossais de la suite du roi Jacques Stuart, lorsque ce dernier se réfugia auprès de Louis XIV, furent les initiateurs en France de la première maçonnerie de « rite écossais ».

L'objet de ces Maçons Libres était moins de créer une République de semblables ou d'égaux que de libérer chaque homme, pris individuellement, de ses chaînes ataviques, inconscientes souvent. Un texte intéressant à cet égard est celui des *Old charges* daté de 1694. Il se compose d'innombrables règles de civilité, « sur la façon de se tenir à table, de se comporter envers l'hôte, la femme de l'hôte, sa fille » comme si l'un des buts de la Maçonnerie, alors, avait été de permettre à ses membres d'atteindre à une certaine « promotion sociale » et

---

1. LUMIÈRE-TÉNÈBRES : *La Symbolique maçonnique*, par Jules Boucher (Dervy, 1948).

de se libérer par là même. L'ouvrage personnel, fût-il artisanal, mais aussi la « tenue » et le « conseil fraternel » étaient utilisés dans ce dessein[1].

On voit assez tout ce que cette première Maçonnerie pouvait devoir aux Ordres chevaleresques du Moyen Age, mais aussi à la discipline jésuitique et au sens de l'honneur *quaker*. Puis, comme en d'autres domaines, le « nombre » l'emporta sur la « qualité ». Admis dans les loges « acceptées », de nouveaux Frères, parmi lesquels beaucoup d'ecclésiastiques, attaquèrent un ésotérisme auquel ils ne comprenaient rien. Ce n'est pas l'Œuvre, dirent-ils, ni la tenue, ni l'harmonie — et la hiérarchie moins encore — qui peuvent établir le Paradis sur terre, mais la bonté, la charité ou, sans plus, la vertu modèle, car tous les hommes sont des semblables et une loi suffit à tous.

Anderson : Cette action des « loges acceptées » avait commencé de s'intensifier dès la démission du Grand Maître Christophe Wren (1702). Mais on date généralement de 1717 sa victoire définitive, parce que, à cette date, quatre loges anglaises se réunirent en Grande Loge de Londres. Huit ans plus tard, les quatre loges étaient devenues soixante-quatre : cinquante londoniennes et quatorze provinciales. Dans l'intervalle, se situe la publication des *Constitutions* d'Anderson, qui demeurent le texte majeur de la Maçonnerie spéculative.

James Anderson, pasteur presbytérien, était né en 1684. Il ne serait devenu Maçon qu'en 1721 et certains pensent qu'après la publication de son livre (1723) il ne vint même plus aux tenues de la Grande Loge, bien qu'il ne dût mourir qu'en 1739. Si ce dernier fait était prouvé, nous aurions là l'exemple type d'un de ces « commandos » protestants à l'intérieur des loges anglaises qui expliquent en partie l'évolution maçonne.

On a voulu faire d'Anderson un ignorant des anciens rites maçonniques et de la tradition ésotérique. Ses Constitutions ne révèlent rien de cette ignorance. Il faut comprendre l'art, reconnaît-il, il faut honorer le Métier;

1. Old Charges : étudiées par M. Lepage, *Le Symbolisme*, n° 352, 1961.

on peut même s'accorder sur les trois grands articles de Noé (considéré comme le précurseur ou le prophète de Babel); mais le Maçon ne doit pas être un libertin, il ne doit pas faire fi de la Loi Morale. Plus importante que l'Œuvre et la Liberté même est la Fraternité, vertu première des Loges, essentielle surtout dans les trois premiers grades, dits Loges bleues ou Loges de Saint-Jean.

Nous avons indiqué le passage, dans la Maçonnerie médiévale, de la symbolique des deux Saint-Jean à celle de Noé (vers 1260). C'est à l'évolution inverse que James Anderson convie les Francs-Maçons. Dans cette nouvelle optique, il ne s'agit plus d'attendre un futur déluge suivi de l'Age de l'Esprit; nul Noé ne sortira l'humanité de la nuit, car la nuit est finie. Voilà la grande Lumière de la Raison.

Nous avons vu que les deux Saint-Jean, le Précurseur et l'Evangéliste, étaient fêtés, l'un le 24 juin, l'autre le 27 décembre. En hébreu, Jean se dit *hanan*, la bienveillance, dans le double sens que peut prendre le mot : bienveillance-miséricorde et bienveillance-louange. René Guénon fait remarquer, à ce sujet, que la miséricorde est *descendante* : elle absout et protège, et que la louange est *ascendante* : elle glorifie, elle exalte. Ainsi, le Précurseur a pour tâche de consoler, de rassurer, comme la lumière de juin (et il se rattache aussi au mythe de la Vierge, de la Dame de Mercy); l'Evangéliste a pour mission de glorifier, comme Dieu se glorifie lui-même à la Noël, au cœur de son Royaume (et Jean se rattache alors au dieu de gloire, Eros-Indra, « Celui qui m'envoie »). Tout se ramène à l'alternance manichéenne de l'année précessionnelle, où six mois de lumière triomphante suivent six mois de nuit dominatrice, et où la nuit de la Saint-Jean, solstice d'été, se trouve être la plus courte de l'année[1].

---

1. SAINT-JEAN : René Guénon, *Symboles fondamentaux*. Un vitrail de l'église Saint-Rémy, à Reims, montre ce saint Jean double : le couronnent deux tournesols. Jean Hani note justement que la présence de ces deux solstices fait de Jean un Janus chrétien (*Le symbolisme du temple chrétien*, La Colombe, 1962). Enfin, Jean Palou rappelle les deux expressions populaires : « Jean qui pleure » et « Jean qui rit », autre figuration du Miséricordieux et de l'Exaltateur (*La Franc-Maçonnerie*, Payot).

Cette interprétation ésotérique des Constitutions d'Anderson nous serait confirmée, s'il en était besoin, par sa double allusion à la pose du chaperon, du faîte du Temple « en la 6e année de Darius » (515 avant J.-C.) et son affirmation que le temps est venu pour les Maçons d'agir de même. Comme il nomme Zorobabel, le dédicateur du Nouveau Temple, « Maître-Maçon des Juifs », ne se voit-il pas secrètement, lui-même, comme le Maître-Maçon de l'Age nouveau?

Le second grand responsable de la promulgation de la Constitution de 1723, Jean-Théophile Désaguliers, était aussi pasteur, fils de pasteur, maître de philosophie expérimentale à Oxford, grand ami de Newton et de Huyghens, mais, maçonniquement, il n'était que « *cowan* », Maçon non initié. De sorte que son influence maîtresse dans l'évolution de la Grande Loge anglaise demeure aussi mystérieuse que celle de James Anderson. Tout ce qu'on peut en dire, c'est qu'une fois encore, le mystique de la fraternité et le défenseur de l'observation s'alliaient pour assurer le triomphe du Semblable : frère et reflet.

Les vieux Maçons « opératifs » étaient assez conscients de la défaite subie pour tenter d'y répondre par la création d'un troisième « degré » : le Maître, ajouté aux grades primitifs de Compagnon, puis d'Apprenti (vers 1725).

La symbolique du grade s'illustre par la reconstitution rituelle de la tragédie d'Hiram, le roi de Tyr, véritable constructeur du Temple de Salomon. Cette tragédie répète, mais en même temps prolonge, la légende de Maître Amon ou Aymon. Pourtant, les assassins du souverain créateur ne sont plus deux mais trois : nous n'avons plus affaire à la victoire ésotérique de la dualité sur l'unité, mais à la très concrète victoire des trois mythes républicains sur la Création hiérarchique.

Ayant tué le roi, en le frappant d'une Règle (le Modèle), d'une Equerre (l'Egalité) et d'un Maillet (la Liberté active des révolutionnaires), les meurtriers l'enterrent dans un lieu inconnu. Cependant, un acacia pousse sur la tombe d'Hiram. Cet Arbre permettra, un jour, de la retrouver et de ressusciter le Souverain Créateur.

Certains s'étonnent que les nouveaux Maçons aient laissé subsister une telle symbolique. Ainsi, René Guénon : « Ils laissèrent subsister le symbolisme, sans se douter que celui-ci, pour quiconque le comprenait, témoignait contre eux aussi éloquemment que les textes écrits, qu'ils n'étaient d'ailleurs pas parvenus à détruire tous[1]. »

Attentive pourtant, la nouvelle Maçonnerie se gardait des erreurs et faiblesses de l'ancienne. Le 12 mars 1725, une loge opérative, à son tour « acceptée », la *Philo-Musicae et Architecturae Societas,* recevait quatre postulants, dont deux au grade de Maître et un de « Compagnon-Maître (?) ». Dénoncée comme irrégulière, la loge était bientôt semoncée, puis exclue.

Pour le reste, qu'importait à des rationalistes comme Désaguliers que le Maître allât se recueillir dans la *Chambre du Milieu,* « sanctuaire de la désillusion », et y découvrît le sens de la vieille loi messianique : on ne ressuscite pas sans passer par la mort, on ne se recrée pas avant de s'être détruit? Laissant les mythologues jouer à leurs petits jeux, la Maçonnerie spéculative se donnait des tâches plus urgentes, au premier rang desquelles la transformation concrète et radicale de la société.

Le *speculum,* l'art de voir, a vaincu l'*opéra* ou œuvre; les loges ont triomphé du Temple. Il ne s'agit plus de créer un nouvel univers, mais de bien observer celui qu'on a sous les yeux. La peur des grands fléaux, le messianisme obscur et apocalyptique ne sont plus de mise au siècle des Lumières, à l'approche de la Saint-Jean, premier jour de l'Eté. Plutôt que de s'enfoncer dans de ténébreux calculs, qui ne sont que chimères, le Maçon doit regarder la misère de ses frères et tenter de les soulager. Plutôt que de rechercher dans de vieilles paperasses on ne sait quels vestiges d'une « science » disparue, il lui faut observer les astres, la matière, les animaux, les plantes et dresser le bilan d'un « objectif » savoir.

Alors, les hommes seront meilleurs et, sinon l'Eden

1. René Guénon, *Regnabit* (1926). Lire, surtout : *Symboles fondamentaux de la science sacrée* (Gallimard, 1962).

révolu, un nouveau paradis s'instaurera sur terre : celui de la Fraternité et de l'Egalité.

Ramsay : Un homme — seul d'abord — avait tenté de s'opposer à la réforme : André-Michel Ramsay (1686-1743), né d'un père luthérien et d'une mère anglicane.

Précepteur, en sa jeunesse, des enfants du comte de Wemyss, puis secrétaire particulier, puis écrivain, Ramsay fut surtout un grand voyageur. En Hollande, Pierre Poiret, le courageux éditeur d'Antoinette Bourignon, l'initia au quiétisme ou, du moins, à l'idée curieuse qu'il s'en faisait.

Rattachant le « sens interne » de Boehme et des quiétistes aux « étranges démons souterrains de Babel » (l'antique Enki-Ea), Pierre Poiret concevait le salut de l'humanité comme un retour à l'Eden de création perdu. La Chute n'était pas, selon lui, la conséquence d'un péché originel, mais l'effet d'une trahison double, hébraïque d'abord, puis chrétienne. La première avait tué en l'homme le sens créateur, la seconde avait soustrait l'humanité à un état de Nature, seul capable de susciter l'enthousiasme et la joie. Cependant, les « bons Hébreux » avaient pu préserver le sens de l'héroïsme et de l'honneur; les « bons chrétiens » avaient honoré le Verbe. Telles étaient les deux voies par lesquelles un mystique pouvait rejoindre l'Eden. Boehme et Milton, sans doute, n'y eussent pas contredit.

Des Pays-Bas, Ramsay gagna la France, où Fénelon fit de lui son secrétaire (1709) avant de l'envoyer chez Mme Guyon; de sorte qu'il se présente comme le seul intermédiaire connu entre les grands quiétistes. Nous ne nous étonnons pas de le voir, par la suite, auprès du roi Jacques II, puis chez le duc d'Argyle en Ecosse : il est alors baronnet (1730), puis dans la compagnie des poètes Louis Racine et Jean-Baptiste Rousseau. Rarement une destinée nous apparut plus droite.

Exclu de la Grande Loge anglaise, il eût créé la secte des *gormogones* (1724) dont nous ne savons rien. L'un de ses ouvrages, *Les voyages de Cyrus*, est peut-être injustement traité : Voltaire, qui n'aimait pas le « fumeux mystique », en traite à l'article : Plagiat, dans son *Dictionnaire philosophique*. Une histoire nous y frappe : celle du solitaire qui retrouve le chemin de Dieu grâce au meurtre, suivi de la dissection, de la chèvre qu'il aimait. D'une part, on y reconnaît la trace des antiques holocaustes tauriques; d'autre part, on y pressent la mystérieuse loi : Il faut tuer ce qu'on aime, dont beaucoup se feront l'écho, de Novalis à Baudelaire, de Lermontov à Oscar Wilde.

Mais son œuvre essentielle fut le *Discours* qu'il prononça, vers 1736-1738, à la loge de Lunéville. Ayant retracé l'histoire de la Franc-Maçonnerie récente, Ramsay y proclamait qu'il était temps d'établir des règles ésotériques précises, « valables pour les siècles à venir ». Ces règles devaient tendre à promouvoir « la République, dont chaque Nation est une famille et chaque Particulier, un enfant ». Mais les hommes qu'il convient de réunir « sont ceux qui, d'un esprit éclairé, de mœurs douces et d'humeur agréable » sont également ouverts à l'amour des Beaux-Arts, ainsi qu'aux grands principes de vertu, de science et de religion.

Rattachant ces principes à ceux des « anciens Croisés », puis « des Rois et des Princes qui, de retour de Palestine, fondèrent des loges dans leurs Etats », Ramsay révèle enfin qu'une autre Maçonnerie que celle d'Anderson existe, fondée par les Princes écossais dès le XIIIe siècle et dont le roi Edouard III se serait voulu le protecteur.

« Les fatales discordes de Religion qui embarrassèrent et déchirèrent l'Europe dans le XVIe siècle firent dégénérer l'Ordre de la noblesse de son origine... C'est ainsi que plusieurs de nos confrères oublièrent — comme les anciens Juifs — l'esprit de nos lois et n'en retinrent que la Lettre et l'Ecorce. »

A la France du XVIIIe siècle, il appartient de rénover l'Ordre primitif, car « c'est dans nos loges, à l'avenir, comme dans des Ecoles Publiques, que les Français verront sans voyager les caractères de toutes les nations et que les Etrangers apprendront par expérience que la France est la patrie de tous les peuples ».

Le *Discours,* presque immédiatement, fut condamné de tous côtés : les uns voulurent y voir l'influence des jésuites; les autres en soulignaient le caractère délirant.

Mais le germe était semé qui devait aboutir à la constitution du Rite dit « écossais ». Reconnaissants, les Stuart en exil exigèrent que le corps du prophète reposât dans le tombeau de leur famille, à Saint-Germain-en-Laye. Il y demeura jusqu'à ce que ses ossements, en même temps que bien d'autres, fussent dispersés par la Révolution française.

Le Rite Ecossais : De l'enseignement — plus ou moins bien compris — de Ramsay naissait dans la Maçonnerie de Lyon (vers 1743) une pléiade de nouveaux grades : Petit Elu, Maître Illustre, Chevalier de l'Aurore, Grand Inspecteur, Chevalier Kadosch et Commandeur du Temple, qui allaient devenir les Hauts Grades de la Maçonnerie écossaise et, finalement les trente degrés des Ateliers de Perfection, des Chapitres, des Aréopages, des Tribunaux, du Consistoire et du Suprême Conseil, dans le Rite écossais « ancien et accepté ». Cette multiplicité, en elle-même, témoigne de la naïveté et de la confusion de la réforme écossaise. C'est une autre sorte de scolastique, mais, à la différence de la scolastique médiévale, celle-ci ne repose plus sur rien.

Parmi les trente degrés, cependant, les douze des Aréopages, dits de la Maçonnerie Noire, présentent encore un sens ésotérique certain, même s'il n'est pas toujours très clair. Du Pontife de la Jérusalem Céleste au Grand Elu Kadosch, ils reconduisent du mythe chrétien à l'attente de l'Esprit — dans le sens rétrograde des mythes — par le Grand Maître, le Noachite, le Chevalier de Royale-Hache, le Chef du Tabernacle, le Prince du Tabernacle, le Chevalier du Serpent d'Airain, le Prince de Mercy, le Grand Commandeur du Temple, le Chevalier du Soleil, et le Grand Ecossais de Saint-André. Ils sont immédiatement précédés par le quatrième grade des Chapitres (18e degré), qui porte le nom révélateur de Souverain Prince Rose-Croix.

Combien il peut être passionnant, mais difficile, de chercher à rattacher cette symbolique à la symbolique traditionnelle des mythes, on en prendra une faible idée par les nombreuses interprétations données au

3e grade « noir », 21e degré du Rite : le Noachite ou Chevalier Prussien.

Certains commentateurs insistent sur l'allusion précise au mystérieux Noé de la Maçonnerie opérative : celui qui sauve l'humanité et ouvre l'âge de création (Babel). Effectivement, la symbolique du grade reconduit au souverain mythique, Nemrod, « qui établit des distinctions entre les hommes » et rompit de la sorte avec l'égalitarisme gémique. Ce fut, disent les initiés, « lors de la pleine Lune de Mars que le Seigneur opéra cette merveille », de sorte que les Noachites font leur grande assemblée tous les ans, lors de la pleine Lune de mars.

Mais d'autres commentateurs insistent sur l'appellation seconde du grade : Chevalier Prussien et sur le symbole de Nemrod : le Tigre ou le Jaguar. Il faut alors se souvenir que le Jaguar ou Couguar symbolisait le mythe de création partout où le taureau n'était pas connu, comme chez les Mayas; et que la terre du Graal, au Moyen Age, s'était identifiée au Saint-Empire germanique. Si les Gibelins, par opposition aux Guelfes, s'étaient affirmés comme les défenseurs de ce Graal prussien, le grade se retrouvait dans l'ancien Ecossisme : *Ghiblim,* précurseur direct du Chevalier Prussien.

A cette difficulté première, née de l'ignorance ou d'une « science » mal digérée, s'en ajoute une deuxième, dont on ne sait si elle fut volontaire ou non : l'interversion de certains degrés. C'est ainsi que le Prince de Mercy illustre évidemment le mythe de la Vierge de Mercy ou Madone Noire. Le Président du grade porte une couronne d'or et représente l'amour-miséricorde. Mais, en ce cas, le degré devrait être précédé par le Soleil, dans le sens choisi. Or, le grade qui le précède se rattache à la vieille symbolique séthienne du Serpent guérisseur; et le Grand Commandeur du Temple s'intercale entre la Mercy et le Soleil.

Le seul grade vraiment signifié serait le dernier, car le *Kadosch,* dans la symbolique des Illuminés, est le « saint de l'avenir », le défenseur du Graal. Maçonniquement, le rituel de l'initiation comporte une double échelle, dont les sept échelons de droite reproduisent les structures de Boèce et les échelons du second côté, sept des dix *sephiroth.* Les uns mènent de la Grammaire à l'Astronomie, par la Rhétorique, la Logique, l'Arithmétique et la Musique; les autres, de la Justice (*Tsedakah*) à l'*Emonah,* par les symboles de Mars, de Jupiter, de Saturne, du Soleil et de *Schechina.*

Le 32e degré (du Consistoire), Sublime Prince du Royal Secret, semble faire double emploi avec le Chevalier Kadosch. Il est à remarquer, d'ailleurs, que l'un puis l'autre, successivement, furent considérés comme le plus élevé de l'Ordre. Ce 32e degré est figuré par un lion d'or tenant dans sa gueule une clé d'or et portant. gravé sur un collier d'or, le nombre prophétique de Dante : 515. Son étendard comporte le nom : *Salik* (saule) qui évoque la cité symbolique de la Triade chinoise en même temps que la figure éternelle de l'Arbre. Enfin, le Mot du rituel relatif à ce grade : *ensemble,* nous rappelle à la fois le *Sîmurgh* d'Attar (dont le sens mystique est : trente) et la révélation du Roi dans la secte des Iluminés de Bavière. Le Dieu futur ne sera pas différent de ceux qui le cherchent ensemble; seul est digne de commander, celui qui a compris que les hommes n'ont pas besoin d'un maitre, mais qu'ils doivent découvrir eux-mêmes leur commune liberté[1].

Mais cette œuvre imparfaite et émouvante : le Rite Ecossais ancien et accepté, sera l'innovation de deux hommes, le comte de Grasse-Tilly et son futur beau-père, Delahogue, qui se rencontreront seulement en 1789 et fonderont leur première loge en 1795, à Charleston, en Caroline du Sud. Le demi-siècle qui sépare l'institution des Hauts-Grades à Lyon de cette tardive renaissance est plein d'une tout autre rumeur.

La Stricte Observance : En 1755, l'enseignement de Ramsay était bien oublié. l'*Encyclopédie* venait de paraître, la Prusse se vouait au « mouvement des Lumières » (*Aufklärung*), la première chaire de Physi-

1. 32e degré : Jean Palou, ouvrage cité ; 21e degré : un ordre des Noachites aurait été créé vers 1782, par Lord Rancliffe « Grand Noé ». Séparé de la Franc-Maçonnerie, cet Ordre était ouvert aux poètes et tenait sa loge, « Royale Arche d'Alliance », dans une taverne (selon Heckethorn).

que expérimentale était fondée à Paris. La Grande Loge anglaise de France se déclarait indépendante, sous le nom de Grande Loge de France.

Cependant, le Rite de Stricte Observance, qui devait s'y développer, n'était pas d'origine française. Il était né dans la loge allemande d'*Absalon* (vers 1738-1740), avec l'objectif premier d'unir le vieil ésotérisme maçonnique et les traditions rosicruciennes, c'est-à-dire la Rose et la Croix, l'Œuvre et l'Aspect. Pendant une vingtaine d'années, ce Rite fut admis par toutes les loges des Principautés allemandes et son fondateur, le baron de Hund, prit le titre : Maître de l'Armée, sous la protection du duc de Brunswick. Mais en 1774, le Rite était introduit à Lyon par l'installation de la loge *La Bienfaisance.*

Le martiniste Willermoz avait pris une part active à cette installation; il fut également l'un des initiateurs de la convocation du Convent des Gaules, en 1778. Or, ce Convent, s'il reconnut le Rite de Stricte Observance, le défigura complètement en « reniant la filiation temporelle des Templiers » et en supprimant tous les grades supérieurs, à l'exception de ceux d'Ecuyer Novice et de Chevalier Bienfaisant de la Cité Sainte, dont la signification ésotérique ne pouvait plus troubler personne. Dit « rectifié », ce Rite Ecossais n'avait qu'un très lointain rapport avec l'ancien.

Enfin, en 1782, un convent international, réuni à Wilhemsbad, exclut purement et simplement de son sein tous les éléments mystiques qui y demeuraient encore. Certains Maçons rejoignirent des sectes d'Illuminés, telles que la société bavaroise de Weishaupt, qui fut dissoute peu après (page 246). D'autres, comme Willermoz, se soumirent au Régime Ecossais Rectifié. D'autres, enfin, fondèrent des sectes indépendantes. Ce fut le cas des *Frères d'Asie* ou du *Royaume Triomphant.*

Nous avons parlé de cette dernière au sujet de Cagliostro. La société des Frères d'Asie ou *Asiatic Brothers* naquit à Vienne vers 1783-1784. La doctrine de base en était celle de la Rose-Croix et les maîtres en étaient nommés Chefs des Sept Eglises d'Asie, selon l'ésotérisme occulte de *L'Apocalypse* de Jean. Le nom complet que portait la secte était d'ailleurs : Ordre des Chevaliers et Frères de saint Jean l'Evangéliste d'Asie en Europe.

L'Ordre comportait cinq degrés : deux de probation et trois de maîtrise. On trouve dans la décoration de la salle de réunions les symboles habituels : les draperies noires; les sept chandeliers d'or, mais l'un porte une figure humaine; l'escalier à trois degrés; la table de purification, qui supporte les trois lumières, mais une coupe de cristal figure ici le Graal, absent des autres Maçonneries.

Les membres directeurs prenaient des noms d'emprunt (ainsi que certains Illuminés) et nous ne connaissons ces autres rosicruciens que sous leur pseudonyme : Fraxinus, Cedrinus, Gordianus, etc. Plusieurs d'entre eux émigrèrent pour créer des filières de la secte en France, en Suède, en Ecosse et en Italie. Dans ces pays, elle put prendre des noms surprenants; ainsi en fut-il de la *société d'Ormuzd,* dont les membres prétendaient suivre la tradition des mages d'Alexandrie convertis par saint Marc.

Bien que, dans le moindre de ces groupuscules, subsiste « quelque éclat de la Vérité perdue », la dégénérescence mythique n'en est pas moins totale dans toute l'Europe, à l'heure où les Maçons spéculatifs font triompher la trinité nouvelle : Egalité, Fraternité, et Liberté.

L'avènement de la Raison : En France, l'introduction du Miroir dans la symbolique maçonnerie (en 1782) a sonné le glas de l'ésotérisme écossais. Les Deux Témoins, les Deux Saint-Jean laissaient encore planer un doute sur le caractère mythique de la nouvelle Fraternité; le Miroir n'en permet aucun. C'est bien le *reflet* qui l'emporte : l'homme, semblable de l'homme.

Tout le travail des loges spéculatives, anglo-américaines d'une part, françaises de l'autre, avait eu pour objet de rationaliser le mythe en le concrétisant. Des deux côtés de l'Atlantique, la Déclaration des Droits de l'Homme attestait le problème résolu.

Des citoyens ne sont pas physiquement semblables (car deux brins d'herbe ne le sont pas) et ils ne peuvent l'être, en droit, que s'ils sont déclarés égaux. Dès lors, le mythe de justice retrouvait une valeur qu'on avait crue perdue et le peuple de Justice, le juif, une place dans la cité.

Dès le début du XVIIIe siècle, une secte juive, les *kassides,* avait œuvré dans ce sens. Son fondateur, Dan Baalschem (né en 1698), n'annonçait pas seulement le nouveau règne de la Colombe, mais, grâce au retour de la Colombe, le renouveau du Peuple. Car, dans la suite mâle des signes, le mythe de fraternité s'allie aux mythes de Balance ou d'équité et au Bélier lui-même.

Ce renouveau ne s'était amorcé qu'en 1753, où l'empereur Joseph II proposait de remplacer les rites chrétiens d'inhumation par le sac funéraire des anciens Hébreux, où une proposition de loi sur la naturalisation des juifs était soumise au Parlement anglais, où Mendelssohn traduisait la Bible en langue vulgaire, etc. Déjà, Lessing et Voltaire ne reconnaissaient plus qu'un dieu justicier; ils ne jugeaient plus devoir combattre que pour le règne de la Justice.

En Autriche, pourtant, de l'édit de 1745 à la mort de Marie-Thérèse (1780), les juifs demeuraient exclus du royaume. En Pologne, ils étaient persécutés. En France, ils ne possédaient même pas un cimetière où enterrer leurs morts. Ils louaient à cette fin des jardins privés, tels que celui de l'auberge du Soleil d'Or, à La Villette, dont le propriétaire exigeait cinquante francs par défunt.

Ce fut seulement en 1785, après six ans de procès, que Cerfbeer, Calmer et Pereire purent acquérir un terrain, au Petit-Montrouge, pour y enterrer les juifs de Paris, estimés au nombre de quatre cents. Et ce fut seulement le 27 septembre 1791 que l'Assemblée vota une motion Dupont, qui « révoquait tous les ajournements, réserves et exceptions relatifs aux juifs », dès l'instant que ceux-ci prêtaient le serment civique. Alors, on put parler de guillotiner le Roi.

Tout se tient dans l'univers des mythes. Si les hommes sont frères, il n'est plus de race : le juif est le semblable du non-juif. Mais l'ennemi change de face : il devient le Souverain et, accessoirement, le Génie (Lavoisier ou Chénier), puisque, par le sang ou par l'œuvre, le Prince et le Génie témoignent que tous les hommes ne sont pas égaux.

Nous ne savons pas si — comme cela fut dit — la Franc-Maçonnerie, dès le convent de Wilhemsbad, avait juré la mort des rois. Mais, ésotériquement, cela est plus que probable; il ne se concevrait pas que certains initiés ne fussent allés jusque-là, alors que, précisément, ils achevaient de forger les trois armes capables de mettre à mort Hiram. Saint-Just le proclame à la tribune : « L'esprit avec lequel on jugera le roi sera le même que celui avec lequel on établira la République. »

Certains commentateurs, cependant, nient l'influence de la Franc-Maçonnerie dans la Révolution française. On ne suit pas toujours très bien leur raisonnement. Pour ne donner — en toute objectivité — que les quelques chiffres admis par l'un de ces négateurs, Jean Palou : sur cinquante-trois députés envoyés à Paris en février 1789, trente et un étaient Maçons; les quatre députés de La Charité en Nivernais l'étaient; deux rédacteurs du cahier de Doléances de Montreuil-sur-Mer, et ainsi dans toute la France. En 1790, des députés-maçons prononçaient des discours en loge, à Béthune, à Laval, à Nîmes, pour se glorifier de leur victoire. Si l'on ne peut prouver — par exception — que Robespierre était Maçon, on sait que son père avait fondé la loge d'Arras, etc.

Surtout, on n'ignore pas que Louis XVI et ses deux frères « avaient reçu la lumière » à l'Orient de Versailles; dès 1775, une loge avait été créée parmi les gardes du corps du Roi. Cette fraternité ne pourrait-elle éclairer bien des faiblesses et des lâchetés de Louis XVI, pour ne point parler des trahisons de Philippe-Egalité, ainsi que la très grande facilité de la prise de la Bastille et de l'invasion des Tuileries? On ne tire pas sur des frères.

De même, s'il est vrai que, plus tard, Danton put négocier avec Brunswick le dégagement sans massacre de la colline de Valmy, serait-il sans intérêt de savoir que l'un et l'autre étaient Maçons? Et pense-t-on que, le 4 août, les ci-devants auraient renoncé, avec enthousiasme, à leurs privilèges, si bon nombre d'entre eux n'avaient reçu les Lumières de la Fraternité?

En fin de compte, ni le peuple ni les philosophes ne tirèrent avantage de l'admirable élan : les bourgeois en eurent tout le profit. Des trois constituants mâles du bonnet (ou pénis) phygien, seule la fraternité — somme toute inoffensive — demeura tolérée. Jamais les hommes ne furent moins libres. Quant à l'Egalité, elle demeura nominale. Un opuscule de 1787, *Changement du monde entier,* qui réclamait le partage équitable des biens, fut promptement étouffé — de telle sorte que les extrémistes de la Montagne eux-mêmes n'en parlèrent jamais. Et, bien avant la réaction thermidorienne, dès le 18 mars 1793, un décret était voté qui condamnait à mort quiconque proposerait une loi égalitaire.

Ce fut alors que prit naissance la *Conspiration des Egaux.* Trois ans plus tard, le parti de Babeuf était assez puissant pour que ses chefs pussent envisager une action de force. Mais, quatre jours avant la date retenue pour le soulèvement, le 10 mai 1796, le complot était dénoncé. Transportés dans des cages de fer jusqu'à Vendôme, les meneurs y furent condamnés à mort ou à la déportation.

Il n'est pas aisé de décider laquelle eut le plus d'importance, dans ces années de révolution, de la naïveté mythologique ou de l'imposture politique. Mais deux anecdotes, parmi des milliers, nous semblent ici exemplaires.

Alors que Condorcet n'avait pas achevé son *Histoire des Dix Ages de l'Humanité,* ni Fabre d'Olivet renversé l'ordre traditionnel des Ages en plaçant l'âge d'Or à la fin, ni Fabre d'Eglantine imposé les douze mois du calendrier républicain, un gentil fou, Quintus Aucler, composait sa mythologie : *La Threicie.*

L'ésotérisme en est très court. On y reconnaît cependant les Eléments, au nombre de cinq : « La terre se joint à l'eau par sa frigidité; l'eau à l'air par son humidité; l'air au feu par sa chaleur; le feu à l'éther par sa subtilité », et les trois hypostases de l'Etre : L'Etre En Soi, le Verbe et la Déesse. Des rites orphiques, romains et chrétiens, Aucler tire une religion universelle, où Saint-Just eût pu découvrir le principe de ses fêtes de l'Amitié, Fabre son calendrier, Robespierre son culte de l'Etre Suprême, au milieu de bien d'autres prescriptions, touchant le jeûne, les vigiles, l'abstinence de certains aliments ou le culte des déesses. Bien qu'il soit peu probable que Saint-Just, Condorcet ou Robespierre aient pris leurs idées dans ce livre, il prouve que de telles idées étaient alors « dans l'air » sans qu'on puisse leur supposer un auteur déterminé.

Non moins délirant que Chaumette, Saint-Just ou Hérault de Séchelles, Quintus Aucler ne connut pas leur gloire. Il mourut inconnu en 1814, mais son école lui survécut un peu de temps. Nerval en trouvait encore quelque trace dans un ouvrage de 1821, *La Doctrine Céleste,* dont l'auteur, Lenain, « paraît avoir obscurément continué le culte des dieux dans la ville d'Amiens[1] ».

Un autre bon exemple de la « mythique rationnelle » serait l'histoire de Chalier. Cet ancien prêtre voyait dans la chute de la Bastille la fin de l'Age chrétien. Quand la vieille prison est tombée, il en a porté une pierre, à pied, de Paris jusqu'à Lyon : son voyage a duré six jours entiers. Plus tard, incarcéré comme « tyran » par les émeutiers de la ville, le « martyr » a eu la tête tranchée par cette guillotine dont il jugeait comme Marat, son idole, « qu'elle ne fonctionnait pas assez ».

Le 7 novembre 1793, Fouché arrive à Lyon. Il doit venger Chalier. Mais tout d'abord il fait dresser sur la grande place un autel de gazon; le buste du héros républicain et l'Urne sacrée y sont exposés aux regards du peuple criminel. A la queue d'un âne on attache la Croix et l'Evangile, que Fouché, ancien prêtre lui-même, jettera au feu. Enfin, le buste est porté dans une église proche où, au-dessus de l'autel, il prend la place du Christ. Les fusillades expiatoires débuteront seulement le 4 décembre. Elles dureront deux mois et feront deux mille victimes[2].

Tel fut le double aspect de la Révolution : naïf et terroriste, mythique dans les deux cas. La Raison aristotélienne naissait du *Nous* de Parménide et de l'Asklépios d'Epidaure; notre Raison républicaine est née de la Sympathie Universelle, du Miroir de la Stricte Obser-

---

1. Quintus Aucler : Gérard de Nerval, *Les Illuminés* (Calmann-Lévy).
2. Chalier : Stefan Sweig, *Fouché* (Livre de Poche).

vance, des mois fleuris de Quintus Aucler et de la divinisation de Chalier. Mais, pas plus que la Science Expérimentale, née du mythe de Campanella, des rêves éveillés de Kepler et de la Force Innée de Newton, la République n'avoue ses réelles origines. Car, ce sont là des ancêtres dont un matérialiste ne tire aucune fierté.

QUATRIÈME PARTIE

LE CRÉPUSCULE DES DIEUX

14. LE FOND DE LA VALLÉE
15. LE COMBAT ET L'UTOPIE
16. LES MESSIES DU MILIEU DU SIÈCLE
17. L'ICARIE ET LA RELIGION DE L'HUMANITÉ
18. LE DERNIER SURSAUT

14

LE FOND DE LA VALLEE

L'état des lieux — La naïveté — Les derniers alchimistes — Râm Mohun Roy — L'empire et les juifs — L'ironie.

L'état des lieux : Lorsque, des blancs brouillards et des neiges éternelles, le voyageur descend vers la vallée, le moment vient toujours où il ne distingue plus, ni les cimes lointaines, ni le sommet qu'il quitte et celui qui l'attend. En fait, l'un et l'autre bouchent son horizon, comme s'ils limitaient l'univers et que rien n'existât audelà.

Puis, le voyageur approche encore du fond, du creux, et soudain il n'est plus capable de dire s'il descend encore ou s'il monte déjà. Vingt fois, il croit descendre, parce qu'il vient de franchir le rebord d'un fossé; vingt fois, il croit monter, quand il gravit seulement le talus opposé. Il marche sans effort, dans une lumière égale; mais une route ascendante, qu'il ne distingue plus audelà du tournant, semble à ses regards déshabitués l'amorce d'une longue escalade. S'il n'était obligé de poursuivre, certainement il s'arrêterait là, oubliant — et niant — l'existence des montagnes.

L'image peut éclairer le caractère majeur de toute époque rationaliste, que les Indiens nomment Lokâyata.

Le crépuscule des dieux, c'est le règne de l'égarement et de l'information : le refus des formes. Le messianiste lui-même n'y vit pas pour un dieu; il n'accède pas à l'Etre plus que celui qui le nie. Follement, il s'attache à ce qui fut, aux privilèges passés, à la bonne conscience dont se glorifiaient ses pères ou à quelque ordre « immuable » et soudain corrompu. Il craint le changement d'abord et refuse obstinément d'être autre, car il n'est plus capable d'imaginer.

Quelque chose s'achève ici, qui, pour la dernière fois, avait déjà pris fin vers 352 avant J.-C., lorsque les Athéniens se demandaient s'ils vendraient ou non les terres des Déesses — et s'arrangeaient pour les vendre. Ce n'est plus le « crépuscule » d'un mythe, de la Vierge ou du Roi, mais l'écroulement de la mythique même. Non seulement l'homme ne comprend plus le sens des vocables qu'il emploie, mais il cesse de les considérer comme des signifiants de la réalité où il vit. Il ne donne plus aux mots qu'une signification qu'il peut lui-même choisir; il n'est plus sensible qu'aux rapports internes qu'il découvre entre eux et qui renvoient de l'un à l'autre.

Si ces rapports sont inachevés ou déformés, ils donnent de la réalité une vision chimérique ou hallucinatoire. Utilisables, ils entraînent l'adhésion des foules; à la limite, ils ouvrent sur la recherche scientifique. Mais, dans tous les cas, ils ne reflètent plus qu'un monde morcelé, où règne la mort, puisqu'ils n'expriment rien d'une signification extérieure à eux-mêmes.

Dans cette optique, le monde ne présentait aucun sens quand l'homme n'existait pas; il n'en présentera plus quand l'homme disparaîtra. Tout devient à la fois possible et inutile. L'homme règne enfin, écrit Novalis, mais sur quoi? Et le disciple de Hölderlin, le futur philosophe Hegel, qui se croit alors un poète :

« Hélas! Tes demeures sont devenues silencieuses
O Déesse; désertant les autels consacrés, le cercle
Des dieux est retourné à l'Olympe, car le génie
D'innocence dont la magie les avait attirés ici
A fui la tombe de l'humanité profanée (1796 [1]). »

---

1. Hegel : Jean Walh, ouvrage cité (page 177).

Il n'est plus d'autre approche de *Ce qui est* que la très grande naïveté, la violence et le délire.

La naïveté : Dans les dernières années du XVIIIe siècle, elle fleurit à tous les coins de rues. Nous en avons donné quelques exemples avec les dernières sectes d'Illuminés ou les déistes anglais, l'ouvrage de Quintus Aucler ou la notoriété de Cagliostro. Nous aurions pu en choisir d'autres, dans les sectes de *philadelphes* ou de « Rose-Croix », renaissantes à la même époque. Car, une nostalgie puissante traverse l'incrédulité; le moindre événement la révèle.

De la découverte des Pyramides naissait bientôt l'Ordre sacré des *sophisiens*, « établi dans les Pyramides de la Révolution française », selon un manuscrit du temps[1]. Les fondateurs de l'Ordre — inconnus — furent sans doute à l'origine de l'abondante littérature qui, tout au long du siècle, tenterait de déchiffrer le « secret des Pharaons » et bâtirait les hypothèses les plus fantasques sur la science de l'Ancien Empire, mais serait aussi — comme indirectement — l'initiatrice de l'égyptologie.

La Palestine lève des rêves différents. En 1793, Richard Brothers se proclamait « Neveu du Tout-Puissant » et « Prince des Hébreux », élu pour ramener le Peuple en Terre Promise. Des centaines de fidèles — qui n'étaient pas tous juifs — commencèrent à vendre leurs biens et à se préparer pour le retour en Terre Sainte. Mais, oublieux de sa mission, Brothers demeurait en Angleterre, pour y prêcher la fin de la monarchie. Enfermé, tout d'abord, dans la prison de Newgate, puis dans un asile privé, il ne fut libéré que peu avant sa mort (1824).

D'autres songes étaient plus étranges. Un paysan du Wurtemberg, Géo Rapp, se crut persécuté pour ses idées piétistes. Il s'enfuit en Pennsylvanie, puis dans l'Indiana, où il fonda la secte des *harmonistes* (1803) et créa même une ville, Economy, en aval de Pittsbourg,

---

1. SOPHISIENS : *Mélanges relatifs à l'Ordre sacré des Sophisiens établi dans les Pyramides de la République Française* (N° 494 du catalogue de Lerouge).

sur l'Ohio. L'originalité de cette société ne résidait pas dans le célibat et la continence, imposés en bien d'autres sectes, mais dans la croyance que, par la chasteté, hommes et femmes pourraient recouvrer l'androgynat des origines. Une tentative désespérée pour sauver le Couple écartelé, l'osmose d'Amour, le mythe des deux moitiés du fruit.

Ce qui se perd, ce n'est pas seulement l'Amour ou le sens de la Terre Promise, mais le sens de la hiérarchie, de la Lumière Intérieure ou de l'œuvre, aussi bien. Dans le siècle du Progrès, qui s'ouvre, *aucune invention* ne sera réalisée, à l'exception de la photographie (avant 1830) et des techniques nées de l'électro-magnétisme, dans les dernières décennies. Tout le reste a été *trouvé* du XVIe au XVIIIe siècle.

Quant aux autres domaines — irrationnels — ils sont maintenant fermés aux hommes. On ne s'y aventure plus sans y perdre la raison, comme en témoigneraient les derniers alchimistes ou le pauvre Berbiguier, lamentable héritier des sorciers médiévaux, des Paracelse de la Renaissance, des Caxotte du siècle des Lumières.

En 1796, une tireuse de cartes, La Mansotte, envoûta le malheureux — jusqu'alors un paisible bourgeois de Carpentras : le soir même Berbiguier commença d'éprouver la présence des démons.

Il percevait aussi d'admirables visions : « Un nombre infini d'étoiles, au milieu desquelles une *bobèche plate* produisait une lumière éclatante » ou le trône céleste de Jésus-Christ. Mais, le reste du temps, des chats venaient miauler sous son lit, les fenêtres s'ouvraient seules ou des mains démoniaques déchiraient ses entrailles. Puis, les visions célestes disparurent : il ne resta plus que les *farfadets*.

Vingt docteurs tentèrent de le secourir. Le docteur Nicolas, de l'Hôtel des Invalides en Avignon, le plaça sous un arbre exposé au Nord et l'enveloppa de cercles magiques. Puis, il lui remit une baguette d'acier en lui recommandant d'en frapper tous les lieux qu'il avait des raisons de croire ensorcelés. Berbiguier se trouvait fort bien du traitement, mais un autre médecin, M. Guérin, s'en moqua et l'envoûté cessa d'y croire. Un troisième docteur, M. Bouge, lui conseilla de prendre patience et que les hallucinations passeraient; mais elles ne « passaient » pas.

Au bout de vingt ans de souffrance, en 1816, devenu parisien, il voyait encore des médecins. Le célèbre Pinel père lui conseillait des bains fréquents, également inefficaces. Au contraire, le grand vicaire de Notre-Dame lui prescrivait la visite quotidienne de quatre églises différentes, sans plus d'effet. Les farfadets, maintenant, se permettaient tous les tours : se rasant devant son miroir, il y voyait soudain un paysage à l'huile. Son petit écureuil mourut, bien qu'il ne fût atteint d'aucune maladie. Mais, de son côté, livré à lui-même, Berbiguier apprenait à les combattre, en transperçant des cœurs de veau.

Ainsi se vante-t-il d'avoir pu empêcher les inondations de 1819, ou d'en avoir restreint la gravité, par le judicieux emploi de plusieurs dizaines de cœurs et de milliers d'épingles. Dans ce même but, il réunissait chez lui, le 1er de chaque année, un « certain nombre de personnes », afin de « donner leurs étrennes aux farfadets ». Il avait commencé son grand ouvrage : *Les Farfadets,* où il enseignait à reconnaître les diables dans « le chat qui tombe d'un toit, une entorse, une fumée noire, un craquement du bois dans le feu », et les nommait de leurs vrais noms, non plus Satan, Moloch, Lilith ou Léonard, mais : Nicolas, médecin, Bouge, médecin, Pinel, médecin, Moreau, tireur de cartes ou l'archidiablesse La Vandeval.

En 1834, beaucoup le crurent mort. Il était seulement retourné à Carpentras où, quatorze ans plus tard, Jules de la Malène le reconnut sous l'aspect d'un petit vieillard très sale, le dos voûté, le cou dévié, la tête branlante, mais apparemment immortel. Berbiguier avait trouvé le moyen de vaincre les farfadets : se remplir les poches de tabac à priser ou, mieux, s'en oindre tout le corps. Les farfadets s'en soûlent, car ils sont très friands de tabac : il ne reste plus qu'à se débarrasser d'eux avec une brosse très dure. « Ce matin même, j'en ai tué plus de trois mille, cela m'a fatigué », dit l'étonnant vieillard [1].

---

1. BERBIGUIER : Champfleury, *Les Excentriques* (Lévy Frères, 1864).

Or, à la même époque où s'achevait de la sorte la plus vieille tradition du Moyen Age, paraissaient en France les derniers traités d'alchimie opérative dont nous ayons connaissance : *Hermès dévoilé,* de Cyliani (1832) et le *Cours de Philosophie hermétique,* par L. P. François Cambriel, « ouvrage fini en janvier 1829 » et publié en 1843.

Hermès dévoilé est le plus émouvant, car il se présente comme l'autobiographie d'un homme qui aurait passé trente-sept ans de son existence à étudier « les phénomènes de la Nature ». D'une famille aisée, Cyliani atteignait à peine à l'âge d'homme quand la Bastille tomba : ses convictions le portaient à soutenir la cause de la Liberté, de sorte que ce fut là une période heureuse dans sa vie; « J'y fus honoré de plusieurs places », écrit-il. Mais la passion qui le prit bientôt pour l'alchimie devait balayer toutes ces chances.

« Que ne puis-je, dans la crainte de me rendre importun et trop long, faire un récit des petites passions humaines et de la différence inconcevable qui existe entre l'homme aimable que l'on voit orner les soirées de nos salons, et le même homme guidé par l'appât des richesses et par la vile cupidité! »

Ce ton est propre à toutes les confessions sincères, qu'elles fussent de Kepler ou de Fox, de Bunyan ou de Rousseau : c'est l'accent du mystique (ou de l'apôtre) qui ne peut accomplir sa mission et qui, par mépris de soi-même, se livre à la misanthropie. Cyliani s'est marié, « une nombreuse famille augmente ses dépenses quand sa fortune s'éclipse ». Mais il s'obstine dans ses recherches et dissipe le peu qu'il gagne en l'acquisition de produits et d'appareils pour la plupart inutiles. Ses enfants meurent, il se rend responsable de leur mort. On le ruine, dit-il; on veut l'empoisonner pour s'emparer de ses écrits : la folie de la persécution le guette. Alors, Dieu prend pitié de lui.

Se promenant dans la campagne, Cyliani s'est assis au pied d'un chêne. Il entend l'arbre craquer et il voit en sortir la plus belle des nymphes. « Je suis l'esprit astral, lui dit-elle, je donne la vie à tout ce qui respire et végète. Que puis-je faire pour toi ? »

Le malheureux ne demande pas la gloire ou la

richesse, mais seulement le moyen de se réhabiliter à ses propres yeux. Et la nymphe lui révèle l'ordonnancement du monde, la naissance et la mort des étoiles, des planètes, des comètes fuyantes, les différentes espèces d'animaux, qui existèrent en des époques différentes « à l'issue des grandes catastrophes qu'éprouve la terre », et la nature triple de l'homme, telle que le corps doit mourir d'abord, puis que l'esprit se sépare de l'âme, son enveloppe glorieuse, avant de réintégrer l'universalité.

Elle lui enseigne la médecine philosophale et le sens réel du Dragon, la mathématique essentielle : « D'un par un, qui n'est qu'un, sont faits trois, des trois deux et des deux, l'un. » Enfin, elle lui remet la substance mystérieuse qui permet de forcer la serrure du temple et d'en tuer le Dragon.

Le reste du traité décrit les trois opérations connues de tout alchimiste : la confection de l'azote (Azoth) ou mercure des philosophes, la conjonction du soufre avec le mercure (qui ne sont pas le soufre et le mercure chimiques), la multiplication des deux teintures, enfin, qui rend la matière de plus en plus subtile, « de sorte qu'à la dizième fois, elle traverse le verre en se volatilisant ». Mais, s'il s'arrête à la neuvième multiplication, l'opérateur obtient d'étranges métamorphoses dans les règnes végétal et minéral, il rend le verre malléable et réalise « des perles et pierres précieuses plus belles que celles de la nature ».

Cyliani réussit sa première transmutation le jeudi saint 1831. Puis, comme son épouse demeurait incrédule, il renouvela l'expérience devant elle et cette femme admirable, convaincue, ne lui demanda d'autre grâce que de continuer à vivre au sein de l'obscurité, à l'abri des envieux et des méchants [1].

A la lecture du livre, il est également difficile de douter de la réalité de ces transmutations et d'en croire l'auteur, dont la sincérité ne peut être mise en cause mais dont l'équilibre mental demeure sujet à caution. Au

---

1. Cyliani, Cambriel : *Deux traités alchimiques du XIXe siècle*, présentation et commentaire de Bernard Husson (Omnium Littéraire, Paris, 1964).

contraire, le *Cours* de Cambriel ne soulève pas les mêmes questions, car cet autre alchimiste ne prétend pas détenir la pierre philosophale, bien qu'il se déclare âgé de « près de quatre-vingts ans ».

Nous savons seulement qu'il a beaucoup cherché et beaucoup combattu, qu'il est très misérable et qu'une somme de six mille francs lui permettrait de mener à terme ses travaux. Mais, ces travaux, de quelle nature sont-ils?

Cambriel semble avoir médité sur la Bible : une annexe à son Cours commente la Genèse, ainsi que sur de nombreux traités rosicruciens, le *Zohar* et *L'Apocalypse*. Partout, il a retrouvé le symbole de l'Arbre et, voulant désigner d'un mot le but de sa quête, c'est encore cette figure de Liberté qu'il nous offre :

« En lui sont les *deux natures,* les *trois principes,* les *quatre qualités* et il contient aussi en lui le *principe universel,* cet *esprit divin* dont le Tout-Puissant s'est servi pour former et créer toutes choses. » (*Première Leçon,* souligné dans le texte.)

Dix-huit leçons, sur dix-neuf que contient le traité, sont employées à définir ce que l'auteur entend par ces natures (le sec et l'humide, le mâle et la femelle), ces principes (les trois règnes, les personnes de la Trinité) et ces qualités (les quatre éléments), ou bien à leur chercher dans l'alchimie classique des équivalents clairs. La dix-neuvième leçon reproduit seulement des lettres que Cambriel adresse à des mécènes — dont le prince de Condé — pour leur offrir sa « médecine universelle » ou pour les supplier de lui venir en aide.

Pourtant, cette sécheresse opère sur le lecteur le même effet que l'honnête confession de Cyliani. Elle pose le problème que nous posent aussi les disciples de Platon et les premiers cyniques : à quoi bon tant de science lorsqu'on parle à des sourds? A quoi bon tant de persévérance, si elle est dirigée vers un but que le chercheur lui-même ne perçoit plus? De quoi sert une sagesse si facile à confondre avec l'aliénation?

La tolérance : Râm Roy : S'il est vrai que l'Arbre, un jour, doit contenir les Deux et les Trois et les Quatre, l'un de ces ésotérismes, au moins, est devenu inconcevable. Car l'Arbre recouvrira le Feu par le souverain, l'Eau par le sens de la ténèbre, la Terre par la création, l'Air par la liberté. Mais, sinon le dernier, aucun de ces mythes n'est plus supporté à l'époque, ni dans l'Occident — cela va de soi — ni même dans le pays des dieux : l'Inde éternelle.

Pendant deux millénaires, aucun prêtre hindouiste, aucun bouddhiste, aucun çivaïte sikh ou disciple d'Akbar ne s'était avisé de faire de tout ascète, de tout *guru*, de tout croyant un fidèle de Brahmâ, et de cette religion typique par excellence : le brahmanisme, la religion de l'Inde entière. Ce fut la trouvaille de Râm Mohun Roy (1772-1833).

Issu d'une noble famille vichnouiste, Roy n'avait pas tardé à s'opposer à la fois aux privilèges et aux croyances de ses pères. Tout jeune, son premier acte d'indépendance avait été de publier une sorte de libelle violent contre l'« idolâtrie hindoue », car le vichnouisme des nobles n'était plus guère que cela.

Chassé de sa famille, Roy se fit vagabond et voyagea dans l'Inde et au Tibet, où il découvrit le bouddhisme. Désormais assoiffé de connaissance religieuse, on le vit élève des musulmans, des sikhs et, surtout, des brâhmanes. Enfin, il s'initia aux cultures occidentales, au christianisme nestorien, puis au protestantisme.

Une telle curiosité a mené Ibn Arabî, Nicolas de Cuse, Moulla Sadrâ encore, aux plus fulgurantes intuitions. Mais, au XVIIIe siècle, elle ne menait plus qu'au déisme anglais ou au *Mouvement des Lumières* prussien, c'est-à-dire à une tolérance sans bornes, qu'on ne distingue pas aisément de l'indifférence pure et simple.

Cependant, l'indifférence n'est qu'une autre illusion : le chercheur peut nier son choix, il n'en choisit pas moins. Le dieu de Lessing ou l'Etre Suprême de Robespierre ne sont pas vraiment innommés : ils présentent tous les caractères de Jéhovah, Dispensateur de la loi, Juge du Bien et du Mal. Ils excluent l'art, la création, l'amour et le savoir, au profit du seul Code Civil.

Ainsi, quoique innommé, le Grand Dieu de Râm Roy, éternel, increé, Conservateur de l'Univers, demeure le dieu des brâhmanes. Il est aussi le dieu modèle de l'unitarisme et du nestorianisme ou le Narâyana des *Oupanichads* et réunit en lui, de la sorte, les caractères du Rama Partageur et de l'antique Brâhman. Mais, à l'image des temps où il s'instaure, il n'exige aucun rite précis, aucun esprit de sacrifice hors du commun, aucune intelligence mythique particulière.

Ce fut seulement en 1828 qu'enrichi par la mort de son père, Râm Roy, devenu radja, créa la secte de la Communauté de Brahma ou *Brâhmasamâj* qui, pour la première fois dans l'histoire de l'Inde, imposait un culte collectif, hebdomadaire, à l'image des offices chrétiens. Le sermon, pièce maîtresse du culte, pouvait être tiré indifféremment des védas brâhmaniques, des *Brâhmanas* et des *Oupanichads,* ainsi que de tout traité ancien, à l'exception des *Purana,* considérés comme paganistes; encore dit-on que cette restriction n'était pas toujours respectée.

Le seul acte social de Roy, grand ami des Anglais, fut d'obtenir du Gouverneur, Lord N. Bentinck, l'abolition de l'incinération des veuves. Mais cet acte lui valut une grande célébrité : l'Occident voulut le connaître. Vers l'époque des premiers « messies » anglais, Râm Roy fut envoyé en Angleterre par le gouvernement de Delhi. La mort l'y frappa (à Bristol), alors qu'il achevait une tournée triomphale, organisée par les unitariens.

Mise en sommeil pendant une dizaine d'années, la société *brâhmasamâj* devait être revivifiée par Devendra Nath Tagore en 1842. Il est bien difficile de juger de son influence effective sur les masses. On peut dire, cependant, que cette influence ne cédera que devant une doctrine plus vague et plus abstraite que celle de Râm Roy : l'hindouisme de Gandhi. Quant aux Occidentaux, enseignés par ces maîtres, qu'ils parlent du brâmanisme de Roy ou de l'hindouisme de Gandhi, ils entendront de même « la religion de l'Inde », comme si cinq mille ans d'ésotérisme, de mystique surhumaine et de quête passionnée pouvaient être contenus en l'un ou l'autre!

Cela nous apparaît d'autant plus surprenant que l'inverse n'est pas vrai. Nul Indien n'a jamais confondu le christianisme avec cette pâle image que le Directoire français prétendit en donner à l'époque où Râm Roy ébauchait sa doctrine : la *Théophilanthropie.*

Ici de même, pourtant, les seuls dogmes admis étaient l'existence de Dieu et l'immortalité de l'âme. Ici de même les rites pratiqués recouvraient les sacrements anciens : le baptême, la confirmation, le mariage et la « dernière consolation » — à l'exception du seul rite réellement chrétien : l'eucharistie. Et, ici de même, bien que les prêtres se fussent gardés de donner à l'Etre Suprême un caractère défini, la morale enseignée dans les temples de la secte (les églises paroissiales) se présentait comme rigoriste et justicière au premier chef, lien effectif entre le voltairisme d'hier et l'*abeille* napoléonienne, entre l'Impératif kantien et le Code Civil de l'Empire.

La « religion » nouvelle ne se maintint, il est vrai, qu'une dizaine d'années : le Concordat l'abolit. Mais elle s'était fait des centaines de milliers d'adeptes, elle avait attiré des millions de curieux et, si quelque déisme imprégna par la suite le catholicisme français, il ne faut pas douter que l'Eglise des Philanthropes y était pour beaucoup.

L'Empire et les juifs : En Occident, pourtant, un obstacle s'opposait à la pleine tolérance : le problème des juifs, qu'aucune religion, aucun régime encore n'avait clairement posé. Car, ce n'est pas poser un problème qu'en nier simplement les données.

Les religions de justice avaient recouvert le monde : Par Israël et le brâhmanisme il y a longtemps, plus récemment par l'Omeyyade et le sunnite. Mais le brâhmane n'avait été qu'une caste et l'Islam coranique une interprétation des guerriers et des sages; le juif était un peuple. Les premiers avaient pu s'ouvrir à un rituel ou une conception justicière de l'Etre : le juif les avait formés et portés dans sa chair. Les autres avaient pu adorer le Bélier ou vivre de son élevage, pratiquer le culte du Feu ou la circoncision, mais le juif était le Bélier, il en avait la face et le regard. Le brâhmane qui se dépouillait de sa robe pouvait se dire un hindouiste ou un paria, le sunnite pouvait se convertir au schisme, mais le juif relevait la tête et l'on voyait son nez.

Nous avons dit comment, jusque vers 1790, les juifs d'Europe étaient demeurés proscrits, exclus de tous les droits, considérés à peine comme des êtres humains, puis comment la Révolution française les libéra. Le Directoire et le Consulat, qui abolirent tant de conquêtes révolutionnaires, ne contredirent pas à cette victoire de la raison : la Maçonnerie spéculative y demeurait la grande maîtresse; le mythe de la Justice égalitaire, le moteur de la Maçonnerie.

Napoléon lui-même fut-il Maçon? Les historiens opposent la même répugnance à l'affirmer qu'à reconnaître, par exemple, les initiations de cet autre conquérant, Alexandre, aux mystères de Baal, d'Apis et de Mardouk, bien que les attestations de Démosthène, de Quinte-Curce et de Plutarque, entre autres, n'en laissent pas douter.

Des écrivains aussi divers que Jean Morvan, le baron Comeau, Bésuchet, Charles Bernardin ont cependant déclaré que Napoléon avait « reçu la lumière »; mais, selon l'un, ce fut en Italie, dans une loge « égyptienne »; selon d'autres, en 1809, après Wagram, à la loge de Weisshaupt. Clavel rapporte que « l'empereur fut reçu maçon à Malte », lors de la campagne d'Egypte, et l'abbé Grégoire que l'initiation eut lieu le 6 juin 1805.

Notre sentiment est que ces témoignages ne se contredisent pas, car il n'est pas exclu que Bonaparte, initié sous le Directoire, ait pu être reçu, empereur, par d'autres loges, trop heureuses d'accueillir ce Maître. Un Cambacérès avait bien porté, à la fois, les titres de Grand-Maître adjoint du Grand Orient, de Souverain Grand-Maître Commandeur du Suprême Conseil, de Grand-Maître d'honneur du rite d'Heredom, de Chef Suprême du rite français et de Grand-Maître national des Chevaliers bienfaisants de la Cité Sainte !

Toujours est-il que l'Empereur ne cessa de s'intéresser à la vie de l'Ordre du Grand Orient et que les loges — jusqu'aux premières défaites — lui prodiguèrent les plus grands honneurs. Il y a plus étrange : que les royalistes eux-mêmes, dès qu'ils deviennent Maçons, se présentent bien plutôt comme des défenseurs du triple mythe de Feu, qui n'exclut pas l'Alliance et la Justice, que comme des défenseurs de la seule Hiérarchie.

C'est ainsi que les symboles de Samson se retrouvent dans un Ordre peu connu, créé à cette époque, l'Ordre du Lion. Le postulant, « enfermé dans la caverne », doit simuler l'assassinat du Lion. A son retour, le Grand Maître demande : « A-t-il fait son devoir? », et le Grand Prieur donne la réponse :

« Il a terrassé et tué le Lion.

— A-t-il aussi poignardé le traître?

— Le traître était déjà mort.

— Grand Prieur, menez encore le frère dans la caverne. Faites-lui voir le Lion, qu'il a tué, et le traître privé de lumière[1]. »

Le catéchisme de l'Ordre révèle la nature du Lion, « un animal féroce qui tua un assassin ». Or, cet assassin, Chrisoppe, serait le symbole de l'esprit faux, incapable de comprendre les lois de l'harmonie sociale (selon O. Wirth) : de sorte qu'on ne saisit plus du tout le sens d'une telle initiation, si ce n'est, précisément, dans le souvenir du Justicier et du symbole du Lion tué, duquel doivent naître les *abeilles*. Le lion est un animal féroce, *mais* il a tué le traître, si bien qu'il est lui-même un justicier et que le symbole ailé de la justice hiérarchique peut naître de ses entrailles.

Le trait concerne notre propos en ce qu'il révèle de singuliers rapprochements entre la Maçonnerie de l'Empire et d'autres sectes de l'époque. Certaines de ces sociétés espéraient jouer le même rôle, à l'intérieur du Grand Orient, que les loges spéculatives, naguère, à l'intérieur de la Grande Loge anglaise, c'est-à-dire provoquer une évolution — ou un éclatement de la Franc-Maçonnerie.

Tel devait être l'espoir de Fabié-Prélaprat, fondateur de l'Ordre du *Temple Moderne*, qui obtint de l'Empereur l'autorisation de célébrer l'anniversaire de la mort du dernier Grand Maître templier, Jacques de Molay (en 1808); ou celui des *Philadelphes*, autorisés à se fondre dans la Société des *Sublimes Maîtres Parfaits*.

Cependant, les seules victoires remportées dans ce domaine furent sans doute les institutions jumelles des rites de Misraïm et de Memphis-Misraïm, fondés l'un en

---

1. Ordre du Lion : Oswald Wirth, *L'Ordre du Lion* (L'Acacia, 1909).

Italie (1805), l'autre par les *Philadelphes* de Narbonne et tous deux inspirés par les campagnes d'Egypte. Qu'ils comportent 90 ou 92 degrés, ces rites présentent une complexité extrême qui, d'une part, décourage les commentaires, mais, d'autre part, protégea certainement leurs Loges de violentes persécutions.

Ce fut seulement en 1817 que le Grand Orient commença de dénoncer les Misraïmites comme « dangereux pour la sûreté de l'Etat ». Interdites par la police, de 1822 à 1831, les réunions du Rite furent reprises sous l'impulsion de Marc, puis de Michel Bédarride, jusqu'à la mort de ce dernier (1856), et s'espacèrent enfin. Sous la Grande Maîtrise de Marconis de Nègre, le Rite de Memphis fut pratiqué plus longtemps, de 1838 à 1868.

De ces tentatives de renouveau initiatique, il ne demeurait plus rien dans la Franc-Maçonnerie de rite français à la fin du siècle, sinon, peut-être « l'ère maçonnique » que les adeptes datent de la Création du Monde, 4 000 ans avant le Christ. Mais comme cette date est également, à très peu près, le début du calendrier juif, on voit que l'ambiguïté subsiste.

Dépourvues de tout ésotérisme et seulement fidèles à des confus « secrets » qu'elles ne comprenaient plus, les sectes philadelphes ou autres ne pouvaient pas modifier la tendance majeure de la Franc-Maçonnerie vers un rationalisme de plus en plus assuré de sa victoire finale. Mais, tandis qu'elles s'inquiétaient d'y maintenir une tradition rosicrucienne ou templière, l'empereur et le Grand Orient menaient une entreprise autrement importante pour l'avenir de l'Europe.

Longuement et minutieusement organisé par Napoléon lui-même, le *Grand Sanhédrin* se réunit pour la première fois le 4 février 1807. Chateaubriand semble penser que l'une des « vues secrètes » de l'Empereur eût été de reconquérir Jérusalem. Toujours est-il que les actions de grâces du Peuple à son rénovateur retrouvent le souffle épique des Livres Saints :

« Napoléon, tous les rois ont été dissipés devant toi, leur sagesse s'est évanouie et ils ont chancelé comme un homme ivre... Les générations passées que la mort a dévorées, que l'enfer a englouties, ont dit au bruit de tes exploits : parmi les guerriers et les braves, jamais aucun ne lui a ressemblé... »

Un an plus tard, le « pullulement des juifs » contraignait Napoléon aux décrets restrictifs de mars et de juillet, qui obligeaient le commerçant juif à produire un certificat de moralité délivré par le consistoire de sa synagogue, avant d'obtenir patente, et à prendre un nom de famille dans les trois mois de son installation en France. On doit remarquer que les noms communément choisis se rattachèrent, soit à la racine *maïer* (Rayonnement), tels que Meyer, Mayer, Meïer, soit à la racine *cohen* (prêtre d'Aaron) : Cohn, Kahn, Kehn, Cohen. A la fin de 1808, on dénombrait 78 993 juifs, répartis en 38 départements.

Cette politique impériale se développait dans toute l'Europe, occupée par les troupes françaises. On connaît la réponse de Ney à la municipalité de Magdebourg, lui faisant savoir que la population de la ville ne comptait qu'un seul juif : « Dites un Israélite, la France ne connaît pas les juifs. » Lorsque les Français quittèrent Magdebourg, la cité dénombrait 5 000 Israélites.

Il n'étonne donc pas que l'évolution de la Franc-Maçonnerie sous l'Empire témoigne du même enjuivement. Quand l'empereur tomba, ces hommes étaient en place; non seulement Grands Maîtres, mais financiers, fonctionnaires et juristes. Le banquier de la Sainte-Alliance, Rothschild, montait sur un trône invisible en ces jours où le trône impérial chancelait.

« Bonaparte était mort; du siècle de fer était né le siècle d'argent par les emprunts qu'on fit pour la guerre même en pleine paix et pour toute chose... Les juifs, qui jusqu'alors étaient en République, se constituèrent en double royauté. Les juifs allemands, plus tard ceux du Midi, créèrent deux réservoirs où se versèrent les capitaux. »

Ainsi parle Michelet, aussi féroce qu'un Drumont, un Bernanos. L'Europe n'avait pu venir à bout du conquérant; mais les fonds juifs versés aux armées de l'Alliance avaient raison de lui : première trahison d'une longue suite qui ferait enfin de l'Israélite le persécuteur du musulman, son plus fidèle protecteur. De cette époque date le nom : *nazi* — de *nazirim* — donné au juif d'Alsace par l'artisan dépossédé et repris, peu après, par l'Arabe algérien [1].

Ce livre n'est pas un pamphlet antisémite; plutôt serait-il un panégyrique du juif messianiste, héros de la justice, fondateur de la famille, organisateur de la loi : l'une des cimes de l'humanité. Mais il ne fait pas de doute que, pendant tout le siècle dernier, le juif a été l'agent principal de l'avilissement progressif, spirituel, puis moral, de la civilisation.

En revanche, il ne semble pas que ce caractère soit typiquement sémitique. Nous reconnaissons le jeu hypocrite et subtil des mages accadiens ou bien des chaldéens aux temps hellénistiques. Les premiers n'étaient plus que des charlatans payés par le Pouvoir; les seconds se présentaient comme les initiateurs de la grave confusion entre une rhétorique prétendue créatrice et le mythe de savoir.

Le juif rationaliste des temps contemporains fut à la fois l'agent et le symbole d'une justice fraternelle, dévoyée en « démagogie »; mais aussi, ayant renié lui-même ses croyances et renoncé le Nom de sa tribu, l'accusateur public de tous les messianismes — et leur triomphateur.

La technique est très simple et partout employée. A l'insouciant, au fou, à l'érotique — et au héros de même — le juif rationaliste oppose le « crédit », sachant que l'imprudent ne pourra ni l'honorer, ni payer l'intérêt, plus ou moins usuraire, prévu dans le contrat. Puis, l'échéance venue, en toute légalité, il dépossède le poète ou le soldat, l'Indien, l'Arabe, et il prouve de la sorte, sans discussion possible, qu'en effet, la raison se tient de son côté. C'est ainsi qu'à partir de l'avènement des Rothschild, il n'est plus d'autre droit que ce qui est dû, rationalisation extrême de l'intuition de Jacob.

Les derniers messianistes rosicruciens — philadelphes, Misraïm — n'étaient pas seuls à pressentir le péril d'un enjuivement rationaliste. Dans chaque Eglise protestante : presbytérienne, quaker, unitarienne, méthodiste, la fraternelle tolérance menait au même point

1. Nazi : Édouard Drumont, *La France Juive*, Essai d'Histoire contemporaine, tome I (Marpon et Flammarion, 1886).

que dans le *brâhmasamâj* et la Franc-Maçonnerie. La lecture sainte prenait le pas sur le prêche ou le sermon; la *Thora* dominait sur l'Evangile. Et, partout, quelque esprit lucide — ou seulement plus chrétien que d'autres — tentait de s'opposer au dévoiement.

Alexander Campbell, presbytérien, se fit d'abord baptiste, puis il institua sa propre religion, fondée — une fois de plus — sur le Christ primitif. Ce furent les *Disciples du Christ*, en 1809. Au contraire, baptiste, puis unitarien, John Murray (1741-1815) est considéré comme le fondateur de l'*Eglise Universelle,* qui marquait un retour à l'unitarisme primitif, celui de Lélio Sozini.

Plus grave de conséquence fut le schisme quaker, provoqué par Elias Hicks (1748-1830), pionnier de la lutte contre l'esclavage des Noirs. Cette dissidence partagea vraiment le mouvement quaker en deux branches rivales. Bien qu'ils croient fermement en la Seconde Venue du Christ, ce qui les distingue de la plupart des groupes unitariens, les *hicksites* se rapprochent de la doctrine de Murray ou de sa croyance en un dieu d'Amour et de Pardon.

Enfin, dès 1791, Alexander Kitham, missionnaire méthodiste, provoquait un premier schisme dans le mouvement de Wesley en exigeant la rupture avec l'Eglise anglicane et l'admission des laïcs aux Conférences. De cette dissidence naissait la *Methodist New Connexion* (1797), mais la réaction évangélique ne se faisait pas attendre. En 1806, un certain nombre de pasteurs, conquis par le christianisme fraternel des Pèlerins, reprochaient au mouvement de s'éloigner de l'Evangile. Ce fut l'origine des *méthodistes indépendants,* desquels se séparaient, en 1810, les *méthodistes primitifs,* partisans des services religieux en plein air (*Camp-meetings*) et, plus profondément d'un christianisme tribal, fondé sur l'hébraïsme autant que sur l'Evangile.

Ces dissidences méthodistes sont éclairantes : elles nous révèlent ce que Campbell, Murray ou Hicks ne percevaient pas nettement : pourquoi le Christ, triomphateur de Jéhovah, devait céder soudain devant les mythes juifs, de justice, de loi, de châtiment, de droit et de devoir. C'était que l'Amour en soi, la Nourritureosmose, exigeait un courage, une foi, un mysticisme, dont personne n'était plus capable.

Le Christ qu'on adorait n'était plus le scandale permanent de l'Amour, le Poisson sacrifié, mais seulement le grand frère, le tolérant; on ne peut pas tolérer, à la fois, et combattre. Le christianisme ainsi renvoyait ses fidèles à l'acceptation illimitée de toutes les formes de foi; en un siècle où le rationalisme était le seul gagnant, le Christ lui-même assurait le triomphe de la mythique la plus dégénérée : celle, toute bourgeoise, de la famille patriarcale.

L'ironie : En regard de cet irrésistible avilissement, on se reproche d'avoir raillé un Rapp, un Berbiguier, un Cyliani. Leur courage était admirable, même si leur raison chavira. Mais cette raillerie — toute spontanée — explique qu'à l'époque même, le mysticisme et le messianisme ne levaient plus d'autre réaction. Nous en voyons un témoignage dans l'abondance des sectes parodiques surgies entre 1795 et 1820 plus ou moins.

Une société philosophique avait pris le nom de *Tobaccological Society* vers la fin du XVIIIe siècle; plus tard, elle adopta la fleur rouge comme emblème. Aux assemblées, on discutait de « sujets académiques ». Mais, bientôt, le développement de l'industrie du tabac modifia ces entretiens en discussions d'une autre nature. De même, introduits aux U. S. A. sous le nom de *Phi-Beta-Kappa* (des trois initiales d'une devise grecque qui signifie : « Le Philosophe est le Guide de l'Existence »), les Illuminés de Bavière dégénéraient très vite en bouffons du Secret. Quel autre sens donner au signe de reconnaissance choisi : poser deux doigts de la main droite au bord des lèvres et avancer le menton? Une médaille d'or ou d'argent était solennellement remise au postulant, lors de son admission : les droits que payaient les membres — de la haute société — permettaient cette largesse.

Fondée par le docteur Ehrmann à Francfort-sur-le-Main, vers 1809, *Les Mauvais Conseilleurs* était une secte conçue dans le même style ironique. Les diplômes décernés aux membres et, naturellement, rédigés en latin, mettaient l'accent sur une grande vérité mythique : un dieu nouveau ne peut être que le génie du Mal, et l'on dit que Goethe lui-même s'y laissa prendre. Mais on imagine quelle source de plaisanteries pour tables d'hôte on tenait là! La farce ne fut dénoncée qu'en 1820.

Six ans plus tard, une autre plaisanterie l'était à Vienne : la secte dite *Ludlam's cave*. Les membres mâles portaient le nom de *bodies* (corps), les femmes le nom de *shadows* (ombres) — sous-entendu qu'un corps ne peut se passer de son ombre. Lors de leur arrestation, les chefs de la société affirmèrent que l'examen d'initiation avait pour unique but d'éprouver la sottise du candidat. Plus il était stupide, plus il avait de chance de gravir rapidement la hiérarchie. On serait tenté de prêter à ces Maîtres Suprêmes une humilité peu commune.

Nous avons gardé pour finir une société que Charles Heckethorn nous donne comme parodique, mais qui, semble-t-il, était plus que cela : *L'Ordre des Chevaliers,* fondé vers 1771 par Frédéric von Goué, Maçon de Stricte Observance. A l'origine, un autre nom de la secte aurait été : *Les quatre fils d'Aymon.* Au début du XIXe siècle, quand la secte émigra en Amérique, elle prit un caractère tout différent, dont nous ne saurons jamais s'il était satirique ou bien énigmatique, avec les arrière-champs que cette interprétation suppose. Les quatre composants d'Aymon étaient devenus : *Transition, Transition's Transition, Transition's Transition to Transition et Transition's Transition to Transition of Transition.* Après étude des sectes et sociétés secrètes du XIXe siècle, nous n'avons trouvé aucune symbolique mieux adaptée à son propos.

Si la naïveté, l'imposture, le délire marquent la transition visible de l'ancien monde au nouveau, en approfondissant notre étude nous ferons apparaître, en effet, une autre transition née de cette toute première, puis une troisième et une quatrième, où l'Idée enfin se sera dissoute.

Car l'humour même — le plus salubre des remèdes — ne devait pas empêcher la naïveté de croître, l'imposture de prospérer, la folie de gagner tout le siècle. Mais, au contraire, la raillerie faisait le jeu de la corruption. Elle empêchait de voir ce qui se cachait derrière la tolérance des uns, l'avidité des autres et l'égoïsme de tous.

15

LE COMBAT ET L'UTOPIE

La première transition — Le Lotus Blanc — Du pays à l'Etat : wahhâbites, chauffeurs, Garduna — Les sectes italiennes — L'Hétairie et autres sectes — Saint-Simon et Fourier.

La première transition : L'homme que relient au monde une certaine *religion*, une race, une famille d'esprit, fonde sur cette structure une manière de penser, d'agir — qu'on nomme la personnalité. Délié de l'univers, l'homme n'existe plus en soi : il devient un objet dans le groupe qui l'accueille. Sa conception de la liberté ne se distingue plus de la conception qu'en ont l'association ou la patrie.

Les sectes « politiques » du siècle des Lumières, camisards ou *Triade*, se séparaient déjà des sectes médiévales : Sainte-Vehme ou taborites, en ce que celles-ci luttaient pour le *pays*. Il s'agissait pour elles d'y faire régner un ordre déterminé, d'y imposer une morale, dont on croyait — à tort ou à raison — qu'elle rendrait à l'homme la Présence perdue.

Communauté de cultes et de mœurs, de nourriture, de paysage même, le pays se reliait à la réalité, il ne s'isolait pas de l'univers. Jeanne combattait l'Anglais sans haine, disait-elle; le Cid, Frédéric II aimaient le musulman; des êtres humains s'affrontaient dans la compréhension de leurs pays respectifs et dans l'estime l'un de l'autre. Cela était plus vrai encore des sectes : les flagellants se reconnaissaient comme frères dans toute l'Europe; les unitariens, les *seekers* de même.

Mais le Franc-Maçon ou le membre de la *Triade* ne combattent plus pour le pays : ce qui leur importe, c'est l'*Etat*. Or, l'Etat ne se fonde pas sur la faune et la flore, sur la couleur du sol ou le culte rituel; il ne s'inscrit pas dans l'univers réel, mais dans l'orbe d'un système essentiellement abstrait; de sorte qu'il s'oppose, comme différent, à tous les Etats étrangers. Cependant, cette étrangeté n'est que l'œuvre des lois et des gouvernants, elle n'atteint pas le peuple : le quiétiste ou le protestant français se sentent plus proches du Hollandais ou de l'Anglais que des dragons royaux et des prêtres gallicans. Le camisard ne hait pas le Normand ou le Bavarois, et c'est pourquoi l'Etat le brise.

Les sectes politiques, alors, changent de nature. Elles ne combattent plus pour un dieu ou un mythe mieux adaptés à leur terroir, à leur pays; mais elles combattent pour ou contre le système. S'il s'agit de sectes bourgeoises, dont les membres sont nantis, elles se posent en soutien de l'Etat; s'il s'agit de sectes populaires ou paysannes, elles luttent pour un autre système, un autre roi ou de nouvelles institutions.

Il peut même arriver qu'elles luttent pour elles-mêmes. Groupant des « frères » unis dans le crime, elles n'entendent pas préparer la venue d'un nouveau dieu ou préserver un culte ancien, mais détruire tout pouvoir, civil et religieux. De tels groupes se sont nommés *chauffeurs* en France et *goats* aux Pays-Bas, la *garduna* en Espagne, la *camorra* en Italie, associations de mendiants, de brigands ou de truands un peu partout dans le monde.

Bien qu'irreligieuses, ces sociétés possédaient leurs rites d'initiation, leurs pratiques, leur langage, très souvent hérité de la fin du Moyen Age : argot, *gergo, calaö, rothwälsch* (en Allemagne), et même leurs saints-patrons. La Fraternité des mendiants honorait saint Martin. Les membres d'une secte brigandine, arrêtés et soumis à la question, en 1719, révélèrent leur croyance dans le Diable à deux faces, dont une postérieure.

Puis, ces vestiges s'estompèrent et s'abolirent, au profit d'une plus concrète efficacité. Le célèbre bandit Cartouche (1693-1721), lui-même chef de bande, fut longtemps soupçonné de faire partie d'une secte. On le dit aussi de Mandrin. En 1770, les membres d'une société organisée, les *goats* ou Boucs, firent trembler toute une ville : Limbourg. Dans les années suivantes, le tribunal de Foquemont en condamna quatre cents à être écartelés ou pendus.

Evidemment, ce n'est plus une nostalgie mystique ou paysanne qui motive l'action de ces groupes, ni l'attente d'un nouvel Esprit — mais, le salaire de la semaine, le pain du lendemain, le repas du soir. « Les pauvres seront logés dans les appartements des riches au soir de la révolution. » Cette promesse de Babeuf ne sera tenue vraiment que cent cinquante ans plus tard, au soir de certaines grandes victoires égalitaires, en Russie, en Pologne, dans le Cuba de Castro. Mais, pendant ce siècle et demi, chaque fois qu'un meneur ne tiendra pas la promesse, il sera considéré comme un tyran; d'autres bandes se formeront pour le combattre.

Pourtant, ce sont ces sociétés qui, tout au long du siècle dernier, se sacrifièrent dans la révolte et le combat pour substituer à la notion d'Etat les mythes neufs de patrie, de démocratie, de nation.

Vers le même temps, d'autres groupes hétéroclites, royalistes, idéalistes, illuminés, se constituaient de même en sectes organisées, voire en *clubs* politiques et révolutionnaires, en Grèce, en Italie, en Irlande, en Pologne. Elles non plus n'étaient pas messianistes en fait. Guidés par l'ambition, par un sens corrompu de la noblesse et de l'honneur, leurs membres se servaient d'elles plutôt qu'ils ne les servaient ; ou bien, captifs des règles et des croyances mortes, ils essayaient aveuglément d'arrêter le Temps pour sauvegarder leurs privilèges ou leur prestige. Mais ces sectes, elles aussi, en défendant le vieux pays contre l'Etat, se trouvaient contraintes, souvent, de forger des valeurs neuves : une conception autre de l'œuvre, du pouvoir, de la liberté.

Reste à déterminer comment la convergence est devenue possible et comment le brigand et l'aristocrate se sont mués en citoyens.

Le Lotus Blanc : En commençant par cet exemple, nous ne prétendons pas que les sectes chinoises illustrent mieux que d'autres l'étrange évolution. Mais, lorsqu'il s'agit d'événements récents, il est préférable de prendre du recul : l'éloignement spatial supplée à l'éloignement temporel. Puis, les sectes chinoises offrent un second intérêt : renouveler précisément le conflit que nous connaissons, entre le Temple et la Loge, l'Opéra et l'Aspect (qu'un commentaire du *I Ching,* au XVIIIe siècle nomme la Création et l'Accueil), et nous en confirmer le caractère universel.

Fondée vers 1650, en même temps que les premiers « temples » anglais, la *Triade* reflétait les mêmes exigences, utilisait les mêmes symboles : le culte du Souverain, celui de la Création, l'ésotérisme des Cinq, la thématique de l'Arbre, etc. Fondées en même temps que les loges spéculatives, vers 1725, les sectes du *Lotus Blanc* reflètent fidèlement la seconde tendance.

Ainsi qu'en Angleterre, les deux mouvements, d'abord, avaient œuvré ensemble; ils s'étaient retrouvés unis, parfois, pour renverser l'usurpateur mongol (en 1774) ; mais leurs desseins secrets ne peuvent être confondus. Les membres de la Triade veulent restaurer le Ming, le souverain national; les membres du Lotus ne veulent plus de roi. Cette divergence de buts se révéla clairement lors de la révolution manquée de 1794-1803; puis, de plus en plus marquée, au cours du XIXe siècle.

Elle s'approfondissait, pour ainsi dire, d'elle-même, par une évolution insensible du Lotus, dont la première étape avait été le choix du Vert contre le Rouge : on se rappelle que la Triade honorait cette couleur, en souvenir de Hong (page 213).

La Bande Verte, anciennement « Société pour la Paix et la Félicité », aurait été créée par trois bateliers : Wen Yen, Qian Jian et Pan Qing, pour protester contre les conditions de travail imposées par les surveillants du transport des grains et, surtout, contre le nombre excessif des bateaux employés à bas prix par les entrepreneurs. Politiquement, la Bande Verte se présenterait donc comme le premier syndicat connu; mais, ésotériquement, de même qu'en Occident, les Trois s'opposent aux Cinq.

Originellement, les membres du Lotus Blanc sont encore religieux et, très souvent, bouddhistes : le dieu qu'ils attendent est le Maitreya. Ils croient aux anges, à la fraternité nouvelle, à la Vieille Mère (que symbolise la Bannière Noire). Ils rêvent d'un ciel égalitaire. Puis, cette égalité, il leur faut, concrètement, violemment, l'établir. Les sectes affiliées au Lotus évoluent, soit vers le rationalisme, telle la *Société de l'Observance*[1], soit vers un néo-christianisme, telle la secte des *Tai-ping* — Adorateurs de Dieu — dont le chef se proclamera frère cadet de Jésus-Christ. Les unes et les autres, vers 1850, ne verront plus dans la Triade que « délires néfastes » ou « rites diaboliques », également condamnables sur le plan de la raison et sur le plan de la vertu. Mais, alors, toutes les sociétés chinoises se seront converties en sectes révolutionnaires.

Dans la Triade même, des pratiques dominent qui ne doivent plus rien aux rites primitifs. Les membres utilisent un langage secret : magistrat se dit « ennemi », la police « courant d'air », les troupes impériales « orage », brigander « tirer les perdrix » ou « manger du canard », s'il s'agit d'une action fluviale ou maritime[2]. Au début du XIXe siècle, les chefs de la société sont des Cartouche, des Mandrin, qui enlèvent des otages, attaquent des convois et bafouent la police. Le mot d'ordre « frapper les riches, aider les pauvres » est aussi populaire en Chine qu'en Italie et en France.

Anciennement rattachée à la Bande Rouge, puis affiliée au Lotus Blanc, la secte du *Nian* ou Barbes Rouges se fait connaître en enrôlant de force les hommes dans les villages. Mais, lorsqu'on interroge les victimes du Nian, toutes répondent : « Ils sont entrés sans être vus, ils sont sortis sans se cacher; ces hommes ne sont pas

1. Société de l'Observance : le mot chinois, *Zai-li-hui*, signifie à la fois « Celui qui s'en tient à la morale » et « Celui qui s'en tient à la raison ».

2. Langage de la Triade, exploits des Nian, etc. : *Les sociétés secrètes en Chine*, par Jean Chesneaux (« Archives » Julliard).

des bandits. » Un magistrat chargé de leur répression explique :

« S'il se trouvait un Nian dans un hameau, ce hameau était assuré de la tranquillité... Au contraire, si aucun n'habitait le hameau ou ne l'avait habité, les membres de la secte pillaient le village et s'emparaient des chefs, qu'ils battaient et ne relâchaient que contre rançon. C'est pourquoi tous les protégeaient. »

Ce n'était peut-être pas la seule raison; car nous voyons partout les populations aider les révoltés. Les effectifs des sociétés sont constitués de gens du peuple : 25 % d'ouvriers, 20 % de petits commerçants, 15 % de fermiers dépossédés, 16 % de bateliers et d'artisans. Les grandes révoltes du milieu du siècle confirment cette popularité : elles n'eussent pas été concevables sans l'adhésion profonde du peuple aux sociétés secrètes.

Mais, d'une autre manière, inverse, cette adhésion explique pourquoi, irrésistiblement, des sectes tout d'abord reliées à la Triade — Barbes Rouges, *Tai-ping* — rejoindront le Lotus Blanc et pourquoi la notion d'Egalité commune recouvrira dans ces sectes les mythes initiaux, à partir de 1848-1850 (page 339).

Or, une même évolution caractérise l'histoire, au cours du siècle, de bien d'autres sectes ambiguës, à demi brigandines ou démoniaques d'abord, puis de plus en plus nettement politiques et situées dans le contexte social.

Du pays à l'Etat : Comme on pouvait le prévoir, l'Occident nous en offre le plus large éventail. Cherchant par quelle secte — modèle — l'historien peut approcher l'étude de ces sociétés, nous n'en voyons aucune plus caractéristique que celle des *carbonari*.

L'origine en est incertaine; mais de nombreux commentateurs la rattache à la secte jurassienne des Charbonniers ou Fendeurs, qui se prétendait l'héritière des Fendeurs de bois médiévaux. Le fait est qu'un *carbonaro* célèbre, le royaliste Oudet, fut en rapport avec les Charbonniers du Morvan. Il était également le fondateur d'une société de *philadelphes,* ce qui ne surprend pas lorsqu'on doit constater l'importance des symboles rosicruciens, et de l'Arbre notamment, dans le rituel des « compagnons fendeurs » :

— Quelle est l'écorce la plus fine?
— La chemise.
— Quelle est l'écorce la plus épaisse?
— L'habit.
— Par où passe-t-on dans la forêt?
— Par le pied-cornier.

« De notre Art qu'on nomme grimoire, chante le Compagnon, tout est clair, tout est épuré. »

On croit que la société fut introduite à Naples vers la fin du règne de Murat. L'un de ses membres, Maghella, ministre du roi, défendit constamment la thèse de l'indépendance italienne, mais sous une monarchie. Ce fut contre les Carbonari que le nouveau souverain, Ferdinand, patronna certaines sectes rivales, telles que les *Calderari* — et, sans doute, la *Camorra.*

Dès la Restauration, de nombreux Carbonari se réfugièrent en France. Lors de la grande répression, après l'insurrection manquée de 1830, d'autres sectaires gagnèrent les pays étrangers.

Comme il en est toujours, la secte, en ses débuts, offrait un caractère religieux original. Lepper rapporte qu'au grade de Maître, le rituel d'initiation rappelait le cérémonial du Sacrifice chrétien, le candidat y jouant le rôle de Jésus et les officiants ceux de Caïphe, d'Hérode et de Pilate. Les symboles maçonniques recouvraient, d'une part, les Eléments : de l'eau, du feu, de la terre et du sel : l'élément volatil de l'alchimie; d'autre part, la Croix et l'Arbre (sous la forme d'un rameau). Le triangle irradié et les trois rubans, bleu, rouge et noir, complétaient la structure ésotérique des loges, dénommées *ventes.*

Que ces symboles et rites soient venus des *philadelphes* ou des Loges égyptiennes, des Illuminés de Provence et de quelque société rosicrucienne, ce n'est pas l'important, puisque nous en comprenons le sens et que l'ésotérisme en est le même partout. Mais on jugera sans doute important que ces symboles et ces rites n'aient pas subsisté plus longtemps chez les Carbonari qu'en d'autres lieux. Dès l'introduction de la société en France, vers 1820, ils avaient disparu — ou le peu qui en restait ne présentait aucun sens.

Il fallait faire vite : le soulèvement fut prévu pour le

29 décembre 1821. La Fayette, Grand Maître, devait en prendre la tête. Mais le malheureux symbole de toutes les révolutions tenait à le rester : il arriva — comme souvent — trop tard au rendez-vous.

En raison de ce retard, la filière parisienne ne put participer à la révolution. Elle échappa ainsi aux représailles, qui frappèrent durement les sectes de Marseille, Lyon, La Rochelle, Saumur. L'année suivante, toutefois, on dénombrait en France soixante mille *carbonari*. Ils furent actifs pendant les Trois Glorieuses et, de 1830 à 1848, fondèrent d'autres sectes ou s'y associèrent : Société des Ecoles, Droits de l'Homme, Les Saisons de Blanqui, etc.

Il en allait de même en d'autres pays, tels que l'Espagne, l'Italie et l'Allemagne, où les *carbonari* s'étaient unis aux sociétés les plus diverses, ou démoniaques, telles que la Société de mort (*Todtenbund*), ou bien égalitaires, telles que la société communiste espagnole, dite des *communeros*.

Or, certaines d'entre elles, plus nettement encore que les *carbonari*, tiraient leur origine de bandes diaboliques au messianisme confus, bien que, presque toujours, elles eussent quelque raison de se dire apparentées aux mouvements médiévaux, spirituels ou amauriciens.

Les *chauffeurs* ou brûleurs de la Révolution parodient encore les cultes chrétiens, dans des sortes de « messes noires » certainement conscientes. L'activité de la secte est criminelle; il s'agit de piller au petit bonheur la chance et de s'approprier tout ce qui est bon à prendre. Pour faire parler le « benêt », la victime choisie, et pour lui faire avouer où il cache son or, tous les moyens sont bons de même : on lui donne des coups, on lui brûle les pieds.

Mais l'initiation des membres est une épreuve non moins redoutable : le néophyte doit prouver qu'il ne craint pas la souffrance et que son courage est au-dessus de tout soupçon. Dans le nord de la France, le chef d'une bande de chauffeurs porte le nom de Grand Maître et le sobriquet de François le Beau. La légende fait de lui un fils de Lucifer ou un Prince du Mal. Sa beauté séduit toutes les femmes; il s'évade de toutes les prisons; sa cruauté même n'a d'égale que sa générosité. On reconnaît dans ce portrait les caractères classiques du héros de liberté, tel que l'imagination des peuples l'a modelé au cours des siècles — de Robin des Bois à Vidocq, de Guillaume Tell à Buffalo.

Sous le Directoire, plusieurs centaines de chauffeurs furent condamnés à Chartres; mais la plupart avaient déjà rejoint les *chouans*. Puis un groupe rhénan de la secte fut découvert et jugé à Mayence, en 1803. Le dernier chauffeur mourut à Cannes, en 1883. Il se nommait Yves Conédie et il était âgé de cent trois ans. Naturellement, c'était un traître : la police l'avait laissé vieillir en paix après qu'il eut aidé à la capture de plusieurs chefs importants.

Les chauffeurs parodiaient les rites chrétiens; la *Garduna* parodiait la Sainte-Inquisition. Née vers la même époque, cette secte espagnole offrait une hiérarchie plus ferme, une tradition mythique plus assurée. Parmi les légendes propres à la société, l'une des plus curieuses est celle de la Madone de Cordova, qui cessa de protéger les chrétiens endurcis pour devenir la Vierge aux Roses des musulmans, puis se retira de l'Islam et revint à la Croix lorsque les musulmans, à leur tour, l'eurent reniée.

Pendant l'occupation française, la Garduna se transforma en un centre de résistance active à l'oppresseur. On a dit que Goya s'était intéressé à cette société, sans pouvoir démontrer qu'il y fût affilié. Lorsque, en 1821, le gouvernement entreprit de détruire la secte, elle s'était étendue à toute l'Espagne et possédait des « branches » dans plusieurs villes : Tolède, Barcelone, etc. Mais le « tronc » en demeurait, au centre de Séville, la maison du Grand Maître : François Cortina. L'année suivante, le 25 novembre, huit chefs de la Garduna, dont le Grand Maître, furent suppliciés sur la place de Séville; mais quelques survivants gagnèrent la montagne, où ils vécurent de rapines et donnèrent naissance à de nombreuses légendes : le *Romancero de la Sierra*. On croit que d'autres sectaires rejoignirent le grand mouvement de la Confédération communiste espagnole (*Communeros*), fondée vers la même date.

Une vingtaine d'années plus tard, lors des révolutions de 1848, des Garduna renaquirent en Amérique du Sud. On en trouve le nom au Brésil, au Pérou, en Argentine et au Mexique. Mais elles n'étaient plus de nouveau que des bandes de hors-la-loi.

Les sectes italiennes : Les plus connues se rattachent au mouvement politique des *carbonari,* que personne ne considère comme de simples brigands. Mais, dès le début du siècle, de très nombreuses sectes s'étaient formées à Naples, à Milan, en Calabre, issues des « loges égyptiennes » ou de la Maçonnerie philadelphienne : les *prêtres de Delphes,* les *Indépendants,* les *Calderari,* les *Blancs Pèlerins.*

Le chef de cette dernière secte, calabraise, connut une certaine célébrité après avoir mis à sac la ville de Martado et avoir dérobé près de 100 000 ducats au cours de la *razzia.* Bien qu'il fût un tueur redouté, Circo Annichario rejoignit dans la légende les héros populaires : on colportait ses traits de générosité, on exaltait son courage. Après sa capture et sa mort, on raconta que trente et une balles l'avaient atteint, dont quatre en pleine tête, et qu'il vivait encore. « Il fallut une balle en argent pour le tuer[1]. »

Au nombre des sectes les plus importantes, s'impose la *maffia,* dont on date l'origine des guerres napoléoniennes. Chassés de Naples, les Bourbons se réfugiaient en Sicile, que des bandes de brigands mettaient en coupe réglée. Ce furent ces bandes que le roi décida d'employer pour en faire une sorte de « gendarmerie locale ». Lorsque la Cour revint à Naples, la *maffia* demeura la seule maîtresse de l'île.

Pour le reste, cette société ne se distingue pas des sectes similaires. Mythiquement, elle honore la Vierge (Notre-Dame-de-Trapani) et cultive le mythe du héros. Pratiquement, elle s'assure, d'une part, le soutien de la population, d'autre part l'appui des grands propriétaires, en se présentant tantôt comme défenderesse de l'Ordre, tantôt comme justicière, et inexorable en tous lieux.

Mieux connue est l'histoire d'une secte napolitaine, la *Camorra,* dont l'origine coïnciderait avec le retour des

1. ANNICHARIO : Heckethorn, ouvrage cité.

Bourbons à Naples. Mais son action, d'abord, se réduisit aux prisons, où elle eût établi une sorte de caisse d'entraide, entretenant en argent, tabac et nourriture les captifs les plus pauvres, aux dépens des plus fortunés. On trouve là comme le modèle de toutes les sectes — fictives ou non — dont Balzac, Eugène Sue, Dumas et Paul Féval parsèmeront leurs œuvres : Société des Treize, Compagnons de Jéhu, Habits Noirs, etc. Sur le plan mythique, c'est la victoire du « frère » sur le « héros », du socialisme égalitaire sur le romantique attardé. Et, de fait, vaincue vingt fois au cours du dernier siècle, la Camorra devait, à chaque fois, reparaître, de plus en plus puissante.

Ce fut seulement en 1830 qu'elle se fit connaître hors des geôles, portée à l'action publique par la première insurrection. Mais, alors que les Carbonari et d'autres étaient exterminés ou contraints à s'enfuir, elle survécut aux répressions. Bientôt, elle créait de véritables *gangs*, avec la tolérance ou la complicité de la police, du ministre du roi et de hauts dignitaires de l'Eglise romaine. On croit que ces personnages n'agissaient pas seulement pour l'amour de la patrie et qu'ils recevaient leur part sur les « impôts » perçus dans les tavernes, maisons de jeux et autres maisons.

Soutenue par les bourgeois, qu'elle « protégeait », et par le peuple qui attendait tout d'elle, la Camorra commit sa grande erreur en 1848, lorsqu'elle s'associa aux révolutionnaires. Le Préfet de Police, Don Libério, en avait fait armer les membres et les avait nommés « gardes civiques », avec mission de maintenir l'ordre à Naples jusqu'à l'arrivée de Garibaldi. Ce fut un débordement de rapines et de pillages.

Puis, avec le rétablissement de la monarchie, le nouveau ministre de la Police, Spaventa, se retourna contre la société, abolit la garde civique et procéda, en une seule nuit, à l'arrestation de tous ses chefs. La Camorra rentra dans la clandestinité. Mais ce n'était que pour une douzaine d'années, comme nous le conterons plus loin (page 337).

La défense du pays : D'autres sectes présentent un caractère bien différent. Elles ne combattent plus au nom d'on ne sait quelle confuse et criminelle liberté, dans le cadre d'un Etat plus ou moins corrompu, mais pour réinstaurer la notion de *pays,* de communauté raciale ou provinciale contre l'abstraction de l'Etat. C'est, en somme, la révolte des minorités. Nous en donnerons quatre exemples, parmi plusieurs dizaines : l'*Hétairie* grecque, les sectes irlandaises, les mouvements de Rangit Singh et de Wahhâb.

L'Hétairie fut fondée en 1812, à Athènes, pour protester contre le pillage des ruines et des trésors antiques par les Anglais. Mais, très vite, après le Congrès de Vienne, la société se donna une mission différente : libérer le pays de la domination turque. On a dit que l'influence, d'abord discrète, du tsar ne fut pas étrangère à cette évolution.

Devenue *Société des Amis,* l'Hétairie fut transférée à Odessa et modifiée dans le sens d'une action politique. Au nombre de sept, les grades hiérarchiques se modelèrent sur ceux de la Franc-Maçonnerie : Frères, Apprentis, etc. Seul, le troisième garda quelque couleur de l'ésotérisme athénien : Prêtre d'Eleusis. Les deux derniers : Initié et Grand Initié, furent particulièrement investis de la nouvelle mission révolutionnaire. Des mots de passe compliqués, qui comportaient chacun trois ou quatre formules, assuraient la sauvegarde d'une société dont les membres risquaient quotidiennement la mort.

De 1816 à 1819, ces membres furent peu nombreux. Le Directoire ou Grand Arche ne comptait que sept personnes, dont les trois fondateurs : Ikufas, Tsakaloff et Xanthos; puis, il fut développé jusqu'à treize membres. En 1820, l'Hétairie possédait des filières dans le Péloponnèse, les Cyclades, les îles ioniennes, l'Asie Mineure et jusque dans la ville de Jérusalem. Alors, le tsar de Russie lui imposa un chef : Alexandre Ipsilanti.

L'épopée — légendaire aujourd'hui — de l'homme du tsar couvre tout le printemps 1821 : elle atteignit son apogée le 9 avril, lors de l'entrée dc plusieurs milliers de Grecs à Bucarest. Puis, ce fut le début de l'extermination, que retardèrent seulement de prodigieux faits d'armes, tels que celui d'Athanasius, tenant tête avec quatre cents Grecs et huit fusils, pendant une pleine semaine, à plusieurs milliers de soldats turcs.

Le pacha de Silistrie entra dans Bucarest le 29 mai et Alexandre Ipsilanti dut fuir avec le reste de son armée (le Bataillon Sacré). S'étant réfugié en Autriche, il fut livré aux Turcs et traité par ceux-ci comme un criminel de droit commun. Libéré en 1827, sur une intervention personnelle du tsar, il mourut quelques mois plus tard, sans avoir vu la guerre russo-turque (1828-1829), qui marquerait la fin, en Europe centrale, de la primauté du Croissant.

Les sectes irlandaises — Si la Turquie mourante — « l'homme malade » de l'Occident — devait combattre ici l'Hétairie grecque, là les sectes arméniennes et d'autres, similaires, l'Angleterre dressait contre elle, dans l'Inde les sikhs « fanatiques », en Europe, les *Irlandais Unis.*

Créée à Belfast en 1781, cette secte avait pour but, dès l'origine, d'arracher le pays d'Irlande à la contrainte de l'Etat anglais. L'Hétairie comptait sur l'appui des Russes, l'Irlandais sur le soutien français.

L'indépendance des colonies anglaises, devenues les U. S. A., puis la Révolution française portaient naturellement à son comble ce rêve de liberté nationale, encore tout symbolique :

« Qu'avez-vous dans la main?

— Un rameau vert.

— Par quel pays est-il passé?

— Par l'Amérique.

— Où a-t-il fleuri?

— En France [1]. »

Le Directoire promit, en effet, le soutien d'une armée. Hoche la constitua. Mais l'expédition fut un échec (1796) et la révolution irlandaise également. De nombreuses autres sectes poursuivirent le combat, utilisant l'émeute, l'attentat ou la résistance passive.

L'une des premières, les Blancs-Garçons (*White-Boys*), rappelle les camisards français : ses membres tinrent le maquis de 1761 à 1780. Les *Right-Boys* lui succédèrent, vers 1787; puis les *Saint-Patrick-Boys,* jusque vers 1833.

---

1. Rameau Vert : catéchisme des *United Irishmen,* cité par Serge Hutin.

Leur échec souligne l'inconvénient majeur des sectes trop nombreuses, dont les motifs d'action ne peuvent que se contredire. Vingt sociétés s'offraient pour libérer l'Irlande; mais les unes, catholiques, combattaient pour le pays, l'honneur, la liberté de leur foi : rien ne les attachait à l'Angleterre. D'autres, d'obédience protestante, reconnaissaient les Eglises réformées de la Grande Ile; elles n'exigeaient que la justice pour tous et l'égalité des droits, fût-ce dans le cadre d'une indépendance restreinte : ainsi des *Orangemen,* prépondérants dans le Nord. Pas plus que la Garduna ou les Carbonari, le Lotus Blanc ou la Triade, par suite, les sectes irlandaises ne pouvaient l'emporter sur une nation unie.

Une autre cause d'échec fut peut-être l'attente d'un secours étranger : ni les Russes ne pouvaient libérer les Grecs, ni les Français les Irlandais, car les uns et les autres avaient leurs propres soucis. A même époque, ce n'est pas seulement d'Odessa, de Dublin ou de Naples que souffle la Liberté, mais aussi bien de l'Inde et du Nedjed.

En 1792, le promoteur de la libération du « peuple » sikh, Ranjit Singh, avait douze ans. Le titre de guru-roi n'existant plus, il n'était que le chef d'une petite conféération du Penjâb. Mais, sept ans plus tard, le Lahore le reconnaissait pour maître — puis, la capitale religieuse des sikhs, Amridar, en 1802.

Devant combattre à la fois la domination des Afghans et l'expansion britannique, il choisit de s'allier avec les Anglais, auxquels en 1809 il abandonnait le Sud et l'Est du Penjâb en échange de l'indépendance du Nord et de l'Ouest — en grande partie à conquérir. Mais, à cette conquête, il se livrait entièrement.

Lorsqu'il mourut, en 1839, l'Etat sikh recouvrait tout le pays de l'Indus, jusqu'à la vallée de Kangra, dans l'Himalaya. Cependant, des dissensions renaissaient entre les chefs, selon qu'ils se rapprochaient des doctrines fraternelles ou de celles des héros. Les Anglais prirent prétexte de ces révoltes internes et de l'ordre à maintenir pour renier tous leurs engagements. Le traité de Lahore (1846), qui leur ouvrit le pays, réduisait l'Etat sikh à sa seule capitale.

Dans l'Islam, la secte combattante porte le nom de son fondateur, Mohammad ben Abd-al-Wahhâb (1691-1756). Ses buts, comme ceux de toutes les sociétés secrètes, présentaient tout d'abord un caractère mythique et religieux. Morale de rigueur et de simplicité, exaltation de la justice tribale : du vivant de Wahhâb, la secte s'en était tenue à ces règles primaires. C'était, partout dans le monde, la renaissance — brahmanique ou juive — de la Loi.

Par la suite, le dogme se diversifia. Le culte de Fatima semble répondre, ici, à celui de la Vieille Mère ou de la Madone Noire; l'abstinence sexuelle et le refus du luxe et de l'ornement rappellent les sectes puritaines d'Occident; le rigorisme des mœurs et l'importance donnée à la culture physique et militaire annoncent les sectes du XIXe siècle. Au contraire, les mythes d'égalité et de fraternité active touchaient des esprits de plus en plus nombreux.

La diversité des alliances procède — en partie — de ces dissensions. Réfugiés dans le Nedjed, en Arabie centrale, les *wahhâbites* recherchent l'appui de l'Anglais contre le Turc, d'autres tribus contre l'Européen. Tantôt glorieux, après une victoire, ils se retirent dans leurs montagnes et se renferment en la pureté de leur foi, sitôt que le sort leur est contraire.

Comme les Touaregs et les sikhs fanatiques, le Lotus Blanc et les Garçons en d'autres pays, ils ne cesseront de combattre jusqu'à la création de l'Etat libre dont ils rêvent. Mais, comme en d'autres pays et pour les mêmes raisons, cette espérance tenace ne se réalisera pas avant le XXe siècle, car il faudra que, d'abord, le millénaire conflit qui divise l'Islam — et les wahhâbites eux-mêmes — entre les deux voies messianiques se soit résolu enfin... par l'écroulement des mythes et la perte absolue de toute mysticité.

Les utopistes : Pour différentes qu'elles fussent des sectes brigandines ou révolutionnaires, les sociétés patriotiques n'en étaient donc pas moins secrètement divisées. Or, rien n'éclaire mieux l'antinomie profonde, qui se marque partout, entre les deux Esprits ou les deux Libertés qu'une autre distinction, notable à même époque, entre les deux *compagnonnages* : Compagnons du Devoir et Frères, nommés aussi parfois « gavauds » et « dévorants ».

Vers 1935, on rencontrait encore de ces artisans superbes, dont les pères, compagnons du Devoir, avaient achevé leur Tour de France trois quarts de siècle plus tôt. De l'éducation reçue, ils gardaient l'enthousiasme de l'ouvrage bien fait, en même temps que — plus étranges au regard de l'entourage — l'amour du « bois vivant » et le respect de l'arbre.

Ils n'étaient pas des socialistes, au sens moderne du mot, mais ce qu'on pourrait appeler des « libertaires chrétiens ». Ils croyaient en l'Ordre plus qu'à la justice, en la Création plus qu'à l'égalité. Ils n'aimaient pas beaucoup les juifs et ne parlaient pas de l'Etat, mais toujours du pays. Etre libre, pour eux, c'était essentiellement être libre de « se faire ».

Au contraire, les fils ou héritiers des Frères, devenus des socialistes — et des marxistes souvent — considéraient l'ouvrage comme une peine et le loisir comme un paradis. Ils jugeaient que le bois ne valait pas le fer ou le béton : ils eussent déboisé les Ardennes pour y construire des stades et des coopératives. Ils mangeaient du curé, mais ne touchaient pas au juif. Ils ignoraient le pays et ne connaissaient que l'Etat, duquel ils attendaient toutes les réformes souhaitables. La liberté, pour eux, ce n'était que l'égalité des droits.

Or, les premiers se référaient encore à la pensée de Saint-Simon ou d'Enfantin; les seconds, à Marx et à Engels, mais parfois aussi à Fourier. Si bien que l'opposition majeure qui définit toute notre époque était peut-être en germe dans l'œuvre et la pensée des deux grands utopistes.

Le premier, Claude-Henri de Saint-Simon (1760-1825) était encore un homme du XVIIIe siècle, imprégné de l'influence des Maçons « écossais », des romantiques allemands et des deux derniers traditionalistes de l'Ecole française : Joseph de Maistre et Bonald. De ceux-ci, Saint-Simon avait pu apprendre le sens nouveau du mot : Pouvoir, dans la double acception de hiérarchie et de puissance : l'homme de pouvoir, c'est l'homme qui nourrit (son peuple), car il a le génie de créer. Des romantiques et des Illuminés, le comte avait pu retenir la leçon que contient tout entière l'assertion de Novalis : « Le monde a une capacité originelle d'être animé par moi. »

C'est la conception faustienne d'un univers en perpétuel mouvement, régi par Dieu souverain et libre, où l'homme, libre également, est le maître des choses, s'il peut l'être de soi-même. C'est le monde, à la fois, des *Mille et Une Nuits* et du conte allemand ou *Märchen,* de Moulla Sadrâ et d'Autrecourt, des çivaïtes *rajput* et des premiers chefs sikhs. Mais le saint-simonisme le modifie entièrement, par une prise de conscience nouvelle de la « technique » et par une nostalgie qui n'est pas désavouée.

La doctrine, en effet, se fonde sur Jésus-Christ, même s'il s'agit maintenant d'un Jésus prolétaire, d'un Evangile ouvert au peuple. Le *Nouveau Christianisme* n'espère plus rien de Rome, mais il place son espoir en une renaissance ouvrière des « apôtres », dont l'abbé de Lamennais ranime, vers la même époque, la millénaire doctrine.

En un temps où le travail, encore artisanal, accède à peine à la *fabrique*, le Nouveau Christianisme prophétise l'*Industrie,* fondement du futur progrès faustien. Il rejette ainsi, définitivement, la notion mythique d'un âge d'Or passé, pour situer le paradis de l'homme « dans notre vie future sur cette terre »; cependant, il n'accorde à la science-connaissance qu'une confiance réduite : « En aucun cas, l'administration des affaires temporelles ne doit être confiée aux savants [1]. »

Quels seront donc les messies du nouveau ciel? Les Maîtres de Forges, les grands industriels, ordonnés et puissants, humains et fraternels. Né du travail, « la source de toutes les vertus » et de l'autorité attentive des « comtes et barons de l'industrie », le futur âge d'Or, parfois, pourra se présenter comme une sorte d'épreuve, un passage difficile, mais il ne sera que le

1. SAINT-SIMON : *Œuvres complètes, Système industriel,* t. V.

prélude ou le seuil d'une renaissance totale, spirituelle et mystique, de l'humanité.

Par l'action des saint-simoniens et, notamment, du plus célèbre d'entre eux, le père Enfantin, d'autres utopies viendront se greffer sur celle là, politiques : l'égalité de la femme et de l'homme, ou techniques : le percement des canaux de Suez et de Panama « qui uniront le Sud au Nord et l'Est à l'Ouest ». Etrangement, celles-ci seront réalisées alors que le rêve du comte, moteur de tous les autres, ne sera même plus un rêve, mais le cauchemar du siècle.

A peine plus jeune que Saint-Simon, Charles Fourier (1765-1837) nous semble un homme d'un autre temps. Ses maîtres furent autres, sans doute; ou la Révolution, le surprenant en sa pleine jeunesse, a balayé toute trace des enseignements anciens, n'en laissant subsister que de confus symboles.

Ces symboles, d'ailleurs, suffirent pendant longtemps à faire considérer Fourier comme un demi-fou et à masquer la part constructive de son œuvre. Qu'est-ce que les bourgeois du siècle passé auraient pu entendre à cet antilion, à cet antiphoque ou antirequin, dont l'utopiste parsème ses ouvrages? Qui, en 1830, pouvait concevoir encore une imagination à forme symbolique où les êtres de l'avenir, conçus comme « aériens », se présentaient en effet comme des ennemis du Feu (le lion) et de l'Eau (le *Léviathan* de Job)?

Charles Fourier pouvait bien éclairer son propos en prédisant que cet antilion ou cette antibaleine « nous permettront, le même jour, de partir de Marseille pour déjeuner à Lyon et dîner à Paris[1] ». La prophétie, qui nous bouleverse, n'était qu'une folie de plus pour les contemporains.

Mais ces mêmes inventions, si elles desservaient à l'époque leur auteur, nous révèlent la faiblesse de sa structure mythique. Car, hors les trois mythes d'Air, Fourier n'en tolérait aucun. L'Egalité économique et la

1. Fourier : *Théorie de l'Unité universelle* (Esquisse de la note E sur la cosmologie appliquée, sur les créatures scissionnaires et contremoulées), cité par Jean Servier. — Également, la symbolique des hommes-oiseaux, dans *Le Nouveau Monde Industriel.*

Fraternité morale devaient mener, sans autre apport, à l'Universelle Liberté. Le Souffle cosmique de l'antique « science de la Balance » s'identifie tout à la fois aux « droits premiers » de la Déclaration républicaine et à la Sympathie Universelle chère à Huyghens et à Newton. Le Souffle divin lui-même fait que les humains sont frères et veut qu'ils soient égaux. Au terme d'une très longue route qui a mené l'humanité, par des âges successifs, de la Sauvagerie au Patriarcat, du Patriarcat à la Barbarie, voici que s'annonce l'ère des utopistes : l'âge de la Civilisation.

La Révolution de 1830 rendit à Fourier un très bref hommage; des disciples vinrent à lui, dont l'aide lui permit d'édifier la première cité égalitaire (le *Phalanstère*), mais personne ne le comprit vraiment. L'un de ses fidèles les plus fanatiques, Jean Journet, quand il vint à Paris, le trouva « malade, au lit, grelottant dans une chambre misérable et nue ».

Ce Journet — l'Apôtre Jean — nous offre un autre exemple des obstacles invincibles auxquels devaient se heurter les derniers visionnaires du siècle. Ancien *carbonaro* et gardé, comme tel, dix-huit mois en prison avant d'être acquitté, Journet était un petit pharmacien de Limoux, près de Carcassonne, marié, père de famille, aimé de ses voisins, lorsque — pour son malheur — un ouvrage de Fourier lui vint entre les mains.

Il ne peut comprendre que le Maître ne soit adoré par tous, que les journaux ne soient pleins de son œuvre et de son nom. Il accourt à Paris, se fait recevoir des chefs du mouvement fouriériste. La secte le déçoit : chacun n'y pense qu'à soi-même. L'état où il voit Fourier le désespère; l'indifférence de Paris l'indigne. Le voici distribuant des brochures et libelles dans les théâtres, à l'Opéra. On l'arrête; il plaisante, on l'envoie chez les fous.

Aux médecins de Bicêtre, il récite ses œuvres et celles de Fourier. L'un des extraits qu'il lit se termine par ces mots : « Mon caractère apostolique ne sera plus un objet de ridicule, de misère. » « Avez-vous compris? dit le docteur en chef à ses assistants. Monomanie de la grandeur. » Le traitement préconisé comporte « des bains de trois heures, des aspersions d'eau froide sur la tête, la demi-portion aux repas, la barbe rasée ». Ainsi soignait-on les « apôtres » à Paris, en 1841.

Par la suite, ce fut pis, car Jean était confié à un autre médecin qui estimait Fourier, mais ne le comprenait pas comme son malade. « Privé de tabac, de plume, d'encre et de papier, condamné chaque jour à force lavements », Jean Journet se mourait quand M. de Montgolfier parvint à l'arracher à l'enfer de Bicêtre. Il reprit son apostolat.

On le vit quémander l'aide de George Sand, de Hugo, de Lamartine, de l'évêque de Montpellier et d'Alexandre Dumas. L'illustre romancier et dramaturge fut le seul à l'accueillir : il lui offrit une rente de douze cents francs sur ses droits... que l'Apôtre ne reçut jamais, car le compte de Dumas aux Auteurs Dramatiques était toujours à sec.

La Révolution lui fut un répit. On le vit au Congrès de la Paix, le 24 août 1849, où il prit la parole après Victor Hugo. Il publiait des *cris* : *Cris et Soupirs, Cri Suprême, Cri d'Indignation, Cri de Délivrance,* et insultait ses adversaires avec une verve que, seul, Léon Bloy surpasserait. Il disparut vers 1853, alors que les hommes de son espèce n'avaient plus le choix qu'entre l'asile et la déportation.

Les événements de 1848 et leur échec renvoyaient dos à dos les disciples de Fourier et ceux de Saint-Simon. Les peuples ne pouvaient pas considérer le travail dans les Mines et les Forges comme une œuvre libératrice; mais ils ne voulaient pas non plus des phalanstères, dans la crainte d'y perdre le peu de liberté qui leur était laissé.

16

LES MESSIES DU MILIEU DU SIECLE

Les dissidences — Les schismes catholiques — Le Saint-Esprit et l'Amour Libre — Héliaques, mormons, adventistes — Les mystiques de l'Orient.

Les dissidences : Si puissante que soit, en certaines époques, la poussée du rationalisme, on peut croire qu'une action commune, se fondant sur la science des temps, parviendrait à la ralentir, de sorte que l'humanité traverserait sans dommage la vallée du Lokâyata et ne perdrait pas, ensuite, un siècle ou deux à reconstituer la « noosphère », l'univers des structures et des analogies.

Mais cette action commune ne se réalise jamais. D'une part, les religions nostalgiques redoutent un dieu nouveau — dont elles savent d'avance qu'il les condamnera — plus que l'athéisme, qui les tolère. D'autre part, les messianistes eux-mêmes se partagent en deux voies opposées, que le miracle du dieu sera de réunir : voies de Toth et d'Horus ou de la dialectique et du *Nous* éléate ou de la création princière et de l'égalité.

En raison de cette nostalgie et de cette contradiction interne, toutes les tentatives œcuméniques du siècle ne pouvaient aboutir qu'au chaos. C'était en vain que le pasteur Hosea Ballon tentait de relancer l'*Eglise Universelle* de John Murray : ni les baptistes, ni les unitariens n'en reconnaissaient l'universalité.

Les derniers avaient peut-être de la peine à choisir entre l'Eglise de Murray, la *British and Foreign Unitarian Association,* fondée en 1825, l'*American Unitarian Association,* fondée la même année, ou l'une des cent cinquante congrégations, dites « initiales », qui se développaient ou naissaient alors. L'une d'elles, la *Congregation Union of England and Wales* (1833) enlevait même aux unitariens et aux baptistes l'appui non négligeable des congrégationalistes, les plus indépendants de tous les réformés. Enfin, d'autres dissidences — méthodistes — donnaient naissance aux *Bible Christians* ou Chrétiens de la Bible, aux *United Methodist Free Churches* et à la *Wesleyan Reform Union,* entre 1820 et 1850.

Ce fut alors — en 1846 — qu'une tentative plus ambitieuse s'efforça de réunir en un seul organisme, l'*Alliance évangélique,* les protestants du monde entier, s'ils refusaient tout à la fois le catholicisme romain et l'exégèse rationaliste des Ecritures. Les mouvements baptistes et unitariens avaient préparé une telle alliance : il n'étonne donc pas qu'elle s'imposa surtout — pour ne pas dire uniquement — en Angleterre d'une part, aux U. S. A. de l'autre.

Cependant l'Alliance reposait sur une ambiguïté que le mot : évangélique ne put masquer qu'un temps, car l'attente de la Seconde Venue brouillait ici toutes les pistes. Tandis que la plupart des évangélistes entendaient par ce mot le christianisme rénové, d'autres en attendaient un « second Evangile », une merveilleuse Nouvelle.

Dès 1848, un pasteur non conformiste, émigré aux U. S. A. dix ans plus tôt, le docteur John Thomas, créait sa propre secte. Ancien *disciple du Christ,* Thomas cédait à ses premières croyances; mais, peu à peu, une doctrine millénariste se dégagea de ses écrits et de ses prêches. Selon cette doctrine, le Christ devait revenir en Palestine d'abord et convertir les juifs avant que d'imposer par toute la terre le nouveau Règne de Mille Ans. Un autre dogme du docteur Thomas était que, hors du Royaume, les hommes sont mortels : les âmes comme les corps. Mais, dans le Royaume, les corps et les âmes ressuscitent ou, plutôt, ils ne connaissent pas la mort (car la Présence n'a pas de fin, pour celui qui vit dans l'instant).

En 1864, la secte reçut un nom : les *christadelphes* ou Frères dans le Christ. En même temps, elle perdait presque toutes ses caractéristiques propres. Le culte se restreignait au seul « Jour du Seigneur »; l'égalité redevenait une vertu essentielle, en sorte que l'*ecclesia* n'avait pas de pasteur : à son tour, chaque fidèle pouvait prendre la parole et choisir « l'hymne de Sion » qui serait chantée ce jour-là.

Mais il y avait longtemps que le messianisme du fondateur, encore en vie cependant, n'existait plus. Il n'en subsistait guère que l'étonnante trouvaille : la conversion des juifs, dont toutes les Eglises protestantes du monde et des catholiques même (Léon Bloy) se feraient bientôt l'écho.

Le docteur Thomas rêvait d'un retour de Jésus-Christ à Jérusalem; il inventait les hymnes de Sion. Une autre secte ira plus loin dans ce sens : les *Adventistes du Septième Jour,* fondée en 1862. Le Jour du Seigneur n'y est plus le dimanche, mais le samedi, jour du Sabbat. Proscrivant la doctrine de l'enfer éternel, dont elle ne trouve pas trace dans les Ecritures, la société n'admet un autre guide que la Bible, considérée comme entièrement et directement inspirée par Dieu.

Le Christ n'y est plus le dieu d'Amour, mais l'Agent de Jéhovah, Créateur au début des temps, Dispensateur en sa future Venue. Puis, le royaume d'Amour du Haut Moyen Age étant nié de même — ou ignoré — il s'ensuit que l'« universalisation de la Bible » sera le signe précurseur de cet Avènement.

Le seul mouvement évangélique de la seconde moitié du siècle qui nous semble échapper à l'emprise judaïque fut la création d'un Anglais, Thomas Lake Harris, émigré aux U. S. A. Universaliste, il se sépara de l'Alliance vers 1850 et fonda la *Fraternité de la Vie Nouvelle,* qui s'efforçait d'unir, dans l'Amour, l'Evangile et l'attente de la Seconde Venue. Les caractéristiques de la secte furent, d'abord, l'importance donnée aux relations sexuelles, puis l'intérêt croissant de son fondateur pour les doctrines spirites (page 367). Prospère dans l'Etat de New York pendant une vingtaine d'années, elle n'y est plus guère qu'un groupuscule.

Indépendamment de ces dissidences, trop d'œcuménismes divergents s'étaient formés pour être plus que des sectes, très comparables à celles qu'ils prétendaient unir : Eglise Universelle, Alliance évangélique, Méthodisme mondial, *Churches of Christ,* nées des Disciples du Christ, Eglise Unie, née du Mouvement d'Oxford. Ces Eglises, désormais, selon le jeu de bascule que nous avons défini, apparemment irrésistible, mettront l'accent, tour à tour, sur le prophétisme biblique et sur un messianisme de liberté.

A la limite, la double tendance aboutissait, vers le milieu du siècle, à deux mouvements originaux, les *anglo-catholiques* d'une part et les *anglo-israélites* de l'autre.

Menant jusqu'à son terme la nostalgie biblique, ceux-ci affirmaient que tous les peuples anglo-saxons étaient les descendants des Dix tribus perdues, « les anciens bâtisseurs des Pyramides », dont l'unité de mesure, à les entendre, n'eût été autre que le « pouce » anglais! De très graves penseurs, John Wilson, le Révérend Glover (1800-1881) et l' « archéologue » Ed. Hine (1825-1891) étaient à l'origine de cette croyance douteuse et d'autres, non moins étranges.

Plus mystique ou mieux inspiré, John Henry Newman (1801-1890) était le fils d'un banquier de Londres. Pasteur anglican de tendance *High Church,* il publiait, en 1833, ses *Tracts for the time* qui devaient devenir la bible du Mouvement d'Oxford. Du premier tract au dernier, publié dix ans plus tard, la doctrine de Newman ne cessa d'évoluer vers un catholicisme de plus en plus conscient, mais de moins en moins messianiste. Converti et ordonné prêtre en 1845, il fut le fondateur de l'Oratoire d'Egbaston, dans le comté de Birmingham. Abandonné de ses anciens amis, il eut la vieillesse d'un saint, bien que Rome l'eût fait cardinal en 1879.

Les *anglo-catholiques* furent des hommes surprenants, tant par leur science ésotérique que par leur force de caractère, qu'il s'agisse de Newman lui-même, du recteur de Rugby, le docteur Arnold — un précurseur du sport moderne — ou du cardinal Manning. Seuls, à l'époque, ils évitèrent le double écueil de nier le futur avènement mythique ou de l'imaginer pour le lendemain.

« Vous serez frappés, je pense, écrivait Arnold, de l'étroite ressemblance qu'offre notre condition présente avec celle des juifs avant la seconde destruction de Jérusalem [1]. »

Tout aussi nettement, Newman et Manning prévoyaient que le pire était à venir : le Grand Etat « aussi contraignant que Rome le fut », le passage d'un Antéchrist, enfin...

De semblables intuitions étaient encore nombreuses au sein de l'Eglise romaine. Elles émanaient souvent de prophétesses : sœur Marianne de Blois (1804), Marianne Galtier (1830), Marie Lataste, Madeleine Porsat (1843), Mme de Meylian, la petite Mélanie de La Salette.

Nous avons indiqué en d'autres ouvrages la précision de certaines de ces prophéties, toutes apocalyptiques : l'annonce d'un temps très proche où la *religion* se trouverait *dépeuplée,* selon la devise que le Malachie chrétien avait donnée au 104e pape de sa chronologie, et la prédiction de « guerres universelles », dont la première éclaterait sous ce même pontificat. Ce fut celui de Benoît XV, de 1914 à 1922.

Plus vague, la prophétie de sœur Jeanne Le Royer n'en est pas moins frappante, pour qui sait lire les signes :

« Si le Jugement arrive au XXe siècle, il ne viendra que vers la fin; s'il passe le siècle, le XXIe ne passera pas sans qu'il advienne. »

A condition de prendre le mot dans son vrai sens : à la fois la fin de la Crise et l'amorce d'un renouveau, il ne semble pas, en effet, que le Jugement puisse tarder plus d'un siècle aujourd'hui. Ce fut peut-être l'un des malheurs — ou l'un des crimes — de l'Eglise romaine que ces avertissements n'y furent pas entendus, que

1. ARNOLD : cité, ainsi que d'autres prophéties des anglo-catholiques, dans l'ouvrage — satirique — de Lytton Strachey, *Victoriens Éminents* (Gallimard).

de nombreuses prophétesses furent réduites au silence ou que La Salette devint — comme Lourdes, plus tard — le « haut lieu des marchands », selon le mot de Bloy.

Le délire : En dehors du catholicisme et du mouvement d'Oxford, une telle lucidité demeure rare en Occident. Plus nombreux apparaissent les prophètes délirants : Ganneau, Tom, Schönherr, Prince. Ils présentent tous ce caractère commun : une lecture hâtive des prophètes hébreux, de *l'Apocalypse* de Jean ou de quelque ouvrage ancien et l'invention, non moins hâtive, d'un messianisme à leur usage.

Le premier de ces délirants dut être l'Allemand Schönherr (1771-1826), qui prêchait une morale « nouvelle » — en Occident — selon laquelle la libération future de l'humanité se fonderait sur le plaisir sexuel et sur la liberté des sens. Deux pasteurs, Diestel et Ebel, devinrent ses disciples et fondèrent la secte des *muckers* (à Königsberg). S'y allient les pratiques libertines d'antan et l'intuition de Sade : sur le plan de la doctrine, la recherche d'un état « originel » de l'homme, non plus dans la « vertu », mais dans l'acceptation de toutes les libertés, dès qu'elles éveillent l'instinct; sur le plan du rituel, toutes les applications à l'érotisme conscient du plaisir et de la souffrance.

Les *muckers* ne furent découverts qu'en 1835. En raison de la position sociale de certains membres, l'enquête judiciaire dut être interrompue, mais les pasteurs furent destitués. On envoya Diestel, jugé le plus dangereux — ou le moins bien protégé — dans une maison de correction, où il mourut.

A peine plus sérieuses en leurs origines, mais moins scandaleuses — et même anodines — l'*Eglise Catholique Française* de l'abbé Châtel et l'*Eglise Catholique Apostolique* du pasteur Irving eurent des destins différents.

Ferdinand-François Châtel reçut ses visions du Ciel lors de la révolution de 1830. Il desservait alors un village de banlieue. Il monta à Paris, se logea rue des Sept-Voies et commença de dire sa messe, chaque matin, pour son boucher et sa fruitière. Il la disait *en français* et ne faisait pas payer les chaises. Puis, il lança des prospectus pour annoncer la création de l'Eglise Catholique Française; il y promettait de « baptiser pour rien », de « marier pour rien », d'« enterrer pour rien ». Il eut très vite de nombreux fidèles.

Cependant, l'abbé Châtel s'avouait une faiblesse : il aurait voulu être évêque. Plusieurs ecclésiastiques sollicités en vain, l'abbé Poulard, ex-évêque constitutionnel d'Autun, accepta de procéder au sacre, mais en échange d'une pension à vie, que M. Châtel ne pouvait lui souscrire. Ce fut enfin le Grand Maître d'une secte maçonnique, *Les Templiers,* Souverain Pontife de l'*Eglise Joannite* (deux Ordres bien oubliés!), qui ordonna le sacre, à condition que l'Eglise Catholique Française adopterait le costume templier et les rites joannites. Devenu Primat des Gaules, Châtel ouvrit un temple, rue de Cléry, d'où l'huissier l'expula bientôt, parce qu'il n'en payait pas le terme.

Le temple rouvrit faubourg Saint-Martin; cette fois, les chaises — et les tabourets — y furent tarifés, ainsi que les enterrements et les baptêmes. Mais Châtel put s'offrir un buste de Louis-Philippe, qui trôna sur l'autel au-dessus d'un médaillon où se lisaient les noms des trois grands précurseurs de l'Eglise Française : Confucius, Parmentier et Lafitte.

Si étrange que cela soit, pendant une douzaine d'années, l'Eglise parvint à vivre. Elle suscita même des imitateurs : à Nancy, à Nevers, à Villa-Favart, des abbés tentèrent de se faire sacrer, par la Franc-Maçonnerie à défaut d'autre recours, et tinrent quelques semaines ou quelques mois contre le clergé officiel. Mais, enfin, la Révolution de 1848 mit un terme à ces fantaisies. Elle achevait quelque chose qui n'existait plus qu'à peine : trois hommes, Lhôpital, Délit et Vavasseur jouaient aux petits dieux sous la férule nominale d'un grand Dieu-président, Cohendet, au cinquième étage d'un taudis.

Encore était-ce là un schisme, car Vavasseur avait changé le nom de l'Eglise de « catholique » en « chrétienne ». Quant à l'abbé Châtel, devenu socialiste, il se faisait étriller par le philosophe Proudhon, son maître, mais organisait encore des banquets pour fêter la fraternité universelle. « Le banquet coûtait 1,25 fr par personne et avait lieu barrière du Maine, maison Ragache[1]. » Ainsi finit le précurseur de l'actuelle liturgie française.

Au contraire, avec le meilleur esprit, on ne pourrait découvrir l'innovation dont le pasteur Edward Irving aurait été le précurseur. Au reste, son apostolat fut des plus brefs. Il avait trente ans lorsque, en 1825, il commença de prêcher la Seconde Venue du Christ, qu'il présentait comme imminente. En 1833, accusé d'hérésie, il était déposé et en mourait de chagrin. Cependant, son institution lui survécut. Elle compterait aujourd'hui 80 lieux de culte et quelque 30 000 fidèles, qui doivent à leur clergé le dixième de leur revenu : cette obligation, peut-être, explique cette survie.

La particularité de l'*Eglise Catholique Apostolique* est que certains de ses membres se vantent — se sont vantés — de « parler des langues inconnues », bien avant l'époque des soucoupes volantes. La hiérarchie, complexe, comporte des Apôtres (au nombre de douze), des Prophètes, des Evangélistes et des Pasteurs. Mais le rite emprunte à toutes les Eglises chrétiennes, orthodoxe et romaine particulièrement : on y retrouve l'usage de l'eau bénite, de l'encens, du cierge, de l'image sainte et du vêtement sacerdotal. La « cathédrale » apostolique est l'église de Gordon Square, à Londres.

L'Esprit Saint et l'Amour Libre : L'année même où Irving était exclu de l'Eglise presbytérienne, un autre « messie » se proclamait : « Sir William Courtenay, chevalier de Malte, roi de Jérusalem, prince d'Arabie, roi des Gitans, défenseur du Roi et de la Patrie. » Emprisonné comme fou, le Monarque Suprême — de son vrai nom Nichols Tom — le devint pour de bon. A peine libéré, quatre ans plus tard, il se prétendit l'incarnation de l'Esprit Saint. Des soldats le tuèrent, près de Canterbury, le 31 mai 1838.

Cependant, l'Esprit Saint avait besoin d'un corps. Expulsé de Nichols Tom, il emprunta l'aspect d'un pas-

---

1. CHATEL : dans l'ouvrage de Champfleury, *Les excentriques* (Lévy Frères, éditeurs, 1864).

teur anglican, Henry James Prince, qui, à son tour, en 1840, s'en prétendit l'incarnation.

Plus heureux que Tom ou plus habile, cet ancien recteur de Charlinch sut éviter l'emprisonnement. Même, il obtint très vite le soutien effectif de quelques riches mécènes et nobles dames, de sorte qu'il put cesser de prêcher dans les granges pour s'installer dans une propriété de Spaxton. Son Eglise, l'*Agapemone* ou Demeure de l'Amour, était fondée sur l'amour libre et sur le rejet du médecin, « car celui qui sait aimer ne meurt pas ».

Prince lui-même en était le vivant témoignage : l'âge ne lui enlevait rien de sa verdeur, non plus que les tribunaux anglais de sa liberté, bien que les scandales de l'Agapemone l'eussent conduit souvent devant eux. Quelque soutien puissant, peut-être, le préservait d'une condamnation; sa peur du médecin, de la maladie. Il mourut à quatre-vingt-dix-huit ans, ayant traversé tout un siècle fertile en excentricités, mais où les hommes de son espèce mouraient rarement hors des asiles et des prisons. Une filiale de sa secte, de création récente, existerait à Londres : *Les Enfants de la Résurrection.*

A la même date, ou peu avant, un autre pasteur, Theophilus Ransom Gates, atteignait aux mêmes conclusions que Prince. Etablie à cinquante kilomètres de Philadelphie, sous le nom de « Vallée de l'Amour Libre », la colonie vécut moins longtemps que l'Agapemone : jusqu'à la mort de Gates, en 1846.

Plus brève encore avait été la vie d'une colonie semblable, fondée en 1838, dans l'Etat de New York, sous l'impulsion de John Hemphrey Noyes. Développant dans un sens nouveau la doctrine de l'Androgynat, Noyes affirmait que l'Amour Libre est la loi de l'humanité : par l'union sexuelle seule, l'homme et la femme peuvent imiter et reproduire la double nature — mâle et femelle — de Dieu. La secte ignorait le mariage et les enfants y étaient élevés en commun : ce fut peut-être ce caractère communautaire de la secte qui lui fit le plus de tort et l'empêcha de prospérer.

Enfin, au même ordre érotique se rattache une société française, l'*Evadisme,* dont le fondateur, Ganneau, se proclamait le *Mapah* (la Maman et le Papa). Inspiré par les prophétesses et les Mères du siècle précédent, Ganneau affirmait que la femme n'avait pas, dans la société, la place qui lui revenait de droit. Identifiant Marie à la déesse-mère et à Eve, Mère du genre humain, il divinisait non seulement la femme « en soi », mais le rapport entre les sexes, « fondement de l'humanité ». Jusque vers 1840, la secte se développa surtout dans les cénacles littéraires et le milieu bohème de Paris, puis elle déborda ce cadre. Mais, quand le Mapah mourut, en 1851, il n'avait plus qu'un seul disciple. Il ne serait pas inexact, toutefois, de retrouver son influence dans la folie mystique d'Auguste Comte vieillissant.

Héliaques, mormons, adventistes : Parmi tant de sociétés sordides, où l'on ne fait pas clairement le partage entre la démence pure et l'exploitation, trois seulement nous touchent, soit par la foi sincère de leurs fondateurs, soit par le courage de leurs membres : les millerites, les héliaques et les mormons. Ce furent justement les trois qui survécurent (avec l'*Agapemone*) au triple événement de la guerre de Sécession, de l'Impérialisme victorien et du Second Empire.

William Miller était fermier dans le Massachusetts. Vers 1839, la lecture de *l'Apocalypse* lui révéla la date précise de la Seconde Venue du Christ : 1843, et il commença de l'annoncer dans les campagnes et dans les villes. Puis, des doutes l'assaillirent, qui ne cessèrent de s'accroître au cours de l'année prophétisée. Enfin, il dut avouer une erreur de calcul : le Christ n'apparaîtrait qu'un an plus tard, le 22 octobre 1844.

Ce jour-là, de nombreux disciples, vêtus de blanc, se rassemblèrent sur les hauts lieux : des toits, s'ils étaient citadins, ou des collines. D'autres dates ont été données depuis lors et les disciples en vinrent à se lasser d'attendre. Mais, vers 1920, la secte a commencé de renaître. Aujourd'hui, les fidèles de William Miller sont des centaines de milliers, on les connaît sous le double nom de *millerites* ou d'*adventistes*. La patience leur est venue. L'erreur du maître, pensent-ils, portait peut-être sur deux siècles... ou trois.

Le fondateur de la première secte héliaque, Pierre-Eugène Vintras, était ouvrier papetier. En 1839, âgé de trente-deux ans, il annonçait la Venue du Paraclet et fondait l'*Œuvre de la Miséricorde*. Dès le début, l'Œuvre présenta le même caractère absurde que nous avons perçu en d'autres sectes de l'époque : elle alliait au mythe d'Elie l'étrange croyance en la survie de Louis XVII (Naundorff).

On voit très bien pourquoi le thème (à la fois gémique et solaire) de la Résurrection du Roi accompagne souvent l'attente de l'Esprit consolateur. La même confusion, au Moyen Age, avait conduit les peuples germaniques à croire en la survie de Frédéric-Barberousse ou de Frédéric II; au XVIIIe siècle, les *skoptsis* russes à croire en la survie de Paul III. Les Deux Témoins doivent ressusciter : le Monarque fraternel passe donc par l'absence. Le tsar Alexandre, de même, n'est pas tenu pour mort : en une retraite mystique, il est *passé* un saint.

Mais le Prince attendu, le « fils de roi », ne sera pas le Roi plus que le Poisson ne fut la Vierge. Le Généreux, le Dispensateur, ne coiffera aucune couronne terrestre, car sa puissance sera de « souveraine liberté ». Quand ce message — celui du Bâb persan ou de Gobineau, dans les *Pléiades* — ne peut être reçu ou compris, tous les délires s'ensuivent, et toutes les déceptions.

« La proximité des effrayantes catastrophes par lesquelles la terre va subir la rigueur d'un jugement précurseur du jugement final et la future conversion devaient faire pressentir l'apparition d'Elie, ou d'un autre qui en aurait l'esprit et la puissance [1]. »

Cette déclaration de l'abbé Héry, « adhérent à l'Œuvre de la Miséricorde au diocèse de Montpellier, Pontife de Gloire », définit une seconde étape dans la dégénérescence mythique. Car, le Prophète est venu, « il est au milieu de vous » depuis le 1er septembre 1848, et il n'est autre que Vintras lui-même, sous le nom de Sthrathanaël.

D'autres « messies » héliaques ont précédé Vintras; d'autres suivront. Vaillant, du diocèse de Troyes, qui annonçait aux juifs de Metz le « retournement des

1. ABBÉ HENRY : *Le Précurseur de l'Avènement intermédiaire de Jésus-Christ* (J.-B. Gros, Paris, 1849).

Temps » et la Nouvelle Venue; Elie Bonjour, le fondateur du *Fareinisme,* négociant en laines à Paris, qui devait « mourir dans l'aisance » en 1866 [1]. Chez tous s'observe la plus grande confusion ésotérique, soit qu'ils espèrent le retour du Roi, soit qu'ils confondent Elie avec le Paraclet.

Mais, dans la plupart des cas, ils ont choisi entre deux routes : soit la route de Feu, qui reconduit de l'Elie solaire au culte du dieu de justice et d'alliance des juifs; soit la route « femelle », qui ramène de l'Amour-nourriture à la Vierge. Vintras lui-même appartenait à cette dernière tendance. *L'Opuscule sur les communications* (1839) est dédié « à la Gloire de la Vierge Immaculée, pure et sans tache ».

Nous avons vu le mythe naître vers 1450 et se dévoyer en thématique des Mères, dans les siècles suivants. Mais Vintras est peut-être le premier ésotériste à avoir défini le mystère dans des termes simples et clairs pour tous : « De même que le Christ, le corps de la Vierge Marie a été formé dans le sein de sa mère sans l'intervention d'aucun homme; Joachim n'est donc que le père nourricier de la Vierge. »

Très vite, la doctrine déborda l'Ordre héliaque. Elle était professée, plus discrètement, par l'abbé Emmanuel d'Alson, fondateur des *Assomptionnistes* à Nîmes, en 1843, et par l'Ordre associé des Dames de l'Assomption. Bien que le mythe témoigne d'une perversion ésotérique plus grande encore que l'attente d'un Roi, on pourrait croire que ces cultes virginaux, du moins, éloignaient leurs fidèles de la Bible et de son dieu : il n'en est rien.

La même année, une secte galloise prenait le nom de *Rebeccaïtes;* vêtus de blanc ses membres combattaient pour une vie sociale plus « morale » et plus « juste » : ils condamnaient, entre autres, les débits de boisson et dénonçaient le plaisir et la jouissance comme les agents de l'Abîme. Mais leur chef — une femme? — portait le nom de Rebecca, la femme d'Isaac, bénie dans sa descendance et mère des jumeaux Esaü et Jacob.

---

1. Bonjour : Huysmans, *Là-bas.*

Une autre société anglaise, introduite aux Etats-Unis, reconnaissait trois degrés d'initiation : le Blanc, le Bleu et l'Ecarlate. Vers la même époque, cette société, *Old Fellows*, admit un quatrième degré : Rebecca.

L'Eglise romaine ne pouvait plus négliger l'universel mouvement. D'autant que, dans son sein même, la Vierge apparaissait à de jeunes enfants et que les foules se précipitaient à La Salette. Après quatre siècles d'hésitation et d'inquiétude, le dogme de l'Immaculée Conception fut enfin promulgué par le Souverain Pontife, le 8 décembre 1854.

Par crainte du paganisme, les termes du décret en étaient peut-être moins évangéliques que testamentaires, comme si, pour s'éloigner de l'Aphrodite-Ishtar et des Çaktas, la Vierge Immaculée se fût rapprochée de la Shechina et de la Vierge d'Israël. Mais il semble qu'à l'époque, Vintras ait été seul à en prendre conscience [1].

Les mormons — Tout autrement se présentait l'*Eglise des Saints du dernier jour*, dont le fondateur, Joseph Smith, était le fils d'un fermier du Vermont (U. S. A.). En 1828, un ange, Moroni, lui était apparu pour lui révéler l'existence d'un livre écrit sur des plaques d'or. Un an plus tard, le voyant parvint à la cachette et y découvrit le livre, ainsi que les prophétiques *Urim* et *Tummim* hébreux (tome II). Il commença à le traduire tout aussitôt, dictant sa traduction à quelque secrétaire, curieusement « caché derrière un rideau »; puis, il rendit le livre à l'ange.

L'ouvrage publié, à Palmyre en 1830, le « traducteur » créa l'Eglise des Derniers Saints. La première ville des mormons fut Kirtland, où Smith bâtit un temple, un magasin et un moulin... ainsi qu'une banque, avant d'être expulsé de la ville, huit ans plus tard. Les Saints s'établirent alors à Nauvoo, où Smith institua la polygamie, et ne quittèrent la ville que le 21 juillet 1847. Mais Smith ne connut pas ce second exode : mis en faillite et arrêté sur l'ordre du gouverneur de l'Illinois, il avait été lynché par la foule, en juin 1844.

Ce fut sous la « présidence » de son successeur,

---

1. Vintras : « Appel contre le décret du 8 décembre 1854 », dans *Le glaive sur Rome* (1855).

Brigham Young, que les mormons se réfugièrent en Utah et y fondèrent Salk Lake City, capitale d'un véritable Etat indépendant. Les dix premières années de cette présidence circonscrivent sans doute la grande époque de l'Eglise des Saints.

La doctrine mormonne marque une rupture complète avec le christianisme. La polygamie en est un aspect; un autre aspect, le grand nombre de dieux et de déesses, assistants de la Divinité et adorés comme tels. Quant au Livre, il raconte l'histoire du Peuple, depuis l'arrivée en Amérique de l'une des Dix Tribus, celle de Jared, en 600 avant J.-C. Des quatre frères, patriarches de la tribu primitive, trois engendrèrent les Lamanites, à la peau ocre, ancêtres des Indiens. La quatrième famille (les Nephites) engendra des hommes grands et blonds, en lesquels certains exégètes croient reconnaître des Indo-Européens, Romains ou Celtes. Puis, vers l'époque où le Christ était crucifié à Jérusalem, un autre Christ ou le même — on pense au Kukultan toltèque — vint prêcher l'Evangile aux vertueux Nephites. Ils perdirent alors leur bravoure ancienne et devinrent des apôtres de la non-violence, de sorte que les Lamanites les massacrèrent aisément. Ce fut le dernier survivant de cette race de martyrs, Mormon, qui, vers 385, écrivit le Livre. Etrangement, les adversaires des Saints n'ont jamais accusé Smith d'en être l'auteur, car il n'eût pas été capable de l'écrire; ils croient que le Livre est l'œuvre d'un pasteur mort en 1816 : Salomon Spalding, mais ils n'expliquent pas comment, de 1816 à 1828, il serait demeuré inconnu.

Quoi qu'il en soit, *Mormon's book* est encore, aujourd'hui, le fondement de l'Eglise des Saints : il offre l'avantage de rattacher la secte à la tradition hébraïque la plus ancienne et de présenter cependant le caractère le plus nettement messianique. De même que par Abraham, le Père est venu dans le monde il y a quatre mille ans et le Fils il y a deux mille ans, l'Esprit doit s'incarner en un Elu à la fin du xxe siècle, pour instaurer la Nouvelle Dispensation.

Les Saints du Dernier Jour croient donc en l'immanence immatérielle de Dieu, non distincte de l'Histoire des hommes ni de l'Humanité. Par cette identité potentielle entre le Créateur et le créé, l'homme « en éveil » peut devenir Dieu ou, plutôt, prendre conscience du fragment de divin qui est en lui. Ils croient aussi en la pluralité des Mondes, comparables aux sphères célestes de Dante ou aux univers séparés de Swedenborg : le monde de la Sagesse n'est pas celui de l'Amour, qui n'est pas celui de la Création, d'où la nécessité de divinités secondes. Mais, pour l'essentiel, tous les mondes demeurent soumis à une dialectique morale : le Vrai ou le Faux, le Bien ou le Mal, le Beau ou le Laid, étroitement rattachée à la notion de Loi.

A cause de cette soumission sans limite à la Loi, l'originalité de la doctrine mormonne ne s'est pas longtemps maintenue. Bien que les Saints n'eussent cédé sur la plupart des points de leur doctrine — polythéisme, polygamie — que dans les dernières années du siècle, la pression des troupes fédérales sur le petit Etat commença de s'exercer sitôt la fin de la guerre de Sécession et ne cessa plus de s'accentuer jusqu'à sa soumission complète.

Les Saints du Dernier jour avaient pu triompher du désert, des Indiens, des *outlaws* et de la haine des puritains bourgeois. Ils ne résistèrent pas à la vague moraliste, biblique et conformiste qui balayait les U. S. A. du Nord au Sud. Ou bien, tout simplement, ils ne résistèrent pas plus que les autres sectes à la montée irrésistible de la raison.

Les mystiques de l'Orient : L'échec fait qu'on doit sourire des prétentions de Prince et de William Miller, de Vintras et de Young, voire de la promulgation du dogme de la Conception Immaculée. Mais c'est un *fait* qu'à même époque, de 1844 à 1850, plus ou moins, un grand souffle mystique soulève les passions des peuples et l'espoir de l'individu.

Non seulement des fous ou des malins prêchent çà et là l'Esprit, l'Amour Libre ou la Bible, mais, sous une forme neuve, le fouriérisme renaît et les sectes protestantes entreprennent de s'unir. Ces autres insensés, les poètes, accèdent à une vision nouvelle de la réalité : Edgar Poe à *Eureka,* Gérard de Nerval aux *Chimères,*

Baudelaire aux *Fleurs du Mal,* Gogol au mysticisme illuminé. Prévoyant l'avènement futur du communisme, « le sombre héros auquel est dévolu un grand rôle, quoique passager, dans la tragédie moderne », Henri Heine prophétise l'éveil d'une société où s'abolira le sens de la Personne et d'où seront chassés les « chanteurs inutiles ». La première prédiction date de 1842, la seconde de 1855 : entre les deux se situent toutes les prophéties des dernières saintes, d'Arnold et de Manning.

Il étonnerait que l'Orient — le Japon, l'Inde, la Perse — n'ait pas été favorisé par le même Esprit. Or, les quatre mystiques qui s'offrent à notre étude sont effectivement parmi les plus conscients du drame contemporain, sinon les seuls prophètes authentiques de tout le siècle : Mme Nakayama, Sarasvati, Ramarishna et le Bâb.

Omiki San était la fille de riches fermiers de l'île de Hondo, bouddhistes de la secte Jodo. En 1838, âgée de quarante ans, elle était mère de six enfants et l'épouse, depuis sa puberté, d'un autre fermier de l'île, Nakayama Zenbei, quand l'Esprit *(Tenri)* l'habita. Pendant cinquante années, dès lors, « Grand-mère Miki » multiplia ouvrages, prêches et guérisons miraculeuses, en dépit des oppositions de plus en plus violentes qu'elle rencontrait de la part des autorités.

Bien que la secte née de son enseignement, *Tenri Kyo* ou Doctrine de l'Esprit Divin, se soit constituée seulement une quinzaine d'années avant sa mort, vers 1872, elle en datait elle-même l'origine de ses premières révélations, de sorte que la doctrine — sinon la secte — appartient bien à l'étonnante période.

Le *Tenri Kyo* se présente comme une conjonction du messianisme bouddhiste et du messianisme shintoïste ou, si l'on veut, des religions d'Amour (Némboutsou et Jodo) et de l'attente de l'Esprit, telle que la reflétaient, partout dans le monde, les « messies » du milieu du siècle. Selon cette doctrine, l'Esprit est — en puissance — le seul maître de l'Univers, la seule racine de la souffrance et de la joie, de la maladie et de la santé. Il n'est pas justicier : il ne récompense pas le bien et ne punit pas le mal, mais il dispense l'un et l'autre en toute liberté, que seule peut égaler la liberté de l'homme, lorsque celui-ci se soumet entièrement à l'Esprit.

Là où la science est impuissante, la foi opère des miracles; là où la prétention rationnelle s'effondre, l'Esprit dicte ses intuitions; là où le juge châtie et le bienveillant pardonne, le disciple de Tenri se donne, « car il ne s'agit pas d'absoudre, mais de libérer ». Devenus l'équivalent des vices, les dieux mauvais ne sont plus que les « huit poussières » : la colère, l'égoïsme, l'envie, etc., qu'une foi libre et généreuse doit balayer.

Cependant, le panthéon de Tenri comporte treize structures, que figureront les treize assises du temple de la secte, à Tamba Ichi, lorsque celui-ci sera terminé (au temps de la Grande Dispensation).

Le nom du prophète *arya,* Sarasvati recouvre une double réalité : celle d'un ermite « terrible » selon Romain Rolland, Swami Virjananda Sarasvati qui, dès l'âge de onze ans, s'était retiré du monde, et celle du fondateur de l'*Aryasamâj* : Dayânanda Sarasvati (1824-1883). Ce dernier avait quatorze ans quand il vit une souris courir sur le corps de Çiva. Le libérant du paganisme de son père, cette vision lui ouvrit l'esprit. Cinq ans plus tard, il s'enfuyait du domicile paternel; rattrapé, il s'enfuit de nouveau et, pendant quinze années, vécut de la vie errante et mendiante du *sadhu.* Les deux Sarasvati ne devaient se rencontrer qu'en 1860, mais nul ne sait ce que l'ascète errant apprit du vieil ermite.

Comme le Grand Dieu de Râm Roy, le dieu de Dayânanda est Toute-Puissance, Toute-Justice et Toute-Miséricorde; mais là s'arrête la ressemblance, car Il est également le Créateur suprême, l'Omniprésent, l'Inengendré et l'Infini. Cependant, Il ne confond pas en lui ces qualités et, dans les cultes qu'ils Lui rendent, les prêtres ne doivent pas les confondre non plus. Il s'ensuit que les hommes ne sont pas tous semblables, puisqu'ils ne rendent pas les mêmes cultes à Dieu; ils appartiennent à des races différentes ou, mieux : à des *racines* diverses, selon l'âge de l'humanité auquel se réfèrent leurs rites et leurs croyances.

Les disciples de Râm Roy accusaient le mystique de

nier, par ce moyen, l'Egalité humaine : cela n'est pas exact, car chaque homme a le pouvoir de se rattacher à la racine la plus ancienne et la plus « noble » : l'*arya*. Mais cette accession exige une volonté de tout instant, une lucidité parfaite et un courage sans défaillance, de sorte que peu d'hommes y parviennent.

Car l'Arya ne vit pas pour soi-même, dans le confort d'une « vérité » commune et dans l'aveuglement, mais il doit être prêt, sans cesse, à renoncer à ce qu'il croit, à ce qu'il aime, à ce qu'il veut, pour se soumettre aux ordres souverains du Créateur.

Sarasvati combattit seul jusqu'à sa cinquantième année, à la manière indienne, c'est-à-dire dans la retraite et l'errance ascétique. Huit ans avant sa mort, une secte naîtra enfin de sa doctrine : l'*Aryasamâj*, mais ce ne sera pas sans le trahir. Incapables de saisir l'ensemble de son enseignement, ses disciples, d'une part, se feront les défenseurs de réformes *brâhmasamâj*, telles que le remariage des veuves, l'interdiction de marier des enfants, la destruction des castes; d'autre part, ils réduiront des formules rituelles, peut-être trop complexes, à un culte de Feu emprunté aux *parsis*. Dès la mort de Sarasvati, l'office hebdomadaire de l'*Aryasamâj*, copié sur celui du *Brâhma*, ne s'en distinguera plus que par la préférence donnée aux hymnes védiques ou au *credo* du maître et par l'usage, sans doute excessif, de l'encens.

Aussi solitaire que Sarasvati, Ramakrishna (1836-1886) avait d'abord suivi la même voie inquiète que Râm Roy. Prêtre de la déesse noire, Kâli, à dix-huit ans, il fut très vite soumis à d'étranges extases où il *voyait* Kâli et, même, s'identifiait à elle. Puis, il quitta le temple, à la recherche d'un Maître.

Le tantrisme l'intéressa; le *yoga* hindouiste, la *bhakti* vichnouiste, l'Islam, le christianisme... Sa rencontre avec Sarasvati revêtit un caractère tragique et les deux saints se quittèrent également déchirés. Mais Ramakrishna ne pouvait pas reconnaître l'autorité de l'antique *Veda* plus que tout autre autorité. Dès trente ans, il savait que son dieu était à venir et que lui-même n'en était même pas le prophète, mais seulement l'annonciateur de ce prophète-là.

Il est bien difficile d'établir la doctrine d'un homme qui, toute sa vie, se défendit d'en formuler la moindre. Nombre de commentateurs, pourtant, s'y essayèrent; en France, Romain Rolland y réussit le mieux [1]. On peut croire, en effet, que la révélation du grand mystique indien se fondait sur la distinction entre *ce qui est* (l'Absolu en Soi) et les aspects qu'emprunte l'Absolu pour celui qui en tente l'approche. Cependant, ces aspects ne sont pas des « figures » de la Maya, et moins encore des « noms », au sens ésotérique, mais des sortes de « mouvements », eux-mêmes absolus puisque nulle création n'est relative à d'autres.

Ne pouvant se comparer à une contemplation ou à une connaissance, l'intuition du prophète se présente essentiellement comme une marche en avant, une Quête, très analogue à celles du Graal cistercien, de Dante Alighieri, de l'Adam ismaélien ou du soufi Attar, dans le *Colloque des Oiseaux*. Et, de fait, la seule fois où le mystique accepta de décrire l'une de ses extases, il ne retint pour ce faire d'autres expressions que Lumière et Beauté.

La réintégration, assura-t-il, s'opère par sept étapes ou Vallées. La première, la troisième et la cinquième, qu'on pourrait dire d'essence femelle, se définissent par la Beauté-puissance : la beauté spirituelle et créatrice, la Puissance-connaissance, que figure la Vipère, et la Puissance de l'amour exclusif, électif et jaloux, caractéristique de Kâli. La seconde, la quatrième et la sixième Vallées sont définies plus spécialement par la Lumière, soit dédoublée comme dans le « couple », soit unique comme en l'Ineffable, soit émanée comme d'une flamme derrière un voile. Ce voile, seule une âme « vêtue de silence » peut le soulever, pour pénétrer dans la Septième Vallée (l'âme de l'Ame, l'un de l'Un), qui ouvre elle-même sur l'étape ultime de la Quête : l'embrasement du Soi en Lui [2].

Par son humilité proprement inhumaine et par l'étrange rigueur de sa générosité, qui alla très souvent jusqu'à refuser à ses disciples les mieux aimés de leur

1. Romain Rolland : *La vie de Ramakrishna* (Stock).
2. Septième Vallée : D. G. Mukerji, *The face of silence.*

enseigner les chemins du vertige et de l'extase, « parce qu'ils n'étaient pas prêts », Ramakrishna se présente comme le plus singulier — et peut-être le plus grand — des prophètes indiens. Il demeure aussi le seul exemple d'un vivant qui a pu traverser la Septième Vallée; soit dans ses extases solitaires, dont une photographie exceptionnelle témoigne; soit dans cette faculté qu'il avait d'apparaître aux yeux de ses disciples sous les traits de telle divinité choisie : Kâli, Krishna ou Christ, comme par l'effet d'une communion parfaite entre l'esprit du spectateur et le sien. Nous pensons, l'affirmant, à d'autres — Tauler, Angèle, Ignace, Thérèse — qui ont atteint l'En-Soi, mais ne l'ont pas dépassé pour accéder au Seuil.

De même que Sarasvati, ce fut seulement une dizaine d'années avant sa mort que le mystique accepta la constitution d'un petit groupe d'élus, qui devait devenir l'Ordre, puis le Mouvement, puis la Mission de Ramakrishna. Il n'est pas sûr non plus que cet élargissement de la pensée du maître se fît sans le trahir (page 359).

Le Bâb : A même époque, l'Islam est démantelé. Rejetés de l'Europe centrale, de l'Inde et du Moyen-Orient bientôt, les Turcs ne constituent plus qu'une nation parmi d'autres, ainsi qu'autrefois Sparte, « revenue en ses murailles ». L'Arabe d'Afrique du Nord va connaître l'invasion. Quant à la Perse, la Nouvelle Athènes, elle s'ouvre aussi à l'Occident, et l'influence des « philosophes » y combat celle des moullas.

L'un des derniers grands théosophes de l'Islam, Ja'afar Kashfî, poursuit l'enseignement de Moulla Sadrâ, mais ce n'est pas sans lui faire subir la même évolution que Râm Roy au messianisme indien. Le *tafhîm* ou sens de l'imaginaire ne prend plus le pas sur le *tafsîr* et le *ta'wîl*, mais ils permettent, à eux trois, une description explicative de la réalité, telle que le *tafsîr* recouvrirait l'enseignement sunnite traditionnel, le *ta'wîl* la science ésotérique par excellence et le *tafhîm* une doctrine parmi d'autres, la « doctrine d'Orient », plus particulièrement issue de l'enseignement de Sohrawardi et de Sadrâ.

Encore Kashfî met-il l'accent sur l'union messianique de la Lumière et de l'Œuvre, même s'il rattache la première au Sens ésotérique et la seconde à la Lettre coranique, sous les noms ambigus d'Esprit et de Parole. Mais celui qu'on considère comme l'un des fondateurs de l'école *shaykie*, Shaykh Ahmad Ahsâ'î (vers 1826), en revient tout bonnement à la tradition shî'ite, fondée sur une certaine conception du Verbe, de la Connaissance et de l'Emanation (ou de la Voix prophétique) et sur la dialectique ou *Kalam* coranique entre la Lettre et le Sens.

Les deux grands messianismes de l'Islam historique (Walâyat ou Semblance d'une part, Connaissance gnostique de l'autre) se dissipent en discussions stériles entre les soufis de l'école *shaykie* et les moullas, non moins prudents que les jésuites, apparemment revenus dans le sein de l'orthodoxie. Les derniers messianistes d'Ispahan et du Caire sont très probablement ces *Qalandars* (ou Calenders), que le comte de Gobineau nomme des « fils de Roi ».

Se distinguant du peuple, ainsi que les croyants druses, les sikhs et les Russes du Raskol, par le port de la barbe, qui leur fut imposé, ils ne prêchent aucune doctrine, ils n'annoncent aucun dieu. Mais ils s'installent au coin d'une rue, dans un marché, et ils racontent des histoires, qu'ils modifient et embellissent en les contant. C'est le plus souvent l'histoire d'une grande passion, d'amour ou d'aventure, vestige de la grandeur ancienne de l'Islam, rappel de la noblesse indestructible de l'homme qui n'a pas abdiqué sa liberté.

Cependant, le dernier mystique de la Perse iranienne ne fut pas un calender. Il se nomme Mirza'Alî-Mohammad, dit la Porte de la Foi (*Bâb-ud-Din*) ou, plus simplement le Bâb. Né à Chiraz, le Bâb était célèbre déjà, en sa vingtième année, par ses commentaires du Coran. En 1844, il se révéla comme le XIIe Imâm, c'est-à-dire le prophète de Celui qui viendrait (1270 ans après l'hégire) : Esprit de la Liberté, Ange de la Révélation.

Très vite, le jeune inspiré fut entouré de disciples, trop nombreux à l'estime des moullas orthodoxes. On étudia ses œuvres et ses sermons et l'on ne tarda pas à s'en scandaliser. Car, non seulement le Bâb annonçait la venue d'un Prophète aussi grand que Mahomet le fut, mais il apparaissait que Sa doctrine s'éloignerait considérablement de l'enseignement coranique et qu'elle tendrait, en somme, à la suppression des rites et croyances dans lesquels l'Islam vivait depuis mille ans.

Pour n'en donner que ces exemples, la notion de lumière ou de souveraineté se dissolvait, dans l'enseignement du Bâb, en un messianisme sans commune mesure avec l'autorité concrète d'un Prince ou d'un Roi, et la notion de création se dissolvait de même en une sorte de dynamisme informe et hasardeux. Alors que la Souveraineté d'Allah était donnée pour intangible et le Coran pour l'œuvre éternelle de l'Esprit, le Bâb évoquait un Point ultime où la Création et la Lumière ne seraient plus qu'une seule réalité, comme si, en ce temps inconcevable, la liberté de l'homme devait devenir elle-même créatrice de la Lumière et comme si nul n'y devait porter le nom de Prince sans être un Créateur.

Arrêté sur l'ordre du Grand Vizir, Alî-Mohammad fut jugé et condamné. Le supplice choisi était la pendaison. Mais, le 9 juillet 1850, dans le jardin de Tabriz, devant une assistance nombreuse et attentive, un miracle s'accomplit; comme la corde s'élevait, elle se rompit et le Bâb se retrouva, vivant et libre, en face de ses bourreaux. On dit que, pris de peur, les soldats reculaient devant le jeune prophète. Une hésitation le perdit. S'étant repris, il s'avançait vers les soldats et commençait de leur parler, quand un officier donna l'ordre de tirer sur lui. Ainsi ne mourut-il pas pendu, mais fusillé. Il n'avait pas trente ans.

Un ésotérisme complexe, qui ne se fonde plus sur les Douze ou sur les Sept, mais sur les Douze *et* les Sept (les dix-neuf Lettres du Vivant), interdit de comparer, dans le détail, la doctrine du Bâb et la révélation de Ramakrishna. Dans nos derniers ouvrages, cependant, nous avons esquissé quelques-uns des rapports qui peuvent être établis entre les deux prophètes : une même conception mystique de la Liberté, l'exaltation de l'Œuvre et de la Lumière, une même attente de Celui Qui Vient.

Il me semble aujourd'hui, après m'être arraché aux

exégèses, que la plus grande similitude entre Ramakrishna et le Bâb réside dans le sentiment que la liberté, pour l'homme, ne peut être obtenue que par l'oubli de soi et le plein sacrifice — et qu'il en est de même pour Dieu. Si bien que l'homme libre et un dieu libre ne peuvent exister *ensemble,* en dehors de l'hypothèse d'une action éternelle — nécessairement présente — de Dieu sur l'humain et de l'humain sur Dieu. Il y a là comme un Appel et une Réponse, sans qu'on puisse décider qui appelle et qui répond : car la réponse de l'homme ne peut être qu'une prière, et la réponse de Dieu n'est qu'une incitation ou une vocation à poursuivre la Quête. *On ne répond jamais qu'en appelant.*

Il va de soi que, dans cette hypothèse, rien d'autre n'existe que l'homme et Dieu, tous deux « esprits ». Ce que nous nommons les phénomènes ou apparences ne sont pas des illusions à proprement parler, mais des moments de l'acte incessant que la Lumière d'une part, l'Esprit de création de l'autre, exercent sur le mouvement informe de l'*être étant.* Qu'on atteigne à l'union des deux puissances par la création des Lettres et des Nombres (comme dans le bâbisme et le *Tenri Kyo*) ou par l'adoration de la Lumière en soi (comme dans l'*Aryasamâj* et chez Ramakrishma), cette accession passe par la soumission libre de l'homme-individu à l'Harmonie finale de *ce qui est.*

Tels sont, en notre époque encore, les points ultimes atteints par le messianisme conscient et inconscient. Dans le siècle qui nous sépare des révélations de Grand-mère Miki et de Sarasvati, de Ramakrishna et du Bâb, nous ne trouverons plus rien de comparable à cela, mais seulement des commentaires — souvent remarquables — et des applications — souvent puériles — de l'insurmontable exigence.

17

L'ICARIE ET LA RELIGION DE L'HUMANITE

Eloge du rationalisme — Le rêve de Cabet — La crise de 1860 — La troisième transition — La Religion de l'Humanité — De l'individu à l'Internationale — Karl Marx.

Eloge du rationalisme : A chaque nouveau Lokâyata, le caractère ambigu de ces étranges périodes se précise avec plus de netteté. Apanage des siècles de Lumière, il survient, effectivement, à la Saint-Jean de l'Année mystique, le solstice d'été, où le jour est le plus long et la nuit la plus courte. Il se définit donc par le refus de la ténèbre, de la souffrance, de la mort — et par l'exaltation, inverse, de la lumière, de l'hygiène, du confort et du médecin; mais aussi par la perte du sens de l'éternel, de l'absolu — et par le recours, inverse, aux quantités mesurables, dans le sens de l'entropie et de la causalité.

Cela est, en quelque sorte, son aspect négatif, par lequel il s'oppose à tous les messianismes — et à toute Durée. Mais il en est un autre, contradictoire. Le Lokâyata des temps accadiens avait rénové la notion de pouvoir; le Lokâyata hellénistique, exalté le savoir aristotélien. Or, le Pouvoir ramenait au mythe solaire et, par-là, aux dieux de Feu, dont le Bélier. Le Savoir ramenait à l'Hermès et, par-là, aux dieux d'Eau, dont le Poisson. Ainsi, dès la Révolution française, avons-nous vu les mythes du reflet — observation, fraternité — ramener aux mythes d'Air, parmi lesquels la liberté.

Cette liberté n'est plus le Libre Esprit médiéval, le Libérateur de l'Islam, le Graal cistercien, le Maitreya qui verse l'eau. De même, la justice d'Akkad n'était plus le Bélier de Toth, l'amour des élégiaques n'était plus le Poisson de Jonas, de Tobie et d'Arion — parce que le Lokâyata exclut l'attente d'un dieu. Il le prépare cependant, en dépit de soi, comme si le dieu futur, la Structure Nouvelle, devait naître dans le refus des structures et des dieux.

Cet aspect positif est trop vite oublié. Le mythologue hait ce temps et lui refuse toute valeur. Quant au rationaliste, il lui faut bien prétendre que le temps où il vit est le premier de l'Histoire, puisqu'il nie les rythmes éternels. C'est ainsi que l'Enseignement traite plus ou moins longuement des Empires égyptiens, l'Ancien et le Nouveau, mais qu'il passe sous silence les deux siècles d'Akkad ou de la « période intermédiaire ». Le même Enseignement traite longuement de la Grèce et de Rome, mais il « ignore » ou bâcle en quelques lignes l'histoire des siècles hellénistiques. De sorte que, dans la mémoire de l'humanité, le rationalisme ancien prend toujours les couleurs de la stupidité ou de la décadence.

Pourtant, sauf au plein cœur de la corruption mythique, le Lokâyata comporte aussi un messianisme, délirant et dangereux mais indéniable. Ses innovations — inconscientes ou non — et surtout leur échec présentent autant de sens que les inspirations prophétiques les plus sûres. Les événements qui en furent la clé, quand on les considère avec un peu de recul, offrent le caractère d'une *répétition*, encore mal rodée, du spectacle qui devait suivre.

Les auteurs de la pièce s'y distinguent aussi : un Mencius et un Aristote, un Epicure et un Zénon; Etienne Cabet, Karl Marx, Auguste Comte, au siècle dernier. Des mythologues au mieux; au pire, des mythomanes? Sans doute. La raison n'est-elle pas, elle-même, un amalgame de mythes inavoués?

Le rêve de Cabet : Le jour où les mormons quittaient Nauvoo, une autre colonie s'installait dans la ville : celle des Icariens. Cabet était leur chef.

Saint-Simon et Fourier ne furent que des écrivains et des penseurs. Leurs sectes sont nées de leurs œuvres, non pas de leur action. Etienne Cabet (1788-1856) fut, à la fois, un philosophe et un aventurier.

La pensée de l'utopiste est contenue tout entière dans le titre de son ouvrage le plus célèbre : *Voyage en Icarie*. Fidèle à l'intuition de Fourier, l'auteur n'y distingue pas les trois mythes d'Air, que symbolise Icare, des composants de l'idéal républicain, mais, pour la première fois, il conduit à son terme, en toutes ses conséquences, la réalisation de la triple vertu.

Dans la cité nouvelle, l'Egalité jouera le premier rôle : tout lui sera subordonné. Plus de diversité, ni raciale ni sexuelle : le travail devra être également réparti; la nourriture de même, à la table commune. Des vêtements identiques seront portés par les hommes et les femmes. La monnaie sera proscrite, comme « génératrice des inégalités », ou seulement réservée au commerce extérieur. Seront procrits aussi la poésie et l'art, inutiles à la société.

Enlevé dès cinq ans à sa famille, l'enfant sera éduqué — dans des « crèches » ou « maternelles » — à tous les arts utiles, tels que le dessin, au calcul et à l'histoire. Puis une éducation « complète », dont la durée sera d'au moins douze ans, identique pour tous, fera de l'enfant un adulte, un citoyen parmi les autres citoyens, conscient et satisfait de cette conformité.

L'Egalité, de la sorte, conduit concrètement à la Fraternité. Frères et semblables, les hommes et les femmes ne pourront que se vouloir du bien. Les punitions deviendront inutiles dans un monde où la vertu régnera : le seul châtiment admis sera la publicité que l'on donnera aux fautes et qui entraînera fatalement le jugement de la collectivité, la réprobation unanime du peuple, la « mise en quarantaine » de l'auteur de l'infraction.

Mais, dans ce monde fermé, une sorte de Liberté peut être respectée, si elle ne nuit pas aux autres. Tous portent les mêmes vêtements; mais pantalons et vestes, de tissu élastique, épousent étroitement les formes de celui ou de celle qui les porte. Le labeur achevé — un travail agréable et de durée modérée — tous jouissent enfin des biens que la société prodigue : l'amour et la musique, le chant et le loisir, également répartis.

D'autres ouvrages avaient préparé à ce doux rêve : ceux de More et de Campanella, *Le Monde en flammes* de Margaret Cavendish (1668), les romans de Bacon et de Restif de la Bretonne et celui de Mercier : *L'An 2440* (1772), mais le mythe solaire ou le mythe faustien y venaient corrompre la netteté de l'épure. *L'Icarie* de Cabet nous frappe essentiellement parce qu'on n'y trouve aucune mention de l'Œuvre et de la Hiérarchie. Il n'y a plus de roi, seulement l'étatique égalité qu'assurent les citoyens eux-mêmes; il n'y a plus de progrès, au sens saint-simonien, car, l'idéal atteint, que désirerait-on de plus?

Entre 1832, où paraissait le premier numéro du journal *Le Phalanstère,* et 1847, où Cabet tenterait sa première aventure, de nombreuses tentatives d'Icaries avortèrent non seulement en France, mais en Allemagne, en Angleterre, aux U. S. A. On doit citer Condé-sur-Vesgres, dès 1832, Sedan l'année suivante, les communistes de Sainte-Croix, la Maison rurale de Ry, la communauté de Meudon, celle de Northampton, fondée par le professeur Adam, celle de Boaburg, œuvre de George Ripley.

En Amérique, cependant, le fouriérisme et l'icarisme trouvaient un terrain préparé par la fraternité unitarienne : ainsi une tentative de réalisation, au moins, — *Brook Farm* — devait y être plus durable qu'ailleurs. De sa fondation, en 1840, jusqu'à son échec, une quinzaine d'années plus tard, on put croire à la naissance d'une république nouvelle, sorte de kolkhose avant la lettre, dont le succès eût changé la face de l'Histoire en faisant des Etats-Unis une première U. R. S. S.

Ce fut dans ces conditions que Cabet, au début de l'été 1847, partit pour le Texas. Plusieurs mois de publicité, par les journaux (*Le Populaire*) et les brochures, avaient ameuté à grands cris le peuple : Allons en Icarie! Quarante-quatre « actionnaires communistes » répondirent à l'appel de Cabet, les mêmes qui, dix-huit mois plus tard, lui faisaient un procès en escroquerie. Le journal de Proudhon, *La Voix du Peuple,* se fit l'écho du scandale, le 17 avril 1850, et l'on doit reprocher à cet autre utopiste (saint-simonien) d'avoir profité de l'occasion pour accabler un rival.

Cependant, nullement découragé, Cabet renouvelait l'expérience, dans « les plaines heureuses » du Missouri. Cette fois, ce fut son caractère autoritaire qui provoqua la rébellion de ses sujets. Les échecs répétés eurent enfin raison de lui : il mourut, jeune encore, à soixante-huit ans, alors qu'il rebâtissait, pour la troisième fois, l'impossible colonie. Paradoxalement, celle-ci devait survivre à son chef, pendant quelques décennies, comme si Cabet lui-même, de son vivant, y avait constitué le plus grand obstacle.

La crise de 1860 : C'était peut-être aussi que, dans les mêmes années qui suivirent sa mort, les mythes républicains paraissaient partout triompher. Cette crise est surprenante, car elle ne présente pas un caractère mythique à proprement parler : la rencontre des deux Sarasvati, la fondation des *christadelphes* et celle des *adventistes du septième jour* sont les seules anecdotes notables à cet égard.

Mais on dirait qu'une soupape éclate : les thèmes républicains, trop longtemps comprimés, se répandent de toutes parts. La *camorra,* le Lotus Blanc, les sectes polonaises ou irlandaises renaissent et prolifèrent. La révolution prend de court les gouvernants et les nantis. Par ses épouvantables répressions de 1857, l'Empire britannique seul a étouffé dans l'œuf la révolte des sikhs et fanatiques de l'Inde. Bientôt, les Russes d'une part, les Américains de l'autre, vont devoir abolir l'esclavage.

En 1860, un acte de François II ouvrait les prisons de Naples : un millier de camorristes envahirent la ville, s'emparèrent des commissariats et en détruisirent les archives. De nouvelles élections les portèrent au pouvoir. Naples fut rançonnée, alors, quotidiennement. Deux ans plus tard seulement, le gouvernement romain déclarait Naples en état de siège, ainsi que les Etats du Sud, et les troupes entraient en action. En septembre 1862, il semblait que tout fût terminé : trois cents chefs camorristes peuplaient les bagnes de Tremiti et la prison de Florence[1].

Dans les mêmes années, les sectes polonaises, jusqu'alors partagées en « blanches », aristocrates, et « rouges » ou démocrates, s'unissaient pour le grand combat contre la domination russe. Créées entre 1818 et 1848, ces sectes s'étaient rattachées d'abord aux mouvements ésotériques (la Franc-Maçonnerie écossaise, les *Templiers Modernes* de Maïewski), puis, de plus en plus nettement, au mouvement socialiste (la *Jeune Pologne*, de Konarski). Les tentatives d'alliance les plus spectaculaires, telles que la *Franc-Maçonnerie Nationale*, étaient peut-être plus nominales que réelles, puisqu'elles ne résistèrent pas à la défaite de Langiewicz et aux déportations de 1863; elles n'en étaient pas moins remarquables à l'époque.

Pour le reste, on ne peut croire — comme allaient l'affirmer des députés de Turin, en 1864 — que l'insurrection avait échoué surtout par la faute des « réactionnaires blancs », qui considéraient l'indépendance polonaise comme une victoire du catholicisme romain sur l'orthodoxie russe. Mais un « schisme » analogue était sans doute la cause du nouvel échec irlandais, en dépit de la puissance du mouvement *Fenian*.

Les organisateurs de la rébellion étaient deux Irlandais exilés en 1848 et réfugiés au Canada. A partir de 1861, ayant obtenu l'aide financière de certains mécènes américains et même du gouvernement des U. S. A., la secte organisa des réunions publiques pour faire connaître son but : l'indépendance de l'Irlande. L'insurrection active commença peu après, mais non pas en Irlande : au Canada.

Le premier problème était de se procurer des armes; d'où, les raids irlandais sur les forts canadiens. Certains sont demeurés dans la légende : l'attaque de la *Canadian Custom-House* ou celle du poste de la Baie d'Hudson. Un homme, le « général » Cluseret, nous offre, ici, le premier exemple de l'aventurier international, qui se

1. La Camorra : elle n'était pas détruite. En 1877, l'un de ses chefs, accusé de délation par un consistoire secret, sera exécuté sur l'ordre de la secte.

retrouvera, par la suite, dans toutes les *guerillas* du monde. On l'avait vu combattre aux côtés de Fermont, aux U. S. A., aux côtés de Garibaldi en Sicile. Il combattit pour les Fenians et fut même envoyé par eux en Angleterre pour attiser la rébellion. En 1870 encore, de New York, il proposait ses services à la Commune de Paris.

« En ce jour, c'est nous ou rien. Ou bien Paris doit être à nous, ou bien Paris doit cesser d'exister[1]. »

Nous citons ce mot parce qu'il témoigne d'une attitude commune à de nombreux révolutionnaires de l'époque, plus *nihilistes* qu'on ne pourrait les croire. Le choix de la violence mène au crime, mais il mène aussi au suicide. L'héroïsme est à cette jointure : l'attaque de Manchester par les Fenians, en septembre 1867. Le mot de Cluseret nous rappelle celui de Münzer : « Il est temps! » il annonce le meurtre-suicide d'Adolf Hitler, soixante-quinze ans plus tard. Mais c'est dire combien, matérialiste, il demeure peu rationnel. La tentation de l'absolu perce à travers tout athéisme : elle l'alimente.

En Chine — Dès 1853 une secte du Lotus, le Petit Couteau, s'était emparé de Changaï et en était restée maîtresse pendant deux ans. La secte du « frère de Jésus-Christ », le *Tai-ping,* investissait Nankin : elle en fut la maîtresse pendant plus de dix ans. Lorsque, en 1864, elle fut enfin brisée par les troupes impériales, son chef, Hung Xiu-quan, mourut en combattant, et tous ses officiers le suivirent dans la mort.

Le *Tai-ping* avait été, naguère, une secte affiliée à la Triade et le premier chef de la société, Tian-de, se prétendait un descendant des Ming. Mais à la mort de celui-ci, en 1850, le *Tai-ping* avait évolué, d'une part, vers une conception messianiste du christianisme, d'autre part vers le rationalisme du Lotus Blanc, c'est-à-dire vers le culte de la Fraternité.

D'autres insurrections chinoises, à même époque, connaissaient un succès plus bref; celle de la Monnaie d'or dans la province du Zhejiang (1861-1862); ou plus durable : celle des Nian en Chine du Nord (1852-1868).

1. Cluseret : lettre à Varlin, datée du 17 février 1870.

Mais toutes ces révoltes se ressemblent et, de même, les sectes qui les suscitent.

Les anciennes distinctions deviennent peu apparentes, l'ésotérisme se perd. La Triade a renié les Cinq moines fondateurs; elle achète les adhésions nouvelles au prix de trois cents pièces d'argent. Réduite au minimum, la hiérarchie de l'Ordre ne comporte plus que trois grades : Bâton Rouge, Eventail de Papier, Chaussures de Paille, et le rite d'initiation se restreint au passage « sous la voûte d'acier [1] ». Mais c'est encore trop : les Nian, les Barbes Rouges, le Grand Couteau quittent la vieille formation ésotérique pour adhérer au Lotus Blanc.

Depuis 1842, l'Empire britannique a imposé à l'empereur Qing la culture de l'opium, la cession de Hongkong et l'ouverture de cinq ports au commerce international. C'est le prétexte trouvé pour une action commune : non plus le rétablissement des Ming ou un état égalitaire, mais la libération de la Chine et l'expulsion de l'étranger.

Vaincues les unes après les autres, de 1863 à 1868, les sectes du Lotus Blanc continueront dans l'ombre le combat terroriste, qui entraînera enfin les grandes révolutions du XXe siècle, la chute de l'empereur, l'unité de la patrie contre le Mandchou et le Russe, l'Angleterre, le Japon.

Car, désormais, en nulle région du monde, ce n'est plus la réalité mystique du pays, ni l'abstraction de l'Etat qui motiveront la révolte, mais ce sera — nourrie du seul mythe de Liberté — l'invention toute neuve de la *nation*.

La troisième transition : Bien qu'ils fassent de Karl Marx un demi-dieu, aussi infaillible que le pape, les communistes marxistes nient l'influence déterminante de l'homme-individu dans les évolutions majeures de l'His-

1. Voûte d'Acier : Chesneaux, ouvrage cité. Il est curieux qu'en Occident de même, le rite maçonnique du passage sous les épées soit lié à la notion de chevalerie, au chiffre 126, nombre du mot « cheval » dans la Kabbale, et au mot « Hon » (Edme Thomas, *Histoire de l'Antique Cité d'Autun*).

toire, et l'on voit bien pourquoi : en tant qu'individu, Marx lui-même est faillible.

Il n'en reste pas moins qu'une demi-douzaine de personnalités semblent porter le poids du XIXe siècle. Jean-Jacques Rousseau fut l'une d'elles. Un Buonarotti, le théoricien de Babeuf, le survivant de la Conspiration des Egaux, fit effectivement le pont entre Quatre-Vingt-Neuf et les Journées de Juillet. Sa survivance même annulait l'interlude tragique de l'Empire et de la Restauration. Lui parlant, un Blanqui ou un Barbès parlaient à Robespierre, à Saint-Just, à Babeuf. Par lui, l'individu — et l'idée qu'il portait — triomphaient des régimes. Tel fut aussi le rôle de Giuseppe Mazzini.

Né en 1805, Mazzini se présente comme le « Conservateur de la Révolution » à travers les échecs les plus retentissants, les succès les plus éphémères. A chacune de ses tentatives, en 1832, en 1848, à la veille de la victoire encore, Garibaldi pouvait demander conseil au maître, quitte à le mépriser ensuite.

Fondateur de la *Jeune Italie,* Mazzini vit sa secte s'étendre — et le désavouer en partie, lorsqu'elle eut essaimé en *Jeune Allemagne, Jeune Pologne* ou *Jeune Europe.* Il était de ces hommes dont on propage l'esprit, les thèmes et les formules en se les appropriant, parce qu'ils ne semblent à personne. Mais il convenait de railler tout haut sa « rhétorique » ou sa « sensiblerie », alors même qu'on était plus rhéteur, utopiste ou romantique que lui[1].

Notre propos n'est pas de traiter longuement des sectes socialistes, puisque, d'une part, elles ne furent pas secrètes et, d'autre part, ne s'érigèrent jamais en « sociétés », avec la hiérarchie, le rituel ou les symboles que cette expression suggère. Cependant, elles furent l'aboutissement des sociétés secrètes de la première moitié du siècle : le point où convergèrent le rationalisme athée et le patriotisme, l'utopie et le positivisme, ainsi que les techniques révolutionnaires éprouvées à la fois par le Grec et le Français, l'Irlandais et l'Italien, le Polonais et l'Espagnol.

1. MAZZINI : ses œuvres complètes ne seront publiées qu'en 1961, à Milan : *Scritti editi ed inediti.*

D'une manière progressive — et rationnelle, en somme — les grandes étapes de la Révolution : émeutes de 1823 et de 1836, flambée de 1848, crise terroriste de 1860, indiquent et symbolisent à la fois les étapes de l'évolution spirituelle qui entraînait, à même époque, l'humanité tout entière et la menait à la solution « dialectique » de son problème fondamental.

Peu apparente avant 1830, cette dialectique — entre le messianisme faustien et le messianisme égalitaire — creusait, vingt ans plus tard, un gouffre entre le socialisme chrétien ou romantique et l'Icarie de Cabet, en attendant de dresser l'un contre l'autre l'idéalisme proudhonien et le déterminisme marxiste.

A l'origine, deux conceptions de la liberté : individuelle et créatrice, femelle encore puisque chrétienne, chez Saint-Simon — ou collective chez Fourier. A la jointure : la seule fraternité, mais axée dans le sens progressiste ici, nostalgique là; si bien que, paradoxalement, ce sera le spiritualiste faustien qui, en fin de compte, apparaîtra le plus réactionnaire des deux.

Le marxisme et le fascisme souligneront seulement l'antinomie. Mais, en la soulignant, ils en indiqueront les dernières conséquences : la perte totale du sens de la personne humaine dans un monde livré aux mythes républicains, la perte totale du sens de l'équité collective dans un monde faustien, finalement livré à la seule hiérarchie (ou anarchie).

Il faut admirer que, bien avant l'avènement de Staline ou de Mao, de Hitler ou de Mussolini, les socialistes du siècle dernier avaient su distinguer le double piège et tenté de l'éviter par l'invention — bourgeoise — de la nation démocratique. Cette invention rappelle, sur un plan différent, celle de l'épicurisme et l'on doit répéter, à son sujet, le jugement du stoïcien : si l'homme pouvait se passer des dieux, ce serait assurément la solution parfaite.

Le socialisme rationnel a échoué cependant. Reste à comprendre pourquoi. Ce fut peut-être que ce socialisme devait exclure l'égalité d'une part, la création de l'autre. Ce fut aussi que ce rationalisme se fondait encore sur le délire.

La Religion de l'Humanité : 1848 n'est pas seulement l'année des grandes révolutions ou l'apogée du renouveau mystique que nous avons décrit. Cette même année, le livre d'Ernest Renan, *L'avenir de la Science* était publié, le *Manifeste communiste* de Marx était lancé et la *Religion de l'Humanité* instituée par Auguste Comte : les trois fondements de la société moderne.

Or, des trois, ce fut le plus irrationnel, l'œuvre de Comte, qui fournit ses premières armes à la nouvelle raison.

Sorti de Polytechnique, comme le père Enfantin, Comte y avait enseigné d'abord, avant de devenir le secrétaire de Saint-Simon. En 1825, à vingt-sept ans, il avait épousé une prostituée en carte, Caroline Massin, de huit ans sa cadette. Elle le rendit si malheureux qu'on dut le repêcher dans la Seine. Ces tragiques amours annoncent ceux de Strindberg, de Tolstoï et de bien d'autres misogynes du siècle; mais, sur Auguste Comte, elles eurent un autre effet.

Quand sa femme l'eut quitté, lasse de vivre dans la misère (en 1842), il recommença la quête éperdue de cet amour « dont le Grand Etre ne nous donnerait pas le désir et la soif pour ne pas les satisfaire ». Et, de fait, trois ans plus tard, il rencontra la femme de sa vie, Clotilde de Vaux, épouse d'un percepteur en fuite, sous le coup d'un mandat d'arrêt. Malade, la jeune femme mourut dans l'année, de sorte qu'Auguste Comte ne fut pas déçu par elle et qu'il put l'adorer jusqu'à sa propre mort.

Dès lors, entièrement voué à cet amour mystique, l'utopiste continua de lutter, année après année, contre une « pauvreté envahissante », sans que nul se souciât beaucoup de ses œuvres monumentales : les six volumes du *Cours de Philosophie positive* (1830-1842) et les quatre volumes du *Système de Politique positive* (1851-1854). Il mourut sans avoir proclamé la religion nouvelle du haut de la chaire de Notre-Dame, comme il espérait le faire « avant 1860 ». Mais, vingt ans après sa mort, des millions d'hommes ne parlaient plus que son langage.

Le Positivisme, en tant que tel, n'est plus la Religion de l'Humanité, sauf au Brésil, bien qu'il ait encore un temple à Paris (rue Payenne). Peu d'hommes pratiquent encore le calendrier de Comte, où chaque jour est consacré à quelque bienfaiteur de l'Humanité; moins nombreux encore sont ceux qui récitent les prières naïves dont il a parsemé son œuvre; nul n'adore plus le Grand Etre ou la Nouvelle Vierge : Clotilde de Vaux.

Mais, depuis la doctrine des Trois Ages (théologique, métaphysique et scientifique) jusqu'à la certitude que le regard reflète fidèlement le réel et que, par l'observation, tous les secrets de l'univers peuvent être percés; depuis l'*altruisme,* du mot que Comte lui-même inventa, jusqu'à l'idolâtrie sentimentale de l'être aimé, toute la philosophie rationaliste se fonde sur l'étonnant délire. Lorsque les dieux furent tout à fait morts, de 1875 à 1915 plus ou moins, les peuples civilisés n'auraient plus eu de mots, ni de pensées, si Auguste Comte n'avait écrit.

Ayant trouvé ses mythes, la *nation* triompha.

De l'individu à l'Internationale : Les répressions de 1822 et de 1833 avaient montré la naïveté des rêves; les révolutions de 1848 et de 1860, l'insuffisance d'une action politique fondée sur la notion d'Etat. Il fallait donc allier la mythique et l'action, de sorte que l'insurgé sût à la fois le comment et le pourquoi de son combat. Puis, il fallait que les peuples se libèrent eux-mêmes et que, la libération obtenue, ils s'y tiennent, en matant férocement les opinions contraires à celles de la majorité. Ce fut, au premier chef, le secret de la réussite des grands meneurs du siècle : Garibaldi ou Bolivar, les grands hommes politiques : Cavour, Bismarck, Crémieux. Ce fut, différemment, le secret de la victoire des sectes puritaines du Nord de l'Amérique sur les esclavagistes du Sud; mais, aussi, de la défaite de la Commune parisienne devant les Versaillais. En effet, qu'il s'agît de vaincre l'occupant, le sudiste ou le communard, ce fut toujours au nom de la nation que les positivistes l'emportèrent.

Ce fut aussi au nom de la liberté. Mais qui ne voit que ce mythe, selon les circonstances, recouvre des réalités diverses? La liberté que prônent Cavour ou Thiers, Bolivar ou Lincoln est celle d'un territoire qui doit devenir nation : elle exige le respect de la loi majoritaire, l'appui de tous les citoyens. Au contraire, la liberté revendiquée par les sudistes ou la Commune se fonde sur l'individu; romantique, elle oppose au concept de nation soit le groupe racial, soit l'Internationale et, dans tous les cas, le culte du héros. Ainsi s'explique, entre autres, la présence de Rossel parmi les insurgés.

Cette première distinction en entraîne une seconde : méprisant également le concept de nation, l'individualiste et l'internationaliste doivent chercher ailleurs — dans les castes ou les classes — les structures que l'esprit ne peut rejeter sans périr. Pour le sudiste, l'humanité se partage en maîtres et en esclaves, blancs les premiers, noirs les seconds; pour le communiste, elle se partage entre capitalistes et prolétaires, bourgeois réactionnaires ceux-là, ouvriers progressistes, les seconds.

Ce n'est donc point un hasard si le nationaliste — positiviste et démocrate — englobe ces révoltés sous le nom d'*anarchie*. Mais le mot ne signifie pas grand-chose. L'un admire Ravachol et rejette Bonnot. Celui qui estime Léon Bloy — le catholique — hait Stirner, le théoricien du Moi. Le philosophe nietzschéen, qui pense et n'agit pas, et le bandit, qui ne fait qu'agir, figurent les deux extrêmes que redoute également le « vertueux » anarchiste, plus rationaliste qu'il ne le dit. Mais le jour, il est vrai, où le théoricien et le bandit se réunissent dans le cerveau d'un homme, cela donne Adolf Hitler.

Le véritable anarchiste s'est isolé des hommes afin de les libérer : Rimbaud en est le type. Mais nous ne sommes plus, alors, dans l'univers des sectes. Sur le plan qui nous importe, l'anarchiste se présente seulement comme l'adversaire du concept de nation. Ce peut être pour en revenir à la notion de pays; ce peut être pour créer le mythe de l'Etat.

Au lendemain de la crise de 1860, nous trouvons peu d'exemples du premier anarchisme. Peut-être n'en fut-il qu'un : dans les Etats du Sud des U. S. A.

Isolés du reste du monde — comme la république romaine autrefois et, d'ailleurs, pour la même raison : parce qu'ils avaient été le dépotoir de toutes les croyances pendant trois siècles — les Etats-Unis d'Amérique se renfermaient dans leur solitude. N'ayant pas de

« pays » ils devaient en créer un; n'ayant pas de tradition, ils devaient s'en forger une.

Dans la première moitié du siècle, des sociétés nombreuses s'étaient fondées dans ce dessein. Nous ne les avons pas citées, car elles répètent généralement les mêmes mots d'ordre et témoignent, le plus souvent, de la même ignorance mythique. Elles évoluent, pour la plupart, entre deux pôles, selon qu'elles recherchent leurs fondements dans la tradition indigène ou dans le refus de cette tradition.

L'une des premières avait été celle des Hommes Rouges (*Red Men*), fondée en 1812, pendant la guerre entre l'Angleterre et les U. S. A. Ses membres nommaient leurs loges « tribus », leurs lieux de rencontre « wigwams », leurs réunions *council fires,* etc. D'abord dénommés : « chasseurs, soldats, capitaines », les grades de cette maçonnerie devinrent, par la suite, Noirs, Bleus et Verts. Puis, elle disparut, alors que le Peau-Rouge était massacré. Une tout autre espèce de maçonnerie lui succéda.

Les quelque deux cent cinquante sectes nationalistes qui existent encore aux U. S. A. trouvent leur origine dans une société de 1847 : l'*Ordre patriotique des Fils de l'Amérique.* Ce n'est pas le moindre signe de la corruption mythique de cette nation au siècle dernier que la prodigieuse période messianique n'y ait laissé une autre empreinte que celle-là.

Les loges y portent le nom de « camps »; seuls, les Américains de naissance y sont admis. Le puritanisme biblique, le culte de la justice, l'obsession de la « bonne conscience » n'y contredisent pas le patriotisme puéril mais, comme portées par lui, les vertus judaïques prennent valeur de drapeau.

Lors de sa fondation, le plus célèbre — et le plus scandaleux — des Ordres anarchistes, le *Ku-Klux-Klan,* prit à la fois aux deux tendances. Par cette alliance de l'ésotérisme « barbare » et du patriotisme le plus étroit, il instituait le premier mouvement fasciste que le monde ait connu, initiateur de beaucoup d'autres.

La Guerre de Sécession s'achevait. La population blanche des Etats du Sud s'alarmait de l'appui que les esclaves libérés trouvaient près du pouvoir. C'était encore le temps où l'on pendait le planteur qui brûlait ses récoltes plutôt que de les laisser aux mains des troupes nordistes. Quand les Noirs affranchis furent devenus les maîtres, par la voie régulière des élections, la situation des Blancs apparut comme intenable. Ce fut alors que des officiers confédérés fondèrent, dans le Tennessee, le *Ku-Klux-Klan* ou « Empire invisible du Sud ».

Le pittoresque de la secte est connu de tous : la cagoule blanche, la Croix — qui rappelait les anciens Ordres combattants —, le cérémonial obscur et diabolique, qui mêle étrangement les mythes incompris et les pratiques tronquées à l'amour pathétique du pays mort. Ses crimes sont connus de même : le fouet, la pendaison et le lynchage. Cette nouvelle Sainte-Vehme eut le même succès que l'autre : un justicier caché terrifie les esprits. Les nouveaux maîtres prirent peur; les planteurs respirèrent. Malgré la loi de 1871, qui dissolvait l'association, elle continua d'opérer dans l'ombre, puissante et redoutée.

Puis, les troupes fédérales retirées du Sud, les esprits se rassérénèrent. Le Nord ne voulait pas d'un Etat noir dans le Sud; les politiciens intervinrent, ils apprirent aux sudistes à trafiquer la loi; ils révélèrent à ces naïfs que des élections n'ont de démocratique que le nom et qu'un bon technicien en fait exactement ce qu'il désire en faire. Les Blancs revinrent au pouvoir. Ce fut le chef de l'association, le général Forest, qui donna l'ordre de la dissoudre.

Le *Ku-Klux-Klan,* pourtant, ne disparut pas d'un coup. En novembre 1883, encore, on arrêta sept membres de la secte qui avaient cruellement fouetté et torturé des Noirs, coupables d'avoir « mal voté » aux élections d'Atlanta. Ils furent, tous les sept, condamnés à diverses peines d'emprisonnement.

L'internationalisme s'instaure sur la frontière où l'individualisme finit. « Le nihilisme des années 1860 a commencé, en apparence, par la négation la plus radicale qui soit, rejetant toute action qui ne fût pas purement égoïste[1]. » En preuve de cette affirmation, Albert Camus cite Bakounine, l'auteur des statuts de la *Fra-*

1. ALBERT CAMUS, *L'homme révolté* (N. R. F.).

ternité Internationale (1864), Netchaiev, le fondateur de la *Société de la Hache*, Pisarev, Tkatchev, d'autres encore.

Il montre aussi comment la pensée romantique rejoint, en ce point précis, l'athéisme nihiliste. Le Lucifer racheté de Vigny, de Byron et de Hugo mène à l'invocation de Satan lui-même, telle qu'on la trouve chez Baudelaire : « Oh! Satan! Prends pitié de ma longue misère! » mais aussi chez Proudhon : « Viens, Satan, calmonié des petits et des rois! » et même chez Bakounine : « Le Mal, c'est la révolte satanique contre l'autorité divine, révolte dans laquelle nous voyons au contraire le germe fécond de toutes les émancipations humaines. »

Ce recours nous semble fondamental, en ce qu'il rejoint l'intuition des messes noires médiévales — et toute une tradition, des anabaptistes à Milton. Mais le XVIIe siècle avait brisé le libertin. Vers 1825, on ne trouvait plus trace du satanisme que dans le délire des poètes, en certaines sectes sadistes (les *muckers*) ou chez quelques fanatiques de l'Inde. Que les nihilistes russes et le *Ku-Klux-Klan* y reviennent au même moment — tous les deux pour lutter contre l'idée de nation — cela est lourd de sens.

Ce dévoiement extrême du messianisme porte une intuition forte. Il mène à la folie (Pisarev et Tkatchev meurent fous), mais aussi à quelque héroïsme d'une espèce encore inconnue. Condamné à vingt-cinq années de prison, Netchaiev continue, de sa geôle, l'action révolutionnaire la plus intense; de sorte qu'au bout de douze ans, il faut l'assassiner (en 1882).

A la Nation — symbole du Bien — le sudiste opposait le pays : le Missouri ou le Texas ne sont pas l'Etat de New York ou le Canada; ils ont d'autres couleurs, une autre faune, une autre flore; ils exigent des mœurs et usages différents. A la Nation, le nihiliste oppose l'Etat. Tkatchev n'imagine pas une autre égalité que celle d'Icarie; allant plus loin que Cabet, il envisage de « supprimer tous les Russes au-dessus de vingt-cinq ans, comme incapables d'accepter les idées nouvelles ». Et c'est une autre Icarie que Chigalev décrit :

« Un dixième de l'humanité possédera les droits de la personnalité et exercera une autorité illimitée sur les neuf autres dixièmes... Astreints à l'obéissance passive (ceux-ci) seront ramenés à l'innocence première et, pour ainsi dire, au paradis primitif, où, du reste, ils devront travailler[1]. »

Il est de fait que ces hommes, d'abord, épouvantèrent; ils ne furent pas suivis. Du dernier numéro de La Cloche (*Kolokol*), le journal de Herzen et de Bakounine, en 1870, jusqu'à la parution du *Tocsin*, en 1875, le nihilisme violent et cynique semble céder au profit d'un socialisme « apostolique », plus proche du positivisme. C'est alors que les intellectuels russes vont prêcher la révolte aux paysans, qui les accueillent avec des fourches ou les dénoncent à la police.

Mais c'est aussi le temps où les autorités châtient le plus cruellement les révolutionnaires. Les premiers grands procès sont de 1871 (88 accusés). En 1877, les accusés atteindront le nombre record de 303 : 29 seront condamnés à la déportation, 67 à l'exil, 20 à l'emprisonnement et 71 à l'internement. L'année suivante aura lieu la première exécution capitale; 30 suivront de 1879 à 1882.

Le rapprochement que nous avons tenté — apparemment paradoxal — explique pourquoi, dans les mêmes temps, devaient être vaincus le sudiste d'une part, le nihiliste de l'autre et pourquoi un demi-siècle passera sans qu'ils puissent prendre leur revanche; mais il explique aussi les étranges ressemblances qu'on peut trouver entre les premiers groupes « terroristes » et les séquelles du *Ku-Klux-Klan*.

Dès 1874, les uns et les autres pratiquement éliminés, l'Etat et le pays rayés des rêves, les nations s'implantaient sous diverses formes dans le monde, monarchiques ou républicaines généralement. Mais, pendant un demi-siècle, elles se garderaient à la fois des deux périls et, pour mieux les combattre, extirperaient leurs germes : les races d'une part, les classes de l'autre, c'est-à-dire les dernières structures survivantes, fondatrices du pays traditionnel ou de l'Etat socialiste. Il

1. Chigalev : A. Camus. Cf. *Les Possédés*, roman de Dostoïevski, non seulement fidèle en tant que témoignage, mais plus lucide que bien des études postérieures.

vaut d'être noté que, dans le double combat, les nations trouveront des appuis précieux : contre la notion de classes, chez les spiritualistes nostalgiques; contre la notion de races, chez tous les utopistes égalitaires.

Quant aux meneurs — souvent occultes — de ce nationalisme, ils seront essentiellement des juifs, étrangement dégagés de la double notion, parce que, d'une part, ils ne seront jamais des ouvriers, d'autre part ne seront plus une ethnie.

Karl Marx : Une façon de supprimer les structures distinctives, telles que les Noms de Dieu, les castes ou les racines, est la technique utilisée par Râm Roy : faire de tout Indien un brahmaniste qui s'ignore; une autre technique, meilleure encore, est celle que Marx choisit : nier l'existence du juif.

Né en 1818, Karl Marx était encore tout jeune lors de la transition des années 1830 : mort de Saint-Simon, puis de Hegel, puis de Goethe, achèvement, jugé définitif, du romantisme faustien. Mais il ressentit le désastre avec violence, comme en témoigne la *Lettre au Père,* écrite sept ans plus tard : « Un rideau était tombé. Le Saint des Saints se trouvait en ruine. Il fallait installer de nouveaux dieux. »

Le jeune idéaliste pense, comme Feuerbach, que « les idées ne sont que des dieux dégénérés ». Ce n'est donc pas l'idée qui importe, mais quelque chose d'autre, capable de fonder un nouveau dieu. *Seeker* d'une autre espèce, Karl Marx s'inscrit alors dans de nombreux groupements et sectes : le *Doctorklub* de Berlin, qui remet en question toutes les croyances bourgeoises, ou *Jeune Allemagne,* fondée vers 1834. Il demeure soumis à l'influence de Saint-Simon, de Kant. Il croit aux catégories et aux cycles[1], mais les « idées » des hégéliens le choquent. C'est en vain que, des trois groupes de disciples hégéliens, il a choisi l'aile de gauche, la moins idéaliste :

1. Cycles : Karl Marx croyait, entre autres, aux cycles de onze ans; au terme desquels se déclenchait toujours une crise sociale : 1823-24, 35-36 ; 47-48 ; 60-61. La notation est d'autant plus remarquable que ce cycle — dit solaire — ne sera révélé que plus tard, par l'astronome autrichien Wolf (1816-1893).

il ne s'y sent pas chez lui. Il lui faudra douze ans pour comprendre que ce ne sont pas telles ou telles idées qui le déçoivent, mais la conviction même — essentiellement kantienne — qu'on retrouve en toutes : le réel, en ses formes saisissables, n'est que la création de l'Idée. C'est tout bonnement le mythe — messianique — de l'Œuvre qu'il ne peut supporter. Et il ne peut le supporter parce qu'il est juif.

Juif, il ne peut croire aux choses que s'il les croit existantes réellement hors de lui (dans l'orbe de l'Univers-œuf) et s'il se croit en mesure, soi-même, de les saisir telles qu'elles sont en fait. Aussi ne trouve-t-on pas, dans la partie de son œuvre publiée de son vivant, les formules classiques de la philosophie mystique ou agnostique, qui établissent des « comme si » et des « peut-être » entre le réel et les démarches de l'esprit. Mais il écrit toujours : voilà ce qu'il en est, ce qui fut, ce qui sera, soit qu'il analyse les problèmes de son époque, soit qu'il recrée l'Histoire à sa façon. Depuis les premiers scolastiques, jamais, sans doute, la chose (*res*) n'avait été de même confondue avec l'idée.

A ce point limite d'abstration, tout devient possible, et Marx lui-même en donne la preuve en résolvant à sa façon le problème juif. Il ne peut guérir de l'être, car il n'aime pas les juifs. Il leur reproche cette alternance d'arrogance dans la victoire et de masochisme dans l'échec, qui ne sont pas d'ailleurs des caractères « raciaux », mais le fruit d'une histoire prodigieuse, également fertile en triomphes et en ruines. Il leur reproche aussi — surtout — de croire en Dieu et de vivre comme s'ils ne croyaient pas. Mais comment ne pas être juif, quand sa propre lignée compte des rabbins, des talmudistes, des maîtres respectés? Un seul recours : nier l'existence du Peuple. Dès 1844, Marx a franchi le pas [1].

Mais, encore, comment nier l'existence d'un peuple qui a vécu quarante siècles de miracles, d'exil, de conver-

1. KARL MARX : texte publié dans les *Annales franco-allemandes*, en 1844. La démonstration de la méthode par laquelle Karl Marx, juif, en est venu à nier les races pour se guérir de sa hantise est esquissée dans l'ouvrage de Nicolas Baudy : *Le Marxisme* (Encyclopédie Planète).

sion, de Kabbale, de sainteté, d'espoirs et de refus? D'une seule manière : en niant les quarante siècles. Pour Marx, la seule Histoire concevable commence avec les Temps Modernes, c'est-à-dire à l'avènement de la bourgeoisie. Il va forger son arme à partir de l'étude des conflits « observables » : entre les intendants et les petits artisans, entre les possesseurs et le peuple, entre le Patronat et le Prolétariat, sans se préoccuper de la manière dont purent vivre et penser les chrétiens du xe siècle, les musulmans du VIIIe, les juifs d'Israël et de Juda.

Une affirmation comme celle-ci, qu'il répète : « C'est la division du travail qui crée les castes » ou cette autre, également fréquente : « Le sombre Moyen Age... » témoignent à l'évidence du raisonnement marxiste : non seulement de sa négation de la réalité, mais de sa prétention de la saisir tout entière.

Cependant, il ne peut faire qu'il ne soit lui-même juif et qu'il ne raisonne en juif, dans le cadre d'une pensée mythique modelée par vingt générations de maîtres et de talmudistes. Si sa pensée reflète exactement le réel, le réel est donc juif, il n'est pas régi par d'autres mythes en soi que ceux d'Abraham, de Jacob et de Moïse.

Ainsi, depuis Jacob, les notions jumelles de « droit » et de « dû » ne sont pas séparables de la notion de justice; mais, jusqu'à Marx, personne n'avait encore songé à faire de ces notions la réalité même. *Le Capital* franchit le pas, en liant le prix demandé pour une marchandise, d'une part à sa valeur réelle, d'autre part à une plus-value qui représente le profit capitaliste. Mais Marx ne définit pas la notion de « valeur », car il devrait admettre qu'elle n'est dans son esprit qu'une transposition dans le monde matériel de la notion de « dû ».

« Non seulement, écrit-il, la valeur n'annonce pas ce qu'elle est, mais, de plus, elle transforme en hiéroglyphe social tout produit de travail. » La distinction célèbre entre « valeur d'usage » et « valeur d'échange » multiplie le hiéroglyphe, mais elle ne l'éclaire pas.

Sont hébraïques, de même, les notions de *famille,* de *tabou,* d'*interdit,* dont Marx, Engels et, après eux, tous les dialecticiens matérialistes feront un prodigieux emploi. Or, à partir de Marx, ces notions ne seront plus étudiées en tant que telles, parmi d'autres possibles :

elles seront devenues les seules « réalités » par l'étude desquelles doivent être compris les rites et croyances des tribus. Quand l'ethnologue — aujourd'hui même — ne peut expliquer un phénomène cultuel par les liens familiaux, la pratique de l'inceste ou sa condamnation, l'alliance par le père ou par la mère, etc., il ne sait plus quoi dire, car il pénètre alors dans un monde différent, dont il n'a pas les clés[1].

En effet, il ne suffit pas d'étendre à la réalité ces notions clés de l'hébraïsme, il faut en faire la seule réalité possible, c'est-à-dire interdire que soient imaginés des mondes différents, où la création, le sens interne, l'amour, prendraient le pas sur les mythes hébreux. Il faut, enfin, détruire toutes les « catégories », pour n'en laisser subsister qu'une.

Etudiant dans le détail l'histoire des Idées, les philosophes allemands avaient redécouvert la loi de Nicolas de Cuse : un Age nouveau s'instaure sur le refus de l'Age précédent; le dieu nouveau sur le diable. Mais cette lucidité demeurait philosophique, morale ou religieuse, alors que, historiquement, la contradiction emprunte des formes précises, matérielles et sociales.

Ce ne furent pas des philosophes qui détruisirent l'Ancien Empire égyptien ou les cités-empires des premiers siècles : ce furent les nomades là ou les esclaves ici, porteurs du dieu nouveau de Justice ou d'Amour. Tout le problème est donc de pressentir quelle forme neuve va succéder aux nomades, aux esclaves pour renverser l'ordre établi. Marx la nomme le prolétariat.

Mais ce n'est pas assez. Grâce à Kant, puis Hegel, en effet, le révolté n'était plus regardé comme l'agent du Mal ou le disciple du diable. Par leurs « catégories », les philosophes allemands avaient tenté de ramener l'anti-

1. Mythes familiaux : nous voyons le modèle de ces études « objectives » dans l'ouvrage de Frédéric Engels, publié en 1884 : *L'Origine de la Famille, de la Propriété Privée et de l'État*. Exemple d'objectivité : les trois pages qui traitent des conflits entre la plèbe et le « populus » dans la Rome des Rois s'ouvrent sur cet exorde, qui les annule : « Dans la grande obscurité qui enveloppe la préhistoire toute légendaire de Rome... » (P. 161-163, Costes, 1948). En fait, jusqu'en 1860, il ne peut être question d'une histoire de la Famille. Mais, dès lors se succèdent les ouvrages de Bachofen (1861), Lubbock (1870), Mac-Lennan (1871), Giraud-Teulon (1874), Morgan (1877), etc.

nomie morale à de simples concepts : le noir est l'opposé du blanc, mais l'un n'est pas mauvais, l'autre n'est pas bon.

Marx renverse le problème. Retrouvant la tradition biblique la plus ancienne, il fait du représentant du progressisme l'incarnation du Bien dans le sens hébraïsant, c'est-à-dire de la justice et de l'équité. Il affirme que la Justice est le moteur de l'évolution et que l'Age futur s'instaurera le jour où le Mal — la misère, la faim, l'exploitation de l'homme par l'homme — aura été vaincu par le prolétaire : non plus « l'apôtre » saint-simonien, mais celui qui a toujours raison, parce qu'il est dans le sens de l'Histoire.

La notation n'est pas pour diminuer le génie et le courage de Karl Marx et l'on n'imagine pas sans un frisson ce que put être sa vie, chargé de famille (trois filles), pendant les dix-neuf ans d'exil où, dans un taudis de Londres, sans nourriture parfois et sans feu très souvent, vivant des seules aumônes d'Engels, il écrivit *Le Capital* (1848-1867).

Nous ne prétendons pas non plus que tous les initiateurs de la seconde moitié du siècle furent des disciples de Marx. En fait, ils l'ignorèrent : en 1892, encore, il ne s'était guère vendu que cinq cents exemplaires du *Capital.* Mais tous allaient dans le même sens que lui, de Darwin, l'inventeur du *transformisme*, à Freud, le rationaliste de l'inconscient.

Lorsque, sous l'angle mythique, on étudie leur œuvre, on retrouve sans peine, à son origine, une notion hébraïque vidée de son caractère premier : le transformisme n'est que la doctrine de l'Œuf surgi des Eaux, exclusive de toute création ou mutation; la psychanalyse freudienne n'est que le refus de l'Ange des Ténèbres ou de la Roche scorpionnaire, caractéristique de toute l'histoire hébraïque et judaïque, depuis Moïse jusqu'à Qumrân.

Quand le siècle s'acheva, la face de la Terre — entièrement soumise aux colonisateurs — était vraiment changée; et les juifs, presque seuls, avaient fait ce prodige, en niant la Création, en commençant l'Histoire au Temple de Jérusalem, en rejetant dans l'ombre le Miracle et le Royaume, mais surtout — preuves vivantes qu'il n'était pas de structures ou de mondes parallèles — en s'annulant eux-mêmes, ministres, députés, financiers ou savants, dans la masse commune, après quatre mille ans d'élection ou d'opprobre.

Cependant, alors même qu'ils proclament ainsi : le juif n'existe pas et qu'ils montrent du doigt le sinistre raciste, ils se gardent de l'erreur de ne pas exister. Aucun œcuménisme chrétien ne réussissait, mais, le 30 mai 1861, avait eu lieu la première assemblée de l'*Alliance Israélite Universelle,* dont le président, Isaac-Adolphe Crémieux, menait depuis trente ans le « bon combat » pour l'avènement de la nation démocratique.

Vingt ans plus tard, Edouard Drumont lui supposera 28 000 adhérents seulement, mais des ressources à peu près illimitées. S'y rattacheront de nombreuses sociétés juives des U. S. A. : *Anglo-Jewisch Association, Américan hebrew congregation*; de Prague : *Judisch orthodoxe reproesentanz*; de Philippoli : *Amour national*; de Londres, de Berlin, de Paris : *Esther et Rebecca, Lien d'Israël, Accord Israélite, Enfants de Sion,* etc. et plus de vingt journaux, répandus dans le monde.

En même temps, amuseur splendide comme tous ceux qui ne croient à rien, le juif rationaliste aura fondé — moteur de sa puissance — la plus hallucinante civilisation de consommation que l'Histoire ait connue, frappant juste, à l'endroit sensible, une mystique de liberté totalement dévoyée en désir de jouissance. Par la presse, la publicité, le spectacle, le lupanar, le jeu et la boisson, il aura enfermé le citoyen responsable dans le cercle infernal du plaisir et de la dette.

Entre Darwin et Freud, Offenbach en effet est le chaînon nécessaire. L'homme descend du singe et le prouve; il n'y a pas de quoi en faire un drame, seulement cette tragédie bourgeoise : la peur du lendemain.

18

LE DERNIER SURSAUT

Les analogies — En Orient — Les postérités — La théosophie — Le spiritisme — Le Sionisme.

Les analogies : Après chaque grande crise, l'étau rationaliste se resserre d'un tour de vis. En 1851, la première Exposition Universelle, à Londres, annonçait à la fois la période victorienne et le Second Empire : l'ère de la consommation. Dès 1864, le Japon date son « ère moderne », son Lokâyata (*Mejii*). La dernière crise du siècle se situe vers 1871-1874 : y feront suite le triomphe de la nation laïque, l'avènement de la scolarité pour tous, la domination de la banque sur l'Etat et de l'imposture rationaliste sur les esprits.

Mais il reste que cette dernière crise elle-même se présente — sur le plan mystique — comme la plus spontanée et la plus évidente peut-être de tout le siècle. Alors, se créent l'*Aryasamâj* et le *Tenri Kyo*, renaissent le *Brâmhasamâj* et le Bâbisme, se développent les *christadelphes* et la Religion de l'Humanité, se fondent cinquante sectes nouvelles, qui portent les postérités des Mères et des Messies, des Héliaques ou des Icariens.

Faute d'expliquer le fait, on peut le comparer à l'ultime sursaut de 285-280 avant le Christ, où s'épanouissaient le Lycée et le Portique, où même l'Académie touchait encore les cœurs, par l'éloquence de Polémon, où les œuvres de Mencius étaient reçues parmi les grands « classiques », où Malachie prophétisait sans doute et où la reine Arsinoé obtenait de son époux, Ptolémée II, l'embellissement du temple des Cabires.

Mais, dans l'orbe des mythes et des analogies, comparer n'est-ce pas expliquer?

Le mythe d'Amour, les rites de purification, le culte de l'eau, la dialectique se limitaient pour les Hellénistiques à un érotisme modéré, aux thermes et aux bains, aux navires cuirassés de Cassandre, à l'éristique des rhéteurs. Pour le patriote rationaliste, de même, le mythe de Liberté, les rites d'envoûtement collectif, le culte de l'air, la dynamique faustienne enfin se limitent au sens de l'honneur (devenu « dignité »), au défilé militaire, au ballon, à l'avion bientôt, à la notion fumeuse et menteuse de progrès.

C'est alors que les Académies refusent a priori toute invention nouvelle : phonographe, électricité ou cinéma; qu'elles rejettent de leur sein avec la même horreur celui qui ose rappeler que l'homme est sur la Terre depuis plus de dix mille ans ou que les Trois Ages positivistes ne correspondent à rien — et celui qui suppose à l'esprit libéré des pouvoirs inconnus. C'est alors qu'elles répètent avec ensemble le mot d'Aristote : « Tout est compris, tout est connu. Il n'est plus rien à découvrir [1]. »

Non seulement les maîtres à penser mais les peuples vivent dans l'épouvante. Cinquante révolutions passées, les guerres universelles prévues par les prophètes, la violence qui germe, le perfectionnement illimité des armes ont de quoi effrayer, en effet. Puis, ils sont écrasés : par la contrainte pesante et croissante des nations, par le vice ou le luxe offerts à tout-venant, la peur du lendemain, le manque d'une raison d'être.

---

1. Ce refus de la création est tout entier contenu dans le premier article de foi rationaliste : « Rien ne se perd, rien ne se crée. » Il nie non seulement le miracle, le génie, la mutation, mais toutes les périodes créatrices de l'Histoire : Eden, Moyen Age grec et Moyen Age chrétien. Cf. la préface de *L'Homme et les Dieux*.

Ils ont besoin d'être rassurés, d'abord : que les savants leur promettent le repos, le bonheur, le plaisir, à défaut. Que des « esprits » leur parlent, que des fantômes paraissent, que quelque chose survienne — n'importe quoi — pour les libérer de l'angoisse de la mort. Mais ils n'imaginent pas que ce « quelque chose à venir » sera leur œuvre collective, le prix de leur courage et de leur abnégation, car ils ne sont plus capables de l'un et de l'autre.

C'est donc alors, naturellement, que les sectes renaissent, comme un grand coup de vent survient encore, parfois, à la mi-juin.

En Orient : En 1863, en pleine crise égalitaire, un disciple du Bâb, accusé de complicité dans une tentative d'assassinat contre le Shah de Perse, se défendit de l'accusation avec une sorte de génie et se proclama l'Imâm de la Libération annoncé par le maître. Il se nommait Mirza Husayn Alî (1817-1892), mais il est plus connu sous son nom liturgique d'Imâm Behâ-Ollah (Gloire de Dieu).

Ayant quitté Bagdad pour Andrinople, puis pour Saint-Jean-d'Acre, il fut arrêté dans cette ville et enfermé avec quelques disciples dans une colonie pénitentiaire du lieu, où il passa en fait tout le reste de sa vie.

Ce fut dans cette prison qu'il écrivit la plus grande partie de son œuvre : une centaine de livres, parmi lesquels trois sont devenus les textes sacrés du *béhaïsme : Les mots cachés, Les sept Vallées, Le Livre d'Iqan.*

Pour l'essentiel, le béhaïsme ne trahit pas l'enseignement du Bâb : la Lumière créatrice en est le dieu suprême et nulle action humaine ne s'accomplit sans Elle. Mais la religion de Behâ s'éloigne du culte de la personnalité. Il n'est plus d'autre chemin vers la Libération que l'unification de l'humanité entière. Ce miracle sera l'Œuvre de l'Un; cependant, les humains doivent y tendre et ils peuvent s'en approcher par l'application du principe d'Egalité à leurs actions de tous les jours. Lorsque les races, les sexes, les époques de la vie ne seront plus considérés comme des différences importantes entre les êtres, l'humanité sera bien près d'être une. Elle sera donc identique à Dieu et, de même nature que Lui, elle pourra Lui revenir.

Keshab — Une autre secte renaissante, à même époque, celle du *Brâhmasamâj*, avait été recréée par Keshab Chander Sen en 1865. Cette « réforme progressiste » se présenta tout d'abord comme un schisme dans la secte de Devendra Nath; puis, elle évolua de plus en plus nettement vers un néo-christianisme indien. En 1881, elle prit le nom définitif d'*Eglise de la Nouvelle Dispensation.* L'emblème choisi : un Trident, une Croix et un Croissant exprime une volonté d'œcuménisme universel, non seulement entre l'hindouisme, le christianisme et l'Islam, mais entre les Trois Mondes de l'harmonie, de l'image et de la pensée.

De fait, Keshab mêlait étroitement les trois approches mythiques dans sa conception messianique particulière d'un Maitreya-Christ-Libérateur. Ou, du moins, toute son œuvre tendit à cette alliance. Mais ce ne pouvait être sans mettre l'accent, tantôt, sur le bouddha lamaïste, tantôt sur le christ Jésus, et scandaliser ses disciples. Au prix d'un labeur souvent admirable, il parvint, de son vivant, à maintenir la synthèse, se corrigeant lui-même d'un enseignement à l'autre. Mais, peu après sa mort (1884), l'Eglise ne tarda pas à décliner.

Le *Brâhmasamâj* orthodoxe connaissait la même décadence. Plus philosophique que religieux, l'esprit profond, de tolérance et de fraternité, de Râm Roy se maintenait seulement dans une troisième branche du *Brâhma* : le *Pratharnasamâj* ou Société de la Prière, fondée vers 1868. Les plus grands esprits de l'Inde contemporaine seront influencés par son enseignement. Mais sous sa première forme — théiste — la secte connaîtra aussi une sorte d'éclipse, entre 1880 et la Première Guerre mondiale.

Vivekânanda — Nous avons signalé que, vers 1880, Ramakrishna accepta de réunir autour de lui un certain nombre de disciples. L'un de ceux-ci était un jeune homme de dix-huit ans, lorsqu'il devint disciple du *samnyasîn*, en 1882 : Narendra Nath Datta, plus connu sous le nom de Vivekânanda.

A la mort de son maître, Vivekânanda se fit ascète errant et passa quelques années dans les solitudes de l'Himalaya : puis, il revint parmi les hommes et créa l'Ordre de Ramakrishna. Il semble avoir été aussi l'un des premiers fondateurs d'*ashram* : l'Advaïta Ashram de Mayavahi, sur l'Himalaya.

Comme chez cet autre grand fondateur de communautés, Radhakrishnan, nous avons affaire à une volonté précise d'unir en une seule réalité la notion de création (et de liberté individuelle) et celle de *vedanta* (et de fraternité), dans l'orbe d'une hiérarchie sans faille. L'*ashram* est, en effet, une communauté où chacun a le double devoir de s'accomplir pleinement en tant qu'individu *et* en tant que membre de l'ensemble dont il fait partie. Il ne sert pas l'ensemble s'il ne s'accomplit soi-même, un peu comme l'arbre ne servirait pas la forêt s'il ne s'épanouissait librement.

De tels hommes — Vivekânanda, Radhakrishnan, Aurobindo plus tard — ont apporté une poutre maîtresse à la construction du futur temple, en redonnant au mot : égalité un sens que les membres du *Brâhmasamâj,* les Icariens et les marxistes lui font perdre. Traiter tous les humains comme des êtres égaux, ce doit être les traiter comme des individus qui ont tous également le droit et le devoir de donner le meilleur d'eux-mêmes ; ce n'est pas les faire coucher dans le lit de Procuste et décapiter ceux dont la tête dépasse.

Mais ces précurseurs n'ont pas résolu l'antinomie qui demeure entre le mythe nostalgique du Bien et le mythe messianique de la Dispensation ou de la Liberté. Tantôt, comme Radhakrishnan ou Keshab, ils n'ont su que revenir au dieu d'Amour, bouddha-christ, duquel ils ne pouvaient se déprendre. Tantôt, comme Vivekânanda, ils ont côtoyé de trop près les délires démoniaques.

Ramakrishna avait pressenti cette grandeur et cette faiblesse de son disciple. « Il est comme les gros troncs d'arbres, disait-il, qui portent sur le Gange les hommes et les bêtes. » Mais le maître seul avait atteint à la vision sublime où « les Trois sont la même substance : la victime, le billot et le sacrificateur ». Vivekânanda s'épuisa à supporter une telle vision. Toute sa vie, il oscilla entre une volonté d'action et de domination proprement nietzschéenne et la nécessité absolue de s'oublier, de s'abolir dans l'ensemble pour ne faire plus qu'un avec tous.

« L'imbécile qui dit sans arrêt : je suis dans l'esclavage, finit par se rendre esclave », répétait Ramakrishna. Mais il affirmait aussi : « Je donnerais vingt mille corps comme le mien pour libérer un seul homme. » Pour réaliser la double exigence, le Disciple représentait l'Hindouisme au Parlement des Religions de Chicago (en 1893); il fondait la *Vedanta Society* de New York, en 1894, ou la Mission Ramakrishna en 1897. En 1898, il visitait de nouveau les Etats-Unis et y fondait d'autres sociétés védantines; en 1900, deux ans avant sa mort, il assistait au Congrès des Religions, à Paris.

Mais, entre-temps, il retournait à l'humanité nécessaire. Vêtu en mendiant, il se mêlait aux « foules horribles, occidentalisées » de Calcutta, et il souffrait de se sentir plus loin de la Délivrance que ces foules même, lui qui était peut-être le seul mystique survivant dans un monde sans dieu.

Les postérités : A même époque, d'autres sectes se formaient çà et là; à l'exemple du béhaïsme, du *Brâhmasamâj* de Khesab, de l'*Aryasamâj* et de l'Ordre de Ramakrishna, aucune n'était une création originale. Ce pouvait être, en Russie, le renouveau des Skoptsis; dans l'Inde, celui des Thugs; au Japon, la secte de Grand-Mère Miki ou la fondation de Shishino Nakaba, la Société *Fuji,* qui se prétendait la forme initiale du *Shinto.* Le culte solaire s'y associait à celui du Feu, c'est-à-dire du volcan Fuji Yama. Ce pouvait être, en Occident, la postérité des Mères, des adventistes ou de Vintras.

L'un des premiers réveils avait été celui de la légende de Joanna Southcott, cette prophétesse morte d'une grossesse nerveuse en 1814. La croyance subsistait que l'enfant de Joanna, le Prince de la Paix, était né, en effet. Mais, doté d'un corps glorieux, il avait été transporté au ciel sitôt après sa naissance. La tradition se forgeait de mystérieuses révélations de la Mère, contenues dans un coffret qu'on trouverait un jour. Ces légendes étaient l'œuvre de la secte des *Johanners,* puis de James Jershom Jezreel, de son vrai nom James White, fondateur de la *Nouvelle et Dernière Maison d'Israël* (vers 1863).

Inspirée par Joanna, ou par Grand-Mère Miki, à laquelle elle est souvent comparée, une congrégationnaliste : Mary Baker Eddy, reçut la Révélation, sous la forme d'une guérison miraculeuse, à l'âge de quarante-cinq ans. Trois ans plus tard, en 1869, elle commença d'écrire son témoignage, qui devint bientôt une doctrine : *Sciences et santé, avec la clé des Ecritures.* Le livre parut en 1873, il rassembla autour de la nouvelle Mère un groupe de fervents disciples, qui prit le nom de *Science chrétienne.* Etablie d'abord à Boston, l'Eglise tint ensuite ses assises à Concord, dans le New Hampshire, d'où Mary Baker Eddy la dirigea elle-même jusqu'à sa mort (1910).

Le dieu de la Science chrétienne n'est pas le dieu d'Amour, mais c'est le dieu de bonté, en même temps que l'Esprit et le Créateur. La vision de l'univers y est manichéenne, dans un sens très particulier : seul existe l'Esprit, qui ne peut mal agir. Tout le reste : mal, souffrance, matière, n'est qu'illusion et, par suite, la création du monde, telle que la décrit la *Genèse* n'est reçue par les scientistes que comme une allégorie.

Quant à la libération, elle se manifeste — sous l'effet de la Grâce divine — comme une transformation, une mutation de l'esprit. Ainsi transformé, l'homme ne connaît plus la peur ou la souffrance; il est vraiment le maître de l'univers.

Au même courant s'apparentent les sectes de Mme Girling et de Quimby. Ce dernier avait été le guérisseur de Mary Eddy, et la *Christian Science* doit beaucoup aux doctrines de *New Thought* (Nouvelle Pensée), la secte de Quimby. Nous y retrouvons en effet les notions d'un dieu esprit et créateur, de la transformation spirituelle de l'homme et de son pouvoir illimité sur la matière.

Mary Anne Girling (1827-1886) avait reçu la Révélation deux ans avant Mary Eddy. Sa secte, les *Enfants de Dieu,* se distingue de la pensée Nouvelle et de la Science chrétienne par une conception plus « païenne » de la liberté. Ses disciples ont été accusés de pratiquer des rites érotiques, ainsi que de nudisme intégral. Mais ces accusations ne signifient pas grand-chose, et presque toutes les sectes du XIXe siècle, un jour ou l'autre, ont été soupçonnées de pratiques « antinaturelles », alors que, au contraire, elles étaient les plus naturelles du monde.

Les Témoins de Jéhovah — Différemment se présente la « création » de Charles Taze Russel (1852-1916). Congrégationnaliste, ce fervent chrétien en était venu à refuser le dogme de l'éternité des peines et à se rapprocher de l'unitarisme. Puis, l'adventisme l'attira. Reprenant les calculs de William Miller, il y découvrit une erreur de trente années : la Seconde Venue ne se produirait qu'en 1874. Cette même année, il fonda sa secte, qui prit en 1881 le nom de *Zion's Watch Tower Society*.

L'originalité de Russel résidait dans l'adaptation à l'Occident de la doctrine des sept chérubins de l'Ismaélisme, transformée dans un sens chrétien. Dans la doctrine de la secte, en effet, nous retrouvons la suite : Abel (au lieu d'Adam), Enoch, Noé, Abraham, Moïse; mais Jérémie, saint Jean-Baptiste et Jésus remplacent ici David ou Salomon, le Christ et Mahomet. D'autre part, Jésus n'est plus considéré comme le dieu d'Amour, mais comme le Créateur, le Maître d'œuvre de Dieu. Eternel, il renaît en tant qu'Esprit.

Du vivant même de son fondateur, la société connut peu de succès. Les prophéties de Russel, peut-être, terrifiaient ses disciples; mais elles devaient se confirmer. La plus étonnante date de 1880 : elle précisait qu'en 1914, se révélerait le premier signe précurseur du Jugement : un conflit universel, que suivraient bien d'autres guerres. La réalisation de certaines de ces prédictions expliquera en partie le renouveau des Témoins de Jéhovah pendant la Première Guerre mondiale.

La Théosophie : A mi-chemin entre la *Christian Science* et les Témoins, la *Société théosophique* emprunte à la fois aux doctrines de la *Toute-Puissance* de l'Esprit et au messianisme « historique » de Russel. Les fondateurs en furent une Russe, Helena Petrovna

Hahn, épouse de N. V. Blavatsky, et un Américain, le colonel H. S. Olcott.

Séparée de son mari dès 1850, Mme Blavatsky se vantait d'avoir séjourné en Orient et, notamment, au Tibet, de 1851 à 1858. Initiée dans « l'Antique Sagesse » par les Grandes Ames ou *Mahâtmas* de la « Grande Fraternité Blanche », elle revint à New York en 1871 et s'y consacra d'abord au spiritisme. Puis, elle rencontra Olcott, un colonel de la guerre de Sécession, et ils fondèrent la secte, en 1875.

Les immenses connaissances de Mme Blavastsky ne furent réunies qu'un peu plus tard, dans le livre qu'elle publia trois ans avant sa mort : *La Doctrine secrète* (1888). Tout étendues qu'elles sont, elles donnent l'impression d'une confusion extrême. On y retrouve non seulement les grandes religions de la Chine, de l'Inde et de l'Islam, mais les traditions grecque et néo-grecque, de Pythagore aux stoïciens, et tous les courants de la gnose basilidienne, de la Kabbale *hassidim* et de la Rose-Croix, inextricablement mêlés sous la dénomination de « Grande Loge Blanche ».

Les *Mahâtmas* peuvent être des vivants ou des morts survivant dans le monde « astral »; leur tâche est d'entretenir chez les adeptes le sens du temps réel (ou *qualifié*) dans un monde entièrement livré au sens quantitatif (ou causal) de l'Histoire. Les trois plans structuraux sont ici le physique, la pensée et l'émotionnel, plus spécialement lié à l'astral. Mais l'âme n'habite aucun de ces trois univers : elle passe d'un « corps causal » à l'autre, après chaque mort apparente. A chaque fois, elle se recrée un triple corps, physique, mental et astral, qui la réincarne dans les apparences.

En dépit de sa confusion, on peut reconnaître dans la doctrine une volonté précise : celle de désunir les mythes d'Air ou astraux (Fraternité, Egalité) des mythes « noirs » du beau, de l'harmonie, de la puissance. L'homme ne peut atteindre à sa libération que tous les hommes ne soient libres. Ce n'est donc point par l'œuvre ou le culte du Moi qu'il peut y parvenir, mais par l'abolition des distinctions de race, de caste et d'âge. Etrange perversion des intuitions géniales des grands prophètes de l'Inde et de l'Iran!

De nombreuses sectes, issues de la Théosophie, s'en séparèrent ensuite : la *Loge Unie des Théosophes,* dont une filière existe dans l'Inde et une autre en Allemagne; la *Scientology,* active en Australie et en Nouvelle-Zélande; l'*Eglise Catholique Libérale,* de Leadbeater. Elles tentaient, pour la plupart, d'atténuer la condamnation portée par les fondateurs de la Théosophie sur la Grande Loge Noire, c'est-à-dire sur les thèmes femelles de la Lumière Intérieure ou de la Création, de la ritualité ou de l'amour-osmose. Mais, faute d'aller peut-être assez loin dans ce sens, elles ne nous laissent aucun message cohérent.

Il en était de même pour d'autres sectes fraternelles nées à la même époque : celles de Voysey, de Clark et du docteur Adler, dont on chercherait vainement le caractère messianique.

Charles Voysey était un pasteur anglican. Après bien d'autres pasteurs unitariens ou baptistes, il lui vint la pensée que le dogme de l'Enfer était contradictoire à l'infinie bonté de Dieu. Poursuivi pour ses idées hérétiques sur le sens caché de la Bible, il quitta l'Eglise d'Angleterre en 1869 et fonda deux ans plus tard son *Eglise théiste* (à Londres).

Au contraire, l'*Ethical movement* se présente comme une « religion laïque ». Fondé en 1876, ce mouvement new-yorkais du docteur Adler a pour but d'« encourager l'étude des principes moraux, de défendre une éthique d'entraide et de conduire les hommes à pratiquer le bien dans toutes les circonstances de la vie ». Enfin, l'Effort Chrétien ou *Christian Endeavour* du pasteur congrégationnaliste Francis Edward Clark (1881) poursuit le même rêve et mène la même action, « dans la fidélité à l'Evangile ».

On voit assez qu'ici, les doctrines et les dogmes n'offrent plus aucun sens : qu'elles se rattachent à l'ésotérisme, au christianisme, à la laïcité, toutes les sectes aboutissent au même point : l'absolue necessité de l'entraide, le recours exclusif aux mythes des camisards, de Saint-Just et de l'Icarie. La tendance unanime domine également les dernières grandes œuvres religieuses de l'époque, telles que la Théologie d'Albrecht Ritschl (1874) ou le « christianisme moderniste » de Georges

Tyrrel : il n'est plus souhaitable d'adhérer à un dogme, à une croyance précise, mais, afin de vivre en paix avec soi-même, il convient de faire la paix avec ses frères, les hommes de toute croyance et de tous pays.

Un seul prédicateur protestant de cette période avait reçu, en sa jeunesse, le pressentiment d'une autre Attente : le fondateur de *L'Armée du Salut* (1875). Converti dès l'âge de seize ans, trente ans plus tôt, William Booth était un méthodiste de la branche *New Connexion*. Lorsque, vers 1861, il commença de prêcher dans les quartiers pauvres de Londres, il proclama son ambition d'« apporter le Sang du Christ et le Feu du Saint-Esprit à toute la terre ». On pense à la passion ardente et tourmentée d'un autre missionnaire des pauvres : Van Gogh. Mais alors que Van Gogh, conscient d'une tâche plus exigeante, abandonnait l'apostolat pour l'œuvre, William Booth ne pouvait se soustraire à l'influence des mythes prédominants. Ils infléchissaient très vite sa doctrine dans le sens d'une action « blanche », chrétienne et fraternelle, où l'Esprit n'avait plus que faire.

La bannière de l'Armée « Sang et Feu » ne demeurait pas longtemps un symbole vivant pour une société toute vouée aux mythes du Pain et de l'Egalité, bien qu'il y subsistât encore comme un vestige des disciplines jésuitiques, dans le sens strictement militaire. Quelques années après sa fondation, l'Armée n'était plus guère qu'une « banque de pauvres » internationale, remarquablement administrée. Rien n'étant distribué gratuitement aux pauvres, alors que tous les dons reçus étaient gratuits, elle ne tarda pas à devenir une « belle affaire » et les persécutions qui l'avaient accueillie s'apaisèrent bientôt. A sa mort, en 1912, Booth recevra l'honneur suprême des funérailles nationales.

Des spirites à la messe noire : Dans les dernières décennies du siècle, il n'existe plus une secte, en Occident, qui n'exalte la Fraternité, l'Egalité, l'Astral, à trois exceptions près : les spirites, les héliaques et l'*antroposophie*.

L'origine du spiritisme remonte à 1848. Cette année-là,

les *esprits* se firent entendre dans la demeure des sœurs Fox, à Hydeville (U. S. A.). L'événement connut un retentissement d'autant plus grand qu'il avait été prédit, deux ans plus tôt, par la Vierge de La Salette : « Les esprits des ténèbres répandront partout un relâchement universel pour tout ce qui regarde le service de Dieu. Ils auront un très grand pouvoir sur la nature; il y aura des Eglises pour les servir... Ces morts prendront la figure des âmes justes qui ont vécu sur terre, afin de mieux séduire les hommes. »

Parmi les nombreuses « Eglises » qui se livrèrent très tôt au spiritisme, nous avons indiqué l'*Agapemone* et la *Fraternité de la Vie Nouvelle.* On doit y rattacher aussi la secte d'Andrew Jackson Davis aux U. S. A., celle de Rivail (Allan Kardec) en France et l'*antoinisme,* fondé par un mineur belge, Antoine-le-guérisseur, et par sa femme (le Père et la Mère). Né en 1845, Antoine avait été conquis au spiritisme par le *Livre des Esprits,* d'Allan Kardec.

Dans la seconde moitié du siècle, le spiritisme parut bien près de s'imposer comme une « religion » nouvelle. Il avait recueilli l'adhésion de grands écrivains, tels que Poe ou Barbey d'Aurevilly; il recueillait celle de nombreux savants : Georges Coirado Horst, Lombroso, Flammarion. Mme Curie était séduite. Il sembla même qu'il pouvait battre en brèche le rationalisme régnant.

En effet, le spiritisme mettait l'accent sur les phénomènes « psi » : l'hypnotisme, la clairvoyance, la lucidité somnambulique ou la télépathie, qui révélaient un nouvel ordre de « pouvoirs » humains. Or, stupidement, le rationalisme niait l'ensemble de ces phénomènes, alors que Charcot, puis Freud, admettaient l'existence de l'hypnotisme, que le docteur Luys attestait la réalité de la transmission à distance et que Flammarion rassemblait de nombreux faits de clairvoyance et de prémonition [1]. Mais le mot d'ordre de la science officielle était alors la négation systématique de tout ce qui échappait aux techniques de l'observation; en sorte qu'elle sera sans la moindre défense devant la science prochaine

1. Flammarion : *Encyclopédie des Sciences occultes* (Anquetil, 1925).

de l'*invisible* : celle des rayons cosmiques et de l'électron, du *quanta* et de la particule élémentaire.

Les spirites pourtant ne surent pas tirer parti de l'immense avantage. Trop de folies — et l'imposture encore — les desservaient. Trop de guides délirants les entraînaient par des chemins obscurs.

Il y eut Eliphas Lévi (1870-1875), un ancien anarchiste, qui évoquait l'esprit d'Apollonius de Tyane, afin que le mage antique confirmât ses croyances, fondées sur le Savoir et sur la Charité. Il y eut l'ami de Maurice Barrès, Stanislas de Guaita, qui tentait de recréer une secte de la Rose-Croix sur la croyance que « les Initiés de l'Ombre étaient de retour », justifiait le Mal par *la loi des contraires* et rendait compte de tous les événements de l'Histoire par des « influences fluidiques ». Il y eut le Sar Péladan, ami d'Elemir Bourges et membre de cette Rose-Croix, auteur d'extravagants « mandements épiscopaux », qu'il adressait soit aux Rothschild, soit aux La Rochefoucauld — et même à l'archevêque de Paris. Il y eut d'autres « prophètes », plus inquiétants encore.

Le 7 décembre 1875, Vintras mourait à Lyon; mais il avait, deux mois plut tôt, rencontré un prêtre frappé d'interdit, l'abbé J.-A. Boullan. Aussitôt, l'hérésiarque se présenta comme le successeur de Vintras.

On l'accusait de porter sur lui des hosties tachées de sang ou d'être l'initiateur de la restauration des « messes noires » médiévales. Nous ne savons si ces accusations étaient fondées. Mais, de documents réunis par le R. P. Bruno de Jésus-Marie et par Pierre Lambert[1], il ressort que d'étranges cérémonies jalonnèrent l'histoire de la nouvelle secte.

« L'inauguration de la phase active de la IIIe Révélation » eut lieu à Lyon, le 6 août 1876. Suivirent : l'Inauguration du Sacrifice provictimal de Marie, l'année suivante, le Sacrifice Eliaque de Gloire sur la Montagne du Saint Carmel, en 1880, le Sacrifice Joséphique de Gloire, la même année, la Consécration des Prêtresses du Ciel d'Elie en 1882, etc.

Le lecteur trouvera trace de ce trouble messianisme

---

1. R. P. Bruno : *Études carmélitaines, Satan* (1948). Pierre Lambert, *Études carmélitaines, Élie*, ouvrage cité.

dans le roman de Huysmans, *Là-bas*, qui relate le « Sacrifice de Gloire de Melchisédech »; il en trouvera comme une ultime nostalgie dans le roman de Barrès, *La Colline inspirée*. De l'un et l'autre ouvrages, l'impression se dégage que connaissent tous ceux qui approchent de telles sectes : une gêne indicible, la malsaine attirance de l'interdit. Mais aussi s'en dégage un espoir insensé : celui de transposer dans le rituel futur les thèmes fondamentaux du rituel catholique, ses symboles, son dieu même — non pas le Supplicié, mais le Rayonnant :

« Le Saint Evangile nous montre le mystère de la Transfiguration de Jésus-Christ sur le Thabor; c'est là le modèle que nous devons reproduire dans le Saint Carmel, par la transformation et régénération de nos corps devenus glorieux [1]. »

Cette régénération, le fondateur de l'*anthroposophie* ne l'attendait pas de l'Elie solaire, mais de l'antique démiurge romain et parthe. Né à Krutzevir, en Hongrie, en 1861, Rudolf Steiner avait adhéré au groupement de Mme Blavatsky en 1891, après avoir recherché seul la Vérité pendant dix ans. Puis, il se sépara de la Théosophie et créa son propre groupe.

D'une part, l'*anthroposophie* met l'accent sur la Création et retrouve la notion de Chute Provisoire, chère à Milton et aux quiétistes; mais, d'autre part, le mouvement achève de dévoyer le messianisme « historique » de la Doctrine Secrète en menant à son terme l'intuition de Russel et en alliant le mythe de création au mythe chrétien : Dionysos et Mithra au Christ.

La combinaison de la pensée théosophique et de la pensée russelienne aboutit à une vision de l'Histoire plus insensée que celle des mormons. Une combinaison algébrique des races et des sous-races « rationalise » le thème des sept étapes mythiques en une suite de mutations de l'espèce humaine, depuis les antiques Astraux jusqu'aux peuples actuels, par les Lumériens, les Atlantes et les Aryens, entre autres, cependant que les quatre Ages, d'or, d'argent, de bronze et de fer, y retrouvent les rythmes naïfs des antiques Vainqueurs indiens. Quand Steiner conçut ce système, notre monde attei-

1. BOULLAN : rituel du Sacrifice de Gloire (1880).

gnait sans doute au plus creux du Lokâyata, bien qu'on ne distinguât plus, en ces dernières étapes, que d'imperceptibles nuances.

Un autre personnage typique de l'époque était le docte Gérard Encausse, dit Papus, du nom d'un démon médecin inventé par Eliphas Lévi. Son ouvrage le plus connu, *Traité élémentaire de la science occulte,* l'apparente à Cagliostro, mais également à la tradition *misraïm* de la Maçonnerie hérétique. Carrefour des tendances spiritualistes les plus diverses, on peut le rattacher aussi bien aux doctrines de la *Christian Science* qu'aux croyances rosicruciennes traditionnelles. Alchimiste, cabaliste, théosophe, astrologue, il fut le fondateur d'une des dernières sectes du siècle : le groupe *Isis*.

En d'autres époques historiques, son nom ne serait même pas prononcé et l'on peut prédire sans grande chance d'erreur que, dans deux mille ans, nul ne le connaîtra. Mais, au cœur du désert rationaliste, il nous offre l'exemple d'une ultime résistance. S'il concourut, en France, à la propagation du spiritisme et au développement des médecines hétérodoxes (homéopathiques et allopathiques), il fut dans la Russie de Nicolas II l'initiateur des pratiques nécromanciennes qui devaient conduire le Tsar, au cours de la Première Guerre mondiale, à faire de Raspoutine son conseiller intime.

Un certain guérisseur Philippe, de Lyon, avait précédé le « saint diabolique » dans les faveurs de la Cour impériale, vers 1900. C'était encore Papus qui l'avait présenté au Tsar.

Encausse fut peut-être un charlatan, peut-être un fou. Mais on ne relit pas sans un certain plaisir les timides diatribes de ses admirateurs contre les officiels de l'époque :

« Devant les difficultés qu'éprouve le positivisme matérialiste à donner une explication des faits psychologiques qui se multiplient à l'heure présente... les chercheurs de bonne foi en sont venus à demander autre chose que les injures, les négations ou les évocations de coïncidences et d'hallucinations [1]. »

---

1. PAPUS : article de M. de Pourville dans le *Figaro,* cité par L. de Gérin-Ricard, *Histoire de l'Occultisme* (Payot).

Lorsqu'on songe que ces lignes s'adressaient à des hommes qui niaient à la fois la valeur de Charcot et le génie de Nietzsche, les intuitions de Boucher de Perthes et l'hypnotisme, la prémonition et la « pensée » même, mais qui tuaient, bon an mal an, de vingt à trente mille tuberculeux par les cures à la mode et, notamment, la suralimentation, on ne les en apprécie que mieux.

Cependant, de tels commentaires ne touchaient pas au problème que suggèrent les croyances de Steiner et de Papus, les pratiques de Boullan, que posent les « messes noires » ou la *Mala Vita,* que définissent enfin les dernières œuvres de Nietzsche, de Bloy et de Hugo.

La découverte de la secte italienne, filiale de la *Camorra,* est datée de 1891. Une perquisition à son siège révélait des symboles diaboliques : serpents et danseuses nues, démons et lions de Saint-Marc entourant un portrait du Père de la Liberté : Garibaldi. Les membres appréhendés ne cachèrent pas leur croyance aux puissances sataniques.

Si l'on ne peut porter au compte du seul délire les poèmes que ses « tables » dictaient au vieil Hugo et qui trouveraient place dans *La Fin de Satan* ou dans les derniers recueils, ces poèmes eux-mêmes ne sont pas moins éclairants que le cri de l'Allemand sombrant dans la folie : « Je suis Dionysos et Christ » ou que le roman de Machen, *Le grand dieu Pan,* prophétique du retour à l'existence de l'antique démon païen (1894).

Quant à Léon Bloy, il va plus loin que tous. Car il ne se contente pas de recourir au diable afin d'en obtenir de mystérieuses puissances, ni de rêver — poétiquement, somme toute — d'un Christ solaire et d'un démiurge réconciliés, ou de l'ange de Lumière sauvé par l'ange de Liberté, sa fille. Il ne voit le Trompeur ni comme un antéchrist, ni comme un second Jésus, ni comme un ange racheté. Mais, au cœur d'un ciel autre, de haine et de souffrance, il en fait l'espoir même des temps futurs :

« Les chrétiens feront largesse au Paraclet de ce qui est au-delà de la haine. Il est tellement l'Ennemi, tellement l'identique de ce Lucifer qui fut nommé *Prince des Ténèbres,* qu'il est presque impossible — fût-ce dans l'extase béatifique — de les séparer (*Le salut par les juifs,* 1892). »

Esotériquement, c'est l'affirmation tranquille que le Paraclet, le Dispensateur, sera Lucifer lui-même, rendu à sa splendeur de Porte-Lumière, comme Perséphone, reine des Enfers, le fut à sa splendeur de Vierge. Le signe de Jonas avait accompli ce prodige-ci; « Elie artiste » accomplit celui-là, en restituant un corps glorieux au dieu solaire et, par-là même, à l'homme damné, sa proie.

Psychiquement, c'est la révélation insoutenable que le diable est plus vivant que Dieu, car il est lui-même un dieu « en puissance ». Si l'amour fut le démon de Diotime, « pauvre et dialecticien » mais plein de ressource, « la liberté est un principe *éthique* d'essence démoniaque[1] », comme l'affirment, chacun à sa manière, le nihiliste et le prophète indien, Goethe et Steiner, Sadrâ et Bloy.

Faut-il sourire d'une telle croyance? On en riait aux éclats hier; le rire se fait jaune aujourd'hui. Mais, les derniers spirites, occultistes ou mages, eussent-ils été plus délirants que jadis Cratès et Théompompe, nous ne pourrions moquer ces ultimes guetteurs qui, au bord de l'abîme, s'efforçaient de donner forme à une ombre indistincte.

Le sionisme : En effet, à la fin du siècle, toutes les prédictions touchant un Troisième Age et toutes les croyances aux cycles paraissaient démenties. Même le cycle marxiste l'était. L'éruption solaire de 1870-1871 avait bien produit les effets qu'on était tenu d'en attendre. Mais celles de 1883 et de 1894, faibles il est vrai, demeuraient sans conséquence. En dépit des rêves de Russel et de l'action de Vivekânanda, des œuvres de Papus et de Machen ou de l'avènement aux U. S. A. d'un Elie III : J. A. Dowie, le rationalisme achevait tranquillement ses conquêtes.

Depuis 1877, le Grand Orient de France avait supprimé le nom de Dieu dans son rituel d'admission. Les Grandes Loges d'Espagne et d'Allemagne, le Grand Orient de Suède et celui de Pologne approuvaient la réforme. Les nonnes étaient chassées de leurs couvents; les crucifix

1. E. M. Cioran : *Précis de décomposition* (N. R. F.).

ôtés des écoles publiques. Pourtant, vers les mêmes dates, une force spirituelle naissait en Occident. Tout humble et combattue, elle ne surgissait pas des cénacles spirites ou des sphères anarchistes, mais du cœur du rationalisme : le peuple juif lui-même.

Sensibles à leur manière aux derniers souffles spiritualistes qui balayaient encore le monde, des écrivains prêchaient le retour en Terre Sainte et la constitution d'un Etat juif en Palestine : Moïse Hess (1812-1875), l'auteur de *Rome et Jérusalem : dernière question des nationalistes,* et Léo Pinsker, l'auteur de *L'Auto-émancipation, appel d'un Juif à ses frères* (1882).

Les deux ouvrages étaient le fruit d'expériences sanglantes : des massacres de juifs à Damas dans le premier cas, le pogrom d'Odessa, dans le second. Car les mêmes peuples qui béaient d'admiration devant la Presse de Mayer ou devant les immenses fortunes des Rothschild se vengeaient sordidement sur le juif religieux, incapable d'opprimer quiconque et lui-même opprimé par tous.

Mais le héros du sionisme fut Théodore Herzl né en 1860 à Budapest, véritable pèlerin de la « nation juive » à travers toute l'Europe. On le voyait à Vienne, en Espagne, à Paris, où il écrivait *L'Etat juif,* à Bâle, en Allemagne, en Turquie. Nous n'avons pu faire la preuve qu'il se fondait sur les synchronismes historiques et pensait, au cours de sa longue campagne, à la recréation des villes chaldéennes par les Séleucides. Il est cependant singulier qu'il se soit tourné principalement vers l'empereur d'Allemagne, pour obtenir son aide près du sultan, alors que les destins de l'Allemagne — depuis le Saint Empire romain jusqu'à sa renaissance contemporaine — rappellent en effet ceux de l'Anatolie, depuis la Grande Assyrie jusqu'à la renaissance séleucide.

A sa mort, en 1904, Herzl n'avait obtenu qu'une seule victoire : les six premiers congrès sionistes, de 1897 à 1903. Bien que ces congrès eussent admis le principe de la renaissance d'Israël, le principe demeurait purement nominal. L'opposition venait des U. S. A., où se réalisait l'union de tous les juifs, sionistes ou non, athées ou religieux. De 50 000 en 1800, ils y dépassaient, en 1880, le nombre de 500 000. Vingt ans plus tard, ils atteignaient les trois millions.

Elle venait aussi de France et d'Angleterre. Persécutés dans les pays de l'Est, mais souverains démocratiques des plus riches nations de l'Occident, les juifs n'avaient aucun désir d'aller reconstruire leur ville sacrée dans les sables du Moyen-Orient et moins encore de redevenir bergers ou laboureurs, quand ils tenaient tout l'or du monde.

L'idée ne germerait que lentement, porteuse de conséquences incalculables.

CINQUIÈME PARTIE

LE RÉVEIL MYTHIQUE

19. LES CLASSES ET LES RACES
20. LA NOUVELLE SCIENCE
21. LE MOTEUR TROUVÉ

19

LES CLASSES ET LES RACES

La nation — 1905 — Le renouveau des sectes — L'Inde — Lénine — Le renouveau des races — Israël.

La nation : Entre la notion de pays, nostalgique, et celle d'Etat, inhumaine, le mythe de nation paraît la solution de sagesse. Plus progressiste que le pays et moins abstraite que l'Etat, la nation seule semble répondre au double problème que pose au temps rationaliste la place de l'homme dans la cité.

Réaliser l'individu en soi et en tant que membre d'un ensemble. Tel était le but que Jean-Jacques Rousseau fixait à la cité future, un Blanqui en Quarante-Huit, un Pelloutier encore en 1900, lorsqu'il conviait les citoyens « à poursuivre plus méthodiquement et obstinément que jamais l'œuvre d'éducation morale, administrative et technique nécessaire pour rendre viable une société d'hommes libres[1] ».

La phrase est importante, parce que chaque mot en est pesé. Elle révèle un espoir : la liberté, des voies complémentaires pour y atteindre : la méthode et l'obstination.

1. Pelloutier : cité par Georges Sorel, *La décomposition du marxisme* (Bibliothèque du Mouvement Prolétarien, Rivière et Cie, 1910).

Enfin, elle ramène l'antique Trinité à trois plans rationnels : le Bien à la morale, le Vrai à la technique, l'Harmonie à l'administration.

Concrètement, cette administration nie la réalité des classes : tous les hommes sont égaux devant la loi. Cette morale nie la réalité des races; elle tend à réduire toutes les mœurs et coutumes ethniques à un seul dénominateur commun : les coutumes et mœurs du colon. Cette technique est celle d'Auguste Comte : l'observation positiviste, et elle est imposée à tous par la méthode des Icariens : douze ans d'instruction obligatoire. Que l'un des trois concepts révèle son abstraction : la citoyenneté, la colonisation ou l'enseignement, tout le système s'effondre.

Or, la première moitié du xxe siècle se définit par l'écroulement des trois concepts; et le réveil mythique qui s'y laisse percevoir s'illustre, inversement, par la naissance des classes, la renaissance des races et l'éclosion d'une technique nouvelle, qui ne doit plus rien à l'observation et qui, peut-être, ne doit plus être communiquée à tous.

1905 : Nous ne pouvons situer le cœur de la période rationaliste précédente, sinon — symboliquement — par la mort du dernier initié-prêtre Tcheou, en 256 avant J.-C. De même, nous ne pouvons dater précisément le « minimum spirituel » de cette période-ci, entre le sursaut de 1872-1874 et la renaissance de 1917. Car aucune société ou secte ne s'impose entre ces dates, et celles qui existaient s'épuisent à subsister dans le cadre des nations reines.

Mais, symboliquement, l'explosion solaire de 1905 — la plus faible observée — pose peut-être un jalon au fond de la vallée. Comme si le rationalisme nationaliste n'eût cessé de prospérer jusqu'à cette année-là et ne pût ensuite que s'affaiblir — aussi lentement qu'il a crû. Herzl est mort en 1904; Vivekânanda en 1902. Les derniers spiritualistes de l'Islam ont été Mohammed Abdah, l'un des initiateurs du mouvement pan-islamique, et Mirza Ghulâm Ahmad, un réformateur du Penjâb, dont la secte, l'*ahmaddiya*, tentait de rénover le mythe d'un

Christ-Krishna-Madhî. Le premier meurt en 1905; le second en 1908, mais il survit à sa secte, qui ne renaîtra — en deux branches schismatiques — que pendant la Première Guerre mondiale. Enfin, le dernier prêtre-roi, le Grand Lama de Bhoutan, serait mort en 1907, après une maladie de deux ans. Pour la première fois, aucun « enfant sacré », désigné par le Ciel, ne succédait au Lama.

Cependant, en 1905, pour la première fois depuis deux siècles, un Etat extrême-oriental triomphe d'une nation d'Europe : le Japon de la Russie. Une révolte populaire remporte une victoire symbolique : celle du Potemkine. La Chine se réveille : ses sociétés secrètes s'allient dans le *Tong-meng-hui* (Ligue Jurée). L'Inde bouge : la *Ligue musulmane* sera créée l'année suivante. Fondée en 1903, l'*Organisation de combat* terroriste réussit deux de ses attentats les plus spectaculaires : le meurtre de Plehve par Sazonov et celui du grand-duc Serge par Kaliayev. Enfin, le chantre du Progrès rationaliste, Jules Verne écrit — peu de temps avant sa mort — le récit qui annule toute son œuvre en affirmant les retours cycliques de l'Histoire : *L'éternel Adam*.

De sorte que la même année, qui débarrasse le rationalisme de ses derniers adversaires spiritualistes, révèle ses trois grandes faiblesses : la triple négation des races, des classes et du temps structuré.

Les douze années qui suivent ne font qu'élargir ces failles : par l'éclosion de l'expressionisme allemand, par le développement du terrorisme, par la transformation du *Tong-meng-hui* en *Guo-min-dang*, au lendemain de la Révolution de 1911, par le réveil, enfin, du socialisme actif dans les divers pays.

Certes, tous ces mouvements aboutissent à l'échec. La Révolution chinoise ne donne pas ce qu'on en attendait. Les poètes allemands se tuent de désespoir ou meurent dans des asiles. Les terroristes paient très cher leurs attentats. En cette pleine lumière de la raison souveraine, tout mouvement est un suicide, toute création une hérésie. Maurice Barrès lui-même, le disciple de Nietzsche et de Loyola, évolue invinciblement vers Déroulède. Et Alfred Jarry meurt en demandant un cure-dent.

Le renversement des temps est cependant amorcé, qui va mener de la sclérose positiviste à une délirante mutation. Contre le cheminement causal, un terrible rétablissement s'opère, que l'éruption solaire de 1916-1917 révèle avec éclat.

Le renouveau des sectes : S'il faut un signe aux hommes pour croire, la Première Guerre mondiale aurait dû en être un. D'une part, des dizaines de prophètes l'avaient annoncée, de saint Malachie à Russel, ainsi que les prophétesses chrétiennes et les Mères. D'autre part, elle était l'aboutissement visible d'une raison logique jusqu'à l'absurdité.

Mais c'est le caractère de la fatalité que la connaissance qu'on en a ne l'empêche pas de s'accomplir. Des deux concepts qui peuvent rendre la guerre impossible : le respect de l'individu et le sens de l'universel, la nation n'en laisse subsister aucun. Non seulement elle s'oppose aux autres nations avec la même férocité qu'un Etat aux autres Etats, mais elle veut exister — en tant que patrie — dans le cœur de chaque individu, considéré comme l'un de ses membres. Non seulement elle donne à chaque homme un fusil, mais elle lui fait un devoir de s'en servir contre l'ennemi arbitrairement choisi — l'allié d'hier ou de demain.

La nation portait 1914, comme les cités hellénistiques avaient porté les guerres du IIIe siècle avant J.-C. Et, portant le conflit, celles-ci et celle-là contenaient en elles-mêmes le germe de leur destruction.

De cette prise de conscience sont nées les premières sectes du XXe siècle. Elles rendent donc le même « son » que les poèmes inspirés de l'époque, de Maeterlinck et de Yeats, ou les romans de Kafka, de Musil, de Dos Passos : le son du refus plutôt que de l'affirmation, de la terreur plutôt que de l'espérance. Des hommes disent « non » à ce qui vient, mais ils ne présentent pas une solution de rechange. Ils avouent que la mort triomphe, mais ils ne témoignent pas qu'elle débouche sur un ciel, une durée ou une œuvre. Ils disent que, si la mort triomphe, tout le reste est vain.

Ces « sociétés », par suite, ne sont pas des mouvements neufs. Elles rafistolent ce qui fut, comme l'*Armée du Salut*, en pleine expansion, ou les *Témoins de Jéhovah*, revivifiés en 1916 par le juge Rutherford et par Nathan Homer Knorr, fondateur de la branche annexe des *Etudiants de la Bible*. Le plus souvent, elles restaurent des sociétés anciennes : patriotiques ou libertaires, qu'on pouvait croire dissoutes depuis un demi-siècle.

En Irlande, la société secrète *Sinn Fein (Nous Seuls)*, non violente jusque vers 1916, déclenchait à cette date ses attentats les plus spectaculaires. Cinq ans de conflits armés aboutissaient au soulèvement de 1921 et à la création de l'Etat Libre d'Irlande.

Il en allait de même en bien d'autres pays : le Mexique, l'Italie, l'Espagne. Dans le Sud-Est asiatique, occupé par la France, il conviendrait de citer vingt sectes, outre celle des Boxers : *Nghta Hoa* (Justice et Concorde), *Lun-Hun-hoi* (Société des Amis), *Nhon-hoo-duong* (Vertu modèle et Equité) ou *Thien-dia-hoi,* une filiale de la Triade.

Les chefs de ces sociétés jouissaient d'un grand prestige : ils promettaient au peuple, hors de tout ésotérisme, une liberté concrète et immédiate. L'un d'eux, Phan Xich-long, prophète et prétendant au trône, avait refusé le protectorat, en 1885, et tenu le maquis pendant trois ans. Il ne semble pas que le peuple, alors, l'ait soutenu. Mais, en 1913, de nombreux attentats à la bombe durcissaient l'attitude de l'occupant et Phan Xich-long était de nouveau emprisonné. Le 15 février 1916, des centaines d'insurgés attaquaient la prison de Saigon pour en arracher leur chef. Le coup de main échouait; d'autres, analogues, réussissaient en d'autres villes.

Des documents de l'époque, il ressort que des inspirés et des « sorciers » conseillent parfois les révoltés. Le mythe de la drogue « qui rend invulnérable aux balles » apparaît, pour la première fois, dans des comptes rendus d'interrogatoires. Mais, en dépit de ces croyances ou de ces superstitions, les buts des mouvements demeurent rationnels et politiques. L'entraide et la fraternité sont des vertus majeures dans toutes les sectes, même si certaines d'entre elles prétendent restaurer un prince ou un souverain.

Les peuples se veulent *libérés*. Cependant, ils ne savent pas exactement de quoi : de la tutelle d'une nation ou de celle d'un régime, de la colonisation ou du capitalisme. Au Chemin des Dames, les mutinés exigent la paix alors que les Mexicains engagent une nouvelle guerre. Les Italiens veulent à la fois vaincre l'occupant et accéder — après cent ans de lutte républicaine — à une vraie démocratie. Nulle part, cette incertitude n'est plus apparente que dans l'Inde.

L'Inde — Elle recouvre encore vingt pays divers, du Bengale, à l'Est, aux provinces de l'Ouest aujourd'hui réunies sous le nom de Pakistan. Puis, elle est divisée par deux grandes religions, que le réveil mythique a pour premier effet de dresser l'une contre l'autre. Dès 1906, la Ligue musulmane a soutenu la cause d'un Bengale indépendant, et l'Aga Khan, trois ans plus tard, a obtenu du vice-roi une représentation musulmane séparée dans les conseils élus.

Mais ce fanatisme patriotique et religieux semble singulièrement anachronique à des esprits plus évolués.

De 1890 à 1910, la population indienne était passée de 279 millions à 300 millions d'habitants. Le capitalisme occidental y combattait l'artisanat, principale ressource du pays, et y créait des industries puissantes. La *Steel Company Ltd* y avait investi des capitaux dans la production de la fonte; elle en investissait dans la production de l'acier à partir de 1907. Sous le contrôle de l'*East Indian Railway Company,* le rendement des mines de charbon se développait de six millions de tonnes en 1901 à seize millions en 1914, etc.

Cette mutation posait des problèmes de toute espèce, qui pouvaient se résumer en une seule question. Fallait-il jouer la carte de la colonisation et, renonçant à une tradition millénaire, « occidentaliser » le pays tout entier? Ou fallait-il lutter contre la mutation, à la lumière d'une expérience presque infinie, pour tenter d'atténuer le « choc en retour » qui, tôt ou tard, ne manquerait pas de se produire?

Tandis que le second choix était celui du brahmane Bâl Gangâdhas Tilak (1856-1920), le premier réunissait un grand nombre d'esprits autour de Gopal Krishna

Gokhale (1866-1915), membre du *Prâtharnâsamâj* et théoricien de la non-violence.

Cependant, qu'ils combattent au nom de leur religion certaines mesures gouvernementales, telles que l'abattage des vaches, comme Tilak, ou qu'ils soutiennent le gouvernement dans la plupart de ses réformes, comme Gokhale, ces hommes sont d'abord des meneurs politiques. Ils attendent d'une action rationnellement menée — et non pas du miracle — la libération de leur pays. Puis, cette libération, ils ne la considèrent pas comme une Indépendance totale mais comme une vie économique indépendante sous la suzeraineté britannique (*Svarâj*), selon le programme du Congrès de 1906. Tel est aussi le choix d'Aurobindo Ghosh, né en 1872 et révolutionnaire depuis l'âge de quinze ans, ou celui de Gandhi, alors dévoué à la cause des Indiens en Afrique du Sud.

Leur religiosité ne déborde guère celle de la *Société Théosophique,* dont Annie Besant dirige les destins d'Adaiyâr, près de Madras, depuis 1866. Les problèmes concrets : lutte contre les castes, lutte contre la violence, éducation du peuple, obtention de droits précis remplissent le temps de ces sages; il ne leur en reste pas pour la théosophie. Leur dévouement au peuple et leur humanité leur font un devoir de négliger un messianisme théorique, dont ils n'éprouvent plus le besoin.

Comme partout dans le monde, si quelque mythe encore anime les meilleurs, c'est celui de l'Egalité — ou de la Fraternité — attendu de l'avènement d'une nation libre. Or, 1917 est justement l'année où triomphent ces mythes. Ce n'est pas le moindre étonnement pour de nombreux esprits que, loin de servir la Liberté, le triomphe d'Icarie semble la remettre en cause.

Lénine : Né en 1870, il combattait soit seul et en exil, soit avec le soutien des sectes nihilistes, depuis 1889. Quelqu'un qui l'a connu peu avant sa victoire m'affirme que ses silences, de même que ses discour — illimités ceux-là, hermétiques ceux-ci — faisaient parfois douter de sa raison. De fait, il semble bien que le rêve qui l'animait s'apparente plus à la vision qu'à la déduction rationnelle[1]. Ce grand prophète — le plus grand, peut-être du xxe siècle — se présente comme le fidèle disciple de Karl Marx — le premier, disait-il — mais également comme le disciple d'un Tkatchev, dont il mène à son terme la mythique icarienne.

Jusqu'alors, la postérité marxiste s'était trouvée partagée entre deux tendances contraires, selon qu'on voulait y voir une nouvelle religion ou une théorie « scientifique » du monde, c'est-à-dire l'opposer ou l'associer à la victoire de la raison.

En 1907, Georges Sorel pouvait écrire : « Les marxistes, au lieu de développer l'œuvre magistrale, se sont livrés à de si nombreuses fantaisies que les gens sérieux ne les ont pas, généralement, considérés comme des interprètes autorisés de Marx. » En effet, certains de ces disciples, comme Paul Lafargue, ne craignaient pas de retrouver dans *Le Capital* les grandes traditions hébraïques et talmudiques, qui s'y trouvent effectivement (*Devenir social*, 1896).

Mais l'autre tendance ne valait pas mieux, puisqu'elle menait à citer servilement les formules du maître et à ne jamais les commenter, pour ne pas risquer de le trahir. De sorte que le même Georges Sorel pouvait comparer le marxisme « à un très vieil arbre dont l'écorce durcie enveloppe un cœur vermoulu ».

Puis, Bernstein avait mis l'accent sur la dialectique interne du système : constructeur en tant que « socialiste, utopique, évolutionniste et sectaire », destructeur en tant que « démagogique et terroriste ». Il avait montré que cette antinomie devait se résoudre par une « subordination croissante de l'élément socialiste à l'élément révolutionnaire » et qu'elle menait donc à la « catastrophe », par laquelle il faudrait nécessairement passer.

C'était, en fait, choisir le mysticisme contre la rationalité. Et Georges Sorel, disciple de la nouvelle école, reconnaissait enfin que « les parties symboliques du

1. Lénine visionnaire : l'une des plus prophétiques intuitions des mystiques de l'Iran et de l'Inde est la notion de « matière inépuisable », dont aucune science ne dévoilera tous les secrets. On la trouve exprimée aussi clairement que possible dans l'ouvrage de Lénine : *Matérialisme et Empiriocriticisme.*

marxisme, regardées jadis comme ayant une valeur douteuse, représentent, au contraire, la valeur définitive de l'œuvre ». Loin de chercher un appui dans le rationalisme, il ne voyait d'autre exemple à suivre que l'histoire de l'Eglise chrétienne. Ne s'est-elle pas sauvée, malgré les fautes des chefs, « grâce à des organisations spontanées qui ont soutenu l'édifice en ruine » et l'ont sans cesse relevé?

Pratiquement, cependant, jusqu'en 1917, nul socialiste n'avait mis sérieusement en doute la révélation marxiste fondamentale : le rôle majeur des prolétaires dans la révolution future :

« Purs de toute ambition, prodigues de nos forces, prêts à payer de nos personnes sur tous les champs de bataille et, après avoir rossé la police, bafoué l'armée, reprenant, impassibles, la besogne syndicale, obscure mais féconde. (Pelloutier, *Le Congrès général du parti socialiste français.*) »

Le ton de Lénine est tout autre : « Le prolétaire est plus apte que quiconque à s'assimiler une forme extrême de discipline et d'organisation[1]. » Nous voici loin du prolétaire marxiste, qui ne peut se tromper parce qu'il incarne l'Histoire! C'est que, le nouvel apôtre, Lénine l'a vu vivre. Il a passé plus de la moitié de sa vie à tenter de le libérer. Il sait que, moins que tout autre, le prolétaire ne peut accéder à une éthique de liberté, car il ne supporte pas le poids de la solitude, ni l'exigence sans borne et démoniaque de l'œuvre, ni aucune forme de gratuité ou de folie. Il faut donc lui donner seulement ce qu'il désire : le confort, la sécurité, et, pour le reste, faire l'avenir sans lui.

Historiquement, Lénine a constaté l'échec des mouvements populaires, des grèves, des émeutes organisées ou non. En 1917, il constate l'échec de la Révolution, qui va mener simplement à bâtir en Russie une nouvelle nation démocratique, aussi peu messianiste que toutes les autres. C'est alors qu'il prend le parti décisif : il faut soumettre le peuple à une rigueur sans faille, celle de la bureaucratie, et ne jamais le laisser

1. Lénine et la bureaucratie : *Que faire ?* (1905).

libre de « penser par soi-même ». Ainsi, la *masse* réduite à son rôle fonctionnel : écraser l'opposant, les mythologues ou « idéologues » du Parti pourront créer l'Age nouveau « matérialiste et dialectique », dont l'Histoire, de toute éternité, a *déterminé* l'avènement. A côté de ce Déterminisme, toutes les théories cycliques de l'Histoire ne sont que jeux d'enfant. A côté de cette Matière et de cette Dialectique, l'Elie artiste de Fludd paraît bien pâle!

Mais aussi, le clair cynisme fait, en moins de six mois, la victoire bolchevique. Faute d'y atteindre, les autres socialismes échouent, en Russie même contre Lénine ou en d'autres pays contre la bourgeoisie, comme, en Allemagne, le groupe de Liebknecht : *Spartakus*. L'écrasement de la révolte, le double assassinat de Rosa Luxembourg et de Liebknecht lui-même précèdent d'autres échecs : ceux des mouvements ouvriers de France et d'Italie (1920).

Ils précèdent d'autres erreurs tragiques, telles que celles qui mèneront les communistes français à nier pendant vingt ans la tyrannie de Staline ou les grands poètes russes, Essenine, Maïakovski, à se suicider. Ces poètes et ces naïfs auront rêvé d'une fraternité mystique ou d'un communisme rationnel alors que la Russie devenait sous leurs yeux un Etat icarien.

Le renouveau des races : Un jour, peut-être, l'Histoire datera de ces années 1916-1917 la première faillite de l'idée de nation et le premier ébranlement de l'utopie rationaliste. Victorieuses de l'Internationale, les nations avaient su résister, d'autre part, à toutes les nostalgies : leur équilibre tenait à cette double victoire. Mais, débordées à l'Est par l'Etat socialiste, elles devaient l'être, à l'Ouest, puis dans le monde non marxiste, par d'autres renouveaux.

Aux U. S. A., trente-quatre hommes recréaient le *Ku-Klux-Klan* en plantant une Croix de Feu sur la montagne d'Atlanta. Un pasteur méthodiste, W. J. Simmons, se mettait à leur tête et obtenait bientôt de l'Etat de Georgie une charte légale. Par la reconnaissance des anciennes règles de chevalerie, par le culte de la Personne, par le patriotisme, enfin, le plus étroit, le but avoué de la secte était de régénérer la race blanche d'Amérique.

Contre toute attente, le programme séduisait. Les affiliations au mouvement se succédaient à la cadence de cent par jour. Lorsque, en 1922, devant les atrocités commises par le Klan, le Gouvernement s'émut et prit la décision d'en expulser les membres de l'Etat de New York, il était trop tard déjà. Le parti se glorifiait d'un million d'adhérents. Sa puissance était si grande que, « revêtu de son uniforme et de ses insignes », un *klansman* pouvait proclamer en pleine église la guerre universelle contre les « retardés » : catholiques, nègres et juifs.

Impunis, les meurtres se multipliaient, tandis que les lois de prohibition — auxquelles le Klan était favorable — donnaient au groupe une occasion de participer à la vie de tout le pays. En dépit d'un procès sordide intenté par Simmons, dépossédé de son titre, au nouveau « Sorcier Impérial », Evans, et en dépit des révélations monstrueuses faites au cours du procès, le Klan maintenait sa puissance intacte jusqu'au Krach de 1929 et même, au-delà, jusqu'à l'abolition de la Prohibition.

Pendant cette dizaine d'années, on peut dire que la nation américaine avait dû céder aux deux forces contraires : le Klan et les *gangs*; également incapable de combattre l'une et l'autre.

Tandis que les gangs s'appuyaient sur des sectes émigrées d'Italie ou d'autres pays d'Europe (on pense à la *Maffia*), le Ku-Klux-Klan, selon certains commentateurs, aurait reçu des soutiens, occultes ou non, de diverses sectes patriotiques ou de l'international *Réarmement Moral.*

Fondé par le Révérend Frank Buchman en 1921, ce mouvement s'était développé d'abord chez les seuls étudiants d'Oxford. Il se présentait alors comme une rénovation des anciens mouvements de jeunesse créés au siècle dernier à Londres : Y. M. C. A. et Y. W. C. A. *(Young Men's* et *Young Women's Christian Association).* Mais le Révérend Buchman lui-même était évangéliste américain, né en Pennsylvanie en 1878. Infatigable missionnaire, il avait voyagé longtemps dans le Proche-Orient et en Europe. Sous son impulsion, le nouveau

« Groupe d'Oxford » ne tarda pas à s'étendre hors des Iles britanniques.

Tandis que la « conversion » de la reine de Hollande lui ouvrait le Néerlande, puis le Danemark et la Suède, les Etats-Unis accueillaient avec la plus grande faveur le mouvement puritain, antimarxiste d'une part, antisémite de l'autre, qui prêchait que « la réforme du monde ne se ferait pas sans une réforme des individus ».

Non moins que le mouvement socialiste, cette réaction fasciste déborde les nations. En Italie, elle oppose Mussolini à ses anciens compagnons de lutte, mais également aux bandes de la Maffia; en Allemagne, les sectes prénazies aux résurgences de *Spartakus*; en France, les mouvements de droite, *Croix de Feu, Action Française*, aux socialistes ainsi qu'aux communistes marxistes.

La terreur que lève le communisme soviétique explique partiellement certaines de ces réactions, mais elle ne les explique pas toutes. La victoire de l'Icarie russe, c'est d'abord le triomphe de la notion de classes telle que la définit Staline lorsqu'il annonce son dessein de « forger un Etat de classes non antagonistes »; c'est aussi le triomphe de la notion d'Etat. Elle entraîne donc, par contrecoup, le renouveau du mythe racial et la rénovation du pays nostalgique un peu partout dans le monde.

Mais encore il arrive que l'anticommunisme refuse la nostalgie. C'est alors comme un autre messianisme, fondé sur la Personne et non plus sur l'Etat, que se présente l'action des nouveaux patriotes. Une exigence nouvelle se précise tout à coup, que pourrait illustrer le réveil de l'Islam en ses formes diverses : le développement de la *Ligue*, la victoire wahhâbite ou le renouveau du *béhaïsme*, sous son chef Abbas Effendi, le Serviteur du Béha (*Abdul-Beh*).

La révolution des jeunes Turcs, dès 1908, avait ouvert au fils de Husayn Alî les portes de sa prison. L'année de la déclaration de la guerre, il revenait d'un périple missionnaire de trois ans à travers l'Afrique du Nord, l'Amérique du Nord et l'Europe. D'autres persécutions l'attendaient à son retour; mais, loin de l'abattre, elles l'exaltaient; puis, la libération de la Palestine le libérait aussi. Dès lors, jusqu'à sa mort (1921), il se consacrait à l'organisation de sa religion et à l'écriture d'un ouvrage, *Le Plan Divin*, qui résumait l'enseignement du Béha.

En Arabie, le chef wahhâbite Abdul Aziz III ibn Saoud s'emparait d'Er-Riad, capitale du Nedjed. Le royaume s'étendait rapidement. En 1925, ayant chassé de La Mecque le roi Hussein, Aziz III se proclamait roi du Hedjaz : la plus grande partie de la péninsule arabe tombait entre ses mains, tandis que la religion wahhâbite recrutait des fidèles jusque dans le Pakistan.

En 1925, cet Etat oriental n'existait pas encore. Mais, la même année, se précisait dans l'Inde la théorie des deux pays distincts : l'hindou et le musulman. Puis, le chef de la *Ligue*, Mohammed Ali Jinnah, se faisait l'apôtre de la séparation des régions du Nord-Ouest (Panjâb, Afghan Province, Kashmir, Singd, Beluchistan) sous le nom de *Pakistan*, le Pays des Purs.

L'indépendance des deux pays ne sera un fait accompli qu'au lendemain de la Deuxième Guerre mondiale; mais, bien avant cette guerre, l'Inde et le Pakistan ont à nouveau des « âmes ». Gandhi, Aurobindo, Nehru, ou des mystiques de la violence comme Chandra Bose ont pressenti que le rationalisme occidental était entré dans sa première crise et que le combat pour l'accomplissement de l'homme commençait.

Esotériste exact, héritier des plus grands mystiques des siècles passés, Aurobindo renonçait à l'action politique. Retiré dans son *ashram* de Pondichéry, il refusait de prendre la direction du Congrès après la mort de Gokhale (1915). Revenu d'Afrique du Sud, Gandhi devenait l'apôtre de la résistance individuelle.

La pensée religieuse du *Mahâtma* (Grande Ame) n'est pas toujours très claire. « C'est un *sannyâsi* (un mystique, un saint), mais un sannyâsi qui ne se retire pas du monde[1]. » Il interdit le meurtre des animaux sacrés et il proclame, prouvant sa science des structures : « Le véritable hindouiste doit respecter la vache », mais il n'explicite pas, ésotériquement, sa pensée. Il se veut le disciple de Chaitanya et professe, comme lui, l'*ahimsa* : beaucoup plus que le respect de la vie, l'amour

1. Gandhi : la phrase est de Jacques Dupuis, dans *Histoire de l'Inde* (Petite Bibliothèque Payot).

de tous les êtres vivants; mais il se méfie de l' « inefficace charité ». Il croit essentiellement aux mouvements collectifs : actions de masse, résistance passive de tout le peuple à l'occupant. Mais, dans les grandes crises, il lui faut payer de sa personne, seul.

Les deux méthodes se complètent. La fusillade ordonnée par le général Dyer sur une foule sans armes, le 13 avril 1919, fait 379 morts. De ce jour, la libération de l'Inde est « moralement assurée ». Dans les six premiers mois de 1920, des grèves successives affectent un million et demi de travailleurs. L'irréversible évolution a commencé qui, en 1927, transformera le programme du Congrès, du *Svarâj* au *Pûrna Svarâjya* (l'Indépendance complète).

De même, l'arrestation de Gandhi, en 1922, marque profondément, tout à la fois, l'évolution religieuse et politique de l'Inde. A nouveau, comme un siècle plus tôt, c'est par la force et la contrainte que les nations doivent répondre à la mystique de l'homme seul : il ne suffit plus de le déclarer malade ou fou. Désormais, ses disciples : Jawahrlâl Nehru, Achârya Vinobhâ Bave, ne rêveront plus, comme Gokhale, d'occidentaliser l'Inde; ils sauront qu'une Histoire de cinq mille ans lui permet de neutraliser toutes les techniques provisoires sans renier ses plus hautes traditions.

Enfin, lorsque, en 1930, pour combattre l'interdiction faite au peuple indien de fabriquer du sel, monopole d'Etat, Gandhi parcourt à pied 360 kilomètres, d'Ahmedâbâd à la mer, et fabrique le Sel, de ses mains, en présence d'une foule innombrable, il se trouve que cet acte — le plus spectaculaire de sa longue existence — en est le plus mystique aussi. Plutôt qu'une révolte contre l'impérialisme, il exprime le renouveau de la Personne humaine en face des nations dégénérées, impuissantes à maintenir un équilibre durable entre le pays et l'Etat. En conséquence, la peine de prison qui frappe l'apôtre, un mois plus tard, a perdu le caractère répressif escompté : elle appose seulement sur l'action magistrale le sceau nécessaire du martyre.

Le Grand Conflit : Il ne saurait être question de confondre cette mystique du Mahâtma avec celles d'un

Simmons, d'un Buchman ou d'un Bose : on voit assez tout ce qui les sépare ou qui, plutôt, fait de chacune d'elles une expérience particulière, essentiellement incomparable. Mais toutes ces expériences, en leur diversité, se fondent sur la Personne, elles expriment une sorte de « réarmement moral », elles illustrent la défaite de l'ancien positivisme, attaqué désormais sur deux fronts à la fois.

Compte tenu de cet échec profond, un mythologue pouvait, dès l'avènement d'Adolf Hitler, prévoir ce qui allait suivre. Non seulement la date de la prochaine guerre, mais son évolution probable :

« La guerre éclate, dans cinq ans. La France et l'Allemagne se ruent l'une sur l'autre... Que la Pologne marche avec ou contre l'Allemagne, la Russie l'envahit... Il y aura en France un parti proallemand et un parti prorusse[1]. »

Neuf ans plus tôt, en 1925, le même homme — Drieu La Rochelle — avait écrit, dans *L'Homme couvert de femmes* : « Il est des saisons, il est une saison pour les âmes, il est une saison pour Dieu... Dieu a voulu que l'homme ne trouve son âme que des degrés sensibles, selon la succession du temps », et prouvé de la sorte que les plus sûres prospectives ne se fondent pas sur la raison.

De la même lucidité, un autre esprit génial, Staline, tirait d'irréfutables conséquences. Puisque le marxisme et le racisme combattaient tous deux les nations, il leur fallait s'entendre avant de se déchirer. Si le massacre des juifs par le nouvel Antiochos est le premier acte politique, en notre siècle, logiquement déduit d'une idéologie, le pacte entre l'U. R. S. S. et le IIIe Reich en est probablement le second. En regard de ces visions, de quel poids pouvaient être les planifications de nos positivistes? En tout cela, cependant, ils ne voyaient que délires. Ignorant Bernanos et Péguy et Drieu, pauvres esprits flottant au gré de leurs désirs, la guerre les surprit de même — et passa, semble-t-il, sans les avoir changés. Ni ses soixante millions de morts ni le

1. Drieu la Rochelle : *La Prochaine Guerre*, article de 1934, cité par Pierre Andreu, dans *Drieu, témoin et visionnaire* (Grasset, 1952).

prix dont ils payaient leur douteuse victoire : une Europe écrasée entre les deux Empires et la menace présente de la bombe atomique, ne les éclairèrent vraiment.

Sous les déclarations optimistes, pourtant, sous les rodomontades des nations reployées en leurs vieilles illusions, le Grand Conflit achevait de creuser son ornière. Le racisme apparemment vaincu, tous les peuples exigeaient l'égalité des droits; les révoltes avortées au cours du siècle dernier portaient pleinement leurs fruits; l'Inde, le Pakistan, le Sud-Est asiatique, le Moyen-Orient et les quatre cinquièmes de l'Afrique devenaient des nations libres, à part entière, présentes à l'O. N. U. Et toutes, non contentes de l'indépendance totale, tendaient à devenir aussitôt des Etats.

La puissance des Icaries — l'U. R. S. S. et la Chine, entre autres — faisait, hier encore, de l'Etat socialiste un modèle pour toutes les nations. Nous avons connu ce temps où les chrétiens eux-mêmes ne croyaient plus possible d'arrêter le mouvement, ni de le ralentir : la seule idée en eût paru aussi démente que de mettre en doute la future conquête des galaxies.

Néanmoins, les *racines* (devenues des *ethnies*) n'étaient pas arrachées : elles subsistaient partout. Dans ces enclaves, d'abord : colonies portugaises, Afrique du Sud, où les sectes racistes gardaient leur pleine puissance. Puis, dans les Etats socialistes eux-mêmes, où l'antisémitisme de Staline n'était qu'un signe parmi bien d'autres.

Ainsi que l'Hellénistique jadis, l'Européen — Anglais, Français, Allemand ou Italien — a fait la preuve, pendant cent ans, de son égoïsme et de sa bêtise profonde. Cinquante peuples libérés refusent d'être considérés seulement comme ses « semblables ». C'est ce qu'expriment le réveil de l'Islam, la haine du Chinois ou du Noir musulman d'Amérique du Nord, mais aussi l'invention du poète Senghor, cette belle et nouvelle notion de *négritude*, qui attache à la race elle-même une certaine créativité, une certaine prise de conscience de la liberté groupale, et interdit que le Noir se considère jamais comme le « reflet » du Blanc.

Et c'est alors, enfin, qu'en se réalisant, la promesse de Herzl restitue au problème racial son acuité.

Israël : En soixante ans, de 1881 à 1940, les émigrés en Palestine n'avaient pas dépassé le nombre de 400 000. Puis, le massacre hitlérien — six millions de morts — a rendu au vieux Peuple le sens de son destin. Aux 650 000 juifs qui peuplaient l'Etat d'Israël le jour de sa fondation (15 mai 1948), un nombre égal d'immigrants se joignaient dans les deux ans suivants. Ils sont trois millions aujourd'hui.

Jusqu'aux Six Jours de juin 1967, Israël se présentait comme un Etat laïc, où les groupes religieux, tolérés, ne jouissaient que d'une influence restreinte, essentiellement rituelle. Intransigeantes et fanatiques, ces sectes : *Nétourei Karta* (Gardiens de la Ville) ou *Moëtset Guedolé Hathora* (Grands de la Thora) continuaient d'attendre un renouveau mystique et l'espéraient d'un retour aux traditions. Pour elles, la fondation de l'Etat n'était pas une fin en soi, mais l'amorce d'une reconquête par l'esprit juif de son antique domination.

En effet, toutes les guerres que livre l'Israélien sont autant de victoires. D'une bande minuscule de sable qui rejoignait la mer à la Ville Sainte, le pays s'est développé de la Syrie jusqu'à Suez. Le désert s'est transformé en une autre Terre Promise. Pourtant, cela n'a pas été l'œuvre du miracle, mais le lent et obstiné ouvrage des hommes. Si l'Israélien redevient le héros légendaire de la Bible, il se transforme aussi en ce qu'il ne semblait pouvoir être : un *ouvrier*.

Des hommes comme David Gordon (1856-1922) sont à l'origine de cette mutation, puis de nombreuses sociétés : de l'*Association des Imprimeurs* fondée en 1897, au *Solel Boneh* (Chaussée et Construction), daté de 1925. Un mouvement national, la *Histadruth,* créée à Haïfa en 1920, les recouvre presque tous aujourd'hui, à l'exception des quelque cent mille adhérents des groupes religieux sionistes : le *Misrahi* et l'*Agouda.*

Mais, plus puissant peut-être qu'en tout autre point du monde, cet essor du rationalisme ne tient pas contre la victoire. Le Mur du Temple détruit il y a dix-huit siècles redevient un symbole qui fait battre les cœurs. La Corne du Bélier retentit à nouveau le jour de la Délivrance, première fête ajoutée à l'antique liturgie depuis la Diaspora.

Parallèlement, la Palestine israélienne redevient lentement un pays, où le rabbin, le mystique, le héros des Six Jours et l'incroyant lui-même, à la fin, s'enracinent. De part et d'autre du Jourdain et de part et d'autre du Nil, le juif et le musulman ont une pleine conscience, aujourd'hui, de ces racines, dans le sens précisément mythique du mot. Ils mourront pour cela. Ils ne sont pas les seuls.

Le Noir du Nigeria et celui du Biafra, le Wallon et le Flamand, le Chinois et le Japonais en ont conscience de même. Sur les nations agonisantes, l'Etat et le pays se défient à nouveau. L'issue de la lutte n'est pas douteuse : l'Etat vaincra, mais ce ne sera pas sans avoir tenu compte de la réalité des distinctions raciales. Le Grand Etat ne naîtra pas avant que cette question ait été résolue, d'une manière encore inconcevable.

Nous ne savons pas si les mythes de Fourier, de Cabet et de Lénine s'y incarneront en effet, comme il semble que cela doive être : par la Voix des ondes et l'Image filmée ou télévisée, par la conquête de l'Air et de l'Espace enfin. Mais nous savons que le rêve rationaliste, positiviste et socialiste, n'a aucune chance de s'y réaliser — et que, déjà, le fondement de tout rationalisme : le refus des structures, démenti dans les faits par le réveil des races, est nié dans le principe par les nouveaux savants.

On peut douter cependant que les rationalistes soient prêts, aujourd'hui même, à admettre l'évidence. Et l'on peut croire que leur dernier combat — le plus catastrophique parce que le plus délirant — n'est pas encore livré.

20

LA NOUVELLE SCIENCE

Les œcuménismes — Le dieu d'Eau — Le groupe de 1929 — Hartmann et les trois B — La Noosphère — Les centres.

Les œcuménismes : En son début, le retour vers Dieu exprime une peur plus qu'un espoir : la peur du monde sans idéal qui s'organise. Encore axée dans le sens entropique du Temps (de la cause vers l'effet), cette peur ne peut susciter une restauration des anciennes structures, inconcevables en ce sens.

Différemment, le retour vers Dieu n'entraîne pas nécessairement la soumission à *ce qui est,* la juste conscience de la place de l'homme dans l'Univers. Il n'est, en son début, qu'une aspiration confuse et qui se complait en cette confusion, climat rêvé pour les œcuménismes.

On dira que, dans un monde où dominent la guerre et la violence, le désir d'œcuménisme et d'entente pacifique est en soi une vertu. Je ne le nierai pas, ayant connu — jéciste de 1936 à 1939 — des prêtres et des laïcs, tels que les fondateurs de *Terre des Hommes,* admirables à plus d'un titre.

Il reste qu'auprès des grands mystiques de l'Inde et de

l'Iran, auprès d'un Léon Bloy même, ces apôtres faisaient figure de naïfs ou d'indécis. Ils avaient la bonne volonté, un désintéressement certain, un respect mitigé pour les décisions de Rome. Mais ce n'était pas assez pour rendre à leurs disciples ou à leurs ouailles le sens éthique de la Liberté. Car l'esprit de sacrifice et la Vertu (dans le sens premier de courage) qui constituent essentiellement ce sens s'accordent mal avec les « qualités » de prudence et de dignité, qui faisaient l'essentiel de la morale catholique et bourgeoise de l'époque.

Le fait est que, parmi vingt mouvements créés au lendemain de la Première Guerre mondiale : Uniates, *Adult schools,* C. O. P. E. C., Action Catholique, etc., aucun ne parvenait à unir en un bloc les énergies chrétiennes.

Les *Uniates* n'unissaient que les Eglises orientales : ruthène, catholique de rite byzantin, catholique de rite arménien, copte (égyptien) ou chaldéen (persan), ainsi que les quatre patriarcats d'Antioche. Mais cette alliance n'allait pas jusqu'à unifier les pratiques et les liturgies; si bien que les Coptes, entre autres, se distinguent moins aisément des musulmans du Caire que des catholiques romains.

La circoncision des jeunes garçons, la prohibition des statues sacrées ou de la chair de porc ne peuvent être tenues pour des pratiques chrétiennes. Les prêtres coptes ont le droit de se marier (avant l'ordination) mais ils doivent prendre une épouse vierge : ce vestige du Royaume d'Amour, non plus, n'a que faire avec les rites romains nés des conciles de Latran et de Trente. Théologiquement enfin, les dogmes coptes se rapprochent de ceux de l'Eglise éthiopienne, dont le Métropolis, récemment encore, dépendait du Patriarche d'Alexandrie.

Les protestants n'ont pas moins de peine à réaliser concrètement l'Union. La C. O. P. E. C. (*Conférence on Christian Politics, Economics and Citizenship*), dont l'assemblée s'est tenue à Birmingham en 1924, n'a pu qu'allier — pour certaines actions missionnaires précises — les divers mouvements anglicans. Moins heureuse, divisée par le problème nazi, l'Eglise luthérienne se scindait en deux mouvements. Tandis que l'Eglise dite *confessionnelle* résistait au délire national-socialiste et refusait de pactiser avec les criminels sur l'inspiration d'un pasteur, Niemöller, un schisme luthérien faisait siennes les vues « messianistes » de Hitler, dans lesquelles il voyait l'aboutissement logique des mouvements médiévaux.

La même fissure se creusait dans la plupart des religions chrétiennes et dans le catholicisme même, où le silence pontifical permettait, en effet, la double option. Tandis que les groupes d'Action Catholique, jécistes et jocistes (Jeunes Etudiants, Jeunes Ouvriers Chrétiens), échelonnés de 1924 à 1929, se voulaient étroitement soumis à Rome, une certaine tendance socialiste menait des groupes dissidents du *Sillon* d'avant-guerre aux prêtres-ouvriers. Et cette tendance, par contrecoup, levait une action contraire : celle des catholiques fascistes de l'*Action Française* et des *Croix de Feu*.

Egalement condamnés par Rome, ces groupes sectaires devaient être éliminés par la défaite du IIIe Reich et la victoire — philosophique — du marxisme dans le monde entier. Mais, en de nombreux pays, tels que la Pologne, l'Espagne, l'Argentine, le Brésil et l'Afrique du Sud, la division subsiste, profonde, après la Deuxième Guerre mondiale. Le renouveau universel des races interdit de la croire résorbée.

Selon qu'elles ont fait le choix de l'Etat socialiste ou du *pays*, les sectes et sociétés avivent le souvenir des camps de concentration, enseignent le dégoût de la violence raciste et la pitié du juif, en même temps qu'elles nient toute autre distinction entre les hommes que celle de l'abondance et du sous-développement — ou bien, elles tentent de minimiser les crimes nazis ou de les justifier avec une telle ardeur qu'on doit bien parler de nostalgie.

Or, ce ne sont plus seulement des dogmes ou des rites dépassés qui s'opposent alors le plus violemment à l'unification des Eglises chrétiennes, mais c'est le *parti pris* en tous lieux pour une conception individuelle (et raciste, à plus forte raison) de la Liberté créatrice — ou pour une conception sociale de la Liberté républicaine. L'échec d'une secte mineure, le *Fondamentalisme*, permet peut-être d'en prendre une conscience précise.

Cette société (*Fundamentalism*) était née, au lendemain de la Première Guerre mondiale, d'ouvrages publiés entre 1912 et 1918 : *The Fundamentals : a Testimony of the Truth,* qui tentaient la synthèse des divers dogmes chrétiens : virginité de Marie, résurrection des morts, symbolisme ou historicisme de la Bible, et de leurs ancestrales controverses : la Grâce et le Libre Arbitre, l'Amour Unique et la Sainte Trinité, pour déboucher sur le messianisme classique de la Seconde Venue. Le succès du mouvement fut tel que, vers 1925, il n'était guère de protestants américains, baptistes, unitariens ou méthodistes, qui ne se sentissent concernés par lui. A la même date, un membre de l'association, instituteur dans le Tennessee, J. T. Scopes faisait l'objet de poursuites judiciaires pour avoir enseigné dans une école d'Etat les doctrines de l'Evolution. Prenant prétexte du procès, une discussion mondiale s'engagea sur les thèmes du Fondamentalisme.

Loin de parvenir à un accord entre les thèses en présence, cette discussion ne put que les rendre inconciliables. Elle ne fut pas inutile, cependant, puisqu'elle révéla en partie la confusion de toutes les doctrines existantes. On avait dépassé la vieille antinomie entre les croyances nostalgiques et les croyances messianiques : personne ne croyait plus que Dieu ne fût qu'Amour et que le Second Christ serait semblable au Premier. Personne non plus n'osait défendre la thèse d'un rationalisme progressiste (auquel l'Eglise de Rome se raccrochait parfois). Mais la contradiction insoluble subsistait entre le mythe d'Amour (et de Fraternité) et le mythe de Liberté (et d'Œuvre), qui débouchait sur vingt antinomies entre l'ancienne morale et une vertu neuve, entre la Personne et l'Etat, entre le reflet et le sens interne, entre l'observation et l'occultisme.

La confusion provenait essentiellement de ceci : le disciple de la Lumière Intérieure (ou de l'occultisme) se présentait encore comme un réactionnaire, quand il se prétendait le seul « voyant ». Au contraire, niant toute création, toute mutation, l'évolutionniste fondamentaliste se présentait comme l'agent d'un socialisme actif, axé dans le sens de l'Histoire.

Ce n'étaient plus les concepts de pays et d'Etat qui se dressaient l'un contre l'autre, mais, à nouveau, les deux messianismes opposés, de la Création princière et de l'Egalité. Le Fondamentalisme s'y brisa. Ou bien, s'il subsista, ce fut dans une secte réduite — parmi cent groupuscules — mais qui, étrangement, rejetant l'antinomie, attendait le salut, désormais, d'un mythe autre, d'Amour et de Vérité : le *Four-Square Gospel,* fondé par Georges Jeffreys, où le baptême par immersion est redevenu le rite essentiel.

Or, ce recours singulier semble bien confirmer une loi mise en lumière à de nombreuses reprises tout au cours de l'Histoire : la première renaissance clairement ésotérique se situe en pleine période matérialiste. Ce put être le renouveau d'Horus-faucon (dieu d'Air) au xxxve, celui de Neith (en tant que déesse de Terre) en 2336; celui du dieu solaire et de Feu au IIe siècle avant J.-C.

Si cette coïncidence ne révèle pas un espoir plus qu'une réalité, nous devrions donc voir, avant la fin du siècle, renaître le dieu de Savoir ou dieu-spirale, apparenté aux mythes d'Eau.

Le dieu d'Eau : Un homme qui ne croit plus en la Création, bien vite, ne croit plus en soi-même. Mais, s'il ne croit plus en la Vérité, il ne croit plus à rien, car toute croyance se présente sous la forme d'une cohérence ou d'un En-soi.

De même que le crépuscule du dieu solaire, au Ier millénaire avant J.-C., cette absence de la Vérité s'inscrit dans les faits mais non dans les textes. L'attestation de Swedenborg et l'abolition de la danse du Serpent dans les tribus dites primitives, l'attente lamaïste d'un futur renouveau du dieu et la disparition des sages sikhs *(nirmalins)* sont à peu près les seuls témoignages mythiques que nous ayons de cette absence dans les derniers siècles.

Au contraire, depuis les *Essais* de Montaigne et la condamnation de Giordano Bruno jusqu'aux divers relativismes, de nombreux faits attestent l'abolition concrète de la Vérité en soi et de l'Œuf-univers : l'impossibilité de continuer de croire aux épicycles de Ptolémée et de Galilée; la négation de la sphère contenante et l'éclatement de l'univers sous les « observations » cosmiques du XVIIIe siècle; la négation d'un Tout-univers connaissable en tant que tel; l'Histoire, la Physique et la Médecine morcelées en cent « petites histoires » nationales, cent disciplines diverses, ou les prétentions thérapeutiques modernes de soigner chaque organe sans tenir compte du corps dans sa totalité. Ce n'est pas un hasard si le père de l'analyse, Descartes, est aussi le père du doute.

Sur le plan religieux de même, la disparition du Croissant en tant que puissance internationale ou l'occultisme dégradé de la gnose témoignent d'un crépuscule à ce point opaque que les ésotéristes eux-mêmes n'en prenaient plus une pleine conscience. Il a fallu attendre les divagations d'un Eliphas Lévi ou d'un Guaita, à la fin du XIXe siècle, pour entendre parler à nouveau du Savoir comme d'un mythe distinct, adorable en soi-même. Puis, un demi-siècle de rationalisme triomphant a balayé ces intuitions furtives.

On peut croire, pourtant, que des chercheurs entêtés continuaient d'étudier la *Doctrine Secrète* et d'honorer le souvenir des Mères et de Quimby. Pendant la guerre, ils se rassemblèrent en un groupe : l'*International New Thought Alliance,* qui prétendait à sauvegarder l'Esprit dans un monde inhumain, par le moyen de l'obéissance parfaite à la Voix Intérieure. Ralph Waldo Trine fut l'un des guides de ce mouvement. Dans son ouvrage méconnu, *In tune with the Infinite* (En accord avec l'Infini), il renouait avec la tradition ésotérique la plus sûre, celle d'Hermès Trismégiste: nulle partie ne peut être connue indépendamment du Tout.

Vers le même temps, un autre groupe de chercheurs, convaincus que l'après-guerre serait encore plus déshumanisée que la Belle Epoque, créait une secte, *Panacea Society* (1916), qui se fondait aussi sur le souvenir des Mères et sur le culte de l'Esprit Profond. La doctrine de la *Panacea* affirme que le fils de Joanna Southcott, enlevé au ciel en 1814, reviendra sur terre en tant que Shiloth, pour « libérer les corps », ainsi que Jésus-Christ a libéré les âmes. Le thème du « coffret de Joanna », inventé par John Wroe (1830), est également au nombre des dogmes enseignés.

Tout cela n'est pas très nouveau. Le messianisme de

la société ne l'est guère plus, puisqu'il enseigne que l'ère chrétienne s'achève : elle ne passera pas le siècle. Mais, par une confusion peut-être significative, le Christ et le Premier Adam constituent un seul mythe : l'ère chrétienne *est* l'ère adamique et Shiloth peut être pris, tantôt comme une incarnation de Jésus, tantôt comme l'Adam racheté.

Le rituel procède de la doctrine. Dans l'attente du Libérateur, la purification demeure une pratique conseillée, « la partie mécanique de la Visitation ». L'Eau ne sauve pas les hommes, mais elle soigne leur mal et les purifie. Le rénovateur des *Témoins de Jéhovah,* le juge Rutherford affirmait : « Des millions d'hommes vivants (en 1917) ne mourront jamais. » Helen Exeter, prophétesse de la *Panacea,* affirme : « Ceux qui mourront avant la fin de l'Age, s'ils ont accepté l'Eau, mourront sans trop souffrir. »

Enfin, le même recours aux mythes de l'En-Soi, de l'Amour et de la Vérité caractérise une secte cochinchinoise créée en 1919 : le *caodaïsme.* Son fondateur, le Phu Ngô van Chiôn, était un spirite renommé et ce fut par l'intermédiaire des esprits qu'il reçut l'ordre d'instituer une religion nouvelle.

Nouvelle, la religion ne l'est pas plus, apparemment, que la *Panacea* et la *New Thought Alliance.* Elle se présente plutôt comme une synthèse d'éléments taoïstes, bouddhistes et chrétiens. Mais, à l'examen, on voit que cette synthèse recouvre en fait l'ancienne trinité valentienne ou le *Trika* du Petit Véhicule : l'En-Soi innommé, l'Amour-nourriture et l'Esprit-Sagesse d'Anathase et de Nagarjuna.

Le caodaïsme se fonde aussi sur le pays; par ce biais, il conquit très vite une grande audience. On a même pu parler à son sujet d'Eglise : aux environs de 1930, des centaines de milliers de croyants faisaient le pèlerinage au temple de Tag-Ninh, bâti sur les plans du Phu Ngô. Bien que le renouveau brutal du bouddhisme dans le Sud-Est asiatique ait enrayé cette expansion, le caodaïsme demeure la religion de nombreux Vietnamiens, fidèles au souvenir du Daï ou simplement hostiles au communisme du Nord.

Quant au recours au mythe de Vérité, dont témoignent ces sectes, il a singulièrement débordé, depuis lors, le cadre de l'ésotérisme pour envahir les sciences nées depuis un demi-siècle et quelquefois surgies elles-mêmes de « groupes d'étude » plus ou moins secrets.

Le groupe de 1929 : Cette année-là, un homme, prix Nobel de Physique, chef de file de la science nouvelle, invité permanent de tous les gouvernements, Albert Einstein, remettait à l'Académie prussienne des Sciences un rapport de cinq pages qui contenait le secret final de l'Univers.

Sous le nom de « Théorie des champs unifiés », le rapport résumait en une seule série d'équations les lois qui gouverneraient les forces de l'espace-temps: la gravitation et l'électromagnétisme. Il se présentait en fait comme un article de foi : à l'exception de quelques rares savants, personne n'y pouvait rien comprendre, et ces savants eux-mêmes — tel un Max Planck — n'y virent rien qu'un « glissement vers la métaphysique ».

Cependant, nul n'osa mettre en doute l'exactitude des conclusions d'Einstein, car cet homme génial était devenu ce que peu de pontifes et de grands prêtres furent dans l'Histoire des religions : celui qu'on croyait sans preuve et sur parole; la confirmation du rêve positiviste : l'Homme divinisé.

Pour comprendre le phénomène, il faut se rappeler ce qu'était la science officielle vers 1900 : une vision du monde où les *structures* d'une part et les *mouvements* de l'autre étaient également niés. Ce rationalisme se fondait sur les seules apparences et tout ce qui ne tombait pas sous le contrôle des sens devait être tenu pour faux ou sans valeur.

Mais, en marge de la science universitaire, des chercheurs de disciplines diverses s'acharnaient, au contraire, à l'étude des mouvements (électromagnétiques) ou des structures cachées dans le réel microscopique *(quanta)*. Ces hommes : Lorentz ou Planck — comme Faraday, Maxwell, Roentgen, naguère — travaillaient seuls, hors des Académies et quelquefois contre elles. Ils révélaient lentement l'existence d'autres « mondes », impénétrables au regard mais indéniables, puisqu'ils les démontraient par des faits observables : la lumière électrique, la radio ou l'effet dit « photo-électrique ».

Le scandale était ici que, non seulement les structures atomiques et les « ondes » retrouvaient droit de cité, mais qu'elles détruisaient la vision ordonnée, rassurante, précise, de la science officielle.

Tout se passait en effet comme si l'*énergie* était constituée de masses (les *photons*) et la masse, à l'inverse, constituée d'énergie. Toute distinction logique s'effondrait, toute raison vacillait dans le monde de « l'éternel possible », qui semblait obéir aux antiques intuitions de d'Autrecourt, de Boehme et de Sadrâ.

L'article d'Einstein, daté de 1917, *Remarques cosmologiques sur la théorie de la relativité générale,* mettait un ordre dans ce chaos par l'invention d'un fondement fixe : la vitesse de la lumière. La vérification de la thèse, lors de l'éclipse de soleil de 1919, avait donc été reçue avec un immense soulagement. L'irrationnel aussi pouvait être mesuré; la raison l'emportait sur tous ses détracteurs.

Pour que tout fût parfaitement clair, il ne restait plus qu'à effectuer sur les phénomènes de la gravitation (où n'intervient pas la notion de vitesse) le travail accompli sur les champs électriques et sur le magnétisme: découvrir la formule qui, en les unifiant, donnerait à l'homme, enfin, à la fois la maîtrise et la compréhension de l'énergie-matière. Telle était la victoire définitive qu'en 1929, Einstein prétendait avoir remportée.

La même année pourtant — et en Allemagne, de même — un groupe de jeunes savants se constituait, en une « société » qui ne reçut jamais de nom. Dans les années suivantes, alors que Adolf Hitler devenait le maître du Reich, ce groupe faisait éclater l'ancienne conception rationaliste du monde.

Les fondements scientifiques de la nouvelle recherche demeurent d'une part la doctrine des *quanta,* de l'autre la Relativité. Son fondement social, l'Institut de Coopération intellectuelle, a été adopté par la S. D. N. en 1921. On ne peut donc parler de « société secrète », ni dans les buts du groupe, ni même dans ses moyens. Le secret existe pourtant, d'une espèce nouvelle : il naît de l'incommunicabilité des recherches au grand public non préparé.

Il y a longtemps déjà que Lorentz, Einstein et Planck ont reconnu l'échec de la science-observation, « qui ne donne du réel à l'homme que l'image que l'homme s'en fait » et « qui ne lui apprend rien sur le monde réel lui-même [1] ». La thèse du prince de Broglie sur la mécanique des ondes est de 1924. Niels Bohr, Infeld, Walter Mayer et d'autres ont achevé l'essentiel de leurs travaux. Leur conception de l'univers nie en partie la prétention rationaliste, pour lui substituer un « état d'éveil » jusqu'alors inconnu des sciences :

« Il est possible qu'il existe des émanations humaines que nous ignorons. Rappelez-vous comme on a raillé l'existence des courants électriques ou celle des ondes invisibles [2]. »

Leurs hypothèses, enfin, rejettent — ou du moins négligent — les principes clés du positivisme : identité, causalité, conservation de la matière, etc. Mais ces principes demeurent enseignés dans les Ecoles, car le génie qui porte les Fermi, Philippe Frank, Broglie et Bohr à œuvrer dans l'abstrait des nombres et des rêves n'appartient plus à l'ordre des méthodes rationnelles.

Presque tous, vers 1930, font mal le partage entre la religion et la nouvelle science. Un doute fondamental les guide dans une nuit plus sombre que celle de l'occultisme :

« La connaissance de la vérité comme telle est une chose merveilleuse. Mais elle est si peu capable de servir de guide qu'elle ne peut même pas prouver la justification et la valeur de l'aspiration à connaître la vérité [2]. »

Cette aspiration — irrationnelle comme toutes les vocations — Einstein la nomme « la religiosité cosmique ». Il n'en fait pas un palliateur, il ne prétend pas que la science supplantera les Eglises, mais il affirme : « La science sans la religion est boiteuse, la religion aveugle sans la science » (en 1940); et c'est un autre savant du

1. La Première Formule est de Werner Heisenberg, *La nature dans la physique contemporaine*, (6. R. F. Idées) ; la seconde, de Max Planck, *L'image du monde dans la physique moderne* (Médiations).

2. Paroles d'Einstein citées dans l'ouvrage de A. Vallentin, *Le drame d'Albert Einstein* (Plon).

groupe, Reichenbach je crois, qui avouait, il n'y a pas longtemps : « La science nous découvre le vrai, mais elle ne nous donne pas *tout* le vrai », faisant ainsi écho au maître.

Le père de la Relativité Générale n'était pas, finalement, le messie du rationalisme. Il n'était pas le prophète du rêve positiviste enfin réalisé. D'une certaine manière, il était beaucoup plus.

Le rapport de cinq pages que nul n'osait démentir, lui-même en reconnaissait les failles; il avouait l'obsession qui l'avait égaré : « L'idée qu'il existe deux structures dans l'espace, indépendantes l'une de l'autre, est intolérable pour l'esprit [1]. » Mais, par ce simple aveu, il prouvait qu'il était en effet le disciple — l'humble servant — de la seule science authentique : la religion de la Vérité.

Le nazisme chassait les juifs. Le groupe de 1929 se dispersa. L'Amérique, l'Angleterre, les pays scandinaves accueillaient les proscrits. Un Américain, Abraham Flexner, fondait à Princeton un « Institut d'études avancées ». Einstein quitta l'Europe. Il partit, le 12 décembre 1932, d'Anvers. Il ne devait jamais revenir en Allemagne. De son installation à Princeton, en 1933, jusqu'à sa mort, il allait s'enfermer dans une « solitude ouverte au monde », où il ressentirait avec un désespoir croissant la montée de la violence universelle et « le retour irrésistible des hommes vers la barbarie ».

Seul ou presque, il protestera contre les bombes d'Hiroshima et de Nagasaki, dont il saura qu'il est le père. Seul, il répétera sans trêve que « la pensée critique du physicien ne peut se limiter à l'examen des conceptions de son domaine propre ». Seul, il affirmera, jusque sur son lit de mort, que la *rationalité* qui se manifeste dans l'Univers ne peut être entièrement accessible à l'humain et, de plus en plus souvent, cette rationalité, il la nommera Dieu.

Reste à savoir quel est ce Dieu; ou, plus exactement, reste à savoir comment le mythe de Vérité peut s'accorder avec le progressisme dynamique et comment,

1. Lincoln Barnett : *Einstein et l'Univers* (N. R. F. Idées).

contenu dans le Brahmâ-œuf (ou dans l'orbe de la vitesse immuable de la lumière), l'Univers peut aussi présenter le caractère d'une expansion indéfinie.

Or, la Science, aujourd'hui, proclame les deux mythes : celui de l'Univers connaissable en soi-même et celui du Progrès sans limite; mais elle ne peut, tant est grande son ignorance mythique, répondre à la question majeure et concilier les deux points de vue. Pas plus qu'elle ne peut, sur son plan propre, concilier tant de doctrines contraires : celle de la lumière-masse et celle de la dissolution de la masse à l'approche de la vitesse de la lumière, celles de l'énergie-onde et de la masse-corpuscule, les lois fondamentales de la gravitation et de l'électromagnétisme, etc.

Adoratrice de la Vérité, la science nouvelle ne peut plus dire de rien : cela est vrai. On imagine mal une situation moins confortable pour l'esprit.

Hartmann et les trois B. : Si le savant se trouve contraint à une sorte d'occultisme, faute d'avouer ou de connaître les structures mentales qui conditionnent sa recherche, le mystique renaissant erre plus que jamais dans le labyrinthe des mythes. La confusion majeure entre le mythe de savoir et le plan de Vérité égare l'ésotériste non moins que « l'observateur ». C'est lentement qu'une nouvelle mythologie se développe et se dévoile, par les œuvres successives de quelques théologiens. Elle ne se fonde plus sur la Vérité, mais sur la Connaissance et l'Amour d'une part, l'Inconscient et la Hiérarchie de l'autre.

Karl Robert von Hartmann (1842-1906) fut le premier de ces métaphysiciens. Son œuvre se situe, pour l'essentiel, à la fin du siècle dernier. Mais, jusqu'à la Première Guerre mondiale, elle demeura mal connue ou mal comprise; elle n'influença aucune secte avant 1920.

Hartmann professait que : 1° La force vitale du christianisme a commencé de s'appauvrir dès l'an 1000 et ne cesse de dépérir depuis lors : 2° Une religion nouvelle doit naître, issue de la religion ascétique, « négative » de l'Inde et de la religion solaire, « positive » des Perses zoroastriens.

Etablissant avec une grande clarté que l'erreur de l'Eglise avait été le recours aux mythes antichrétiens de justice et de châtiment, il identifiait les notions de Bien et de Mal à l'Idée rationnelle d'une part et, de l'autre, à l'Aspiration irrationnelle, prisonnière de l'Instant aveugle. En dépit de cette interprétation douteuse, Sri Aurobindo dans l'Inde, Jung, Teilhard de Chardin ou le rénovateur de l'Islam messianique : sir Mohammed Iqbal lui doivent assurément beaucoup. Ne serait-ce que la doctrine qu'il expose longuement dans son ouvrage le plus connu : *La philosophie de l'Insconscient* et qui fait de l'Insconscient — la Lumière Intérieure — le composant majeur de la nouvelle connaissance et du nouvel Amour, c'est-à-dire la base de la compréhension de l'Etre en soi.

Le premier B., Karl Barth, était pasteur de l'Eglise réformée depuis 1911. Professeur de théologie à Göttingen, puis à Münster, il aurait retrouvé dans cette ville des vestiges de la tradition anabaptiste et se serait consacré dès lors exclusivement au problème théologique de la Liberté. Exilé par les hitlériens, à l'âge de cinquante et un ans (en 1935), il se réfugia en Suisse pour y poursuivre son œuvre.

On lui doit le mouvement de « Théologie Dialectique », qui met l'accent sur la double nature de l'Univers, selon qu'on le considère du point de vue mystique ou du point de vue rationnel. Karl Barth enseigne qu'il n'y a aucun passage possible de l'un à l'autre et que l'action divine s'exerce, en quelque sorte, dans un *sens* opposé à l'activité de l'homme : de la vocation vers l'acte, non plus de la cause vers l'effet. Mais, si la volonté de Dieu est telle, l'abîme peut être franchi et l'*élu* participe dans une certaine mesure à la liberté de Dieu, c'est-à-dire qu'il obtient de vivre dans le sens réel ou « vocatif » du Temps (*Parole de Dieu et parole humaine*, 1928).

Le deuxième B., Serge Boulgakov ne fut ordonné prêtre orthodoxe qu'en 1918, à l'âge de quarante-sept ans, après avoir adhéré au matérialisme marxiste et enseigné l'économie politique à Moscou. Exilé par les bolcheviks, il devint président de l'Institut orthodoxe de Paris en 1925. Sa fondation est une « philosophie religieuse » plutôt qu'une religion : la *sophiologie*.

Sous le nom d'Esprit-Saint, Dieu n'y est plus conçu comme hors de toute qualité, mais à la fois comme Créateur, distinct de sa création, et comme suprême Sagesse. En tant que Créateur, Sa voie s'oppose au sens commun ou rationnel de l'existence : un abîme Le sépare, en effet, de Sa création. Mais, en tant que Sagesse, Il contient en Soi les deux routes qui, en fin de compte, se referment l'une sur l'autre, comme les voies de la lumière dans le monde einsteinien ou les rythmes temporels dans l'éternel retour.

Enfin, le troisième B., Nicolas Berdiaeff, né à Kiev en 1874, avait suivi de même, contre sa famille, la voie du déterminisme socialiste. Mais, nommé professeur de philosophie à l'Université de Moscou, au lendemain de la Révolution, il devint bientôt suspect aux bolcheviks. Ayant été deux fois emprisonné, il choisit l'exil et vint à Paris, où les Allemands l'emprisonnèrent à leur tour. Il est mort en 1948.

La théologie de Berdiaeff ne met plus l'accent sur l'abîme qui sépare le plan divin et le plan humain, mais, au contraire, sur leur accord, essentiellement possible à tout *instant*. Le dieu attendu n'est plus l'Esprit-Saint ou le Créateur, mais une sorte de Christ inversé, puisqu'il ne sera plus Dieu incarné dans l'homme, mais l'homme revenu en Dieu.

Ce cheminement de la théologie chrétienne (non catholique), de Barth à Berdiaeff, témoigne effectivement d'une renaissance mythique, en même temps que d'une saisie croissante de *ce qui est*. Tous ces théologiens tentent en fait de percer le mystère fondamental de *ce temps-là*, l'Instant, le *Now*, la Présence de l'Etre, seul « espace temporel » où l'homme aurait conscience de vivre pleinement — en Dieu. Tous également reconnaissent que la Raison ne peut saisir ce Temps; il se vit mais ne se conçoit pas; car je ne suis plus ici, quand je contemple *ici*, le raisonne ou l'analyse.

Or, tous les dieux passés — y compris le Bouddha et le Christ — peuvent être étudiés ou analysés: ils ne sont plus inconcevables pour la raison; mais le dieu futur s'identifie à *ce qui est* et l'esprit ne peut le concevoir. De certaines sectes spirites au *Fondamentalisme*, cette évidence trouble de très nombreux croyants. A ces noms, nous pourrions en adjoindre bien d'autres. Mais ils n'ajouteraient rien à notre étude. Qu'il s'agisse d'allier le mythe de la Seconde Venue à celui du Paraclet ou le Verbe chrétien à la future Parole, il n'est jamais question que d'en revenir à Dieu par le chemin le plus court : celui des Evangiles (ou des *Oupanichads*). C'est la recherche d'un passage de l'Amour-osmose à la Liberté.

Les Gémeaux (la fraternité) étaient naguère l'un de ces passages; mais, revivifié par l'Egalité, le mythe n'a plus rien de chrétien : l'Amour était le dieu de l'esclave, il ne peut être le dieu de l'homme d'équité. La lumière Intérieure est alors l'autre voie, celle que les dominicains allemands, les hésychastes et les jésuites ont illustrée. Tel est le choix des mystiques orthodoxes, qui reconquièrent en Russie soviétique une influence hier inconcevable. Ils se nomment « les disciples de la Vérité », mais pourraient se nommer : disciples de la Création, car le mythe de l'insconscient appartient aux deux plans, de l'Eau et de l'Harmonie[1].

Aucun n'est allé plus loin en cette voie que le jésuite Teilhard de Chardin. Les intuitions du grand paléontologue font plus que révéler aux chrétiens indécis un nouveau messianisme. Elles ont abouti — en trente ans de recherches — à l'édification d'une doctrine cohérente, où toutes les hypothèses scientifiques actuelles trouvent leur place auprès des nouveaux dogmes romains. Cependant, Rome a rejeté l'œuvre immense du prophète; il serait mort déchiré entre sa certitude et sa soumission chrétienne au jugement du Saint-Office[2].

On voit assez pourquoi les religions constituées se méfient de telles synthèses : Rome de Teilhard, l'Islam de Mohammed Iqbal. Car elles confessent bien leur

---

1. Nous devons citer aussi *l'Ecole de la Sagesse,* fondée par Keyserling en 1920, et le renouveau des sectes «scientistes» (aux U. S. A).

2. Teilhard de Chardin : une très belle étude romancée de l'agonie morale du père jésuite est l'œuvre de Morris West, *Les souliers de saint Pierre* (Plon, 1963).

croyance en un Souverain créateur. Mais, distinct de sa création, ce dieu n'est qu'une réponse théologique à l'énigme de la causalité : son hypothèse exclut celle de l'Evolution. Tout est donné une fois pour toutes par les ouvrages révélés : Bible ou Coran. Et, de même, tout ce qui existe a été formulé une fois pour toutes, par la Suprême Causalité.

Au contraire, pour un Teilhard ou un Iqbal, le Créateur n'est pas distinct de sa création. Disciples, conscients ou non, d'Eckhart et de Sadrâ, ils prêchent l'existence d'un Univers en soi, vivant comme Dieu puisque contenu en Lui. C'est presque un « dieu à naître » au terme d'une longue nuit : le *point* où la Rédemption (par la Libération) rejoindra l'accomplissement de toutes les connaissances. L'Evolution est reçue comme la Vibration par laquelle l'Etre s'exprime et les nombres qui régissent le réel inconnu (la *Noosphère*) doivent être conçus comme des moments ou des degrés de cette vibration-parole.

La Noosphère : Clairement, du moins, l'esprit humain se modifie. On parle de « mutation » : le mot en vaut un autre. L'un des signes de ce changement — le plus appréciable, peut-être — est que le « savant » et le « mystique » ne se combattent plus ainsi qu'en 1900. Car celui-là n'est plus un observateur, mais un créateur parfaitement conscient de son ignorance, et celui-ci n'est plus le nostalgique qu'il fut, mais lui aussi attend la Liberté future d'une sorte de création plutôt que de la Vierge ou du dieu de Charité.

Tous deux, enfin, se veulent des esprits « en éveil », ouverts à tout le possible. S'ils s'opposent, c'est ensemble, à la sottise des cuistres et des blasphémateurs, à l'énorme imposture d'une raison qui refuse d'avouer ses composants.

De tous les temps, la raison s'est fondée sur des mythes : ceux d'Aristote et de Posidonos, ceux de Saint-Just et de Cabet. Cependant, hier, l'autocratie bureaucratique, l'urne républicaine, le canon de 75 et le défilé du 14 Juillet se présentaient encore comme des mythes en soi, parfaitement étrangers aux structures éternelles. Leur stupidité même les préservait du risque d'être jamais rattachés à quelque dieu passé, présent ou à venir.

Le jeu oblique se poursuit, comme nous le constatons par la pénétration de la symbolique gémique dans nos mondes icariens : villes *jumelées*, fête des Jumeaux aux U. S. A., *Gemini* lancé dans l'Espace. Mais tout se passe comme si la contrainte mythique était trop forte, enfin, pour être tue.

Sans doute, l'enseignement officiel nie encore le caractère essentiel de ces recours singuliers. C'est ainsi que des revues spécialisées affirment que les pilotes de l'Espace devront être des jumeaux et, déjà, on avoue les soins qu'on leur prodigue, à l'Est ainsi qu'à l'Ouest; mais il n'est pas question d'y voir l'application d'une algèbre mythique.

L'explication donnée est que l'appareillage électronique d'un astronef ne serait pas utilisable en toutes circonstances hors de l'atmosphère terrestre. Le pilote doit donc avoir un relais humain sur Terre, capable de communiquer avec lui par l'esprit. Or, les seules expériences de transmission de pensée qui réussissent à plus de quarante pour cent sont celles qu'on réalise avec des frères jumeaux. C'est donc à la technique — et non à la mythique — que revient le mérite de l'étrange invention.

En cent domaines, ainsi, le planificateur en est au point d'admettre — et de revendiquer comme des progrès de la science — les trouvailles les plus nettement mythologiques. Mais, parfois, il devient difficile de jouer le jeu. Les noms divins d'Ibn Arabî ou les *noumènes* de Kant reçoivent droit de cité sous le nom de structures, cependant que le « modèle » est d'un usage constant dans toutes les sciences physiques et qu'en Chine, les *Pensées* de Mao arrêtent les hémorragies. Universellement condamnées à Nuremberg, les « greffes humaines » sont une pratique journalière, car le nouveau Savoir ne se laisse plus impressionner par la notion de l'intégrité de la Personne humaine : sa mythique propre est plus puissante.

On se méfie encore des prophéties, mais on admet les prospectives. On ne veut pas croire l'homme soumis à une action maîtresse du Temps mais on accepte la tyrannie des conjonctures et celle, plus contraignante, de tous les déterminismes imposés par l'Histoire, la Macrobiologie et, même, l'Astrophysique. Ces cheminements demeurent confus, inachevés, mais ils progressent dans le même sens et l'imposture rationaliste seule interdit que chacun les reconnaisse pour ce qu'ils sont.

Il n'est plus qu'une mythique, enfin, que tous rejettent — les Académies et les Facultés comme les Etats — la mythique de l'Arbre en ses composants : l'Inconscient et la Hiérarchie, la Création et la Liberté. Mais, du sein des Eglises et des sciences officielles, des voix se font entendre, nombreuses, qui prononcent les mots de « créativité », d'intuition créatrice ou d'harmonie préétablie. A la Noosphère de Chardin répondent le monde des Archétypes de Jung, l'*Hyparxis* de Bennett, le volume-Temps d'Alexander et de Priestley.

Pour faire comprendre le phénomène, il n'est pas inutile de dire quelques mots d'une école nouvelle de psychologie, la *Gestalt psychology* ou « psychologie de la Forme ». Selon cette école, les images que nous croyons nous venir du réel, reflétées par nos sens, ne nous sont pas données par eux. Des expériences systématiques, faites sur les animaux et sur les hommes, auraient démontré que le réel nous offre en réalité toutes sortes d'images, qui se chevauchent, s'enchevêtrent et s'annulent mutuellement; ou, mieux encore, qu'il ne nous en offre aucune, mais une infinité de mouvements à partir desquels « quelque chose en nous » crée les formes que nous croyons données par le réel.

Se fondant sur ces expériences, Wertheimer et Wolfgang Köhler ont émis l'hypothèse qu'il en est peut-être de même en ce qui concerne nos sentiments et nos passions d'une part, nos certitudes de l'autre. Puis, cherchant le moteur de cette créativité, Köhler l'a découvert dans l'*intuition*, renouant, une fois encore, avec la voie mystique que jalonnent Ramanuja et Chaitanya, Sadrâ et Fox, les lamaïstes, des sikhs et les illuminés [1].

Se fondant sur les mêmes expériences et sur les siennes propres, C. G. Jung est allé beaucoup plus loin, jus-

---

1. Wolfgang Köhler : *Psychologie de la forme* (N. R. F. Idées). Wertheimer : *Productive Thinking* (1945).

qu'à faire sienne la révélation de Ramakrishna et du Bâb : il ne peut exister de groupe humain qui ne soit régi par quelque mythe ou archétype, dont il est lui-même créateur. Il n'a pas craint de voir dans les Soucoupes Volantes une preuve démonstrative de cette créativité. Sous son impulsion, une psychanalyse antifreudienne fait de l'Inconscient « le dieu en l'homme » qui rendrait de tels « miracles » possibles.

Aujourd'hui, toutes les disciplines qui s'apparentent, d'une part, aux sciences sémantiques, de l'autre à l'ethnologie, ont commencé de s'attaquer à l'entreprise géante: reconnaître les structures qui ont régi les hommes au cours des âges, les définir et les classer, de manière à les situer dans le temps et, peut-être, révéler l'ordonnancement secret qui les régit elles-mêmes.

Une science nouvelle naît : le *structuralisme*, dont toutes les recherches tendent à étudier ces mythes et leur structuration historique et sociale depuis les temps les plus reculés. On pense d'autant plus aisément aux recherches hellénistiques et romaines d'un Bolos ou d'un Varron qu'un des fondateurs du structuralisme nous y invite lui-même :

« Notre position revient à dire que les hommes ont toujours et partout entrepris la même tâche en s'assignant le même objet et qu'au cours de leur devenir les moyens seuls ont différé. J'avoue que cette attitude ne m'inquiète pas; elle semble la mieux conforme aux faits, tels que nous les révèlent l'histoire et l'ethnographie; et surtout elle me semble la plus féconde[1]. »

Il apparaît ainsi que les sciences dites « humaines » — psychologie, psychanalyse, linguistique ou ethnologie — non seulement admettent l'existence des mythes, mais en attendent la découverte du *secret* que les rationalistes n'espéraient que des sens. En effet, si nos sens ne reflètent pas le réel, mais s'ils sont les agents de quelque « sens interne » ou « conscience imaginative », c'est l'Inconscient d'une part, ses créations de l'autre, qui doivent faire l'objet de toutes nos études.

Il serait intéressant de savoir ce que d'autres savants,

1. CLAUDE LEVI-STRAUSS : *Tristes Tropiques* (Plon, 1955).

de disciplines différentes — macrobiologistes, astrophysiciens — pensent de ces hypothèses. Cela est moins aisé, en raison de la prudence des sciences non humaines en tout ce qui concerne le problème de la Connaissance. Mais, si les textes nous manquent, les faits ne nous font pas défaut. Ils ne sont pas moins éclairants.

Les centres : Aucun des grands empires modernes n'a officiellement renié les mythes d'Icarie pour fonder sa puissance sur les trois mythes d'Eau : ni le marxisme chinois (malgré les Bains de Mao), ni le léninisme russe (malgré le Dégel). Mais le savant occupe, dans les deux Etats la place qui revenait, hier, au membre du Parti; et l'idéologie — tout au moins de Propagande — fait à l'Amour, au Cœur, une part que les premiers marxistes eussent désavouée.

On pense au grand film muet de Fritz Lang, *Metropolis,* où le Cœur jouait le rôle médiateur entre le Technocrate et le peuple des Ténèbres, entre le Savoir et l'Œuvre obscure. Politiquement, le symbole était absurde: il ne convenait pas au monde de l'Icarie et Fritz Lang l'a reconnu en plusieurs interviews. Mais, ésotériquement, il est d'une prescience rare et d'une admirable perfection, jusqu'à l'inondation qui conclut le film.

La même évolution se constate aux U. S. A., où l'homme politique, le démagogue, ne passe plus outre aux décisions des nouveaux prêtres, car il ne peut rien sans eux. Et cette évolution commune fait que les nations de l'Ouest et les Etats de l'Est se ressemblent aujourd'hui plus qu'hier, dans leurs méthodes et dans leur propagande, sinon dans leur finalité.

Quant aux savants eux-mêmes, il serait imprudent de voir en chacun d'eux un Einstein ou un Planck : un apôtre de la Vérité. Comme partout, l'égoïsme, l'amour-propre, l'intérêt font que peu de chercheurs ont la vocation de l'ombre, de l'œuvre solitaire et parfois du martyre. Cependant, une grande partie d'entre eux et, semble-t-il, chaque jour en plus grand nombre, admettent que la base de l'ancien rationalisme : l'observation analytique, a disparu. Selon ces savants, les deux seules méthodes scientifiques pour « approcher un système réel » sont aujourd'hui, d'une part, l'atomisme quantique et l'*holisme* de l'autre[1], c'est-à-dire le culte de l'Univers-œuf.

Par suite, des sociétés, qu'il faut bien dire occultes, naissent sur toute la terre. Barry Commoner en dénombre une douzaine, aux U. S. A. seulement. On peut citer : le « Comité pour l'information sur le milieu ambiant », le groupe de « Défense pour la Vie », le « Collège invisible » de Hynek, etc. Certains de ces centres étudient les problèmes de survie, d'autres l'hypnotisme ou la prémonition. Le trait commun à tous est que rien n'y est plus rejeté *a priori* et que tout phénomène, rationnel ou non, y doit être étudié.

Plus secrets encore, de tels « centres » existent en U. R. S. S., où la plupart d'entre eux se consacrent à l'examen soit des phénomènes « psi », soit des informations parvenues de l'Espace par le canal des satellites. Alors que le Congrès, très officiel, de l'Union astronomique internationale se tenait à Prague, en août 1967, un autre congrès se constituait dans la même ville, mais le soir, dans un hôtel : la *Commission Zéro,* qui réunissait des savants américains et russes.

Les problèmes traités par cette commission ne sont pas uniquement ceux que posent les « objets non identifiés » ou autres soucoupes, mais les informations — encore occultes — touchant « une structure inconnue de l'Espace », où les galaxies ne seraient peut-être pas de « vraies » galaxies, ni les planètes elles-mêmes ce qui nous fut enseigné.

Le fait que ces informations ne peuvent être révélées au grand public nous découvre à la fois leur gravité et leur caractère révolutionnaire. Quant à la réalité des « centre internationaux », elle nous est démontrée par le fait qu'Albert Einstein, déjà, pouvait — en

1. Holisme : méthode scientifique qui traite chaque système comme doué de propriétés particulières, éventuellement différentes de celles de ses constituants. La théorie des ensembles en est la base mathématique ; le structuralisme, l'une des applications. Mais tout ésotérisme doit être considéré comme un « holisme » avant la lettre, puisque aucun mythe, dans un système mythique donné, ne peut être connu pour ce qu'il est hors de l'ensemble dont il fait partie.

mars 1945 — faire connaître à Roosevelt l'état des recherches allemandes touchant la bombe A et le presser de consacrer de plus importants crédits aux recherches nucléaires.

Ces « centres » préparent-ils une religion nouvelle, qui secrètement combattrait l'imposture étatique? Ou bien un Grand Etat, dont les savants du monde entier seraient les maîtres? De toute façon, ils tendent à donner de l'Univers une vision nouvelle, sans doute archétypale ou structurelle, auprès de laquelle le rêve d'Einstein ne serait qu'un poème inachevé.

Aussi bien, nous ne pouvons feuilleter un périodique ou tourner le bouton d'un poste de radio sans voir ou sans entendre des physiciens nous dire leur espérance déjà, leur certitude bientôt, de découvrir cette formule unitaire de l'Univers à laquelle Einstein avait renoncé; des cinéastes ou des poètes « scientifiques » exalter le respect de la Vérité en soi. On a même entendu le maître de la mer, le commandant Cousteau, et plusieurs de ses élèves évoquer en effet, sérieusement, un dieu d'Eau, ses villes sous-marines et les nourritures d'algues qu'il dispenserait aux hommes.

Science et littérature, délires d'utopistes et réalisations pratiques, tout semble concourir à faire éclore le mythe d'une divinité nouvelle, dont les symboles existent déjà dans les esprits : Spirale (galactique, macromoléculaire), Soucoupe Volante, et dont les prêtres existent aussi : les technocrates.

Quel que soit le dieu, les peuples sont prêts pour l'accueillir, car l'homme de la rue n'a plus les moyens, ni d'infirmer l'information cybernétique, ni de discuter les hypothèses de la sémantique et de la psychanalyse, de l'astrophysique et de la macrobiologie.

Un physicien français, dont je dois taire le nom, me disait, il y a trois mois : « Le problème n'est plus de savoir : tout peut être affirmé. Il est de conquérir un pouvoir suffisant pour affirmer sans crainte ce que nous jugerons devoir dire. » C'est donc que le savant de 1968 ne considère plus seulement que son devoir est de connaître ou d'inventer, mais il se sent appelé à une mission morale, réformatrice et finalement mystique, dont on ne sait que trop bien jusqu'où elle peut conduire.

Le danger, ici, n'est plus le rationalisme étroit, mais encore modéré, humaniste, de nos pères. Il peut être l'avènement d'un système politique fondé sur l'imposture comme aucun autre ne le fut encore. Car, si tous les systèmes se valent et si tout peut être démontré, le monde appartient aux plus habiles, aux plus savants. Tout n'est affaire que de technique.

Le risque n'est plus la contrainte abstraite de l'Etat. C'est la contrainte physique et mentale, quotidienne, d'une physique et d'une agronomie, d'une pharmacopée et d'une biologie entièrement fanatisées par le Savoir et parfaitement indifférentes à la survie de l'humanité, comme nous le constatons par la bombe atomique, l'appauvrissement des sols sous les engrais chimiques, les conséquences avouées de l'expérience de 1962 sur les ceintures de Van Allen[1] ou le massacre des peuplades indiennes du Brésil par la méthode du vaccin, entre mille « erreurs » aussi monstrueuses, que tout le soin des pouvoirs publics est de camoufler ou de minimiser, s'ils ne peuvent tout à fait les taire.

La science peut aboutir à cela : le monde que nous décrivent les romans de Pawlowski, de Huxley, de Bradbury ou le sinistre *1984* d'Orwell. Ce ne serait que par l'échec des authentiques savants, nombreux de Planck à Russell, et d'Einstein à Kastler. Car ces sages n'oublient pas que le but de la science doit être la liberté de l'homme et non son esclavage, la réalisation de toutes ses aptitudes et non leur étouffement. Ils n'oublient pas qu'un dieu — une Harmonie cosmique — est derrière tout cela et que c'est ce dieu qu'il s'agit d'atteindre, si nous voulons sauver l'humanité.

Pourtant, la résistance est si forte en ce point qu'il ne semble pas que la simple honnêteté ou le culte même

1. Les Ceintures de Van Allen, qui entourent la Terre, seraient constituées de particules hautement énergétiques. Pour obtenir l'autorisation d'y lâcher une bombe à hydrogène de 1,4 mégatonnes, le 9 juillet 1962, les savants avaient assuré que les effets de l'explosion ne se feraient plus sentir au bout de quelques semaines. Ils seront encore sensibles dans trente ans. On demandera quels sont les « effets » en question. C'est un très bon exemple d'informations secrètes.

de la vérité puissent en triompher un jour; la première soulève l'ironie seulement; la seconde, la fureur. Le combat doit se livrer sur un autre plan, non plus de la Vertu ou de la Vérité, mais de la révolte en acte. A cette dynamique abstraite et inhumaine qu'est la nouvelle technique, une autre dynamique, surgie des profondeurs, doit maintenant s'opposer.

Le combat est commencé et chaque information que nous recevons du monde nous en renvoie l'écho.

21

LE MOTEUR TROUVE

L'accélération — L'En-soi et l'Harmonie — Jeunesse des prophètes — Beatniks et provos — Les hippies — La jeunesse en colère.

L'accélération : Aujourd'hui, chacun sait — ou ressent — que c'en est bien fini de la descente paresseuse au fil de la Belle Epoque. Fini, les douces promenades au bois, le *farniente* des classes privilégiées et fini le rêve, pour celles qui ne l'étaient pas, que plus d'argent, plus de loisir et l'assurance sociale réaliseraient le paradis sur Terre. Mais les freins ont cédé. Paradoxalement, il semble que la vitesse augmente quand, au bas de la nouvelle côte, la machine du Progrès aurait dû s'arrêter. En est-il bien ainsi? Ou n'est-ce qu'une illusion?

Les structures ou les mythes sont des « formes dynamiques ». La très complexe algèbre qui régit le volume-temps interdit qu'ils puissent se renouveler, d'un Age à l'autre, identiques à ce qu'ils furent. Au contraire, l'abstraction rationnelle se répète à chaque Lokâyata.

Le rêve de l'abondance ou celui d'on ne sait quels mystérieux sauveurs se répètent des temps hellénistiques au nôtre. Nos Grands Galactiques renouvellent trait pour trait les sages habitants des Iles Bienheureuses; les richesses que doivent receler la lune, Mars et les autres planètes sont du même ordre que celles que les Carthaginois espéraient découvrir au-delà de l'Océan.

L'illusion de la mort vaincue — par la médecine — expliquait la légende des Héliopolitains, qui devaient se tuer à l'âge de cent cinquante ans afin de mettre un terme à leur heureuse vie. Ce rêve est profondément le nôtre : la médecine triomphe sur la seule assertion — qui n'est jamais prouvée — qu'elle prolonge en effet la vie. La légende se crée qu'au début de ce siècle, les hommes mouraient à moins de cinquante ans, à moins de trente il y a trois siècles, alors que nulle statistique n'existait à l'époque et que bien des fondateurs de sectes, des philosophes et des savants — cités dans ce livre — atteignaient à un âge auquel un très petit nombre de nos contemporains peuvent espérer atteindre : quatre-vingts ans et plus.

On pense à cette image : quand le coureur dépasse le point le plus bas de la pente qu'il descendait, il n'en prend pas conscience tout de suite. La vitesse acquise l'entraîne bien au-delà, sans qu'il lui soit besoin de donner un coup de pédale. Très jeune ou ignorant, le coureur se glorifie : voyez comme je vais vite! Plus expérimenté, il sait que la montée s'amorce et que c'est l'instant pour lui d'en « mettre un coup » s'il veut poursuivre sa route.

Ainsi le rationaliste : voyez comme nous allons! Des désirs qui l'emplissent ou de l'accroissement démographique, intense en ces périodes, des gadgets qui naissent sous ses doigts et s'effritent tout aussitôt, de l'accélération prodigieuse qui l'entraîne, comme un raz de marée ou comme une avalanche, et des débris de toute sorte qu'elle projette sous ses roues, de tout enfin il se glorifie, comme s'il en était l'auteur. Mais, enseignés par le souvenir mythique d'autres pentes gravies et descendues, le poète et l'ésotériste, l'idéologue marxiste et le théologien l'avertissent : attention! Le réveil sera pénible! Ne mollissez pas, appuyez! Voici le temps du plus grand effort.

Toutes les sectes, aujourd'hui, et toutes les religions répètent ce même avertissement : le catholicisme et l'Islam, les druses et les mormons, le réarmement moral, le sionisme et la kabbale, les témoins du Christ et ceux de Jéhovah, le *Tenri-Kyo*, les adventistes, les antoinistes, les théosophes et cent autres, qu'il est inutile de nommer.

Apparemment anachroniques, réactionnaires ou « dépassées », elles enseignent l'effort quand, rationnellement, nul n'en voit le besoin. Elles nient le progrès et refusent le technocrate, l'ingénieur, le médecin [1], alors que les humains, dans leur majorité, ne peuvent plus se passer du médecin, de l'ingénieur, et n'ont plus d'espérance que dans le progrès technique.

Pourtant, ces sociétés, secrètes ou non, se développent étrangement vite. Des millions d'adeptes y adhèrent et il n'en est pas une qui n'a multiplié le nombre de ses disciples par dix depuis 1940. Pourquoi?

Nous savons qu'il n'est pas aisé de le dire.

L'En-soi et l'Harmonie : Il ne semble pas qu'une claire figure du dieu nouveau soit aujourd'hui offerte aux hommes. Le dieu de compréhension de Simone Weil et de Krishnamurti, de Berdaieff et de Fidler [2], ne nous en rapproche pas plus, en ses trois composants, que le dieu de Feu du pseudo-Daniel et de la *Bhagavad-Gîta* ne rapprochait les Indiens et les juifs de leur Messie. Mais il nous en rapproche autant : Krishna ou Michel menaient à l'Eros, de l'Archer à l'Amour; le Christ-Omega de Teilhard mène au dieu des Ténèbres, et de l'intuition profonde à la liberté-dieu.

A l'inverse, le rêve icarien du marxisme ne mène pas à l'Arbre plus que les Cabires ne menaient à Simios, à l'*Ichthus*. Mais il y mène dans une mesure semblable. L'amour-compréhension découlait du savoir et de

1. Le refus du médecin est l'un des caractères communs aux sectes les plus diverses, des *seekers* à l'*Agapemone* et des *antoinistes* aux *Témoins du Christ*, œuvre de Georges Roux (1952). C'est que la médecine incarne tout le rationalisme, en ce qu'il a de meilleur (le dévouement) comme en ce qu'il a de pire (l'imposture).

2. Paul Fidler : *Esprit et Parole, Le meurtre de Dieu* (Éditions du Temps Présent).

l'intuition; d'une manière parallèle, nulle harmonie dispensatrice ne se conçoit hors de l'égalité fraternelle.

Le temps est donc venu où doivent se rejoindre toutes les quêtes ébauchées pendant dix siècles. A la définition du Paraclet, du Graal, du Libre Esprit, de l'Arbre ou du Dispensateur, l'humanité du xxe siècle tend toutes ses forces, celles du chrétien et du musulman, du technicien et du savant, du socialiste et de l'anarchiste, du mystique et de l'athée lui-même. Ce ne peut pas être en vain.

On voit très bien comment la quête d'un Georges Roux, prophète d'un dieu d'amour et de création, complète celle de l'ethnologue contemporain, structuraliste mais marxiste. Ou comment l'*ashram* de l'épouse d'Aurobindo (La Mère) complète — sur un plan mystique, mais non pas autre — les recherches des camps de jeunesse, des kolkhozes et des *kibboutzim* [1]. Car c'est également le mythe de l'inconscient qui résoudra, ici, l'insoluble conflit de l'individu artiste et du groupe fraternel, là le problème hermétique de l'ensemble structuré et de l'unité en soi.

Mais, plus exclusivement, deux sociétés nouvelles et une religion se sont donné pour tâche de résoudre l'antinomie; ou, du moins, elles nous semblent avoir posé le problème plus clairement que d'autres. N'est-ce pas, en notre temps, tout ce qui peut être fait?

La religion est le béhaisme, dont le nouveau chef, Shogli Effendi (petit-fils d'Abdul-Behâ) soumettait aux Nations unies, dès 1947, la charte du *Behâ-Ollah.*

Le manifeste affirme l'Unité de l'Etre en tous ses noms, et que, de même, l'Unité de l'humanité sera en dépit des distinctions individuelles, mais à la condition expresse de respecter ces distinctions. Car « l'ensemble se nourrit de la diversité de ses composants », de sorte que la diversité se présente comme le seul lien possible entre la liberté individuelle et une harmonie collective.

Le dieu du béhaisme n'est sans doute pas encore une

---

1. Ashrams : à noter que les ashrams déjà s'arrachent à la tendance védantiste qu'un Radhakrishan voulait deur donner. Si des « saints » comme Râmdhas entretiennent cette tendance, d'autres *gurus*, tel Civananda. enseignent la libération personnelle autant que la fraternité, et la méditation plutôt que la contemplation.

approche très sûre de la divinité nouvelle. Le mythe du savoir brouille toutes les pistes, et c'est ainsi que la recherche de la Vérité se trouve enseignée au même titre que la Fraternité ou le Don de soi. Mais une voie est tracée, que nous révèle la formule : l'Esprit s'exprimant par la *parole* juste est le seul *agent* capable de réaliser l'union universelle et l'intégration finale de l'homme en Dieu.

Nous y reconnaissons à la fois la conscience de l'action libératrice du Verbe et la proclamation d'une éthique précise, dégagée des anciennes notions de bien et de mal, où le mythe de liberté et le mythe d'harmonie se rassembleraient en effet. Une éthique de *dispensation*.

Actuellement publiées en quarante-huit langues, les Ecritures de la religion sont les œuvres du Bâb, du Behâ et *Le Plan Divin* de Sir Abdul. Reconnue par les Nations unies, la communauté a son siège à Haïffa, mais ses temples à Askhabad, dans le Turkestan soviétique, et à Wilmette, près de Chicago. Elle compterait près d'un million de fidèles et possède déjà ses martyrs : le mouvement est interdit en Afrique du Nord et le sultan du Maroc, en 1962, a condamné à mort trois de ses membres.

Des deux sectes, la première est *L'Œuvre* de Gurdjieff, créée à Fontainebleau en 1922. Il ne s'agit pas de juger le fondateur lui-même, en lequel certains voient un charlatan et d'autres un authentique prophète. Mais de nombreux disciples de l'Œuvre confessent qu'elle les a réellement libérés ou, du moins, confrontés à des problèmes réels, et que cette confrontation leur a ouvert l'esprit.

Jusqu'alors, toutes les sectes libertines d'Occident depuis le Libre Esprit opposaient aux rigueurs des rites et des lois une certaine conception de la liberté-licence et, à l'ordre, le chaos. Par une conversion révolutionnaire, Gurdjieff a enseigné qu'il n'est pas de liberté concevable hors de structures précises. Seule, la connaissance exacte du volume-temps permet de vivre dans l'*instant* en toute lucidité.

Ici encore, c'est par la discipline du « vide de l'âme », *Zen* ou *Yoga*, que l'être prend conscience de sa place dans l'Univers et de sa liberté profonde. A ce degré de conscience, l'homme-individu cesse de craindre et de fuir la compagnie de ses frères. Il fait corps avec le groupe parce qu'il s'accepte lui-même et il ne désire plus rien autant que participer à l'œuvre de l'ensemble. Il a compris qu'être libre, c'est à la fois se rendre libre de ses désirs et de ses rêves (son *contenu*) et capable d'agir sur le monde qui le contient.

Les rites-épreuves du groupe rappellent parfois la « ronde noire » des sectes médiévales, l'envoûtement collectif des Noirs ou bien l'extase paradisiaque des ismaéliens d'Alamût. Mais ils en sont l'inverse, puisque l'individu n'y cherche plus l'oubli de la réalité par l'abolition de son « moi profond », mais, au contraire, l'exaltation de ce qu'il est par l'Œuvre collective.

On ne peut se cacher que les réalisations du groupe ne sont pas à la hauteur de la doctrine, et c'est pourquoi sans doute l'*Œuvre* ne cesse de décliner depuis la mort du maître. En ce domaine comme en d'autres, la loi de notre temps est de réaliser, quoi que ce soit, mais vite. C'est ce que révèle aussi l'histoire de la dernière-née des sectes japonaises, fondée en 1925 : le *Seicho-no-ie*.

Synthèse du bouddhisme et de doctrines récentes, comme celles du *Tenri Kyo*, la société enseigne que la matière n'a pas une existence fixée une fois pour toutes : émanation de l'Esprit, l'homme la crée sans cesse s'il vit dans l'Harmonie. Un tel homme « éveillé » sera le maître non seulement du monde des apparences, mais de ses sensations et de ses instincts. Il sera libre, d'abord, de toutes les lois illusoires :

« La joie et la douleur, à l'origine, n'existent pas dans la matière. Il faut rejeter et fuir cette idée que la joie et la douleur existent dans la matière, car en cela réside l'illusion.

La vie, à l'origine, existe dans l'Esprit.

L'Esprit est maître de la matière.

Tout est créé par l'Esprit[1]. »

De 1925 à la Seconde Guerre mondiale, le culte solaire ou léonin — aussi fanatisé au Japon qu'en Allemagne — étouffa partiellement l'essor du *Seicho-no*. Mais,

1. Seicho-no-ie : Tanigushi Masaharu, *Kanro no Hou Kogi* (Tokyo, 1951).

depuis 1946, la secte s'est développée au point de devenir une religion. En même temps, elle mettait l'accent, de moins en moins, sur la libération individuelle, de plus en plus sur le mythe d'harmonie collective. Les manifestations spectaculaires qu'elle organise ne sont pas étrangères à son expansion.

En 1967, une telle manifestation réunissait plusieurs centaines de milliers de membres. Trente mille d'entre eux participaient à un spectacle géant, suscitant des emblèmes et des massifs de fleurs, des aigles, des *swastika* par leurs danses précises, savamment orchestrées. Il se comprend pourquoi, informé comme il l'est, démuni de toute « forme », l'homme de notre époque éprouve le besoin de ces hiérophanies. Quoique solitaire devant une télévision et libre de toute hypnose collective, je ne pouvais résister entièrement à l'emprise de la création communautaire, d'une exceptionnelle beauté.

Cela n'est encore qu'un jeu? Sans doute. Nous sommes à la limite des ensembles olympiques d'une part, des manifestations nazies de l'autre. Mais le mal n'était pas dans le caractère ludique et gratuit de ces ensembles. Quoi qu'on ait fait de leur œuvre, un Pierre de Coubertin ou même les fondateurs du groupe de *Thulé* furent d'authentiques chercheurs, aux intuitions fécondes[1].

Nul meneur politique, nul créateur de secte, nul technicien, nul apôtre n'a encore résolu le problème que posent le contenant et le contenu, le groupe et l'individu, le Tout et l'Unité. Nul n'a développé l'un sans minimiser l'autre et nul n'a exalté celui-ci sans anéantir celui-là. Mais, si les hommes ensemble ne peuvent encore susciter qu'une sorte de spectacle, va pour la fête et la féerie!

On pense au rire vainqueur du Zarathoustra de

---

1. THULÉ : Si nous n'avons pas développé l'étude des sectes prénazies et nazies (*Golden Dawn, Thulé, Ahneberbe*), c'est que Louis Pauwels et Jacques Bergier en ont longuement traité dans leur ouvrage, *Le matin des magiciens*, aujourd'hui paru en « livre de poche ». C'est aussi qu'elles n'apportent aucune révélation dont on ne puisse retrouver le germe dans les sectes du siècle dernier, des Illuminés de Bavière aux Théosophes allemands.

Nietzsche, aux illuminations de Rimbaud, aux jeux de mots des surréalistes, au Malin de Léon Bloy, au mystificateur sublime — la victime, le billot et le sacrificateur — de Ramakrishna. On pense à l'admirable conseil d'un autre mystique, Gopal Mukerjl :

« Vois-tu, si tu pouvais jouer avec le Seigneur, ce serait la chose la plus formidable... Tout le monde le prend tellement au sérieux! Joue avec Dieu, mon fils, il est le joueur suprême! »

Peut-être, enfin, faut-il franchir le pas. Puisque l'homme politique et le savant ne peuvent nous conduire vers Lui et puisque les Eglises s'obstinent dans le regret, peut-être faut-il enfin regarder vers ceux qui jouent. Vers le poète et le clown, les seuls dispensateurs aujourd'hui de la joie et de la libération. Vers les naïfs aussi, les « primitifs », les jeunes.

Jeunesse des prophètes : Des femmes et des esclaves annonçaient le dieu d'amour: Diotime ou Sapho, Bion ou Epictète. Ce sont des adolescents qui prêchent la liberté. Le Bâb commente le *Coran* dans sa vingtième année. Ramakrishna connaît l'extase à dix-huit ans; Sarasvati, la révélation à quatorze. Fox prend la route à dix-neuf ans. Râm Roy et Ranjit Singh, Saint-Just, Aurobindo avaient choisi la voie de la révolte à cet âge. Ce que nous savons de Sadrâ et de Boehme laisse penser que l'inquiétude mystique était en eux bien avant qu'ils ne fussent sortis de l'adolescence, même si leur quête active ne commença que plus tard.

Et, de fait, conscient ou non de cette coïncidence, c'est à l'adolescent que le rationalisme s'attaque toujours d'abord : hier, dans nos nations « civilisées », aujourd'hui dans les nations neuves. Aux jeunes il réserve les prisons préventives de la pension collégiale, de la caserne militaire, le châtiment corporel, la férule et les verges. Il ne crée pas — de toutes pièces — cette catégorie sociale, l'adolescence, sans en faire le synonyme de l'esclavage. Il semble deviner que s'il triomphe de l'enfant, à cet âge précis où l'enfant devient homme, il vaincra aisément ses autres adversaires. L'invention de Karl Marx : le prolétariat et la conquête léninienne ont pu cacher cette évidence un certain temps; elle n'en est que plus éclatante aujourd'hui.

Pendant tout le crépuscule des dieux, pourtant, la seule influence notable de la jeunesse s'était exercée par la création, particulièrement littéraire. Il est vrai qu'en ce temps, il n'y en avait pas d'autre. Les grands adolescents : Rimbaud, Lautréamont, Jarry en France ou les expressionnistes allemands pouvaient bien être exclus de toutes les littératures; ils n'en étaient pas moins les signes avant-coureurs du réveil spirituel que nous constatons enfin.

Or, ce n'est pas un hasard si la révélation de ces œuvres prodigieuses (dans le sens exact du mot) a correspondu à l'autre engouement de la même époque, pour l'art africain et le peintre primitif, pour le dessin d'enfant et les créations spontanées du hasard. L'action libératrice — médicalement parlant — de ces jaillissements naïfs n'a plus à être prouvée, quand les psychiatres eux-mêmes en font l'une des bases de leur thérapeutique.

L'activité mythique des minorités noires y est étroitement comparable. Pour n'en donner que ce seul exemple : l'avènement des *Holy Rollers* fut antérieur, ou postérieur de peu, à l'abolition de l'esclavage. Les croyances s'y présentent comme bibliques d'une part, égalitaires de l'autre. Mais le culte s'y signale par une violence nouvelle : l'extase y joue le plus grand rôle. Envoûtés par la danse et le chant, les fidèles recherchent le vertige et l'hystérie, où les plus doués d'entre eux atteignent à l'éloquence, à la création pure.

Il n'est pas impossible que le « chant inspiré », duquel naîtraient les *prayers-blues*, les *spirituals*, ait eu son origine chez les *Holy Rollers*. Du moins eurent-ils une influence directe sur de nombreux mouvements nés entre les deux guerres, dont le plus célèbre, *Peace Mission*, était l'œuvre d'un Noir de Harlem, Georges Baker, dit le Père Divin *(Divine Father)*.

Mais, pendant la première moitié du XXe siècle, on pouvait ne pas voir — et l'on ne voyait pas — comment le *spiritual*, le jazz et les poètes auraient pu bouleverser les structures existantes et menacer la raison. Les mouvements de jeunes étaient alors aux mains des Eglises constituées ou des associations d'adultes. Ni les groupes protestants de l'Y. M. C. A. et de l'Y. W. C. A. et le scoutisme né d'eux, ni les groupes de l'Action Catholique ne pouvaient troubler l'ordre établi, puisque les membres eux-mêmes n'en étaient pas les maîtres et que ces sociétés n'avaient d'autre but secret que de canaliser et d'assagir une force évidemment suspecte.

Aux U. S. A., pourtant, des jeunes échappaient à la domination paternaliste. Chaque grande ville américaine possédait ses bandes rivales, véritables pépinières de gangsters et de truands. Les maîtres de Chicago, autour des années 30 : Madden, Capone, Touhy, Diamond, Karpis, Lepke et bien d'autres étaient passés par de telles bandes ou par les maisons de redressement, avant de devenir des tueurs, puis les empereurs du seul monde vraiment rationnel : l'univers du plaisir, de la jouissance et de l'argent.

Comme les gangs, les bandes n'honoraient que le jeu; mais leur jeunesse le mythifiait. Elles prolongeaient dans la cité les traditions — à demi légendaires déjà — des Hommes Libres de l'Ouest, les *Outlaws*, les *Cowboys*. Mais aussi, par le jazz et par la drogue, elles annonçaient une autre « religion », plus comparable aux sectes « primitives » qu'aux sociétés unitariennes, évangéliques et baptistes des bien-pensants. Ces mythes même, un Capone ou un Diamond ne les reniaient pas. L'aide qu'ils ont apportée au jazz New Orleans, mécènes d'un nouveau genre, est à porter à leur crédit.

Quand la guerre éclata, les bandes avaient quitté les quartiers pauvres des villes. Leurs thèmes, leurs héros, leurs rites devenaient — par le cinéma, d'abord — les modèles que la jeunesse bourgeoise rêvait de suivre. La moto, les bottes et les *blue-jeans* étaient un uniforme en soi, comme, ailleurs, les chemises noires ou les chemises brunes. Le Blouson Noir demeurait un hors-la-loi. La police le traquait; la maison de redressement, la prison l'attendait à quelque tournant de rue. Mais il n'était plus un exclu, un réprouvé : on l'admirait ou l'on cherchait à le comprendre.

Des psychologues se penchaient sur ses « principes » particuliers, sur ses rites imités des peuplades sauvages : le nom du clan, le totem, l'épreuve initiatique.

Quatre siècles d'aventures avaient blasé peut-être, endurci certainement l'Américain du Nord. Des milliers de sectes, plus étranges l'une que l'autre, s'étaient reformées là, venues d'Europe, ou s'y étaient créées, inventant l'Amour Libre, annonçant le nouveau Christ, modelant la prière-chant ou le délire collectif — et tout cela, finalement, ne faisait qu'une nation, plus ouverte que d'autres au mythe de Liberté.

Sûre d'elle, la nation regardait avec stupeur, mais non sans amusement, cette graine d'un arbre qu'elle n'avait pas planté. Il faut que jeunesse se passe! disaient les sages mentors, en déplorant peut-être leur jeunesse gâchée par la Prohibition et par les sociétés de Dames Patriotiques. De toute manière, à quoi cela pouvait-il tendre? Quel péril pouvait naître de ces jeux forcenés?

Beatniks, provos, etc. : En 1948, alors que les astrophysiciens étudiaient la quatrième explosion solaire depuis 1917, brusquement, tout changea. Le Blouson Noir disparut. Ou, plutôt, il mua en une nouvelle espèce de révolté juvénile : le *beatnik* de New York et de San Francisco.

L'origine du mouvement ne sera sans doute jamais précisément située, bien que la tradition — déjà — la circonscrive dans Los Angeles et, même, dans un quartier de cette ville : Venice West. Mais, quelques mois plus tard, New York et Chicago, Mountain College, Denver sont atteints par le flot. Sous l'appellation de *beatnik,* on fait entrer le jeune délinquant, l'inadapté *(misfit),* le bohème, le *fan,* le drogué : tous ceux qui par vertu ou vice, refusent l'imposture sociale ou la contrainte des lois.

En effet, ils se reconnaissent pour frères. D'instinct, ils ont retrouvé l'uniforme du sikh, du *calender,* du drusc, de tous les messianistes : ils se laissent pousser la barbe et les cheveux. Ils refusent l'auto, la télévision, l'information et le confort. Ils quittent leur famille dès l'âge de seize ans pour vivre en groupes dans les quartiers pauvres des villes ou sur les plages merveilleuses de la côte ouest.

Leurs modèles sont Marlon Brando, James Dean

— qui semblent sortis de leurs rangs. Bientôt, ils ont leurs chantres, leurs poètes : Allen Ginsberg, Paul Bowler, W. Burroughs. Charles Olson fait paraître en 1950 un manifeste de dix pages, qui donne au mouvement nombre de ses vocables-types : prospective, percutant ou *process* (dynamisme interne). La même année, Allen Ginsberg publie son poème : *Amérique :*

« Ta machinerie est trop forte pour moi.
Tu m'as donné le désir d'être un saint...
Je ferais mieux de me mettre au travail tout de suite. »

Cette sainteté que le *beatnik* recherche n'a rien à voir avec ce qu'un chrétien entendait par ce mot. Elle exclut la pureté physique, l'ascétisme, l'apostolat. C'est beaucoup plus une « saisie de soi-même » par le refus des autres : refus des modes et des croyances anciennes, des contraintes de toute sorte, scientifiques ou morales. C'est aussi, d'une certaine manière, la quête d'une rationalité pure, hors de toute mythique inavouée. Mais cette quête encore débouche sur le mythe.

Lorsqu'on compare les œuvres, presque innombrables, des romanciers et des poètes *beats*, on prend conscience, malgré leur grande diversité — ou à cause de cette diversité — qu'elles ne revendiquent qu'un seul objet, commun à tous : la Liberté [1].

Une telle aspiration n'est conciliable avec aucune nation, aucun Etat. Le *beatnik* n'est en rien un marxiste; et le *hooligan* polonais pas davantage. Leurs mythes sont autres, ce sont ceux de l'Arbre : l'Inconscient essentiellement, la Création à la rigueur, la Hiérarchie enfin, mais à la condition qu'elle jaillisse de l'Inconscient et ne soit pas imposée par un ordre extérieur.

Le *groupe* réalise cette étrange éclosion d'une contrainte surgie de la plus grande liberté, de l'Ensemble né du Soi. D'où, la phrase qui revient souvent dans l'œuvre *beat* et dans la bouche de ceux qui ne créent pas : Je ne ferai pas cela, je ne le ressens pas, je n'ai pas le droit. D'où, aussi, l'obsession de l'asile (chez Gins-

---

1. Beatniks : une importante littérature leur a été consacrée. Nous citerons seulement : *Le nouveau roman américain*, par Michel Mohrt (N. R. F. 1955) et le numéro spécial des Lettres nouvelles : *Beatniks et jeunes écrivains américains* (Julliard, juin 1960).

berg), de la prison (chez Algren) ou de la drogue, c'est-à-dire du lieu clos, emprisonnement, rêve, d'où l'on ne peut pas sortir mais où nulle contrainte venue de l'extérieur ne s'impose au captif, enfin libre!

Comme le rêve né de la drogue ou de la folie, le groupe est la création de chacun de ses membres : on ne se sent pas l'esclave de ce qui surgit de soi-même, ou bien cet esclavage est très précisément le sens le plus haut que l'homme donne au mot : liberté.

Nous avions été nombreux, nés au lendemain de la Première Guerre mondiale, à vouloir être des peintres, des poètes, des romanciers. Vers 1950, trois romans publiés me plaçaient au cœur de nombreux groupes : la *Coquille,* les *Argonautes,* les *Epiphanies,* le jeune théâtre de la rue Mouffetard, le lettrisme d'Isidore Isou, le mouvement de Gary Davis. Mais aucun de nous n'était un *beatnik.* Nos révoltes littéraires ou pseudo-politiques demeuraient soumises aux règles sociales, même lorsqu'il s'agissait de créer un journal ou de monter un spectacle sans un seul franc en poche.

Nous isolions cet Art, qui était notre révolte, de la vie de tous les jours. Nous acceptions, en somme, de « faire la part des choses » : la part de la société et celle, tout intime, de la dispensation créatrice. Il en avait été de même pour les mouvements nés de la Première Guerre, comme le surréalisme, ou nés de la Seconde, comme l'existentialisme. Mais, ce compromis, le *beatnik* — ou le *provo* d'Amsterdam — le refusaient.

Ils ne voulaient plus être libres par raccroc, par hasard, et de bons citoyens tout le reste du temps: vivre et créer, pour eux, c'était une seule chose. Des chants improvisés aux spectacles montés du *Living Théâtre* (parisien depuis 1963), cent formes de création ont ainsi vu le jour, dont le caractère commun est que le Verbe ou le Geste ne s'y séparent pas de la vie. Et, de même, l'invention la plus typiquement *beat,* le *happening* des années 1957-1960, fut cette affirmation d'abord : je crée, donc je suis. Une mutation profonde de toutes les manières d'être.

Mais ce n'était encore qu'une étape, ou une route parmi bien d'autres chemins qui s'offrent à la jeunesse. Car, si le nouveau devoir de l'homme est de créer, reste à décider quoi. Et, s'il est de se créer soi-même, reste à décider dans quel sens.

Les hippies : Le phénomène *hippy* est le dernier en date de ces mouvements juvéniles, puisqu'il n'a que deux ans [1]. En juin 1966, on dénombrait une douzaine de colonies hippies aux U. S. A. En juin 1967, on en dénombrait cinq fois plus, qui groupaient trois cent mille membres. C'est aussi un mouvement très différent de ceux qui l'avaient précédé, radicalement autre.

Le beatnik, le provo, le hooligan découlaient de l'enfant loup de la Révolution russe ou des jeunes gangs américains. C'était individuellement et pour soi-même que le *beat* refusait la société de consommation, mais le rationalisme de cette société ne le gênait pas. Lui-même, il ne prêchait aucun dieu défini : il n'avait pas conscience d'en porter un. Il voulait jouir en paix du peu de liberté que lui laissaient la famille, le service militaire, l'emploi, le crédit, l'impôt, la contrainte de l'argent sous mille formes présentes; jouir en paix, simplement peut-être, du sentiment de l'absurde attaché à tout cela. Mais aucun « espoir de s'en sortir », aucune finalité ne transperçait la passivité des insoumis. C'était assez pour eux, libres de tout engagement et de toute raison d'être, que témoigner, par leur existence même, de la parfaite vanité des symboles bourgeois.

Au contraire, les *hippies* sont des jeunes qui espèrent, non pas un monde nouveau à l'échelle sociale, mais une sorte de salut pour l'esprit éveillé (*hipster*), par plus de conscience ou plus d'amour et plus de mystique, dans tous les cas. Leurs chefs — indiens souvent, occidentaux parfois — sont des *gurus*, dans le sens très précis que les sikhs ont donné à ce mot : des libérateurs, plutôt que des sages. Leur force n'est pas physique, mais spirituelle : elle réside dans l'*innerspace*, le moi intime, qu'il faut entendre exactement comme l'un de l'Un, l'âme de l'Ame, la Lumière Intérieure, le sens imaginatif ou la Ténèbre des prophètes chrétiens et musulmans.

---

1. J'écrivais cela en mai 1968. En novembre, ce n'est plus vrai. Un nouveau mouvement de jeunes a pris naissance au U. S. A. : *Yippy* (Youth International Party).

La mythique est généralement confuse. Le recours à l'Amour fausse toutes les données; le recours à la drogue aussi. Car l'un endort et l'autre défigure cette faculté d'« éveil », qui demeure l'objet principal. La symbolique hippie se ressent de cette confusion. Les « fleurs » et les « oiseaux » ne sont guère créateurs, sauf de leurs parfums et de leurs chants. La non-violence peut être une force : après les Frères moraves et les quakers, Gandhi, Russell, le *Father* noir et Luther King l'ont démontré. Encore ne faut-il pas que ce soit l'acceptation de toutes les faiblesses.

On ne voit pas sur quoi peut déboucher l'amour dégénéré en altruisme, en honnêteté, en pacifisme et en sensiblerie, comme il en est à notre époque. Les hippies se réfèrent naturellement au Christ. Mais Jésus était le Scandale vivant : il pouvait maudire (le Figuier) et chasser les marchands du Temple. Le martyr n'était pas un doux, mais un possédé de Dieu, un obsédé de la mort : la sienne propre. Et, plus tard, tous les saints furent des guerriers d'abord, dont l'arme était la Foi.

Ces réserves exprimées, il faut bien adhérer au jugement de l'historien Toynbee, l'un des grands mythologues contemporains[1] : « Le phénomène hippy est un signal d'alarme face aux dangers du mode de vie américain » et, même, il faut l'étendre au mode de vie moderne, hier occidental, universel déjà. Peut-être convient-il de faire sienne l'attitude de nombreuses sociétés protestantes, qui voient dans les hippies de véritables apôtres, dignes d'admiration et de respect. Leur courage, d'abord, impressionne. Certains d'entre eux reconnaissent comme des précurseurs les *auto-stoppeurs* qui, depuis vingt ans, sillonnent le monde sans autre bagage que le havresac sur l'épaule. Cet appel du voyage demeure puissant sur eux. On pense non seulement aux ascètes de l'Inde, mais à tous ceux qui, de Jean-Jacques Rousseau à Maxime Gorki, par von Kleist

---

1. Toynbee : avant cette prise de position violente en faveur de la jeunesse hippie, il s'est rendu célèbre par l'œuvre de toute une vie, les douze volumes de sa monumentale *Histoire de l'Humanité*, où les événements ne sont plus traités que comme des épiphénomènes de « courants de pensée » souterrains.

et Rimbaud, Whitman et Nietzsche, ont exalté la marche et le vagabondage comme des excitants pour l'esprit.

Formés à Los Angeles ou à San Francisco, les hippies quittent très tôt la ville. Une région boisée et presque déserte, au nord de Santa Monica : Topanga Canyon, en reçoit un certain nombre, qui s'entraînent là, dit-on, à de plus longues randonnées, dans le désert, les montagnes, les îles du Pacifique. Presque tous désirent se rendre dans l'Inde « pour y revenir aux sources de la foi ». La Chine aussi les tente — ou le monde qui s'y crée et qu'ils imaginent aimable, fraternel. La drogue n'est alors qu'un « voyage immobile », faute de l'audace nécessaire pour s'en aller vraiment.

Le *New York Times* a publié toute une série de portraits *hippies*. L'un d'eux se distingue, par son nom d'abord : *Galahad,* le chevalier du Graal dans la quête cistercienne, puis comme l'un des premiers apôtres du mouvement. Arrivé à New York, de la Nouvelle Orléans, dès 1966, il n'avait pas tardé à fonder un groupement : « Communauté des travailleurs de la 11e rue », dont les règles, étrangement, interdisaient l'emploi de la drogue et condamnaient la fugue pour les très jeunes gens, ainsi que « l'amour avec les filles de moins de dix-huit ans ». Ses hippies font la quête dans les bars et dans les rues : ces aumônes suffisent aux besoins du groupe — et de tous ceux qui viennent lui demander asile. « Avoir choisi la liberté, dit Galahad, est une vertu suffisante. Tout le reste doit venir par surcroît[1]. »

Certains poètes *beats* se sont convertis au mouvement hippy : Allen Ginsberg, Leary. Mais les chefs véritables sont inconnus : ils portent des pseudonymes, comme Galahad, et ne recherchent pas la publicité. Ils ne sont pas tous jeunes. Julian et Judith Beck, fondateurs du *Living Theatre,* ont adopté leurs mythes et les hippies les aiment : ils ont pourtant plus de quarante ans aujourd'hui.

Les révoltés de 1950 ne voulaient pas entendre parler des « vieilles barbes », « croulants » et autres adultes.

---

1. HIPPIES : nous ne pouvons donner d'autres sources que des articles de journalistes américains, réunis tout recemment, dans *les Hippies* (Robert Laffont) — Galahad : article de James Kent Willwerth.

Le mouvement hippy formule de la jeunesse une définition nouvelle, qui n'exclut pas le vieillard, si celui-ci est capable de traverser le Mail de Boston sur des patins à roulettes[2].

A Boston, en effet, la ville des traditions, de tels hippies de trente ans et plus, publient un journal à tendance mystique : *Avatar;* ils étudient l'astrologie et font connaître les anciens maîtres. Dans toute l'Amérique du Nord, le Noir, le *fan* et le drogué — quel que soit l'âge qu'ils avouent — sont naturellement admis dans la communauté. Le réalisateur de film, l'artiste, le musicien, le peintre sont reçus de même, à condition qu'ils condamnent l'art-marchandise et que la création soit en effet pour eux une authentique émanation de l'*innerspace.*

Mais le « littérateur » est suspecté. Le refus de la science entraîne le refus de la pensée : on ne croit pas vraiment à la puissance du mot, ou bien, peut-être, on y croit trop — et c'est pourquoi on le redoute. Même ceux qui lisent préfèrent l'étude des maîtres eux-mêmes. Il est étrange de voir ces œuvres immortelles : le Livre des Mutations *(I Ching)* ou la *Bhagavad-Gîta,* que seuls de vieux érudits feuilletaient naguère, dans les mains de filles et de garçons de vingt ans.

Le danger est ici que, faute d'une science étendue ou, parfois, sous l'effet embellissant de la drogue, n'importe quelle doctrine est reçue pour la meilleure. On ne jure plus que par le *zen,* par le Bouddha, par Jésus-Christ, sans même imaginer qu'il y eut plusieurs *zen,* plusieurs bouddhas et plusieurs christs, contradictoires les uns aux autres. Le délire dure quinze jours, ou trois — puis un enthousiasme nouveau chasse l'ancien : on se retrouve marxiste ou musulman.

« Nous ne voulons pas savoir, me disait une hippie. Nous voulons être séduits, bouleversés, changés. Moi, je lis ce qui me plaît. A la fin, tout prendra sa place. »

Ce n'est pas certain.

La jeunesse en colère : A une cadence de plus en plus

---

1. Groupe de Boston : article de William Marmon.

rapide, un mouvement chasse l'autre. En mai 1967, les *provos* d'Amsterdam se « sabordaient »; il n'était plus question de beatniks, de hooligans. Les hippies avaient tout recouvert (les *gammlers* à Munich); la tendance pénétrait certaines sectes indiennes, de formation récente telles que le *Subud,* des religions plus anciennes, ailleurs.

Un an plus tard, il n'est plus question des hippies. Les jeunes rêvent d'une action immédiate et concrète. Ils ne veulent plus vivre en dehors du monde; il leur faut le transformer.

Il devient impossible de citer tous les groupements qui naissent, aujourd'hui, dans toutes les nations et dans tous les Etats. Chaque journal du matin en fournit des moissons et ce n'est pas l'ouvrage de l'historien que collationner les coupures de presse.

Au Caire, les jeunes soutiennent Nasser; à Madrid, ils conspuent Franco. En Grèce, dans des sectes occultes et sous la menace de la prison ou de la mort, ils préparent le retour du roi; en Hollande ou en Suède, ils veulent la république. Au Texas, ils s'attaquent aux Noirs; à New York, ils combattent à leurs côtés. A Nanterre, à Paris, ils exigent l'Icarie, dont ils ne veulent plus à Prague. Deux jeunesses allemandes en viennent aux mains, deux jeunesses belges, deux jeunesses chinoises. Surpris, les adultes n'endiguent pas le flot; ils cherchent à comprendre. Ce leur serait un soulagement que d'étiqueter ces révoltes : les jeunes sont marxistes ou fascistes; ils exigent plus de confort ou une vie plus digne, ou de venir en aide aux peuples « sous-développés ». Mais tout se passe comme si la jeunesse, avant tout, ne voulait pas d'étiquette. Elle paraît prendre plaisir à démentir dans l'heure toutes les prospectives de la raison.

En fait, elle n'y pense guère. Il est vrai que les jeunesses marxistes rêvent d'une liberté individuelle et les jeunesses capitalistes d'une fraternité collective; que le jeune ouvrier veut vivre « comme les riches » et que le jeune bourgeois va nu-pieds sur les routes en rêvant de dénuement parfait. Dans l'Etat socialiste, on veut plus de liberté; dans le pays à peine libéré, le socialisme. Mais c'est peut-être que les adolescents cherchent un but à leur action et que tout « idéal » leur répugne aussitôt que l'adulte l'a pollué.

Ils refusent l'imposture, alors qu'elle est partout. L'étudiant en médecine sait ce qu'est l'Ordre des Médecins : quelles combines inavouables ont fait voter les lois qui imposent aux nations des vaccinations dangereuses ou dérisoires ou une « définition » aberrante de la mort. C'est pourquoi il demande la dissolution de l'Ordre. Etudiant en droit, ce sont d'autres combines et d'autres scandales qui ne lui paraissent plus tolérables, soudain : ils ne le sont pas.

Fils ou fille de ministre, ils savent par expérience ce qu'est un homme politique : c'est pourquoi on les trouve parmi les insurgés. Le fils de bourgeois ne peut rien espérer de la bourgeoisie, le fils d'ouvrier du prolétariat. Mais il est faux de dire qu'ils ne savent pas ce qu'ils veulent. Leur refus est encore une proclamation de leur dieu : la Liberté.

Simplement, ils ignorent tout de l'univers mythique et ils cherchent à tâtons, conduits par l'instinct seul, les plus libres d'entre eux par quelques intuitions, nécessairement furtives. Ils ne savent peut-être qu'une chose, mais ils la savent bien : que les vertus adultes ne leur seront d'aucun secours. Le respect humain et la dignité, la sensiblerie, la reconnaissance, le soin du lendemain, la courte justice — et la raison même, voilà leurs ennemis! Ceux-là vaincus, croient-ils, ils retrouveront le sens des valeurs authentiques. Ils n'ont sans doute pas tort.

Mais tout est à créer. On prévoit aisément, sans faire de pronostic, que cette création-là ne sera pas demain. Il y aura d'abord les lassitudes, fruits de l'action ingénue et trop tôt passionnée, les utilisations à toutes fins politiques ou religieuses, l'habileté d'un meneur, les ruses du Pouvoir. Puis, une autre génération naîtra.

L'homme de raison, hier, moquait les exaltés. L'adulte n'en rit plus; en regard de la ferveur cocasse, il se connaît adultéré. Il l'utilise encore, pour servir ses desseins, ses revendications, ses haines. Il s'en effraiera demain. De la terreur surgiront la violence et le crime. D'une manière ou de l'autre, les hommes de raison ne renonceront pas sans combattre à leur rêve, à peine séculaire mais dont ils ont su faire une réalité plusieurs fois millénaire, dans le refus des âges qui les ont précédés. Ils détruiront les livres, *sibyllines* d'aujourd'hui et prophéties d'hier. Ils tueront les apôtres. Puis, une nouvelle marée de jeunesse sera là.

Les coursiers du Temps galopent lentement. Nous savons aujourd'hui quel problème insoluble doit être résolu avant que l'Arbre soit : l'accord du « fils de roi » et de l'ensemble fraternel, du génie singulier et de la fête unanime, du faustisme ombrageux et du clair icarisme, de la liberté en soi, du socialisme — et, pour tout dire d'un mot, l'*accomplissement* de l'homme et de l'humanité.

Mais le plus difficile, pour celui qui a choisi de servir un dieu à naître, ce n'est peut-être pas l'alliance, à chaque Age renouvelée, des deux grandes voies mythiques. C'est d'unir dans ses actes et ses pensées de chaque jour la passion nécessaire à toute folle entreprise et l'infinie patience sans laquelle rien ne se fait.

INDEX DES NOMS CITÉS

A

Abdah (Mohammed), 378.
Abélard (Pierre), 28 ss.
Absalon (loge d'), 262.
Academy of the Sublime Masters of the Luminous Ring, 245.
Accord israélite, 355.
Adiaphoristes, 148.
Adventistes, 319.
Adventistes du 7e jour, 312.
Agapemone, 318.
Aghorapanthis (ou Aghoris), 233.
Agouda, 393.
Ahmaddiya, 378.
Ahsâ'i (Shaykh Ahmad), 330.
Akalis, 254.
Akbar, 170.
Alacoque (sainte Marguerite-Marie), 204.
Al-Hâkim, 64.
Alliance Évangélique, 311.
Alliance israélite universelle, 355.
Al-Sîd, 27.
Amauriciens, 53.
American Hebrew Congregation, 355.
Amour national, 355.
Anabaptistes, 126.
Anderson (James), 253 ss.
Andreae, 166.
Anglo-Catholiques, 313.
Anglo-Israélites, 313.
Anglo-Jewisch Association, 355.
Annichario (Circo), 299.
Anselme (saint), 24.
Anthroposophie, 369.
Antoine-le-Guérisseur, 367.
Arjun Dev, 171.
Armée du salut, 366.
Arminius (Jacobus), 133.
Arminiens, 133 ss.
Aryasamaj, 327, 356.
Assomptionnistes, 321.
Atiça, 63.
Attar (Farîd), 79.
Aurobindo Gosh, 383, 389.
Autrecourt (Nicolas d'), 98.

B

Babeuf, 266.
Bâb (le), 329.
Babisme, 329, 358.
Bacon (Francis), 199, 217.
Bacon (Roger), 85.
Bakounine, 347, 348.
Bankei, 186.
Baptistes, 132.
Barth (Karl), 407.
Beatnik (mouvement), 429 ss.
Beguines, 61.
Behaisme, 358, 422.
Berdiaeff (Nicolas), 407.
Berenger de Tours, 24.
Bernard de Clairvaux (saint), 43.
Besant (Annie), 383.
Blancs garçons, 302.
Blancs pélerins, 299.
Blavatsky (Mme), 363 ss.
Boehme (Jacob), 157 ss.
Bogomiles, 33.
Böhm (Hans), 143.
Bonjour (Élie), 321.
Booth (William), 336.
Bossuet (Jacques-Bénigne), 217.
Bostius (Arnold), 145.
Boullan (abbé), 368.
Boulgakov (Serge), 407.
Bourignon (Antoinette), 239, 257.
Brahmasamaj, 280, 359.
Brook Farm, 336.
Brothers (Richard), 273.
Browne (Robert), 132, 177.
Bruno Giordano, 195.
Buchanites, 241.
Buchido, 66.
Buchman (Frank), 387.
Bundschuh, 124.
Bunyan (John), 177.
Buonarotti, 341.
Butler (Joseph), 226.

C

CABALE (et KABBALE), 89 ss, 139 ss.
Cabet (Étienne), 355.
Cagliostro, 247.
CALDERARI, 299.
Calvin (Jean), 128.
Cambriel (L. P. François), 277.
CAMISARDS, 221 ss.
CAMORRA, 299, 357.
Campanella, 217.
Campbell (Alexander), 287.
CAODAISME, 401.
CARBONARI, 295.
CARMES, 47, 51, 144.
CATHARES, 32 ss.
Catherine de Sienne (Ste), 107.
CATHOLIQUE (ACTION), 396.
CATHOLIQUE APOSTOLIQUE (ÉGLISE), 317.
CATHOLIQUE FRANÇAISE (ÉGLISE), 315.
CATHOLIQUE LIBÉRALE (ÉGLISE), 365.
Chaitanya, 167.
Chalier, 267.
CHAMANIS, 233.
CHAUFFEURS, 297.
Chillingworth (William), 225.
CHRÉTIENS DE SAINT-THOMAS, 150, 200.
CHRISTADELPHES, 312.
CHRISTIAN ENDEAVOUR, 365.
CHURCHES OF CHRIST, 313.
CHURCH UNION, 311.
CISTERCIENS, 51 ss.
Clark (Francis Edward), 365.
COLLÈGE INVISIBLE, 415.
COMMISSION ZÉRO, 415.
COMMUNAUTÉS DE SAINTE-CROIX, DE MEUDON, etc., 336.
Commoner (Bary), 415.
Comte (Auguste), 343.
CONGRÉGATIONNALISTES, 177.
CONSPIRATION DES ÉGAUX, 266.
C. O. D. E. C. (Conférence on christian Politics, Economics and Citizenship), 396.
Cordovero (Jacob), 140.
Cranmer (Thomas), 131.
Crémieux (Issac-Adolphe), 355.
Cyliani, 276.

D

DADUPANTHIS, 170.
Dalaï Lama, 181.
Dâra Shikâh, 211.
Davis (Andrew Jackson), 367.
Dayânanda Sarasvati, 327.
Debendra Nâth Tagore, 280.
DÉFENSE POUR LA VIE, 415.
DELPHES (PRÊTRES DE), 299.
Della Porta, 195.
Désaguliers (Jean-Théophile), 255.
Digby (sir Kenelm), 206.
DISCIPLES DU CHRIST, 287.
Divine Father, 427.
DOCTRINE CÉLESTE, 262.
DOCTRINE SECRÈTE, 364.
Dowie (John Alexander), 372.
DERVICHES, 68, 79.
DRUSES (Darazi), 64.
Duns Scot (Jean), 97.

E

Eckhart (Jean), 93.
Eddy (Mary Baker), 362.
Effendi (Abbas), 388.
Effendi (Shogli), 422.
ÉGLISE CONFESSIONNELLE, 396.
ÉGLISE DE LA NOUVELLE DISPENSATION, 359.
ÉGLISE UNIE, 313.
ÉGLISE UNIVERSELLE, 287, 313.
Enfantin (le père), 307.
ENFANTS DE LA LUMIÈRE, 179.
EPHRATA, 224.
ETHICAL MOVEMENT, 365.
EVADISME, 318.

F

FAMILLE D'AMOUR (FAMILISTES), 163.
FAREINISME, 321.
FENIANS, 338.
Ferrar Nicholas, 134.
FIFTH MONARCHY MEN, 215.
FLAGELLANTS, 104 ss.
FLORE (Joachim de), 51 ss.
Fludd (Robert), 160 ss.
FONDAMENTALISME, 397.

Fourier (Charles), 307.
Four-Square Gospel, 397.
Fox (George), 178.
François d'Assise (saint), 48.
Fraticelles (ou Spirituels), 48.
Fraternité internationale, 348.
French Prophets, 223.
Frères d'Asie, 262.
Frères de la Vie angélique, 199.
Frères de la Vie commune, 107.
Frères du Libre Esprit, 50 ss.
Fuji (Société), 361.

G

Garduna, 298.
Gates (Theophilus Ransom), 318.
Girling (Mary Anne), 362.
Goats, 292.
Gokhale (Gopal Krishna), 382.
Gomateçvara, 63.
Gorakhnathis, 80.
Gormogones, 257.
Govind (Har), 171.
Graal (quête du), 53.
Granth (sikh), 171.
Groote (Gerhard), 107.
Guaita (Stanislas de), 368.
Gurdjieff, 423.
Guyon (Mme), 218, 239.

H

Hache (Société de la), 348.
Halévy (Judah), 36.
Harmonistes, 273.
Harris (Thomas Lake), 312.
Hartmann (Karl Robert von), 406.
Hemachandra, 67.
Herzl (Théodore), 373.
Hesychastes, 81.
Hetairie, 301.
Hicks (Elias), 287.
Hippy (mouvement), 431.
Histadruth, 393.
Holy Rollers, 427.
Hommes pieux d'Allemagne, 88.
Hugues de Saint-Victor, 49.
Huntingdon (Selina de), 241.
Hus (Jean), 112.
Hussites, 113 ss.
Hutterites (Frères), 200.

I

Ibn Arabî, 74.
Illuminés (sectes d'), 243 ss.
Iqbal (Mohammed), 409.
Indochinoises (sectes), 381.
Irlandais unis, 302.
Irving Edward, 317.
Isis (groupe), 370.
Ismaéliens orientaux, 69.
Israq, 73, 188 ss, 210.
Ivanovna (Akoulina). 243.

J

Jansénisme, 218.
Jean de la Croix (saint), 154.
Jeffreys (George), 399.
Jésuites, 150.
Jeune Allemagne, Jeune Italie, Jeune Europe, etc., 341.
Jezreel (James Jershom), 362.
Jodo, 184.
Johanners, 362.
Journet (Jean), 308.

K

Kabîr, 169.
Kardec (Allan), 367.
Kashfî Ja'afar, 329.
Kassides, 264.
Kelpius (Johann), 199.
Keshab (ou Keshub Chander Sen), 359.
Khlystis, 242.
Khonds, 169.
Kitham (Alexander), 287.
Knox (John), 130.
Krishnamurti (Jiddu), 421.
Ku-Klux-Klan, 347, 386.

L

LABADISTES, 198.
LAMAISME, 181 ss.
LATITUDINAIRES, 225.
Laud (William), 148.
Lead (Jane), 237.
Lee (Ann), 240.
Legate (Bartholomew), 177.
Lénine, 383.
LEVELLERS, 215.
Levi (Eliphas), 368.
Leyde (Jean de), 127.
LIGUE MUSULMANE, 379, 389.
LOLLARDS, 108.
LOTUS BLANC, 293.
Louria (Isaac), 140.
Loyola (saint Ignace de), 150.
LUDLAM'S CAVE, 289.
Luther (Martin), 123.

M

MAÇONNERIE ÉGYPTIENNE, 248.
Mâdhva, 80.
Maïmonide, 36.
MALA VITA, 371.
MARONITES, 149.
MARRANES, 148.
MARTINISTES, 262.
Marx (Karl), 350 ss.
MAUVAIS CONSEILLEURS, 288.
Mazzini (Giuseppe), 341.
MÉCHITARISTES, 149.
Melanchthon (Philippe), 148.
MEMNONITES, 128.
MÉTHODISTES, 225.
MÉTHODISTES INDÉPENDANTS, 287.
MÉTHODISTES PRIMITIFS, 287.
MÉTHODISTES UNIFIÉS, 311.
METHODIST NEW CONNEXION, 287.
Miller (William), 319.
Milton (John), 178.
Mira Baï, 166.
MISRAHI, 393.
MOETSET GUEDOLE HATHORA, 393.
Molinos (Miguel de), 239.
MONNAIE D'OR, 339.
MORAVES (FRÈRES), 114.
More (sir Thomas), 137.
MORMONS, 322 ss.
MORTALISTES. 178.
MUCKERS, 315.
Muggleton (Lodowick), 197.
Münzer (Thomas), 126.

N

Nakayama (Mme), 325.
Nânak, 169.
NÉMBOUTSOU, 66.
Néri (saint Philippe de), 147.
NETOUREI KARTA, 393.
Newman (John Henry), 313.
NEW THOUGHT, 362.
NEW THOUGHT ALLIANCE, 400.
NIAN (LES), 294.
Nichiren, 80.
Niemöller (Martin), 397.
Nimbarka, 67.
NIRMALINS, 234.
NOACHITES, 261 note.
NOMINALISTES, 98.
NOUVEAU CHRISTIANISME, 306.
NOUVELLE ÉGLISE, 245.
Noyes (John Humphrey), 318.

O

Ockam (ou Occam, Guillaume d') 98.
O-KEE-PA, 229.
Olcott (Henry Steel), 363.
OLD FELLOWS, 322.
Olier (Jean-Jacques), 203.
ORATORIENS, 147.
ORDRE DES ILLUMINÉS, 246.
ORDRE PATRIOTIQUE DES FILS DE L'AMÉRIQUE, 346.
ORMUZD (société d'), 263.
OXFORD (mouvement d'), 313.

P

PANACEA SOCIETY, 400.
Papus (Encausse, dit), 370.
PARSIS, 68.
Paschalis (Martinez), 245.

PASTOUREAUX, 56.
PATARINS, 34.
Péladan (le Sar), 368.
PHI-BÊTA-KAPPA, 288.
PHILADELPHES (au XVIIe s.), 237.
PHILADELPHES (au XIXe s.), 283.
PIARISTES, 147.
PICARD, 113.
PIKARTI, 113.
PIÉTISTES, 198.
PIFRES, 50.
Poiret (Pierre), 257.
POSITIVISME, 343.
PRATHARNASAMAJ, 359, 383.
PRESBYTÉRIENS, 130.
Prince (Henry James), 318.

Q

QALANDARS, 330.
QUADIRIYAS (ou QADIRIYAS), 68.
QUAKERS, 178, 287.
QUATRE FILS D'AYMON, 289.
QUIÉTISME, 239.
QUINTINITES, 111.
Quintus Aucler, 266.

R

Radhakrishnan, 360.
Ramakrishna, 327, 359.
RAMAKRISHNA (mouvement), 359.
Ramananda, 166.
Ramanuja, 75.
Râm Mohun Roy, 278 ss.
Ramsay (André-Michel), 257.
Rapp (Geo), 273.
RASKOL, 241 ss.
RÉALISTES, 95 ss.
RÉARMEMENT MORAL, 387.
RÉBÉCAÏTES, 321.
RED MEN, 346.
Reeve (John), 197.
RINZAÏ (école), 186.
Ripley (George), 336.
RITES MAÇONNIQUES : accepté, 253.
écossais, 257 ss.
écossais ancien et accepté, 260.
écossais rectifié, 262.
Memphis-Misraïm, 283.
Misraïm, 283.
de Stricte Observance, 261.
Ritschl (Albrecht), 365.
Roscelin, 28.
ROSE-CROIX (XVIe siècle), 157 ss.
(XVIIIe siècle), 246.
(XIXe siècle), 368.
Rothmann (Bernt), 127.
ROYAUME TRIOMPHANT, 247.
Roux (Georges), 422.
Rumî, 79.
Russel (Charles Taze), 363.
Russes (sectes), 242 ss.
Rutherford (juge), 381, 401.
RYOBU-SHINTO, 212.

S

Sadrâ (Moulla), 190 ss.
SAGESSE (école de la), 409 note.
Saint-Martin (Louis-Claude de), 245.
Saint-Simon (Claude-Henri de), 305.
Savonarole (Girolama), 144.
Schmid (Conrad), 106.
Schwenfeld (Kaspar), 143.
SCIENCE CHRÉTIENNE, 362.
SCIENTOLOGY, 365.
SCOLASTIQUE, 27, 82, 92 ss.
SEEKERS, 176.
SEICHO-NO-IE, 424.
Servet (Michel), 129.
SERVITES, 48.
SHAKERS, 240-242.
SHAKYE (école), 330.
SHINGON, 185.
SHINTO, 65, 184 ss.
SHOTO, 186.
SIKHS, 171 ss, 233 ss., 337.
SINN FEIN, 381.
SKOPTSIS, 242, 361.
Smith (Joseph), 322.
SOPHISIENS, 273.
SOPHIOLOGIE, 408.
Soreth (Jean), 144.
Southcott (Joanna), 238, 361, 400.
Sozini (Lélio et Fausto), 163.

SPARTAKUS, 386.
Spener (Philip Jakob), 198.
Steiner (Rudolf), 369.
STHANAKAVASIS, 115.
SUBUD, 435.
SVARAJ, 383.
SVARAJYA PURNA, 390.
Swedenborg (Emmanuel), 243.

T

TAI-PING, 339.
Tanchelm, 30.
TÉMOINS DE JÉHOVAH, 363.
TÉMOINS DU CHRIST, 421 note.
TEMPLE MODERNE (Ordre du), 283.
TEMPLIERS, 55.
TEMPLIERS MODERNES, 338.
TENRI KYO, 325, 356.
TERRORISTES (sectes), 347 ss., 379.
TEUTONIQUES (Chevaliers), 55.
THEMIS AURAE, 246.
THÉOPHILANTHROPIE, 280.
THÉOSOPHES ILLUMINÉS, 245.
THÉOSOPHIQUES (sociétés), 363.
Thérèse d'Avila (sainte) 154, 162.
THULÉ, 425.
THUGS, 235, 361.
Tilak (Bâl Gangâdhas), 382.
Tkatchev, 348, 384.
TOBACCOLOGICAL SOCIETY, 288.
TODTENBUND, 297.
Tom (John Nichols), 317.
TONG-MENG-HUE. 379.
TRIADE, 213, 293, 340.
Tsong-Ka-Pa, 115.
TUNKERS, 224.
Tyndale (William), 123.
Tyrrel (George), 366.

U

UDASINS. 234, 396.
UNIATES, 149.
UNITARIENS (ou Unitairiens), 163, 287, 311.
UNIVERSELLE AURORE, 249.

V

Valdo (Pierre), 30.
Vallabhâ, 168.
Vallée (Geoffroy), 194.
VAUDOIS, 30.
VEDANTA SOCIETY, 361.
VIEUX-CATHOLIQUES, 313.
Vintras (Pierre-Eugène), 320.
Vivekânanda, 359.
Voysey (Charles), 365.

W

WAHHABITES, 304,389.
Wardley (John et Jane), 180.
Weishaupt, 246.
Wesley (John), 225.
Willermoz, 246, 262.
Wirsberg (Janko et Livin), 114.
Wright (Lucy), 241.
Wroe (John), 400.
Wycliffe (John), 108.

Y

YAZIDIS, 69.
YIPPY (mouvement), 432 note.
Y. M. C. A. (Young Men's Christian Association), 427.
Young (Brigham), 323.
Y. W. C. A. (Young Women's Christian Association), 427.

Z

Zen (écoles), 79, 186.
Zindendorf (comte von), 224.
Zizka, 113.
Zwingli (Huldreich) 123.

TABLE DES MATIÈRES

Préface 7

PREMIÈRE PARTIE

LE MOYEN AGE

1. Les mouvements fraternels.................... 23
2. Les mouvements libertaires 40
3. Hors de l'Occident 63
4. Kabbale et scolastique 82
5. L'exil des Témoins........................... 102

DEUXIÈME PARTIE

LA RENAISSANCE

6. Les protestants 119
7. Les sectes du regret 138
8. La rose et la croix 157

TROISIÈME PARTIE

LES DEUX LIBERTÉS

9. La Lumière intérieure 175
10. La Colombe revenue 194
11. Le roi et les frères........................ 209
12. L'occultisme 227
13. Les Franc-Maçonneries 250

QUATRIÈME PARTIE

LE CRÉPUSCULE DES DIEUX

14. Le fond de la vallée 271
15. Le combat et l'utopie 290
16. Les messies du milieu du siècle 310
17. L'Icarie et la Religion de l'humanité 333
18. Le dernier sursaut 356

CINQUIÈME PARTIE

LE RÉVEIL MYTHIQUE

19. Les classes et les races 377
20. La nouvelle science 395
21. Le moteur trouvé 419
Index 439

ACHEVÉ D'IMPRIMER LE
20 DÉCEMBRE 1968 SUR LES
PRESSES DE L'IMPRIMERIE
BUSSIÈRE, SAINT-AMAND (CHER)
POUR ROBERT LAFFONT
ÉDITEUR A PARIS

— N° d'édit. 3008. — N° d'imp. 2764. —
Dépôt légal : 4e trimestre 1968.